JN174741

PT･OTのための

# 臨床技能とOSCE

## 機能障害・能力低下への介入編

第2版

監修
才藤　栄一

編集
金田嘉清・冨田昌夫・大塚　圭・鈴木由佳理・谷川広樹・吉田太樹・前田晃子・
鈴木めぐみ・松田文浩・藤村健太・土山和大・櫻井宏明

金原出版株式会社

# はじめに

藤田医科大学リハビリテーション部門では，2017年，「PT・OTのための臨床技能とOSCE 機能障害・能力低下への介入編」を「PT・OTのための臨床技能とOSCE コミュニケーションと介助・検査測定編」に引き続いて出版しました。ありがたいことに，両書とも多くの養成校に採用頂いてきました。

以降，臨床実習や療法士の技能に関する質向上の重要性が広く認識されるようになり，2019年には19年ぶりに改訂された理学療法士作業療法士養成施設指定規則において「臨床実習前及び臨床実習後の評価」への言及がなされ，本書の意義がさらに認められるようになってきました。

この度，2019年「コミュニケーションと介助・検査測定編」改訂版に続き，本書のアップデート版である第2版を上梓致します。本書では，課題と採点基準，動画コンテンツについて改善を図りました。さらに，採点法については，ルーブリック形式に適合した採点シートをダウンロードできるようにしました。このシートは，教員の採点だけではなく，学生の自己評価にも役立てられるものです。ぜひ，ご活用いただければと思います。さらに，皆様にとって本書が，理学療法と作業療法の技能とは何かを考えなおす一助となれば嬉しい限りです。

2019年，新型コロナウィルスが世界で猛威を振るい，社会環境が激変し，私たちの行動にも大きな影響を与えました。悪いことばかりではなく，良いこともいくつもありました。身近なところでは，オンラインのインフラ整備が加速し，遠隔による会議や講義が日常になりました。そして，これらの変化は，我々の活動や行動の適応性についても色々なアイデアを与えてくれました。

時を進めて，近い将来，ロボットや人工知能に囲まれた世界がやってきます。私たちは，これらのテクノロジーの中にあって，理学療法と作業療法がどのように変わっていくか，あるいは，変えていくか，楽しみにしています。その頃には，本書もきっと違った姿になって皆様の前にあるでしょう。

2021年11月1日

藤田医科大学 最高顧問
才藤 栄一

# 執筆者・協力者一覧


## 執筆者
（執筆順）

才藤　栄一　藤田医科大学 最高顧問
金田　嘉清　藤田医科大学保健衛生学部リハビリテーション学科 理学療法専攻 教授
大塚　　圭　藤田医科大学保健衛生学部リハビリテーション学科 理学療法専攻 准教授
横田　元実　藤田医科大学保健衛生学部リハビリテーション学科 理学療法専攻 講師
鈴木由佳理　藤田医科大学保健衛生学部リハビリテーション学科 理学療法専攻 講師
前田　晃子　藤田医科大学保健衛生学部リハビリテーション学科 作業療法専攻 助教
北村　　新　藤田医科大学保健衛生学部リハビリテーション学科 作業療法専攻 助教
谷川　広樹　藤田医科大学保健衛生学部リハビリテーション学科 理学療法専攻 講師
山森　裕之　藤田医科大学病院七栗記念病院リハビリテーション部
太田　皓文　藤田医科大学保健衛生学部リハビリテーション学科 作業療法専攻 助教
井伊　卓真　藤田医科大学保健衛生学部リハビリテーション学科 作業療法専攻 助教
小山総市朗　藤田医科大学保健衛生学部リハビリテーション学科 理学療法専攻 講師
稲本　陽子　藤田医科大学保健衛生学部リハビリテーション学科 作業療法専攻 教授
土山　和大　藤田医科大学保健衛生学部リハビリテーション学科 作業療法専攻 助教
山田　将之　藤田医科大学保健衛生学部リハビリテーション学科 作業療法専攻 講師
吉田　太樹　藤田医科大学保健衛生学部リハビリテーション学科 作業療法専攻 助教
松田　文浩　藤田医科大学保健衛生学部リハビリテーション学科 理学療法専攻 講師
藤村　健太　藤田医科大学保健衛生学部リハビリテーション学科 作業療法専攻 助教
鈴木めぐみ　藤田医科大学保健衛生学部リハビリテーション学科 作業療法専攻 教授
伊藤美保子　藤田医科大学保健衛生学部リハビリテーション学科 作業療法専攻 助教
櫻井　宏明　藤田医科大学保健衛生学部リハビリテーション学科 理学療法専攻 教授

## 協力者

冨田　昌夫　びわこリハビリテーション専門職大学 教授
寺西　利生　藤田医科大学保健衛生学部リハビリテーション学科 理学療法専攻 教授
会津　直樹　藤田医科大学保健衛生学部リハビリテーション学科 理学療法専攻 助教
粟飯原けい子　藤田医科大学保健衛生学部リハビリテーション学科 作業療法専攻 助教
壹岐　英正　渡辺病院リハビリテーション科 部長
上原信太郎　藤田医科大学保健衛生学部リハビリテーション学科 理学療法専攻 講師
杉山　智久　中京病院リハビリテーション科
鈴村　彰太　藤田医科大学保健衛生学部リハビリテーション学科 作業療法専攻 助教
武田　和也　藤田医科大学保健衛生学部リハビリテーション学科 理学療法専攻 助教
田辺　茂雄　藤田医科大学保健衛生学部リハビリテーション学科 理学療法専攻 准教授
都築　　晃　藤田医科大学保健衛生学部リハビリテーション学科 理学療法専攻 講師
中島ともみ　藤田医科大学保健衛生学部リハビリテーション学科 作業療法専攻 講師
水谷　公司　藤田医科大学病院リハビリテーション部 課長
毛利　将平　藤田医科大学保健衛生学部リハビリテーション学科 作業療法専攻 助教
渡辺　章由　藤田医科大学保健衛生学部リハビリテーション学科 作業療法専攻 講師
渡　　哲郎　藤田医科大学保健衛生学部リハビリテーション学科 理学療法専攻 助教

# CONTENTS

の項目は，QRコードからWeb動画をご視聴いただけます。



## レベル4 ● 能力低下に対する介入技能

# 本書の使い方

## 本書の構成

本書は，2015年4月に出版した『PT・OTのための臨床技能とOSCE コミュニケーションと介助・検査測定編』の続編です。前書ではコミュニケーションと介助技能をレベル1，検査測定技能をレベル2と設定しました。本書では「機能障害と能力低下への介入編」と題し，機能障害に対する介入技能をレベル3（9項目），能力低下に対する介入技能をレベル4（9項目）と位置付けました。

本書では療法士として人の活動に介入する技能の習得を目標とする項目を取り上げています。人の活動に介入するにあたり，介入方法や対象となる動作に共通して確認しておかなければならないことを「機能障害・能力低下に対する介入技能習得のための確認事項」に「運動と動作」「機能障害と能力低下に対する介入—運動学習を中心に」「動作分析」としてまとめました。

前書と同様，項目ごとに介入技能のポイントを解説し，OSCE課題を設定しています。レベル3に設定された項目は筋力増強運動や物理療法など，1項目で学習すべき範囲が広いため，技能解説は該当項目で設定されたOSCE課題を中心にまとめています。レベル4の介入技能の解説には「練習の組み立て方（課題難易度に影響する要素）」の項を設け，各動作練習の難易度に影響する要素について概説するとともに練習の組み立て方の一例を提示しています。これはあくまでも一例であり，代表例でもありません。すべての患者にこのまま適応できるものではないので注意してください。

OSCE課題は，レベル3では介入課題，レベル4では分析課題と介入課題を設定しました。レベル4「ポジショニング」に関しては，OSCE課題の作成を試みましたが，他のOSCE課題に比べて時間を要するため，OSCE課題は設定せず，介入技能のポイント解説のみとしました。OSCE課題はありませんが，他の項目同様，療法士が身につけるべき介入技能であると考えています。テキスト構成は，「課題の提示（設問，準備するもの，患者情報，課題の目標）」「手順」「採点基準」「OSCE担当者確認事項」とし，患者情報（レベル4の分析課題を除く）には「経過と目標」を付記しました。「経過と目標」はOSCE課題の患者情報を補足することを目的に，介入技能のポイント解説の「練習の組み立て方（課題難易度に影響する要素）」で提示した要素をもとに作成しました。これは練習の組み立て方の一例であり，類似症例にそのまま適応できるものではないと考えています。患者情報の補足と練習の組み立て方の考え方の参考になれば幸いです。

動画教材も用意しており，レベル3のOSCE課題では求められる介入技能の一例を示しました。レベル4はこれに加えてOSCE課題の患者情報の補足提供として，分析課題では事例を，介入課題では療法士による介入のない状況での患者の動作を示しています。なお，動画に登場する模擬患者は，健常者が演じています（動画の視聴方法は「web動画のご案内」参照）。

## 学習者のみなさんへ

前述した通り，学習を始めるにあたり，まず「機能障害・能力低下に対する介入技能習得のための確認事項」を理解していただきたいと思います。そのうえで各項目の介入技能の習得を目標に，技能のポイント解説やOSCE課題の手順をよく読み，動画を参考にポイントや手順を十分に理解していただきたいと思います。しかし，学習者に求められる最も大切なことは，学習内容を理解したうえで「できるようになる」ことです。「できるようになる」ためにも自身の身体を動かして技術を繰り返し練習しなければなりません。また，練習する際には患者体験が大きな気づきの機会となります。そのため，患者役を演じ，他者による介入の影響を体感しながら学習していただきたいと思います。

OSCEを受験する際は，OSCE課題の患者情報（介入のないときの動作を含む）を十分に把握してください。実際の臨床場面でも患者情報の収集と把握は，リスク管理や効率の良いリハビリテーションを実施するうえで重要となります。また，「採点基準」も参考にすると，どのような技能を求められているのかを整理しやすくなります。

## 指導者のみなさんへ

本書を用いて臨床技能を指導される際には，本書にまとめた介入技能のポイントの基本方針に相当する「機能障害・能力低下に対する介入技能習得のための確認事項」をまず初めにご一読いただき，続く各項目の指導にご活用ください。

OSCE 課題は学習者の技能習得状況を確認するためだけでなく，技能習得のための練習課題としてもご活用ください。学習者が課題で設定した患者役を演じられるよう病態の把握を促すことは，臨床技能の習得を促進すると考えます。

OSCE を実施するにあたり課題の難易度にばらつきが生じないよう，あらかじめ「OSCE 担当者確認事項」を確認していただく必要があります。いうまでもありませんが，模擬患者には患者情報を十分に把握したうえで再現性の高い演技が求められます。試験環境も極力一定にできるよう，本書の OSCE 課題の「設問」や「準備するもの」「OSCE 担当者確事項」を参考に，十分な準備が必要です。各施設の物品の所有状況や環境によって，本書で設定した「設問」や「採点項目」の変更が必要となる場合は，学習指導段階で受験者となりうる学習者と共有しておくなどして本書をご活用ください。

## web 動画・ルーブリック・採点シート集のご案内

- 本書では，「レベル 3」「レベル 4」各項目に対応する動画を web 上にてご視聴いただけます。
- 動画は，各項目の対応動画 のQR コードを読み込むことにより，お手持ちの端末（スマートフォン，タブレット端末等）でご視聴いただけます。
- QR コードのご利用には QR コードリーダーが必要となります。
- 動画は，金原出版 web サイトでもご視聴いただけます。金原出版 web サイト内の読者サポートページにアクセスのうえ，ログインしてください。ログインには下記パスワードが必要です。
- ルーブリック（本書巻末に掲載）および採点シート集（本書未掲載）は，金原出版 web サイト内の読者サポートページより PDF にてご利用いただけます。

パスワード：**knhr75067**　＊半角小文字

**ご注意**

- 動画の無断複製・頒布，個人が本書の購入・使用に付随して再生する以外の使用は固く禁じます。
- 本サービスに関するサポートは行いません。再生によって生じたいかなる損害についても，金原出版および著作権者は責任を負いません。また，本サービスは金原出版および著作権者の都合により変更・訂正する場合があります。
- QR コードは株式会社デンソーウェーブの登録商標です。

# 客観的臨床能力試験（OSCE）とは

1 療法士の臨床教育の展望

2 COSPIRE
—療法士が生まれる場のあり方

3 OSCE の概要

4 OSCE の実施における要点

# 1 療法士の臨床教育の展望

わが国で理学療法士と作業療法士が誕生し，半世紀が過ぎた。この半世紀の間，われわれ療法士を取り巻く環境は大きく変化した。1966年，日本理学療法士協会110名，日本作業療法士協会22名の会員で発足した両会は，現在，日本理学療法士協会が129,875名（2021年11月現在），日本作業療法士協会が62,294名（2021年11月現在）と，他の医療関連職種団体に勝るとも劣らない職能団体へと成長を遂げた。また，この半世紀の間，医学・医療技術は飛躍的に進歩するとともに，医学・医療に対する社会的ニーズは大きく変化し，医療現場では多様化が進んだ。さらに，日本は超高齢化社会に突入し，現在，厚生労働省によって「地域包括ケアシステム」の構築が推進され，理学療法士や作業療法士の職域が広がりをみせている。このような社会情勢の変化に伴い，われわれ療法士はより一層の幅広い専門知識と先端医療に対応する高度な技術，高いコミュニケーション能力やチーム医療を遵守できる協調性が求められるようになってきている。しかし，その一方で，療法士を養成する教育の現場は多くの問題を抱えている。

現在，療法士の養成校に限らず，教育機関が18歳人口の減少問題に直面している。内閣府の調査では，平成4年度に205万人であった18歳人口は，平成26年度には118万人まで減少しており，18歳人口の進学率も頭打ちであると報告されている。その結果，1990年代後半から急増し続けた養成校の一部には，すでに定員割れを起こし，募集停止や閉校に至る養成校まで出現している。定員割れは，入学生の基礎学力低下を引き起こす。

また，療法士の臨床教育の要ともなる「臨床実習」にも大きな問題を抱えている。その一つが，臨床実習時間短縮と卒後教育の問題である。この半世紀の間，理学療法士作業療法士学校養成施設指定規則（以下，指定規則）が改定され，臨床実習時間は1,680時間から810時間に減少した。2019年の改定で，臨床実習時間は単位数が18単位から20単位に増加したものの，1単位45時間が40時間に短縮し，実習時間外に行う学修を含めた45時間以内と定められ，臨床実習時間は実質的には減少している。このような状況において，減少した臨床実習の代替となりうる卒後の臨床教育の制度は存在しておらず，就職先の施設が新人教育を担っている現状にある。

そして，われわれにはもう一つ大きな問題が残されている。それは「標準化された技能の不在」の問題である。2019年の指定規則の改定では，臨床実習指導者に臨床実習指導者講習会の受講が義務づけられ，講習会において診療参加型臨床実習の指導方法がプログラムに加えられた。しかし，適切な方法論に基づいて臨床実習を進めても，指導者が何ら基準のない経験則だけに頼った技能だけ教えていても意味がない。さらにこれらの技能の大部分は，明確な手順が定まっておらず，理論や解釈も曖昧となっているものが多く，結局，経験則で解決しなければいけないことが多く存在する。このように明確な「標準」が不在のまま，技能に対する多少の曖昧さが許容されてきたのは，われわれが「名称独占」で保証されていたがゆえかもしれない。

この問題に対して，われわれは“技能”の「標準」となるモデルを構築することを目的として，2001年から繰り返しの議論と検討を重ね，『PT・OTのための臨床技能とOSCE』を作り上げた。本書の発刊によって，レベル1：コミュニケーション能力と介助技術，レベル2：検査・測定，レベル3：機能障害に対する介入技能，レベル4：能力低下に対する介入技能と全編を揃えることができた。すべての技能は，技能ごとに理論・手順などの解説と，その技能の習熟達成度を客観的に測る客観的臨床能力試験（objective structured clinical examination；OSCE）で構成されている。

OSCEは，技能をどの程度習得できているか，主観ではなく客観的に判定する試験である。技能に対する曖昧さを極力省くため，本書のOSCEは各技能の要点（採点基準）を細分化し，詳細な判定が可能となるよう設定されている。このように一つの標準化された技能を客観的に判定する取り組みの積み重ねが「療法士の質の担保」につながるのではないだろうか。

最後に，2019年の指定規則の改定では臨床実習前後の評価が必修化された。この臨床実習前後の評価は，医師養成においてはすでに制度化され，全国の医科大学，医学部等で共通試験としてCBT（computer-based testing）やOSCEが実施されている。療法士養成では，全国で統一された試験は存在しておらず，今後，医師養成にならい，制度化が進み，全国共通のOSCEも誕生すると考えられる。その過程において本書が議論のきっかけを作り，役立つことになれば嬉しい限りである。

# 2 COSPIRE（コスパイア）—療法士が生まれる場のあり方

少子高齢社会はリハビリテーション医療に大きな影響を与えている。「高齢化」は需要の継続的拡大を，そして「少子化」は供給者確保の問題をもたらす。この問題は2040年頃まで続くであろう。療法士が生まれる場である養成校は，この2つが組み合わさった複雑な状況のもとにある。

藤田保健衛生大学は，1992年に開校したリハビリテーション専門学校を2007年に発展的に閉校し，2004年春，医療科学部リハビリテーション学科（当時は衛生学部リハビリテーション学科）を開設した。同時に，藤田保健衛生大学リハビリテーション部門では，その使命を果たすため『COSPIRE（コスパイア）プロジェクト』を開始した。

本項では私たちの臨床指向的教育／学習・研究統合プロジェクト，COSPIREの考え方を紹介する。

COSPIREは新しい療法士教育／学習を目指したプロジェクトである。また，リハビリテーションチームのあり方そのものを問うプロジェクトでもある。

## 1 「少子高齢社会」と療法士養成

療法士養成の現場は，高齢社会の需要圧力による養成校急増と少子化による学生数減少が混じり合った複雑な状況にある。

日本は，これからさらに著しい高齢社会になる。65歳以上の人口は2005年に20％であったが，2030年には32％，2055年には41％と増加を続ける。高齢化率という考え方でみると，すでに2007年に超高齢社会（21％以上）に突入している。

高齢社会の医療・福祉分野を実際に支えていく中核がリハビリテーション医療関連の諸科学・技術である。そのため大きな社会的要請によって多数の学校新設が認可され，多くの卒業生が出るようになった。1990年時点において理学療法士（PT）約10,000人，作業療法士（OT）約4,700人であった有免許者数は，2014年にはPT約120,000人（1990年の12倍），OT約70,000人（1990年の15倍）と急速な増加をみた。

一方，現在の日本が抱えるもう一つの側面，少子社会は学校運営上，深刻である。18歳人口は第2次ベビーブームの影響により1986年から急増し，1992年にピークの205万人に達したが，以降は減少に転じ，わずか8年後の2000年には151万人になり，さらに2009年には121万人とピーク時の6割まで減り，その状態が持続している。2018年を過ぎると，再度減少傾向をたどり，2031年には104万人まで減少するといわれている。

このような状況下で，養成校増加と入学希望者減少が相まって，学校はその適性を見定めた入学基準を維持することが困難になり，理想とする教育を行うには相当な努力を要するようになった。この点が学校のスタンスを弱気なものにし，学生を消費者として扱い，過度に迎合するような風潮さえ生んでいる。

## 2 療法士養成の問題点

現状の療法士養成校はさまざまな問題を抱えている。上記したように表に見えるものとして，養成校急増による教員の水準低下，実習施設の不足，入学希望者減少に伴う学生の問題意識低下，学生の学力低下がある。また，養成校の形態が専門学校，短大，大学とさまざまで，養成期間が3年，4年と異なるなど，養成校の格差も解決すべき課題であろう。

しかし，私たちは「臨床不在」こそが最大の問題と考えている。理学療法・作業療法は治療の学問である。つまり臨床科学である。しかし，医師教育と異なり，その教師陣，教育場面は臨床から離れたものである場合が多く，根本的問題となっている。すなわち，教師の臨床経験不足・臨床からの隔離，臨床実習の外注，卒後教育の不足が内容的問題である。

## 3 私たちの試み—COSPIREプロジェクト

COSPIREは臨床中心の教育／学習・研究プログラムである。ここでは教育／学習を中心に話を進める。COSPIREの骨子は，臨床を中心に考える，専門家教育／学習の本質を考える，基準課題を卒後におく，専門家による教育，というものである。

つまり，

- 教員のあり方を見直し，日常的に臨床に接する場面を大学病院内に設定した。
- 臨床実習を最重要と位置づけ，大学病院で教員が臨床実習を行うことを基本とした。
- 卒後教育・学習を重視し，教職員，卒業生，関連施設に継続的教育／学習を提供するシステムを作った。

## 4 COSPIREの前提概念

### A 臨床が中心

理学療法士や作業療法士というリハビリテーション専門家は，臨床家，すなわちリハビリテーション臨床をその活動の場とする人間である。今日の患者を助けつつ明日の臨床をより素晴らしいものとするため，臨床・教育／学習・研究に励んでいる。臨床がすべての中心にあることが大前提である。

### B 専門家教育／学習の目的

私たちは，専門家教育／学習を「専門家集団がその社会貢献と発展の継続性を確保するための仲間づくり」と定義する。リハ専門家を含む「医療者の専門性」の特徴は，臨床を支える利他性，科学性，そして行為性にあり，これらの基礎を会得することが学生の課題となる。

利他性とは，他者の利益を第一義に考える態度を意味する。ともすると忘れられがちだが，自由主義（市場主義）の社会体制では職業人としての利他性はむしろ辺縁的態度であり，十分な再確認が必要である。学生は，自分のために学ぶのではなく人に役立つために学ぶという「覚悟」を正面から受け入れる必要がある。

また，まじないと医療の本質的な差異が愛情や献身性にあるのではなく，科学性にあるという認識が重要である。科学性を考えるうえで見逃せない側面は，今までの膨大な積み重ねデータが存在し，その刷新が常時行われていること，そして，それらを保証する厳密な科学的方法論という基本ルールが存在するということである。そのため，その修得には膨大な時間と努力が要求される。さらに，これらの側面では，例えばいわゆる伝統的技能を綿々と伝えることに美しさを求める職人の生活とは異なり（一流の職人に対しては失礼な表現であるが），常に学び続け，データの書き換えを図り続ける生涯学習の重要性を強調しておきたい。

行為性は評論や批判とは異なり，はっきりした解のない場面で人の生活を不可逆的に変える行為を行う必要性，つまり極めて深刻な責任を伴う積極性，能動性を意味する。臨床における行動の多くは，建前とは裏腹に，対照比較ができない課題である。

### C 基準課題という観点

療法士教育／学習プログラムの前提は，「卒後の臨床場面での問題解決を基準課題（criterion task）として，学習法則に基づいた教育／学習を行う」というものである。

リハビリテーション医学・医療は「学習の医学・医療」である。患者の学習機能を利用して，障害に適した新しい行動を学んでもらうことがその治療の中核だからである。私たちは，リハビリテーション医学・医療の概念は学生教育／学習にも応用できると考えている。

ここでは，その重要な概念である「基準課題」と「学習の特異性」について触れる。基準課題とは，学習や練習の本来の目的となる課題を意味する。例えば，バスケットのスローイング練習は，試合でのフリースロー（基準課題）で役立って初めて意味がある。学習や練習の成果が基準課題で発揮できるとき，転移性（transference）が高いという。そして，課題が似ているほど転移性が高い，という特異性の原則（near transfer）がある。

ところで，専門家という視点で眺めると，卒業や国家試験合格は専門家としてのスタートであって，決してゴール（最も重要な基準課題）ではないことに気づく。臨床に出て患者に適切な治療ができること，有効な経験を積めること，その中で生涯伸び続けることが最も大切なことなのである。つまり，最大の基準課題は「臨床家として療法士人生における患者治療成果の積分値を最大化すること」といえる。

この転移性の観点に立つと，授業，ノート，テストといった通常見慣れたアイテムも，もう一度その意味を考え直す必要が出てくる。なぜなら，卒後の臨床という基準課題場面には，授業，ノート，テストといったアイテムはほとんど存在しないからである。さらに，学生の態度（姿勢）についての考え方にも再考が必要である。つまり，学生を「消費者」として捉えるなら，卒後の臨床家という「生産者（行為者）」との姿勢のギャップは極めて大きくなってしまうからである。

私たちは，卒後に利他的・科学的・行為者である臨床家としてその責務を全うできるよう，そして生涯にわたり学習態度を継続できるよう，以下のように基準課題を洞察し，学生の教育／学習上の基本的戦略とした。

想定される基準課題場面，すなわち卒後の臨床現場は以下のようなものである。

①動機づけ：臨床現場では，試験はなく教師はいない。つまり，外部からの合理的な動機づけ機構やペースメーカーは乏しいといってよい。

②学習目標：正解のある試験と異なり，臨床現場では正解の存在さえ未知であることがしばしばある。そして真理は常に刷新される。

③学習課題：臨床現場では，誘導（guidance）など手続き課題（procedural task）が数多く存在する。

④学習手段：臨床現場では授業がない。学生時代の大切なノートも，やがてはセピア色になってしまう。

⑤環境条件：療法士の場合，卒後教育／学習システムが圧倒的に不足している。一方，チーム医療として他職種との多関係性が必須である。

そこで，COSPIREでは以下の観点を重視する。

①Heart（利他的科学的行為者姿勢の獲得）：態度としての利他的規範と科学的好奇心賦活の強調，能動性の強調によって内在的動機づけを形成する。

②Brain（科学的視点の獲得）：科学的思考としてのメタ認知・メタ学習視点を誘導する。ノウハウを学ぶだけでなく，ノウハウの学び方を学び，卒後，臨床という不良設定問題環境の中でも生涯学習ができる専門家になることを指向する。

③Hand（実地技術の獲得）：体系的実習による技術の学習を重視する。OSCEはその一環をなす。

④Tool（生涯学習能力の獲得）：学習手段としてのコンピュータ識文，英語識文，教科書・文献利用を促進する。

⑤Suit（対人関係能力の獲得）：円滑な臨床導入としての臨床リハーサル，対人関係技術を習得する。

## 5 専門家による教育

COSPIREは「専門家による教育」を目指す。そのために教師はモデルになる必要がある。専門家教育において考えるべき必要があるもう一つの点は，教育方法として「教育の専門家」がよいのか，「専門家による教育」がよいのかという問題である。この点について二分法的な立場はとらないが，いくつかの点で専門家による教育を中心に据えるという考え方を採用する。

最大の理由は，「複雑な課題はモデルの模倣から始めると効率がよい」という考え方による。例えば，（多少失礼な表現になるが）文学部において教授になってやろうと思う学生はそう多くないはずである。しかし，医師の教育においては，学生のほとんどが教師と同じ職業生活，すなわち医師になることを目指して学ぶ。そして，多くの場合，同じ職業を目指す人々間の教育／学習は，そうでない場合に比べ効率的である（最近の医学教育改革における主張とは多少意見を異にする）。

つまり，極めて複雑で膨大な課題を苦労して学ぶこのような場面（専門家教育）において，効率の良い方法の一つに「教師というモデルの模倣（あるいは同一化）」というスタンスから始めるというものがある。日本の武道などで古くから伝わる「守・破・離」といわれる修行の段階は，このモデルの発展段階を指すものである[注]。

しかし，医療者の中でも医師以外の専門家の教育場面では，むしろその分野の臨床家ではなく，教育の専門家になってしまった教師によって教育がなされることが多いようである（その理由については省略する）。そして，さらに療法士教育の場合，近年の養成校急増により臨床経験の少ない教員で溢れるようになっている。これは臨床家としての専門性を考えた教育の場合，不利な状況と思える。

私たちは以上の点を突きつめ，COSPIREという臨床指向的システムを開発した。すなわち，「教員は臨床家として生活することを基本とする」と再定義した構造を作った。私たち専門家は，専門家（臨床家）として美しい姿になりたいと願いながら，社会に対して継続してその使命を果たすために後に続く仲間を必要とし，教師として仲間になりたいという志のある人間（学生）に目を向けるのである。

蛇足になるが，私たちは，近年しばしば強調される大学教育におけるファカルティ・デベロップメント（faculty development），つまり教育指導能力の開発という動きに反対の立場をとっているわけではない。そのうえで，専門家とその教育という観点はとりわけ大切であり，この点を強調する必要があると考えている。

注）専門家の養成に関して昔から徒弟制度を支持する考え方とその批判の両者が存在する。職人制については正統的周辺参加といった考え方，大学に関してはフンボルト主義とフォーディズム（フォード主義～消費者主義）の対比などがある。筆者は，学習の転移性という観点から消費者主義強調の問題点を感じている。また，福澤諭吉の「半学半教」という考え方は，徒弟制の悪い部分を減じながらモデル模倣の発展性を確保できる良い例と考えている。

## 6 カリキュラムの要点

COSPIREという戦略のもと，戦術としてのカリキュラムの要点は以下のようになる。

### 1）科学的視点獲得の促進

4年間を通して，各科目間の繋がり（文脈）を正しく把握しながら系統的に学ぶ重要性を強調する。

### 2）利他的行為者姿勢の獲得

社会人になるために必要な基本的な知識・態度を確認し，医療人としての広い視野とバランスのとれた教養を身につけるために，全教科を通して，利他的行為者としての姿勢を真摯に論議できる雰囲気・環境を作る。

### 3）生涯学習能力の獲得

「5年前の常識は非常識」が科学の世界である。したがって，必要な情報を手に入れて吟味し自分のものとする生涯学習能力が必須となる。“Science speak English”である。英語識文literacyを高めるために，3年間にわたり120時間を設けた。また，情報ツールとしてのコンピュータを使いこなすために5単位を設定した。これにより，生涯にわたり科学的根拠に基づく研究活動，臨床活動を支える能力の獲得を可能とする。

### 4）専門基礎学習

医科系総合大学のメリットを生かし，充実した科目設定を行った。解剖学では実習も取り入れたので，人体構造への理解を深められる。また，言語関連の3単位を加え，コミュニケーション，認知機能への理解を促進する。

### 5）専門教育

各科目の講義，実習は，原則として2人以上の教職員講師が共同分担し，講義の客観性を高めると同時に，相互評価による発展を期待する。

### 6）実地技術の習得①

技術の確実な習得のため，各学年の終わりごとにOSCEを行い，到達度を確認する。COSPIREとOSCEは，リハビリテーション専門学校の学生調査の検討結果に基づいて入念に計画されたものである。

### 7）実地技術の習得②

臨床実習は，全体で38単位（1,590時間）と極めて十分な時間設定にした。この豊富な臨床実習の多くを，当校の教員が直接，臨床現場で実際に患者を治療しながら学生に教育する。私たちは，療法士教育の大きな弱点の一つに「卒後教育の貧弱さ」があると認識している。そのため卒前に十分な臨床実習を行い，その弱点を克服する。

### 8）対人関係能力の習得

臨床は人間を対象としたものである。人との接し方は，熟練を要する技術に裏打ちされる必要がある。基礎，専門，実習を通して，対人関係に対する意識的配慮を姿勢として学ぶ。

## 7 学習と教育

最後に，COSPIREの基底にある教育と学習の関係性について触れておく。

教師と学生は役割関係で結ばれている。対の役割関係には種々の形態があるが，この二者のような関係性は相補的役割関係と呼ばれる。

学生の能動性は，基準課題という観点でみた場合，能動的役割の典型である専門家になるために必須のものといえる。つまり，学生が能動的に「学習する，学ぶ」ことは，その後の基準課題である専門家役割とフィットする。課題は似ていれば転移が起こりやすい訳である。しかし，「最近の学生の動機づけは……」という動機づけへの疑問がしばしば聞かれる。そのために，「教師は学生の動機づけに責任を持たねば……」という考え方が生まれてくる。

ここで一つ考えてみよう。「責任を持たねば……」という意識は役割意識そのものである。そして，非常に能動的な意識であり，教師という専門家の役割に適したものである。しかし，この教師役割が強くなればなるほど「教育する，教える」という意識が強くなり，それに伴って，相補的な関係にある学生側は「学習する，学ぶ」ではなく，次第に「学習させられる，教えられる」という受動形に変わってしまうのではないであろうか。相補的役割では，このような能動－受動の役割関係はしばしば両者の安定をもたらす。しかし，安定した役割関係も，その基準課題に沿わない設定であれば本末転倒であろう。

そこで，教師は学生に対し積極性を発揮しすぎるのではなく，臨床という専門性に積極性を示し，一種のモデルとして学生に「背中をみせる」のである。それによって，学生はモデルを学ぶという積極性をためらいなく発揮できる機会を増やせるであろう。これが臨床中心のCOSPIREの目指す「臨床－教育－学習」の関係性である。

学生に「美しい背中」をみせるのは並大抵のことではない。それは決して「背を向ける」ことを意味するのではなく，患者を診つつ，自分の背中をみている学生に注意しながら，学生が自分でモデルを作る過程を支援するのである。能動的な教師は，臨床なしには「教育に走ってしまい」,「過度な教育」をしかねない。「臨床中心」という姿勢は，その意味で「教育」という能動性の調整が難しい課題を適切な強度にペースダウンしてくれると思う。

課題達成において最も重要な調整が課題難易度の設定にあることは，リハビリテーション医療が教えてくれることである。

ただ「褒める」ことではなく，また「過度」ではない「適切な量と質のフィードバック」が重要であることもリハビリテーション医療では常識になっている。

# 3 OSCEの概要

## 1 OSCEの歴史—医学生に対するOSCE

医学・医療が急速に変化する影響を受けて，医学教育は大きく変貌を遂げている（表1）[1]。これから紹介するOSCEの世界的普及と発展はその顕著な例である。

教育とは，「学習者の能力を向上させるための働きかけ」である。医学教育はカリキュラムという明示的システムをもち，教育目標は学生を主語とする。また，目標能力はブルーム（Bloom BS）の「知識，技能，態度」の3領域にその基礎をおく。そして医学教育の最終目標は，この3領域の目標能力の達成により医学・医療を発展させ，患者や社会にその恩恵をもたらすこととする[1]。

さて，近年の医学の長足な進歩と医学における人道主義の規範の徹底は，治療選択におけるインフォームド・コンセントの促進とEBMの徹底，そしてQOL追求の深化をもたらした。そのため，世界の医学教育は膨大な医学「知識」の学習に教育期間の大半を費やす従来の医学教育から，「知識」の生涯学習化（卒前・卒後教育）を進める一方，知識に裏づけられた「技能，態度」の医学教育に力を注ぐようになってきた。そのために多くの医学部・医科大学では「技能，態度」の医学教育に実技試験を課してきたが，それは普遍的なものではなく，また客観的な能力評価に行き詰まっていた。

評価は目的によって総括的評価と形成的評価に分かれる。総括的評価とは学習過程が終了した段階における合否や進級のための評価であり，形成的評価とは学習過程の途中でその学習目標がどの程度達成されているかどうかについて測定する評価である[1]。進級の度合いに応じて，実技試験には総括的評価も形成的評価も行われうる。また，国家試験での実技試験であれば総括的評価といえる。

1975年，イギリスの医学教育に影響力をもつハーデン（Harden RM）ら[2]は，従来の医学教育における臨床技能レベルの能力評価に一石を投じた。彼らが提案したのがOSCEである。OSCEの特徴を表2[1]に示す。

OSCEは瞬く間に世界中に普及し，日本においては1993年の川崎医科大学[1]での導入を機に，「医学教育モデル・コア・カリキュラム」（文部科学省医学・歯学教育の在り方に関する調査研究協力者会議）の提案を受け，2005年からコア・カリキュラムの実習前実技試験，共用試験OSCEとして，すべての医学部・医科大学80校で実施されるに至る[1]。そして，高学年での臨床実習後試験あるいは卒業試験としてAdvanced OSCEが行われるようになり，国家試験へのOSCEの導入も検討されている。なお，カナダでは1992年，医師国家試験にOSCEが導入され，アメリカでは2005

表1 医学・医療の変化

| |
|---|
| 医学情報・医学知識の変化<br>量の増大，質への批判，領域の拡大と細分化，疾病構造の変化，IT の発達 |
| 保健・医療・福祉システムの変化<br>個人の守備範囲↓，チーム・グループ診療↑，外来・在宅診療↑，病棟診療↓ |
| 患者の考え方の変化<br>独自の情報↑，能動的・主体的，価値観の多様化，EBM の要求，医療に対する寛容性↓ |
| 医師の変化<br>教えること・学ぶことの質・量↑，余裕↓，生涯学習の必要性↑，他職種との連携↑，コミュニケーション能力の必要性↑ |
| 医学生の変化<br>医学教育への要求↑，教育目標↑，自己学習能力の必要性↑，バックグラウンド・価値観・将来像の多様化 |

（大滝純司 編：OSCE の理論と実際．pp1-165，篠原出版新社，2007．より）

表2 OSCEの特徴

1）ステーションと呼ばれる小部屋を数個ないし数十個連続的に配置し，各ステーションに課題を設定する。
2）筆記試験や口頭試問などいろいろな形式の課題を設定できるが，医療面接や身体診察など「技能」や「態度」領域の能力を測定するための実地試験（practical examination）が中心になる。休憩するためのステーション（レストステーションと呼ばれる）を所々に配置することもできる。
3）実地試験を行うために，本物の患者同様の演技とその患者役の立場からの評価ができるように訓練を受けた標準模擬患者 standardized patient（SP）や，模型／シミュレーターを利用する課題が多い。
4）実地試験のステーションには評価者が配置され，評価（測定）マニュアルに従って所定の評価用紙に測定結果を記入する。SPからの評価も必要に応じて加味される。
5）受験者は各ステーションに1人ずつ入り，進行係の合図（全体に聞こえるベルや放送などによる）に従って，予め決められた一定の時間（通常は数分間～数十分間）ごとに隣のステーションに移動しながら一連の課題に対応し，ステーションを一巡する。
6）必要に応じて，各ステーションの評価者やSPが受験者に対して指導（feed back）を行うことも可能である。

（大滝純司 編：OSCEの理論と実際．pp1-165，篠原出版新社，2007．より）

年に医師免許試験に導入されている。また，ハーデンらのOSCE提案より早い1964年，バローズ（Barrows HS）らにより標準模擬患者（standardized patient；SP）の導入が『医学教育』誌で報告され，その後，OSCEに導入されてSPは世界に普及する[1)]。現在，医学教育の各段階（卒前・卒後・生涯教育）において要求される臨床能力の教育と評価のために，OSCEは最も望ましい評価方法であるとされている。

## 2 医学教育におけるOSCEの利点と効果

大学医学部・医科大学で実施されているOSCEには，①臨床実習開始前，②臨床実習後，③卒業時の3つの実施時期がある。このうち臨床実習開始前の共用試験OSCEの課題は，医療面接，頭頸部診察，胸部診察，腹部診察，神経診察，救急蘇生あるいは基本的外科手技の基本6ステーションからなる[1)]。これらが手技として身についているかどうかを判定することが目的とされている。一方，臨床実習後OSCEでは，医療面接や診察手技でも症例を想定した場面設定になっているものが多く，患者の異常所見を適切に得られるかどうか（例えば，腹痛を主訴に来院したSPに対する医療面接や胸痛を主訴に来院したSPの胸部診察など）に主眼がおかれる傾向にある[3)]。

このように，臨床実習開始前OSCEでは手技の確認，臨床実習後OSCEでは異常所見の把握，そして卒業時のOSCEでは診療の流れに沿った臨床推論に主眼が置かれており，求められる基本的臨床能力の深さが段階的に増すように設計されている。臨床実習開始前の共用試験OSCEのように基本的な手技や医療面接など個別課題を中心とするものに対して，卒業時のOSCEは総合的に臨床能力を評価することが期待できる[3)]。

医学教育におけるOSCEは，学生に医師として必要な技能，態度の基本能力を身につける効果をもたらした。さらに，学習目標の到達には卒前・卒後教育の連結が必要であり，その役割をOSCEは果たしていると思われる。膨大な時間と場所と人員を要求されるOSCEであるが，現在は医学教育において効果を上げる安定した教育および評価手法として定着したといえる。

最後に，歯学教育や看護教育ではすでにOSCEを導入している。遅きに逸する感はあるが，演習や臨床実習等を通して技能習得を重視している理学療法士・作業療法士の教育にOSCEを導入する動きが急速に強まってきている。その先鞭をつけたのが藤田保健衛生大学リハビリテーション専門学校および同大学医療科学部リハビリテーション学科，首都大学東京，群馬大学および茨城県立医療大学である[4-9)]。

### 文献

1）大滝純司：OSCEの理論と実際．pp1-165，篠原出版新社，2007．
2）Harden RM, Stevenson M, Downie MM：Assessment of clinical competenceusing objective structured examination. British Medical Journal 22：447-51, 1975.
3）Dornan T, O'Neill P：事例で学ぶOSCE―基本臨床技能試験のコアスキル．pp1-14，西村書店，2004.
4）渡辺章由，河野光伸，岡田誠，他：作業療法士教育における客観的臨床能力試験（OSCE）の試み，第1報．作業療法 22：462，2003.
5）河野光伸，渡辺章由，櫻井宏明，他：療法士教育における客観的臨床能力試験（OSCE）．作業療法ジャーナル 38：198-200，2004.
6）山路雄彦，渡邉純，浅川康彦，他：理学療法における客観的臨床能力試験（OSCE）の開発と試行．理学療法学 31：348-58，2004.
7）井上薫，谷村厚子，伊藤裕子，他：作業療法教育における客観的臨床能力試験（OSCE）の導入―評価上の問題点と改善策．医学教育 36：51，2005.
8）阪井康友，篠崎真枝，坂本由美，他：理学療法におけるクラークシップ型臨床実習に対応したBasic OSCEの開発．理学療法いばらき 10：22-6，2006.
9）鈴木孝治：作業療法教育におけるOSCEの現状．OTジャーナル 41：791-6，2007.

# 4 OSCEの実施における要点

## 1 人員と時間の設定

OSCEでは，数カ所に設置されたステーション（部屋）で課題が出題され，各ステーションで評価者が採点する。したがって，課題ごとにSPと評価者を配置しなければならない。また，OSCEが適切に運営されるよう進行を管理するタイムキーパーが配置されるとよい。

例えば，100名の学生を対象に3ステーションを設置し，学生が2課題を受験する場合，3名を1組とし，3つのステーションにて同時に進行する。1つ目の試験の終了に伴い，タイムキーパーの号令に従って，学生は各ステーションを移動し，2つ目の試験が開始される。1つの試験時間を5分，試験後の個別フィードバックを2分に設定すると（1課題7分×2課題×100名/3ステーション），約7時間以上を要する。また，各ステーションにSPを1名，評価者を2名と配置すると，タイムキーパー1名を合わせ，合計10名の運営者を要する。

## 2 評価者間の信頼性

OSCEに限らず，検査や評価全般において評価者間信頼性は重要な要素となる。例えば，複数日にわたるOSCEにて同一の課題を設定する場合，常に同一の評価者が担当するとは限らないため，評価者間の信頼性が担保されるよう留意しなければならない。具体的には，評価者はあらかじめ各採点基準を確認し，十分な検討を行っておく必要がある。また，複数の評価者にて評価する，試験の実施内容をビデオ撮影しておくなどの対策方法もある。

## 3 SPの演技と環境の信頼性

OSCEにおいて，SPには再現性の高い演技が求められる。まず，高い再現性を担保するためには，練り上げられたシナリオが必要となる。SPには，このシナリオに沿って，細部にわたり再現性の高い演技力が求められる。また，課題の環境も常に一定となるよう配慮しなければならない。例えば，「コミュニケーションと介助・検査測定論」に掲載しているレベル1「6下肢装具の装着介助」では，装着後に歩行を観察することを見越して，立ち上がった際にズボンの裾がずれ落ちないよう装着時に捲り上げる旨を手順に定めている。この課題を2名のSPが演じる場合，1名のSPのズボンが捲り上げにくい素材やデザインであると，その手順で手間を要することとなり，試験結果に影響を及ぼすこととなる。

また，日々一つひとつの機器（道具）をメンテナンスしておくことで事故の防止につながり，スムーズな介入や検査・測定の信頼性向上となるため，メンテナンスは必要不可欠である。本書のOSCE課題で使用する機器（道具）はメンテナンス済みで，適切な機器（道具）を使用するものとしている。

## 4 藤田医科大学のOSCEの紹介

藤田医科大学（以下，本学）では，理学療法専攻と作業療法専攻の両専攻のOSCEを同時に実施しており，学年ごとに，おおよそ110名前後の学生が受験する。1回のOSCEでは，3つのステーションを設置し，ステーションごとに評価者2名，SP 1名（評価者とSPは，必ず教員が担当），タイムキーパーを1名，学生待機室に1名，全ステーションの総括者（運営のマネジメント）1名と計12名を配置している。3つのステーションは，学生の移動時間を短縮させるため，同一フ

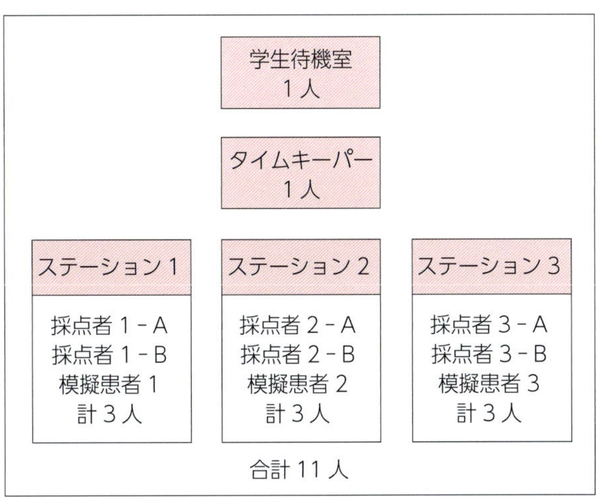


図1 OSCEでの教員人員配置

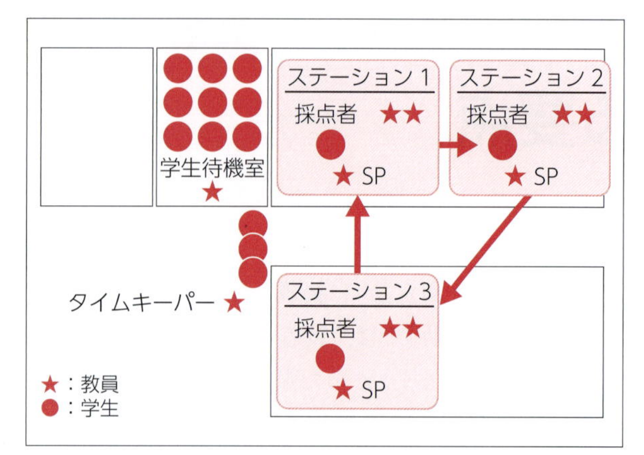


図2　OSCEでの受験生（学生）の動き方（3ステーションの場合）
受験生（学生）は3人を1組とし，タイムキーパーの合図に従ってローテーションしながら，各ステーションで5分の試験と2分のフィードバックを受ける。1組目が3回ローテーションし，3人全員が各ステーションでの受験を終了したら，次の組が受験を開始する。

ロアに設置するよう配慮している。学生は，3つ設置されたステーションのうち，2つのステーションにて課題を受験する（図1, 2）。評価者2名が採点し，評価者間の採点が2点差となった場合，合議による採点の見直しを図っている。

学生に対するフィードバックは，個人を対象とした試験時の即時フィードバックとともに，OSCEの全日程が終了した翌日に全学生を対象とした遅延フィードバックを実施している。即時フィードバックでは，可能な限り実演を交えるよう心がけ，遅延フィードバックでは，各課題において学生に共通して点数の低かった内容を伝えている。

また，採点の集計作業を効率化させるため，本学ではタブレット端末とデータベース用ソフトを利用して採点入力および成績管理を行っている（図3）。タブレット端末とデータベースはLANで接続されており，採点結果はリアルタイムてデータベースに集積されるとともに，統計処理が施され，OSCEの終了とともに，平均点，標準偏差などが出力できるようになっている。

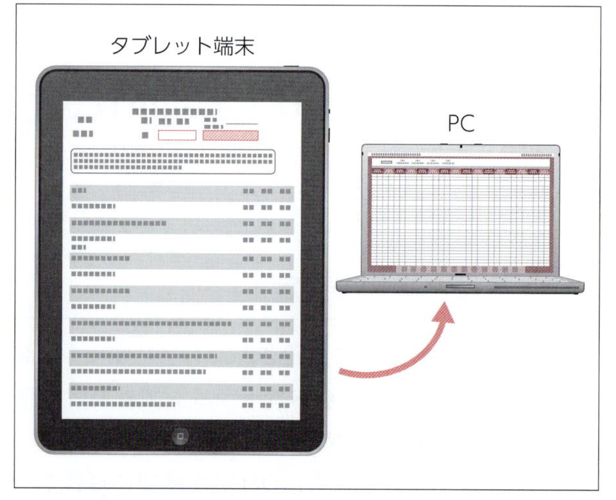


図3　採点入力システム

さらに，本学では，評価者間の信頼性やSPの演技の再現性を向上させる取り組みとして，年間を通じて，教員を対象としたOSCEに関する勉強会を開催している。

機能障害・能力低下に対する介入技能習得のための確認事項

1　運動と動作
2　機能障害と能力低下に対する介入―運動学習を中心に
3　動作分析

# 機能障害・能力低下に対する介入技能習得のための確認事項

# 1 運動と動作

## 1 運動と動作

能力低下に対するリハビリテーションでは，運動または動作が主たる介入対象となる。運動とは，動作に関与する身体部位の位置変化であり，動作とは，課題や仕事をこなす身体運動である[1]。本項では，運動をカウンターアクティビティー（counter activity；CA）とカウンターウェイト（counter weight；CW）という観点で捉え，動作へ及ぼす影響について解説するとともに，動作を基本動作と日常動作に分類し，その特性について述べ，最後に運動および動作と情動面との関係性について触れる。

## 2 カウンターアクティビティーとカウンターウェイト

動作は，複数の運動によって構成されている。運動を生み出すには，関与する関節にまたがる筋の収縮が必要となるが，重力に支配されている地球上で抗重力姿勢にて運動するためには，その他の身体活動の関与も必要となる。抗重力姿勢での運動を，股関節を曲げた片脚立位を例に考える（図1）。片側下肢を持ち上げる股関節の屈曲運動は，主に腸腰筋の収縮によって生じる。持ち上げた下肢が落下しようとする反時計回りのモーメントと，そのモーメントとつり合う力となる立脚側の中殿筋や腰方形筋の働きによる時計回りのモーメントも必要となる。実際には，中殿筋と腰方形筋以外の筋活動も関与し，さらには前後方向の力学的作用も働いている。

このように目的以外の運動を制御するために筋力によって生み出される運動をCAという（図2a）。一方，身体部位の質量のつり合いによって姿勢を保つ方法がある。この方法をCWの活性化といい，片脚立位であれば，遊脚側と反対側への体幹側屈を利用して，一側下肢を持ち上げ姿勢を保つ（図2b）。CAによる片脚立位では，常に直立位を保持するために筋活動を中心とした調整が働いている。すなわち，姿勢を保持するために常に小さく動き続ける状態となる。一方，CWによる片脚立位は，体幹と遊脚側下肢を重りとしてつり合わせて姿勢を保持しているため，常に動き続けるCAの姿勢に比べると筋活動を抑えられ，「動かなくてもすむ」ようになる。運動麻痺を呈した患者のように動かしがたい身体部位を有する人は，抗重力下では運動を制限して安定性を重視した姿勢を取りやすく，CWを優先させやすくなる。また，片側性障害の場合，過度にCWを活性化させると，非麻痺側への重心が偏位し，麻痺側への荷重が減り，限局的な動作パターンで対応することが多くなる。

CAとCWが動作に与える影響について歩行を例に

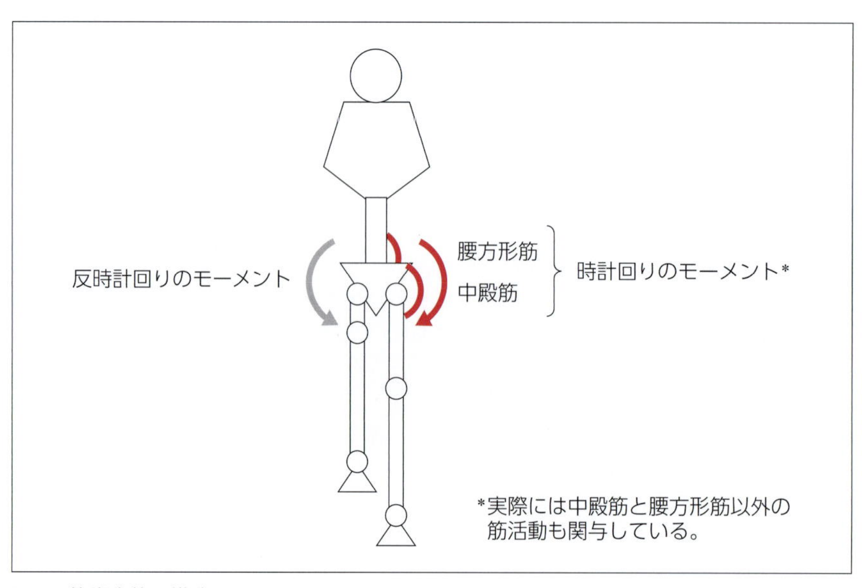


図1 片脚立位の構造

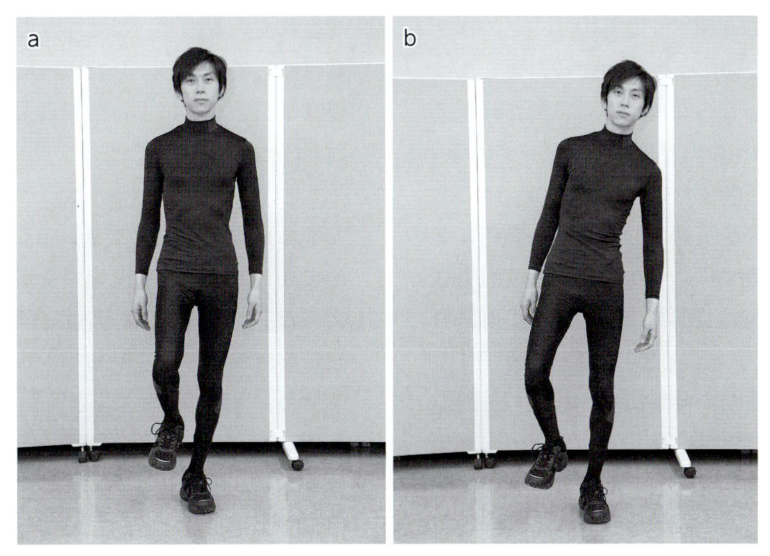


図2 カウンターアクティビティーとカウンターウェイトの活性化による片脚立位
a：カウンターアクティビティー
b：カウンターウェイトの活性化

考える。図2bのようにCWによって持ち上げた下肢を前方に振り出すには，体幹を側方から後方に回し，遊脚側の下肢を分回しすることになる。いわゆる正常歩行でみられるCAによる振り出しに比べ，CWの活性化による運動では側方から後方に生じる大きな慣性（常に現在の状態を保とうとする性質）が働き，転倒などのリスクも大きくなる。

もちろん，動作のすべてがCAとCWのどちらか一方で構成されているわけではない。例えば，起き上がり動作において，背臥位で頭部を挙上する際には体幹以下の身体が重りとして機能するようCWとして作用しなければ頭部の挙上に困難を伴う。その後の動作でCWとCAを巧みに組み合わせて運動を生み出すことで，効率の良い動作が可能となる。

## 3 基本動作と日常動作

日常生活における活動は，複数の動作の連続的な組み合わせで構成されている。例えば，朝，目が覚めてから洗顔と朝食を済ませる一連の活動を考えると，起き上がり（起き上がる前に寝返る場合も含む），ベッド（もしくは布団）から立ち上がり，洗顔のために移動し，洗顔をすませ，食事を取るために，ダイニングまで移動し，椅子もしくは床に座り，食事を始める。この一連の活動を動作に分けてみると，起き上がり動作→起立動作→歩行動作→整容動作（洗顔）→歩行動作→着座動作→食事動作の順の構成となる。この一連の動作における起き上がり，起立，歩行，着座など，日常生活の中で，特に繰り返す頻度の高い動作を基本動作という[1)]。また，整容動作や食事動作に含まれるリーチ動作やつまみ動作も基本動作に含まれる。基本動作は，系統発生的に学習され，生後1年半ほどの期間に獲得される。動作獲得以降，私たちは生活の中で「立ち上がろう」「歩こう」と考えて基本動作を行うことは少なく，無自覚的に基本動作を行っていることが多い。

また，個々の基本動作は生み出したエネルギーを効率良く次の運動へとつなげて動作を達成しているため，一連の動作として成り立っており分割しにくいという特徴がある。本書のOSCE課題レベル4の各項では，動作のポイントを説明するために各動作を相に分類しているが，「起き上がり」や「起立・着座」のような基本動作の項では，相と相の連続性は保たれなければならないことに注意していただきたい。

一方，日常生活の中には，基本動作以外に「食事」「トイレ」「更衣」「入浴」「整容」など，欠かせない動作がある。これらを日常動作という。基本動作は，動作そのものが目的ではなく，目的を達成するための「手段」となることが多い（散歩やウォーキングなど，歩くことが目的となる場合もある）が，日常動作は動作それ自体が目的となる。

日常動作は複数の基本動作で構成され，その基本動作は相互に関連している。また，日常動作の前に基本動作が行われる（前述の例では，整容動作の前後で歩行動作が行われている）場合，日常動作を含む前後の基本動作も相互に関連する。すなわち，CWを活性化した歩行動作で洗面所まで移動して洗顔動作を始めれば，よほど意識して修正しない限り，CWを活性化した立位姿勢のままで蛇口や歯ブラシへのリーチ動作を行うこととなる。1つの動作は次の動作に影響を及ぼすことを意識しなければならない。さらに動作終了時の最適な姿勢は，次の動作の内容によって決定される。例えば，寝ている人が，歩くために起き上がるのであれば，起き上がり後の座位姿勢は起立動作の不利にならないよう，安全な範囲で浅めに座り，足幅は両坐骨結節幅で狭めにし，足部は膝関節よりも多少手前に引いておく必要がある（詳細はp164「起立・着座」参照）。もちろん，次の動作の内容にかかわらず，動作が安定していることは常に共通して求められ，また，その安定もCAによる柔軟性の高いものでなければならない。

本書では原則，介入後の次の動作までは課題として設定しておらず，介入終了時の「適切な姿勢」は限定していない。しかし，適切かつ安定した姿勢で介入を終了する技能を身につけることは療法士にとって重要なことと考え，OSCE課題の採点項目としている。

## 4 運動・動作と情動との関係性

人の運動や動作は心理的側面と密接な関係にある。人は，多数の関節の自由度を巧みに制御することによって，あらゆる運動や動作を生み出している。これは，「長年，安全に行えている」という経験が担保となっている。しかし，一旦，運動麻痺などによって多数の関節の自由度を制御できなくなると，動くことに対して不安や恐怖を感じることになる。人は生来的に危険から身を守ろうとする能力が備わっており，「不安定だ」「恐い」と感じれば，無自覚に安定できるようにと運動や姿勢を調整する。これは皮質下で調整されているため意識に上がらないところで処理されている。加えて，危険な経験を通じて「このような運動をしたときに怖かった」と学習することもある。結果，大脳皮質での認知として知ることができ，通常は認知が主導して，予測や期待まで含めて活動している。それであるがゆえ，障害によって立っていられないなど，体験したことのない状況にはこれまでの知識では対応できず，患者は身体の使いやすい部位や，使える部位によって安定できるようにと，無自覚のうちに運動や姿勢を調整する（過剰な防衛反応）。

このように過剰に安定を求めた結果，起き上がりや起立，歩行などの活動の効率が低下し，動くことに困難感を生じる。「不安定だ」と感じるのも，運動や姿勢を調整するのも，多くの場合が無自覚に行われている。すなわち，患者の多くは姿勢が崩れていても，なぜ崩れているのか，なぜ崩れた姿勢でいるのかなどの意識はしていない。したがって，このような場合には，視覚や言語などによる情報入力よりも適切な誘導・補助*でともに動いてどのように動いたらよいかを伝え，「できる」「動ける」という成功体験を患者に感じてもらうことが重要となる。不安や恐怖から安定を求めようと過剰な防御反応の身構えをする患者には，「大丈夫だ」「やってみよう」と情動へ働きかける対応や，過剰な防御反応から脱却できるよう能動性を引き出す準備と介入が必要となる。

*誘導・補助の概念については次項「機能障害と能力低下に対する介入―運動学習を中心に」で述べる。

## 5 基本動作の特性を踏まえた介入

前述の通り，基本動作は皮質下で処理され無自覚的に行われている。このため，基本動作障害を有する患者が，基本動作を再度習得する過程は後述する運動学習理論だけでは対応できない場合がある。例えば，経皮的酸素飽和度が低下している患者に内呼吸（組織内部でのガス交換）のメカニズムを説明しても，内呼吸が上達することはなく経皮的酸素飽和度が改善しないのと同様に，動くことに対して無自覚に不安を感じて基本動作を行っている患者に，CAで動く術を視覚情報や言語情報で伝え大脳皮質で理解させても，ただちにCAで動けるようにはならない。患者自身の身体や重心をCAで制御できるように学習するには，「動く」ことが重要となる。患者は「動き」を通じて支持面や重力を感じることができ，多くの情報が身体に入力され，CA制御の学習が促進される。こうした概念を踏まえたうえでの運動学習理論に基づく介入を行うことが練習効率を高める。

例えば，起立動作は，広い支持面から狭い支持面へ移動するため，片麻痺患者のように安定性が低い患者の場合，不安や恐怖を感じ，足幅を広げ，非麻痺側優位の支持になってCWを活性化させることが多い。こうした状況下では，座位の段階から骨盤後退を抑制し足幅を狭めて重心を整える姿勢にて起立動作を行わせ，CAの制御を学習させるとよい（p164「起立・着座」参照）。

このような基本動作の特性を理解せずに，運動学習理論に基づく介入を行うのみでは，目的動作がとりあえずできるようになるだけで，わずかな動作環境の違いやタイミングのずれが転倒などの失敗につながり，こうした経験が蓄積されると活動量の低下を招きかねない。だからこそ，どのように動けばよいかわからない患者には，療法士による適切な誘導・補助が有効となる。その際には，療法士は患者の動きを引き出せるような位置を取り，決して動きを阻害しないよう注意する。

また，一連の基本動作は分割しにくいという特徴も，療法士が介入する際に考慮しなければならない。基本動作が困難となった患者に対して療法士が介入する際に，基本動作を分割した方法を選択すると，分割したところで安定してしまい，次の運動を行うために新たにエネルギーを生み出さなければならない。起き上がり動作を例にすると，背臥位から一度，肘をついた姿勢で静止し，その後，上体を起こすように動作を行うと，肘をついた姿勢で静止して安定するため，上体を起こす際に新たなエネルギーが必要となり，肘をついた姿勢から動作を再開するのに困難感を伴うことが少なくない。これは，後述する部分練習（p19）を否定するものではない。一連の動作としての介入時に留意すべきことである。基本動作を分割せざるを得ない場合は，分割したところから運動を再開する際に，少し前の運動に戻してから再開するとエネルギーを得られやすくなる。

### 引用文献

1）長崎浩：動作の意味論．p14，雲母書房，2004.

### 参考文献

1）冨田昌夫：基本動作の持つ意味．極める！脳卒中リハビリテーション必須スキル（吉尾雅春 総監修）gene，2016.

# 2 機能障害と能力低下に対する介入—運動学習を中心に

## 1 リハビリテーション医学・医療における4つの介入

リハビリテーションは活動にフォーカスした医学・医療である。その特徴は病理学的問題の解決を目指すことのみならず，障害が残存した中で活動再建に向けて「システムとしてその機能的問題の解決を目指す」という柔軟で実用的な対応姿勢にある[1]。このリハビリテーション医学・医療には，①活動-機能-構造連関，②支援システム，③包括的医学管理，④治療的学習，の4つの介入の方法論がある[1]。リハビリテーションでは，これら4つの方法論を駆使しながら，機能障害と能力低下に対して介入し，問題解決に努める。

### 1）活動-機能-構造連関

活動-機能-構造連関は，機能と構造は活動に依存し変化する，という法則を原則として，活動（運動）によって機能や構造を変化させる方法である。人の日常生活活動強度は最大筋力の30％に維持されるようになっており，最大筋力の30％以上の運動負荷を与えることによって蛋白質分解が起こり，筋線維が肥大し，最大筋力が増加する。また，運動負荷を減らすと蛋白質合成が起こり，筋線維が萎縮し，最大筋力が低下する。この法則は筋力に限らず，関節可動域や協調性においても同様である。本書では，p25機能障害に対する介入「関節可動域運動」や「筋力増強運動」などで紹介する。

### 2）支援システム

支援システムは，リハビリテーション医学・医療における難課題を工学的または社会的に支援し，解決する方法である。工学的支援には，杖や装具，車椅子をはじめ移乗リフターや福祉改造車両などがある。また，リハビリテーションロボットも練習支援ロボット，自立支援ロボット，介護支援ロボットとして工学的支援に含まれる。一方，社会的支援は，人や制度を利用した支援方法で，ヘルパーやソーシャルワーク，地域包括ケアシステムなどがこれに含まれる。

### 3）包括的医学管理

包括的医学管理は，医学的介入によって課題を解決する方法である。痙縮に対するボツリヌス治療や高血圧に対する降圧剤投与などがあり，超音波やホットパックのような物理療法もこれに含まれる。本書ではp74「物理療法」で超音波療法を中心に紹介する。

### 4）治療的学習

治療的学習は，前述の3つの介入の効果を生かしながら「練習（exercise）」を通して新しい動作・活動を獲得させる方法である。例えば，歩けなくなった片麻痺者が麻痺肢のみならず非麻痺肢，そして杖や装具も使いながら，これまでとは異なる「新しい歩行」を獲得する過程がこれにあたる。このような過程を運動学習(motor learning)という。運動学習は，本書のp137能力低下に対する介入の中心的概念となっており，以下で詳細に触れる。

## 2 運動学習の主要因子

行動科学において学習とは，「経験によって生じる比較的永続的な行動の変化」と定義される。運動学習とは，手続き記憶(procedural memory)が主体となるスキル(skill)を獲得する過程であり，スキルとは，後天的に形成された行動単位で目的をもち，いくつかの運動から構成される。またスキルには，①達成の正確性，②身体・精神エネルギーコストの最小化，③使用時間の最短化という特徴がある[2]。人間のほとんどの行動がスキルで構成されており，その中核には「生得的」と呼ばれる特徴があったとしても，多くの場合，「学習された熟練行動」と考えることができる。

運動学習を考えるうえで中核をなす主要因子には，動機づけ，転移性，行動変化，保持・応用があり，行動変化の重要因子としてフィードバック，練習量，難易度がある(図1)[2,3]。

### A 患者への動機づけ

一般的に外科治療や薬物治療では，患者は辛い手術，苦い薬の服用を我慢し，「耐える人(patient)」であることが求められる。これに対して，リハビリテーションにおける練習場面では患者が「主体者(prime-mover)」となって参加することが介入効果に影響する。療法士は，患者が「耐える人」から「主体者」となり，能動的に練習に参加できるよう，患者の「やる気」の構造を理解しておかなければならない。

“やる気”とは心理学では動機づけ(motivation)と呼ばれており，成書では「行動を始発させ，方向づけし，持続的に推進する心的過程・機能」[4]を意味する心理的概念であると述べられている。

患者に「やる気」をもたせようとした場合，リハビリテーション医学・医療では患者に付随する状況が不利に働く。例えば，野球を上手になりたいという少年にとってピッチングやバッティングという課題は，生来的に誰もが上手にできるものでなく，上手にできるようになることで喜びが得られる。また，上手なプレーは友人からの憧れの対象となることもあり，課題に対する動機づけがされやすい。しかし，機能障害を呈した患者にとって歩行は，障害を受ける以前までは当たり前に苦労なくできた動作であり，「憧れの動作」ではない。さらに装具や杖を使用する歩行は，患者の望む「元通りの歩き方」ではないため，課題に対する動機づけがされがたくなる。

行動理論では「行動は付随事象に敏感である」といわれている。したがって，行動の付随事象として，強化因子を駆使して行動が起こるよう働きかける。強化因子には行動に固有の内的強化因子と外部から与えられる外的強化因子がある。

まず，重要となるのは外的強化因子である。医療の現場では，療法士が患者の想いや考え方を受容しようとする姿勢が強い外的強化因子となる。リハビリテーションを開始する際には，この外的強化因子を利用しながら患者と信頼関係を築き，患者にとって多少不満のある課題にも取り組ませる[5]。信頼関係構築のためにも，適切なコミュニケーション技法は習得しておきたいものである(詳細は介助・検査測定編を参照されたい)。また，療法士から受ける賞賛も外的強化因子として働きやすい。

先に述べた装具や杖を使う歩行は，「早期に1人でトイレに行けるようになる手段」などと患者に説明し，動機づけする工夫も有用である。患者は少しずつ歩けるようになると，歩くこと自体に興味が湧き，トイレに行けるようになると達成感も得られるようになる。このように外的強化因子から内的強化因子への働きかけに移行させていくことが大切である。

### B 転移性

転移性とは，目標としたスキルに対する課題の練習効果を表すもので，「練習課題Aが目標課題Bを上達させる」というとき，AはBに転移するという。転移性は，類似課題において転移しやすいという原則(課題特異性)がある。練習の転移性を考えるうえで，スキルの分類，運動の類似性，動作の冗長性が要点となる。

#### 1) スキルの分類[2]

代表的なスキルの分類には，運動/認知スキル，開放/閉鎖スキル，分離/連続/系列スキルがある。砲丸

○動機づけ
○転移性
○行動変化
　フィードバック
　練習量
　難易度
○保持・応用
　部分練習
　変数調整
　自由度制約
　補助と介助

図1 運動学習の主要因子
(才藤栄一，横田元実，平野明日香，他：脳卒中患者の治療用装具．日本義肢装具学会誌 28：90, 2012. より改変)

投げのように運動制御が重要視される課題を運動スキル，将棋のように意思決定が重要であり，運動制御が少ない課題を認知スキルという。また，テニスやフェンシングのように環境が刻々と変化する状況における課題を開放スキル，ダーツや弓道のように安定した環境下における課題を閉鎖スキルという。さらに，野球のバッティングスイングのように運動の開始と終了が明確な課題を分離スキル，歩行や水泳のように動作の開始と終了が不明確な課題を連続スキル，体操の規定種目のように分離スキルが連続的に組み合わさった課題を系列スキルという。そして，これらの分類内における異なったスキル間の転移は概して低いといわれている。例えば，分離/連続/系列スキルという軸でみた場合，ステップ動作は分離スキル，歩行動作は連続スキルに属する。したがって，単純に考えれば，ステップ動作を反復練習しているだけでは歩行は上達しにくいと考えられる。

#### 2）運動の類似性

運動の類似性を考えるうえで，一般運動プログラム（general motor program）の概念が役立つ[2]。一般運動プログラムは，運動の特徴を表面的特徴と深部構造（不変的特徴）に分け，運動の速度と大きさが異なっても，相対タイミング（relative timing）が同じ（不変的特徴）であれば同一の運動と捉える概念である。歩行を例に挙げると，速度を変化させると立脚や遊脚の時間（表面的特徴）は変化するものの，歩行周期における相対比，すなわち立脚60%，遊脚40%，両脚支持20%の比（不変的特徴）は変化しない。したがって，この相対タイミングが不変であれば，異なる速度の歩行の間では転移性が高いことになる。一方，2動作歩行と3動作歩行は相対タイミングが異なるため別の運動として捉えられ，転移性は低くなる。脳卒中片麻痺者の歩行練習において3動作での歩行練習を続けてきた患者が，杖を用いた2動作歩行への移行に難渋することは少なくない。

#### 3）動作の冗長性

人は目的とした活動を複数の方法で達成することができる。これを動作の冗長性という[6]。例えば，ベッドからの起き上がり動作で考えると，背臥位のまま上体を起こす，一度側臥位となってから上肢で支えながら起き上がる，など複数の方法で動作を達成することができる。しかし，機能障害や能力低下が生じると「できる方法」が限られてしまう。例えば，麻痺側の上・下肢や体幹の機能が著しく低下している片麻痺者を例に挙げると，背臥位のまま上体を起こすことや，四つ這いになって起き上がることが難しい場合，非麻痺側の上・下肢を上手に使って起き上がる方法を選択する。課題を設定する際には，漠然とした目標ではなく，前述した動作の類似性と冗長性を考慮しながら，複数の動作方法から患者の身体機能や環境の状況に合わせた動作方法を選択しなければならない。一方，動作を選択することは，患者の生活や活動を限定する可能性が高い。したがって，機能や能力の改善に伴い，「できる方法」を増やすことを考える。

### C 行動変化

人の行動は経験によって変化が生じる。一時的に獲得されるが，すぐに忘却する短期的な変化を行動変化といい，比較的永続的に定着した変化を運動学習という[2]。練習で患者にまず行動変化を生じさせ，その変化を保持させる（保持についてはp20にて後述する）。行動変化と運動学習の過程において，①フィードバック，②量，③難易度が重要な要素となる。

#### 1）フィードバック[2]

フィードバックは運動学習における感覚情報の中心であり，フィードバックなしに行動変化または運動学習は成立しない。フィードバックには，内在的フィードバックと外在的フィードバックの2種類がある。内在的フィードバックとは，視覚や固有感覚などを介した「運動遂行中に生じた運動感覚」にあたるもので，外在的フィードバックとは他者による教示やバイオフィードバック装置，筋電図などの外部から得られる情報である。また，外在的フィードバックは，課題の成功についての情報となる結果の知識（knowledge of result；KR）と運動学的情報にあたるパフォーマンスの知識（knowledge of performance；KP）に区別される。

患者の多くは練習課題が行えていても，自身のパフォーマンスに対して「これでいいのか」「できているのか」と不安を抱き，自信や実感がもてずにいる。療法士による外在的フードバックは「これでよいのだ」「できる」と動作の習得を自覚させ，「動いてみよう」と感じられるよう動機づけや能動性を引き出せるものでなければならない。療法士の抑揚のない，義務的な声かけによるフィードバックでは患者を「やる気」にすることはできない。療法士は，運動や動作ができたことの喜びをしっかりと患者に伝え，「やる気」になってもらえるような声かけを行わなければならない。以上のように学習の主体者が患者である以上，患者が「やる気」になって初めて運動学習理論が意味をなすと考える。

フィードバックに関する留意点は，p20「保持・応

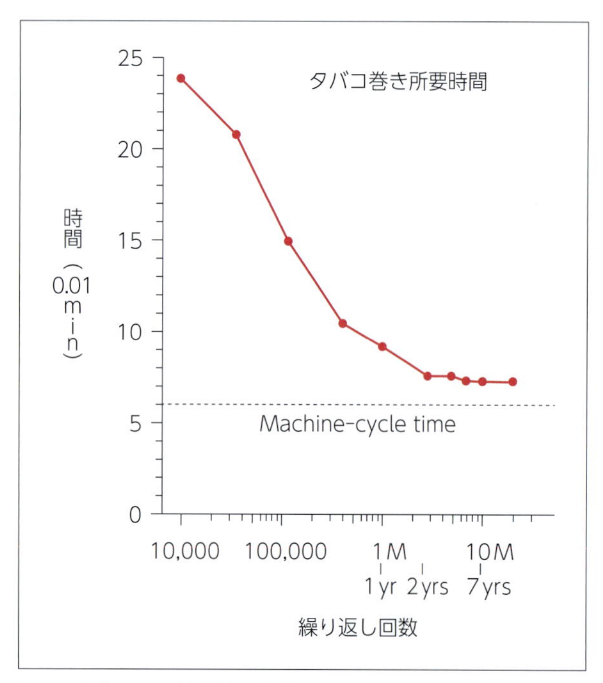


図2　反復による協調性の改善
(Kottke FJ : Therapeutic exercise to develop neuromuscular coordination. in Kruzen's Handbook of Physical Medicine & Rehabilitation 4th Ed. WB Saunders, Philadelphia, pp234-69, 1990. より)

用」でも後述する。

### 2）練習量

行動変化を生じさせるためには，繰り返し練習する「量」が必要となる。その一例を紹介する。図2は，タバコ巻き職人の熟練技術（短時間で巻き上げる技術）と習得期間の関係を示したもので，プラトーに達成するためには300万回の繰り返しを要しており，熟練技術の習得には長い期間（量）が必要であることがわかる[6,7]。

現在，わが国における療法士の診療報酬は，単位時間制（1単位：20分）である。患者が1日にリハビリテーションを受けられる時間は制約されており，さらに入院期間にも制限がある。練習量について，回復期病棟における片麻痺者の歩行練習を例に考えてみたい。仮に，3カ月（約90日）の入院期間で毎日2単位（40分）の歩行練習を行うと，計180単位，60時間となる。一概に比較することはできないことを重々承知したうえであえて述べるとするならば，新しい技術を習得しようとしているアスリートや音楽家の練習時間が，上記の歩行練習のように1日40分，3カ月で十分であるとはいえない。療法士は限られた練習時間の中で患者が目標動作を習得できるように効率の良い練習を組み立てなければならない。効率良く練習量を確保するためには，トレッドミルやリハビリテーションロボットのような練習支援機器の活用が有用である。さらに，

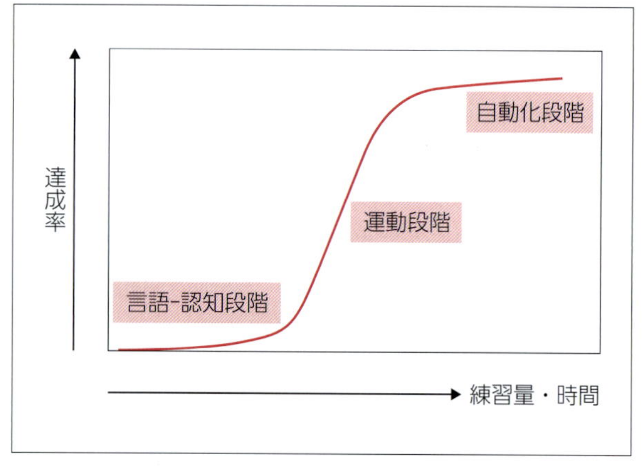


図3　学習曲線（シグモイド・カーブ）と学習段階

動作練習を療法士とのリハビリテーション時間に限定せず，病棟看護師や患者家族と連携し，自主練習として導入するなど，練習量を増やすような取り組みを積極的に行うべきである。

### 3）難易度

行動変化や運動学習の過程は，練習量（時間）と練習の成果となる達成率で示した学習曲線（learning curve）で表される。この学習曲線は，初期に急上昇し，その後緩やかになる負の加速曲線や，初期は緩やかで後に急上昇する正の加速曲線がある。また，この両者の中間にあたる学習曲線をシグモイド・カーブ（S字状曲線）という（図3）。一般的にこのS字状曲線は，①言語─認知段階，②運動段階，③自動化段階に区別できる。言語─認知段階は，カーブが立ち上がる前の段階にあたり，目標の同定，言語的情報の獲得が必要な段階である。その後，運動段階として，急峻なカーブの立ち上がりを示す運動の組織化を経て，感覚的分析の自動性を増大させて運動を自動化する自動化段階に到達する。

仮に，患者にとって難度が高過ぎる練習課題では，患者は繰り返し練習しても図3のシグモイド・カーブ左下部分（言語-認知段階）の「カーブの傾きのない部分」を長く体験することになってしまう。患者は，課題達成に伴う満足感を得ることができず，いずれ「やる気」を失ってしまう。これを「学習性無気力」と呼ぶ[6]。一方，課題の難度が低過ぎる練習課題では，すぐにシグモイド・カーブの右上の部分（自動化段階）に到達し，進歩のない状態「天井効果；プラトー（plateau）」を過ごすこととなる。

ここで以下の矛盾が生じる。シグモイド・カーブ左下部分は「課題ができない」ことを意味し，「できないからこそ練習する」わけであるが，「課題を繰り返すことによって学習が生じる」という理論においては，

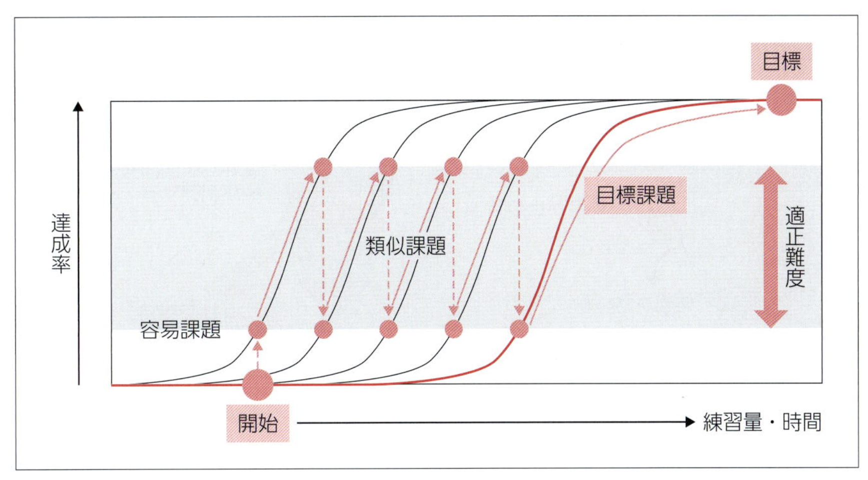


図4 目標課題達成に向けた類似課題を設定した練習の組み立て

「できないものはできない」という矛盾に陥る。これを「難易度のパラドックス」と呼ぶ[6)]。

この難易度のパラドックスを解決するには，促通(facilitation)と段階的練習の2種類の方法で対応する[6)]。促通(広義)には，自動運動を利用する種々の手技や物理的感覚刺激，経頭蓋磁気刺激などの電気生理学的手技がある。自動運動を利用する手技は，固有受容性神経筋促通法(proprioceptive neuromuscular facilitation；PNF)や促通反復療法が代表的手技である。これらの促通を利用しながら練習課題を遂行させていく。例えば，麻痺側の足関節の随意性低下により走行中の背屈が不十分でトウクリアランス不良の片麻痺者に対して，促通反復療法によって足関節の背屈運動を促通してから歩行練習を行う。

もう一つの対応法である段階的練習とは，難度の高い課題目標に到達させるために，課題の転移性を考慮した適切な難易度の類似課題を準備し，複数の課題に移行しながら目標課題に到達させる方法である(図4)。しかし，課題が増えると課題間の移行が増え，余分な時間を費やすことになる。療法士は，患者が最短時間で目標課題に到達できるよう，類似課題の種類・量の設定を勘案する必要がある。

課題の難易度調整には，部分練習法，変数調整，自由度調整，介助と誘導・補助の4つの方法がある。

①部分練習法[2, 6)]

部分練習法とは，課題を分割し，部分ごとに練習する方法である。部分練習法には，水泳のバタ足のように運動を部分ごとに練習するfractionalization，走り高跳びの助走部分のみ練習するように一連の運動の一場面を取り出して練習するsegmentation，野球のティーバッティングのように課題を単純化して練習するsimplificationがある。

②変数調整

変数とは運動学的指標であり，距離や角度または速度などを指す。例えば，歩行中に体幹のバランスを崩すようであれば，歩幅を小さく，ゆっくりと振り出し，バランスをとりやすいように難易度を調整する。そして，課題の遂行段階に合わせて，徐々に歩幅と振り出す速度をともに変化させて練習を組み立てる。変数を調整するにあたり留意すべき点は，変数の値と難易度の関係は課題の運動学的特性や練習対象によって異なることである。例えば，極端に遅い速度で二輪自転車を運転すると，かえって難易度が高くなる。練習を組み立てるうえでは，動作の運動学的特性を理解して変数を調整しなければいけない。

③自由度調整

自由度とは関節運動の方向性の軸数を指す。例えば，人の片側下肢は，股関節が3度(屈曲-伸展，外転-内転，外旋-内旋)，膝関節が1度(屈曲-伸展，厳密には外旋-内旋があるが，可動域が極わずかであることから，ここでは省略して考える)，足関節が3度(背屈-底屈，外転-内転，回外-回内)の計7自由度をもっている。健常者であれば，この多自由度の複数の関節運動を，優れた神経系によって制御できる。しかし，麻痺や筋力低下など機能障害を呈すると，関節運動の多自由度が仇となり制御不能に陥る。そこで，麻痺肢に装具を装着して自由度を制約し，運動を単純化させて課題の難易度を調整する[6,8)]。もちろん，機能障害の改善や能力の向上に伴い課題の達成率が上がれば，制約した自由度を開放して課題の難易度調整を行う。

④介助と誘導・補助

本書における介助と誘導・補助の用語の使い分けについて確認する。医療において「介助」は従来「他動的に助ける」だけでなく，「必要な部分のみを助け，患

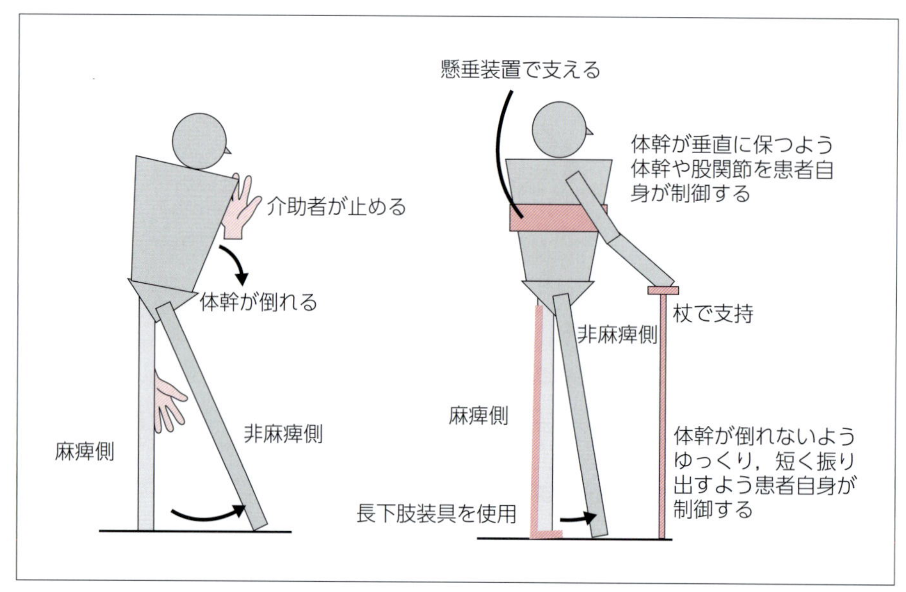


**図5 歩行練習における難易度設定の考え方**
非麻痺側の振り出し動作のタイミングを示す。
a：療法士の介助のみで練習を組み立てた場合
b：装具・杖・懸垂装置を活用して練習を組み立てた場合
（大塚圭：課題指向型トレーニングの実践例 7.歩行. 脳卒中患者に対する課題指向型トレーニング（潮見泰藏 編），p202，文光堂，2015. より改変）

者に能動性をもたせる」という意味合いで使用されてきた。しかし，近年の「介助」の捉え方は，「他動的支援」のニュアンスが強まっている印象がある。療法士は患者の潜在能力を顕在化させるため，患者の動機，能動性を最大限に引き出すように介入する。こうした観点から本書では他動的支援をイメージさせる「介助」という用語に代えて，「誘導・補助」という用語を用いることとした。

練習課題の難易度調整に介助や誘導・補助を用いる場合，何をどの程度介助，誘導・補助するかを常に考える必要がある。運動学習では，練習を通して患者が自ら身体を制御する過程が重要となる。その一方で，療法士による介助は，療法士が患者の身体を制御することになるため，ときに介助によって患者の運動学習が阻害されてしまう。療法士による介助は患者がどうしても行えない動作にとどめ，過介助にならないように留意する。また，回復に応じて介助量は調整しなければならない。常に同じ介助量では，ときに過介助になるばかりか患者の動作を阻害しかねない。

一方，誘導・補助は前項「運動・動作と情動との関係性」（p14）でも述べたように，行動変化を促すのに重要な要素である。先に定義したように誘導・補助が患者の潜在能力を顕在化させるため，患者の動機，能動性を最大限に引き出すためのものであっても，患者の変化に合わせて誘導・補助の量を調整しなければならない。

患者の状態に合わせて部分練習や変数調整，自由度調整，介助と誘導・補助を行い，難易度を調整する。練習課題の難易度調整を，患者の残存機能だけでは体幹を直立位に保てず，また麻痺側下肢で体重を支持できない，振り出せない患者の歩行練習を例に整理する（図5）[9]。この患者の歩行練習を療法士の介助だけで成立させようとすると，療法士は患者の体幹と麻痺側下肢を支え，また，麻痺側下肢を前に振り出さなければならず，重度介助が必要となる。このような状況での歩行練習では，患者自身が身体運動を制御する機会は著しく減少し，患者にとっては「歩かされている」歩行練習となってしまう。運動学習が成立するために，長下肢装具を用いて，患者の残存機能で制御可能な自由度に調整する。振り出しの際の重心移動が拙劣な場合は療法士の誘導・補助にて重心移動時の身体の動かし方を伝え，重心移動を部分練習として歩行練習前に実施する。また，体幹の制御が行いやすいように歩幅を小さくするなど変数調整する。

## D 保持・応用[2,8]

「行動変化」（p17）でも述べた通り，運動学習とは練習によって生じた行動変化が長期的に保持されたものである。行動変化を効率良く保持・応用させるためには，練習法の違い，フィードバックや疲労の影響を考慮する必要がある。

### 1）練習法の違い

練習法には，ブロック練習（blocked practice）とランダム練習（random practice），多様練習（variable practice）と一定練習（constant practice）がある。

ブロック練習とは，1つの課題の練習を完了してから，次の課題の練習に移るものである。ランダム練習とは，複数の課題を組み合わせ，順序もランダムに練習するものである。また，1つの課題について試行ごとに変数を変えて行う練習を多様練習という。歩行練習を例に挙げると，歩行速度を毎回変える練習法である。一方，常に同一速度で行う練習を一定練習という。

ブロック練習や一定練習は効果的に行動の変化が現れやすいが，現れた変化が保持されにくい。一方，ランダム練習や多様練習は行動の変化には時間を要するが，現れた変化が保持されやすく，転移性が高い。したがって，練習開始時期には，ブロック練習や一定練習を多用して，患者に即時的な行動変化を体験させ，行うべきことを理解させてから，ランダム練習や多様練習に移行し，長期的な保持を目指すとよい。

### 2）フィードバックの影響

フィードバックについては「行動変化」（p17）にて既に述べたが，ここでは保持と応用に与える影響について概説する。外在的フィードバックは内在的フィードバックよりも認識しやすい。ただし，過剰な外在的フィードバックを与え続けると，認識しやすい外在的フィードバックに依存しがちになり，運動学習が進みにくくなる。したがって，課題遂行の初期段階では外在的フィードバックを与え，課題遂行段階に応じて内在的フィードバックに移行するように働きかける。外在的フィードバックは，与えるタイミングも重要となる。フィードバックと次のフィードバックの間が長過ぎれば，保持した運動感覚が徐々に忘却されてしまい，また短過ぎれば，認識した課題の誤差の修正に間に合わず，両者とも運動学習を阻害することになってしまう。

### 3）疲労の影響

疲労は行動に影響を与えるが，運動学習への影響は少ないといわれている。練習には1回の練習を短く，あるいは回数を減らして休憩を頻回に入れて練習回数を増やす分散練習（distributed practice）と休憩なく連続的に行う集中練習（massed practice）がある。分散練習に比べ集中練習は，疲労回復にあてる時間は短いが，練習期間（実時間ではなく）あたりの課題達成率が高くなる。しかし，疲労は，過用による機能障害や学習意欲の低下，注意力の低下を招くことがあるので，十分な注意が必要である。

#### 引用文献


1) 才藤栄一：リハビリテーション医学・医療エッセンス．FITプログラム　総合的高密度リハビリ病棟の実現に向けて（才藤栄一，園田　茂 編），pp73-87，医学書院，2003.
2) Schmidt RA, Wrisberg CA：Motor Learning and Performance, 4th ed. Human Kinetics, IL, 2008.
3) 才藤栄一，横田元実，平野明日香，他：脳卒中患者の治療用装具．日本義肢装具学会誌 28：87-92, 2012.
4) 東洋，大山正，詫摩武俊，他 編：心理学の基礎知識．p43，有斐閣ブックス，1978.
5) 才藤栄一：患者への動機づけ．リハビリテーション医療心理学キーワード（才藤栄一，渡辺俊之，保坂隆 編），pp122-3，エフ&エフパブリッシング，1995.
6) 才藤栄一：運動学習エッセンス．最強の回復期リハビリテーション－FIT program（園田茂 編），p18，一般財団法人学会誌刊行センター，2015.
7) Kottke FJ：Therapeutic exercise to develop neuromuscular coordination. In：Kottke FJ, Lehmann JF Eds：Kruzen's Handbook of Physical Medicine and Rehabilitation. 4th ed, WB Saunders, Philadelphia, pp234-69, 1990.
8) 才藤栄一，他：運動学習からみた装具―麻痺疾患の歩行練習において―．総合リハ 38：545-50，2010.
9) 大塚圭：課題指向型トレーニングの実践例 7.歩行．脳卒中患者に対する課題指向型トレーニング（潮見泰藏 編），pp197-210，文光堂，2015.


# 3 動作分析

本書では，レベル4「能力低下に対する介入技能」のOSCE課題（ポジショニング課題を除く）において，動作分析をテーマにした課題を設定している。本項では，動作分析課題に共通する要点や注意点を解説する。

## 1 動作分析とは

患者の能力低下に介入するうえで，動作分析は必須である。理学療法，作業療法では，対象とする動作の

表1　主観的分析と客観的分析の特徴

| | 主観的分析 | 客観的分析 |
|---|---|---|
| 簡便性 | 高い | 低い |
| 即時性 | 高い | 低い |
| 経済コスト | 低い | 高い |
| 人的コスト | 低い | 高い |
| 尺度 | 名義・順序 | 間隔 |
| 信頼性 | 低い | 高い |

分析結果に基づき介入方法を決定し，介入効果を判定する。この動作分析を方法論の観点から分類すると，主観的分析と客観的分析に大別される。主観的分析とは，視診や触診など分析者の感覚を頼りに個人的な推測や解釈で分析するものであり，客観的分析とは，機器を用いて測定したデータを用いて分析するものである。例えば，分析者が患者の歩行をみて，「速い」と判断する過程は主観的分析であり，ストップウォッチを用いて患者の歩行速度を計測し，他のデータと比較し「速い」と判断する過程は客観的分析である。

主観的分析と客観的分析の特徴を表1に示す。主観的分析の特徴は，分析の手順が簡便かつ即時的に分析できることである。特別な装置を要さず，経済的に低コストで済ませることができる。一方，主観的分析は，評価者間信頼性が低くなることが指摘されている[1]。また，得られた結果の尺度が順序尺度にとどまり，統計学的上不利となる。客観的分析の利点は，間隔尺度を用いることができるので，統計学上有利に働き，評価者間信頼性が高くなる点がある。しかし，その一方で分析手順に手間を要する点は，時間単位制を敷いている現行のリハビリテーションの診療報酬において，臨床に客観的分析機器を導入させにくくなっている。

## 2　主観的分析

### A　視　診

視診は特別な装置を用いず，場所を選ばず簡便に，どのような動作でも対象とすることができる主観的分析の代表的な分析法である。視診は，前述のような主観的分析の短所が含まれているものの，それらを十分に理解したうえで用いれば，臨床的には有用な分析法である。

以下に臨床で視診による動作分析を実践するうえでの重要点を示す。

#### 1）全体像から細部への観察

動作を観察する際は，まず全体像を捉えながら，四肢の運動など細部の観察に移行していく。また，動作を相に分けて観察すると特徴を捉えやすくなる。歩行のように2動作歩行や3動作歩行，分回し歩行やTrendelenburg歩行など，動作特有のパターンがあれば類型化するとよい。

#### 2）平面に投影した観察

動作は，鉛直方向，前後方向，左右方向の3次元の運動で構成される。視診で動作を観察する場合，3次元の運動を前額面，矢状面，水平面の2次元の平面上に投影して観察すると理解しやすくなる。多くの動作は，動作を水平面から観察することは困難なため，運動を前額面と矢状面に投影することになる。

#### 3）観察対象の高さに合わせた視点

動作を観察する際には，対象となる運動の高さに視点を極力合わせるようにする。例えば，歩行中の股関節の矢状面上の運動を観察する場合，股関節よりも上方から見下ろすような立ち位置で観察しても，正確に運動を捉えることはできない（図1a）。できるだけ股関節と同じ高さで視点を合わせるよう，低い姿勢と

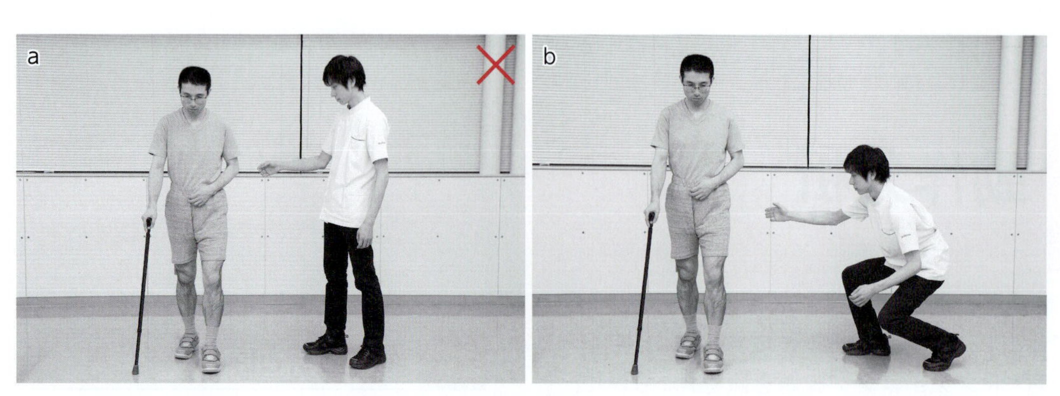


図1　歩行分析で股関節の矢状面上の運動を観察する際の視点
a：不適切な例
b：適切な例

なって観察する(図1b)。

#### 4) 運動学的観察と推察

視診では動作を運動軌跡，運動方向，または関節角度変化といったように運動学的に捉え，正常動作からの逸脱性，左右の非対称性，運動の再現性の有無を観察する。また，各動作中の運動から筋活動や関節モーメントの働きを推察し，仮説を立てる。

### B 触 診

動作時の筋活動は，動作の妨げにならないよう触診で筋収縮を確認する。触診では筋の収縮の有無だけでなく，収縮の大きさやタイミングを確認する(本書のOSCE課題では，5分という時間制限を設けていることと，学習対象者に初学者や学生を想定していることから，動作分析中の触診まで要求すると課題の難度が高くなってしまうことを考慮し，視診のみを行う課題設定としている)。

## 3 臨床で簡便に行える客観的分析

客観的分析の中でも，簡便に行えるものもある。例えば，動作前・後の血圧，脈拍の変化は，動作の効率性を診る生理学的分析として重要である。歩行分析に関していえば，動作前後の脈拍変化と歩行速度から生理学的コスト指数(physiological cost index；PCI)を算出できる。さらに歩行分析では，10m歩行路で歩行時間と歩数を計測して，歩幅，歩行率といった時間・距離因子を算出することもできる。

## 4 観察とリスク管理

観察時は転倒・転落防止など，リスク管理に努めなければならない。機能障害や能力低下によって転倒・転落リスクが高まる，または誘導・補助が必要な場合では，療法士は患者に接近もしくは身体に触れていなければならず，全身の観察が難しくなる。また，「患側後方」「患側前方」といった転倒・転落リスクの高い方向へ位置した場合，常に同じ位置で観察することになる(図2)。このようにリスク管理のために観察が不十分となる可能性がある場合は，他の療法士にリスク管理や誘導・補助を依頼し，前述したように観察面や視点の高さを変えて観察する。他の療法士に依頼できない場合は患者に了承を得たうえで動画を撮影し，

**図2 歩行を患者の近位後方位置で観察した際の療法士の視界**

この立ち位置では全体像または下肢の運動を観察しがたい。

記録した動画で観察することも一法である。動画による観察は，繰り返しの再生やスローモーション再生が可能なため，動作を捉えやすい。

療法士自身が主たるリスク管理者であるか否かに関わらず，患者の側にいるときは，万が一の転倒・転落に備え，常に患者に手を差し伸べられるように手を空けておく。メモ帳やペンはポケットに入れておき，必要なときにのみ取り出し，速やかに記載をすませるよう心がける。また，腕を組んだり，背部で手を組んだりしていると転倒・転落防止の対応に遅れが生じるためリスク管理の視点からも不適切である。

本書に掲載したOSCE課題(分析)では，分析技術の習得を重点目標とし，受験者に求めるリスク管理は他者に依頼することにとどめている。観察時にメモを取ることも許可している。

## 5 分析解釈と統合解釈

観察結果に基づき，動作環境の調整や動作練習など，介入が必要となりうる問題点について分析する。また，再評価の場合は，前回評価時から変化があったのか否かも含めて分析する。さらに，動作の問題点の原因を他の検査結果や動作環境，開始時姿勢などから統合的に検討し，機能障害や能力低下に対する介入プログラムや練習の組み立て方(動作環境や動作の方法)について統合し，解釈する。

#### 参考文献

1) 谷川広樹，大塚圭，才藤栄一，他：視診による歩行分析の評価者間信頼性の検討．総合リハビリテーション 38：1175-81, 2011.

# レベル3
# 機能障害に対する介入技能

# 1 関節可動域運動

## 1 関節可動域運動とは

関節可動域（range of motion；ROM）とは，関節を自動または他動運動したときに動きうる角度を指す[1)]。制限因子には疼痛，皮膚の癒着や伸張性低下，関節包の癒着や短縮，筋・腱の短縮および筋膜の癒着，筋緊張増加，関節包内運動の障害，腫脹や浮腫，骨の衝突などがある[1)]。関節可動域運動（ROM exercise）とは，拘縮などによって関節可動域制限を生じた関節に対し，関節可動域の維持・増大のために行われる運動を指す[2)]。

## 2 関節可動域運動の分類と方法

関節可動域運動の方法は多様であり，制限因子や随意運動の量により分類できる。ここでは「関節可動域の制限因子による分類と関節可動域運動の方法」および「随意運動の量による分類と関節可動域運動の方法」について記載するが，詳細は成書を参照されたい[1,2)]。

### A 関節可動域の制限因子による分類と関節可動域運動の方法

#### 1） 関節包内運動の障害

・構成運動や関節の遊び（joint play）の障害である。なお，構成運動には転がり，滑り，軸回旋がある（図1）。また，関節の遊びには滑りと離開がある（図2）。関節包内運動には，凹面に対して凸の骨が可動する場合，骨運動とは反対方向に凸の関節面が滑ることを凸の法則と呼び，反対に凸面に対して凹の関節面をもつ骨が可動する場合に骨運動と同一方向に滑ることを凹の法則と呼ぶ。しかし，関節面の形状のみで関節包内運動が決まるわけではなく，関節包の緊張や靱帯・筋の走行や緊張などによって変化することに注意が必要である[2)]。

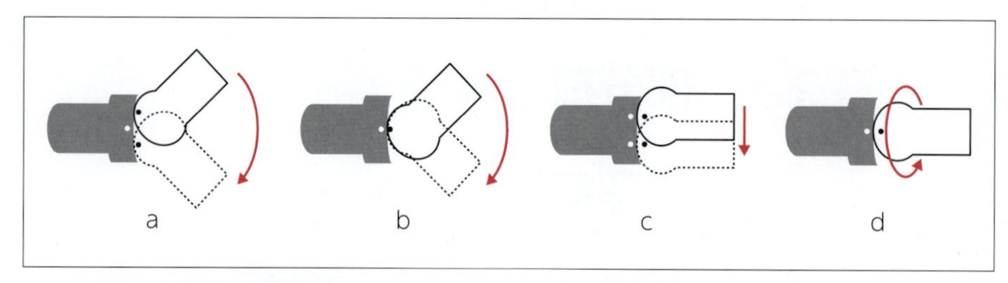


図1　関節包内運動（構成運動）
a：転がり；回転する関節面上に並ぶ多数の点が相対する面上の多数の点と接触する動き。
b：滑り（回旋）；凹面の接点は変化せず凸面の接点だけが移動する。
c：滑り（並進）；凸面の接点は変化せず凹面の接点だけが移動する。
d：軸回旋；関節面上の 1 つの点が相対する面上の 1 つの点上で回転する動き。

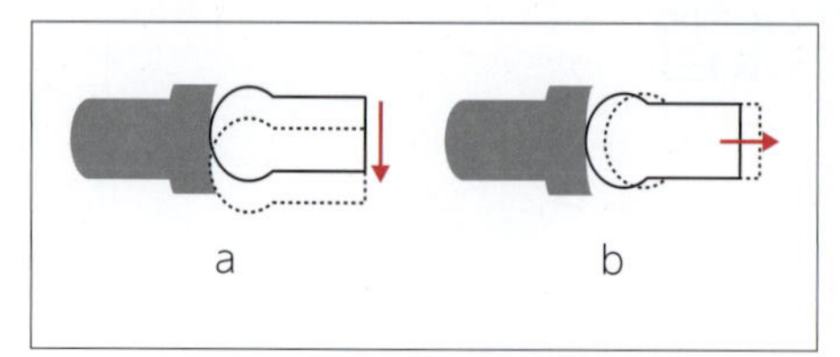


図2　関節包内運動（関節の遊び）
a：滑り；関節包が弛緩する位置で，関節面に対して平行に滑らせる。
b：離開；関節包が弛緩する位置で，関節面に対して垂直に牽引する。

・関節軟骨の変形による構成運動の障害では改善が困難だが，その他の要因では関節包などの伸張による構成運動の改善が期待できる。

### 2) 関節包の癒着や短縮

・関節周囲の手術や長期間の固定により生じる。

・関節角度によって伸張される部位と弛緩する部位が存在するため，安静位で弛緩する部位への伸張を行う（例えば肩関節においては内外転中間位で下方の関節包が緩む）。

### 3) 筋・腱の短縮および筋膜の癒着

・ギプス固定，外傷，手術により生じる。

・柔軟性を改善させるため筋の持続伸張を行う。持続伸張により筋長の延長やコラーゲン線維の可動性改善を図ることができる[3]。

### 4) 筋緊張増加

・筋を伸張させたときの筋緊張増加は痙縮や固縮により生じる[1]。どちらも伸張反射の亢進が要因であるが，痙縮は急速な伸張を加えることにより筋緊張が増加する速度依存性が特徴である。一方で固縮は速度に依存せず，一様の抵抗感を示すことが特徴である。

・エンドフィール[3]は筋性（表1）[4]であり，局所的で持続的な筋緊張の亢進状態である。

・痙縮に対しては，速度依存性による筋緊張増加のため，ゆっくりと動かす他動運動としてゴルジ腱器官のⅠb抑制を用いた持続伸張が有効である。また最大収縮後の弛緩作用や拮抗筋の収縮による相反抑制などを利用したPNF（proprioceptive neuromuscular facilitation）応用ストレッチング[2]なども有効である。また固縮に対しては，他動的な伸張による筋緊張増加のため，自動運動を用いた関節可動域運動が有効である。

表1 エンドフィールの種類

| 正常なエンドフィール | |
|---|---|
| 軟部組織性 | 膝関節を屈曲したときの大腿後面と下腿後面の軟部組織が接近するような柔らかい抵抗感 |
| 筋　性 | 膝伸展時に股関節を屈曲したときのような，ある程度硬く，弾性力のある抵抗感筋の伸張で生じる |
| 関節包・靱帯性 | 肩関節を外旋，股関節を内旋したときのような，しっかりとした抵抗感<br>わずかな遊びがある<br>関節包・靱帯の伸張で生じる |
| 骨　性 | 肘関節を伸展したときのような，突然起こる大きな抵抗感<br>骨と骨の接触で生じる |
| **異常なエンドフィール** | |
| 軟部組織性 | 通常では制限されない角度で起こる<br>浮腫や滑膜炎などで生じる |
| 筋　性 | 通常では制限されない角度で起こる<br>疼痛や筋硬結，筋の短縮，筋スパズム，筋緊張の増加などで生じる |
| 関節包・靱帯性 | 通常では制限されない角度で起こる<br>ゆっくりとした伸張で若干延長する<br>関節包，靱帯の短縮などで起こる |
| 骨　性 | 通常では制限されない角度で起こる<br>一般的に手術以外では改善が見込めない |
| 虚　性 | 通常では制限されない角度で疼痛や抵抗感が生じ，その後，最終抵抗までの開きを感じる<br>防御反応，滑膜包炎などで生じる |
| バネ様遮断 | 最終域で跳ねるような終止感がある |

（才藤栄一 監：PT・OT のための臨床技能と OSCE　コミュニケーションと介助・検査測定編. p142，金原出版，2015. より抜粋し作成）

### 5) 疼痛

・筋性のエンドフィール[5)]（表1）[4)]であり，疼痛でそれ以上他動的な可動域を増大することができないことにより生じる。

・無理な操作は防御性収縮を引き起こすため，疼痛の軽減を優先する。また，重力のかかる方向へ関節運動を行うことも有効である。例えば，患者が端座位で，療法士が下方から下腿を支えながら膝関節屈曲運動を行うことで，患者は屈曲時の疼痛に対処しやすくなる。

### 6) 皮膚の癒着や伸張性低下

・外傷による創傷，手術による術創，熱傷などにより生じる。

・創傷や熱傷による瘢痕予防や二次的な不動による皮膚の伸張性低下を予防するために，皮膚への伸張・圧迫を行う。

### 7) 腫脹・浮腫

・外傷などにより生じる。

・腫脹や浮腫が軟部組織の器質的変化を引き起こすため，浮腫のある部位を挙上した位置で筋のポンプ作用を利用する筋の反復収縮や，末梢から中枢部に向けての圧迫などにより浮腫の改善を図る。

### 8) 骨の衝突

・関節構成体の変形により生じる。この場合，リハビリテーションでの関節可動域の改善は困難である。手術療法の適応となる。

## B 随意運動の量による分類と関節可動域運動の方法

### 1) 他動的関節可動域運動 (passive ROM exercise)

・患者の随意運動を伴わない関節可動域運動である。方法は，療法士の徒手を用いて筋や軟部組織を伸張するストレッチングや，機械を用いて持続伸張させる持続的他動運動 (continuous passive motion；CPM) などがある。

・皮膚の癒着や伸張性低下，関節包の癒着や短縮，筋・腱の短縮および筋膜の癒着などに対して用いられる。

・注意点は，上位運動ニューロン損傷による異常筋緊張がみられる場合には，可能な限り筋緊張を低下させてから運動を行うことや，疼痛がある場合に無理な他動的関節可動域運動を行うと防御性収縮を引き起こす点などである。また，スポーツ前のコンディショニングとしての他動的なスタティックストレッチングは，筋緊張が低下しパフォーマンスを低下させることもあるので注意が必要である。

### 2) 自動的関節可動域運動 (active ROM exercise)

・患者の随意運動による関節可動域運動であり，患者の筋収縮を用いて関節運動を行う。疼痛による可動域制限や，骨折術後またはギプス等の保存療法による初期の関節可動域運動，関節可動域の維持を目的とした自主練習などに用いられる。

・注意点は，筋および腱断裂後における初期の関節可動域運動には禁忌となる点である。

### 3) 自動介助的関節可動域運動 (active assistive ROM exercise)

・患者の随意運動と一部介助で行う関節可動域運動である。方法は，療法士の徒手を用いる方法，患者自身の対側肢を用いる方法，スリングを用いて四肢の重さを軽減する方法などがある。筋力低下または運動麻痺がある場合や，他動的関節可動域運動で疼痛を伴う場合などに用いられる。

・注意点は，介助量が多いと運動範囲が過大になる可能性があり，一方で介助量が少ないと運動範囲が小さくなる点である。

## 3 手順のポイント

### 1) 挨拶・自己紹介を行い，2つの識別子で患者の確認を行う

・患者とのラポール（信頼関係）形成のため，挨拶，自己紹介を行う。

・患者の取り違えを防止するため，氏名に加え生年月日もしくはIDなど，2つの識別子で確認する。

### 2) 関節可動域運動を行う旨を患者に伝え了承を得る

・関節可動域運動について簡潔にわかりやすく説明し，関節可動域運動を行うことについて了承を得る。

### 3) 関節可動域運動に適した環境設定を行う

・対象とする関節の可動域運動を行う範囲に，障害物がない動作環境にする（図3a）。

・安定した姿勢をとり（支持面を増やすため必要に応じクッションを使用），リラックスさせる（図3b）。

・療法士は自身の腰痛を予防するため，ベッドの昇降が可能な場合は高さを調整したり（図3c），ベッドの高さ調整が困難な場合はセラピーチェアなどの椅子を利用したり（図3d），患者に近づくためにベッドに膝をつくなどの調整を行う（図3e）。

**臨床のコツ**

◆ベッドサイドで関節可動域運動を行う際，ベッドの幅が狭い場合がある。その場合，患者をベッドに対し斜めにポジショニングすることで，対象とする関節の可動域運動を行うスペースを確保することができる（図3e）。

### 4) 関節可動域運動の方法についてわかりやすく説明する

・デモンストレーションを行い，運動を行う部位，運動方向，他動的に行うことについて，専門用語を使わずわかりやすく説明する。

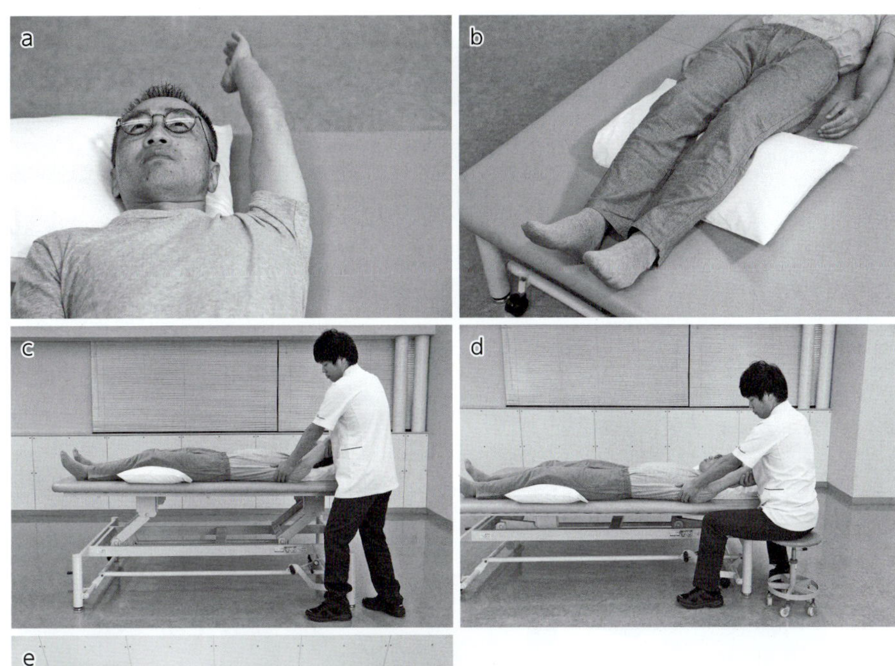


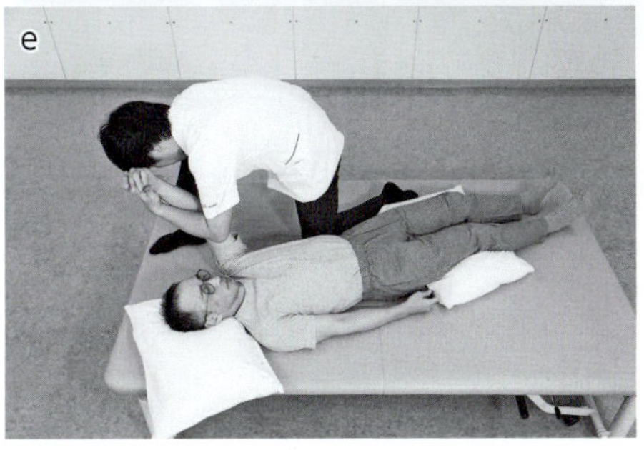


図3　関節可動域運動に適した環境設定
a：関節可動範囲に障害物がない環境にする（枕を寄せて肩関節運動を行いやすくする）
b：クッション等を置き支持面を広げリラックスさせる
c：療法士の腰痛を予防するため昇降式ベッドを利用する
d：療法士の腰痛を予防するためセラピーチェアを利用する
e：患者を斜めにポジショニングすることで療法士が膝をつくためのスペースを確保する

・他動的関節可動域運動を行う際，疼痛や恐怖心による防御性収縮が出現しないように，息を止めずリラックスするよう説明する。また疼痛が出現したら療法士に伝えるよう依頼する。

### 5) 関節可動域運動を行いやすい状態にする

・肩関節の運動の場合は肩甲上腕関節，肩鎖関節，胸鎖関節，肩甲胸郭関節などの複合運動であるため，肩甲上腕関節の運動だけでなく，肩甲骨の可動性を確認する必要がある（図4a）。膝関節の場合は膝蓋骨の可動性を確認する。

・二関節筋が関わる場合は目的以外の関節の可動性が影響するため，必要に応じて他の関節の可動性も確認する。肩関節の場合は上腕三頭筋や上腕二頭筋が関わるため肘関節の可動性（図4b），股関節の場合は大腿直筋やハムストリングスが関わるため膝関節の可動性を確認する必要がある。

・関節包内運動（関節の遊び）を確認する（図4c）。

### 6) 他動的に関節運動を行い，可動域や疼痛，エンドフィールを確認する

・運動の効果を確認するため，運動前の可動域を測定する。

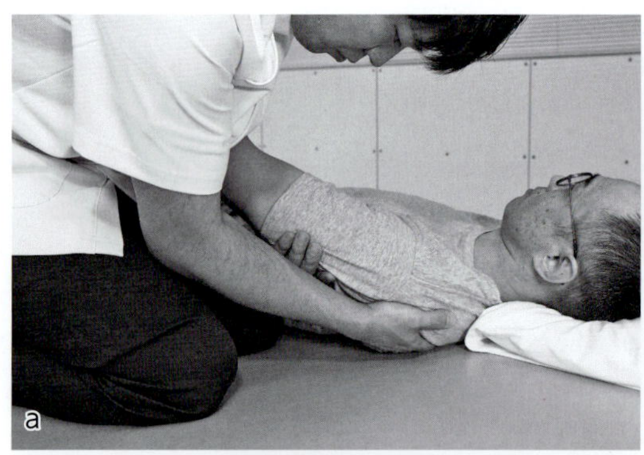

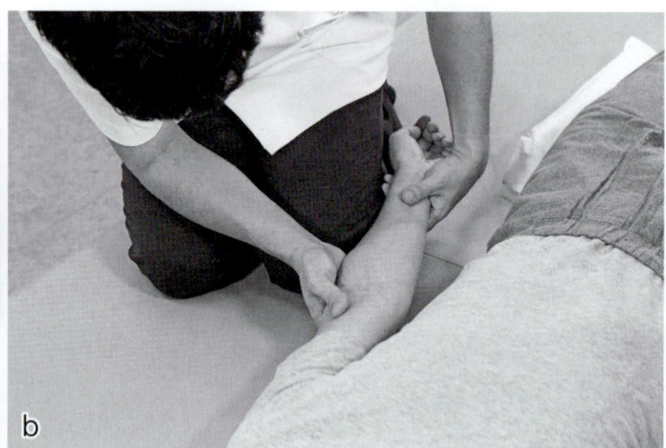

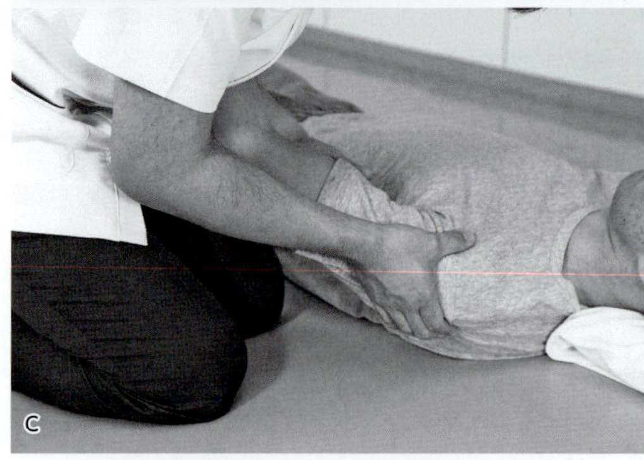

図4 関節可動域運動を行いやすい状態に準備する
a：肩甲上腕関節を動かす前に肩甲骨の可動性を確認する
b：肩関節を動かす前に肘関節の可動性を確認し，肘関節可動域改善を図る
c：肩甲上腕関節を動かす前に関節包内運動を確認する

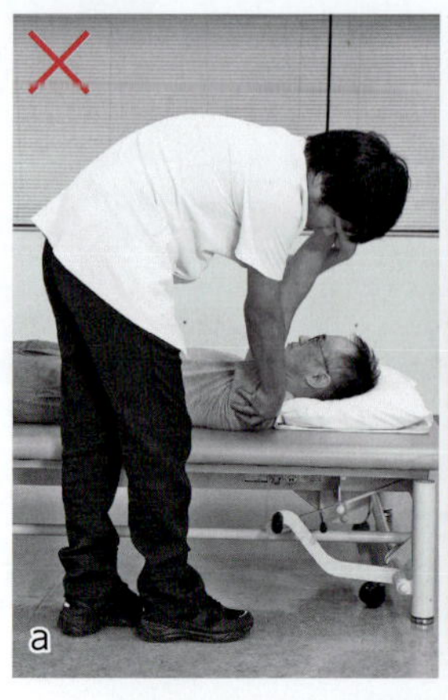

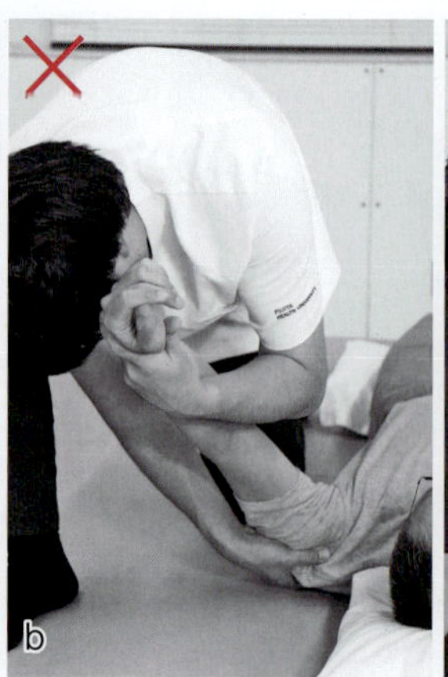

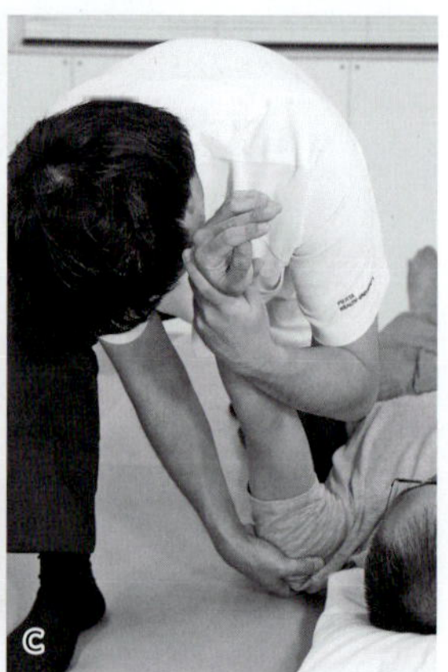

図5 他動的関節可動域運動における注意点
a：療法士の腰痛を誘発しやすい姿勢
b：患者の上肢を牽引し関節痛を引き起こしやすい操作
c：接触面を広くし，下方から把持することで患者の筋緊張増加を防ぐ

・疼痛が生じる場合は，疼痛の部位や種類，程度などを確認し，疼痛が主な制限因子となっていないか確認する。

・エンドフィールと患者自身の感覚との整合性を確認し，患者に普段と比べて可動域や疼痛に変化がないか確認する。

・療法士は自身の身体に負担がかからない姿勢で可動域運動を行う。立位で体幹を深く屈曲した姿勢は腰痛を引き起こしやすい（図5a）。また動かす関節から遠い位置で把持する操作や患者から離れた位置での操作は，患者の関節痛を引き起こしやすい（図5b）。

・筋緊張増加による可動域制限を生じさせないように患者の四肢を把持する。重力のかかる下方から患者の体肢を把持すること，また接触面を広くすることにより患者の筋緊張増加を防ぎやすくなる（図5c）。

### 7）制限因子に応じた運動方法で，持続伸張を行う

・正しい運動方向への操作，関節包内運動や筋・靱帯の走行など，関節の構造や軟部組織の形態を考慮した方法で行う。

・疼痛による可動域制限の場合，無理な操作は防御性収縮を引き起こすため疼痛の軽減を優先する。また重力のかかる方向への可動域運動を行うことも有効である。

・皮膚の癒着や伸張性低下の場合，皮膚の伸張を行う。

・関節包の癒着や短縮の場合，関節角度によって伸張される部位と弛緩する部位が存在するため，安静位で弛緩する部位への伸張を行う（例えば肩関節においては内外転中間位で下方の関節包が緩む）。

・筋・腱の短縮および筋膜の癒着の場合，筋の持続伸張を行う。

・筋緊張増加の場合，ゴルジ腱器官のⅠb抑制を用いた持続伸張や，相反神経抑制を利用した拮抗筋の収縮など神経生理学的な反応を用いる。なお脳血管障害などの錐体路障害による筋緊張亢進（痙縮）は速度依存性であることが多いため，ゆっくりと可動域運動を行う。

・筋・腱の短縮および筋膜の癒着や筋緊張増加の場合，柔軟性の改善や筋緊張が減少するまで（一般的には30～60秒）持続伸張を行う。

・関節包内運動の障害の場合，関節軟骨の損傷に注意しつつ，関節の遊びを引き出す操作や構成運動の操作を行う。

・腫脹や浮腫は軟部組織の器質的変化を引き起こすため，浮腫のある部位を挙上して筋のポンプ作用を利用する筋の反復収縮や，末梢から中枢部に向けての圧迫，物理療法などにより浮腫の改善を図る。

**臨床のコツ**

◆筋緊張の程度や関節可動域角度，患者と療法士の体格などによって体肢の支え方は異なる。運動の際に患者の筋緊張が増加しない最も適した方法を選択することが重要である。

### 8）適度な伸張感で，関節可動域の変化を確認する

・触診や患者への問診で適度な伸張感を確認し，持続伸張前の関節可動域との比較を行う。

・疼痛による防御性収縮が生じないよう，適宜，患者に疼痛の有無を確認する。

・関節可動域の維持もしくは拡大を図るため，最終可動域までの他動運動を行う。

### 9）運動前後の変化や関節可動域運動の結果を患者に説明する

・関節可動域運動前後の変化について説明する。

・関節可動域運動によって得られた効果について，わかりやすく簡潔に説明する。

### 10）他動的関節可動域運動全般を通して，リスク管理を行う

・関節可動域運動による筋緊張増加の助長，疼痛の出現，最終可動域を超えた過度な関節運動，不適切な体肢への触れ方（接触面が少ないことや強い圧迫など）による疼痛や不十分な関節可動域運動による可動域制限の助長などに注意する。

対応動画

# OSCE課題　関節可動域運動

## 設問

発症後5カ月経過した左片麻痺の患者です。発症後の運動麻痺による不動期間があり，筋の短縮による左肩関節可動域制限が生じています。この患者の左肩関節屈曲可動域改善を目的に，他動的関節可動域運動として10秒間の持続伸張を実施してください。可動域の確認は試験時間の都合上，目視にて行ってください。制限時間は5分です。では，始めてください。

## 準備するもの

治療用ベッド，枕，クッション

## 患者情報

| 疾患・障害 | 脳梗塞・左片麻痺 |
|---|---|
| 年齢・性別 | 60歳代・不問 |
| 発症後期間 | 5カ月 |
| BRS* | 上肢：Ⅴ　手指：Ⅳ　下肢：Ⅴ |
| 筋緊張 | Modified Ashworth Scale<br>上腕二頭筋，手関節屈筋群：1 |

| ROM | 左肩関節屈曲110°(P)*，<br>外転100°(P) |
|---|---|
| 疼痛 | 左肩関節最終可動域に伸張痛 |
| 感覚 | 正常 |
| 理解 | 良好 |
| 表出 | 良好 |

*Brunnstrom Recovery Stage　*P：pain（疼痛）

### 関節可動域の現状

他動的関節可動域運動を行うと，肩関節包および広背筋・大円筋の短縮により肩関節屈曲100°付近から抵抗感があり肩関節屈曲110°で可動域制限が生じる。座位にて肩関節屈曲の自動運動を行う際，90°以上屈曲すると，肩甲帯挙上および軽度肘関節屈曲の代償運動が出現する。

### 経過と目標

脳梗塞により左片麻痺を呈し，発症後5カ月経過している。回復期リハビリテーション病棟入院中であり，FIMは118点，2週間後に退院予定である。退院に際し，家業である小売店への復帰を強く希望している。発症直後は肩関節周囲筋が弛緩状態，その後，麻痺は順調に回復したものの肩関節の拘縮が発生した。関節可動域運動を行い，現在は左肩関節屈曲110°と軽度の改善を認めるが，左肩関節包と広背筋・大円筋の短縮がみられる。復職に際し，棚に商品を配置する動作が遂行できるか懸念しており，そのため関節可動域運動を行っている。

## 課題の目標

態度

1．関節可動域運動に備えた清潔で安全な身なりができる。
2．患者に関節可動域運動を行う旨を説明し，了承を得ることができる。
3．患者に不快な思いをさせない（話し方，表情，振る舞い）。

技能

1．患者の安全に配慮しながら進めることができる。
2．関節可動域運動を実施するための準備を行うことができる。
3．関節可動域運動を適切な手順および方法で実施することができる。
4．適宜，適切なフィードバックを行うことができる。

## 手順

1．挨拶・自己紹介を行い，2つの識別子で患者の確認を行う。
2．関節可動域運動を行う旨を患者に伝え了承を得る。
3．関節可動域運動に適した環境設定を行い，臥位姿勢を調整する。
・左肩関節屈曲運動が行いやすいよう枕を右へ寄せる。
・安定した臥位姿勢をとりリラックスさせる（支持面を増やすため膝関節の下にクッションを置く）。
・支持面との接触や各構造体（肩峰，肩甲骨，上腕骨など）の位置関係など，全身の姿勢を観察・評価する。
・患者に触れることで，余計な力が入っていないかを確認する。
4．肩関節屈曲の運動について患者にわかりやすく説明する。
・療法士がデモンストレーションを行い，運動の内容を専門用語を使わずわかりやすく説明する。
・他動的関節可動域運動を行う際，疼痛や恐怖心による防御性収縮が出現しないように，息を止めずリラックスするよう説明する。また，疼痛が出現したら伝えるよう依頼する。
5．肩甲骨と肘関節の可動性，肩甲上腕関節の関節包内運動を確認し，肩関節屈曲運動を行いやすい状態にする。
・肩関節の他動的関節可動域運動の事前準備として，肩甲骨や肘関節の可動性を確認する旨を説明する。
・肩関節屈曲運動は肩甲上腕関節，肩鎖関節，胸鎖関節，肩甲胸郭関節などの複合運動であるため，肩甲骨の挙上と下制，外転と内転，上方回旋と下方回旋の可動性を確認する。
・二関節筋（課題では上腕二頭筋，上腕三頭筋）が関わるため，上腕二頭筋の筋緊張や肘関節の可動性も確認する。その際，筋を強く圧迫しないように注意する。
・筋緊張増加による肩甲帯挙上位や肘関節屈曲位の改善を図り，肩関節屈曲運動を行いやすい状態にする。
・肩甲上腕関節の関節包内運動を確認する。構成運動は転がりと滑りを，関節の遊びは離開を評価する。
6．他動的に肩関節屈曲運動を行い，可動域や疼痛，エンドフィールを確認する。
・可動域運動の効果を確認するため，運動前の肩関節屈曲の可動域を測定する。
・疼痛が生じる場合は，疼痛の部位や種類，程度などを確認し，疼痛が主な制限因子となっていないか確認する。
・エンドフィールと患者自身の感覚との整合性を確認し，患者に普段と比べて可動域や疼痛に変化がないか確認する。
・療法士は自身の身体に負担がかからない姿勢で可動域運動を行う。
・筋緊張増加による可動域制限を生じさせないように重力のかかる下方から接触面を広くし，患者の上肢を把持する。
7．関節可動域制限因子に応じた運動方法で，持続伸張を行う。
・肩関節付近を把持しながら，もう一方の手で患者の前腕～肘部を把持し適切な屈曲運動方向へ操作し，持続伸張する。
・筋緊張増加は速度依存性であることが多いため，ゆっくりと可動域運動を行う。
・柔軟性改善や筋緊張減少のため，最終可動域にて持続伸張を行う。

**臨床のコツ**

◆制限因子に応じて，関節包内運動（関節の遊び）や肩甲骨の運動（挙上・下制，内転・外転，上方回旋・下方回旋）を操作しながら持続伸張を行う（図6）。

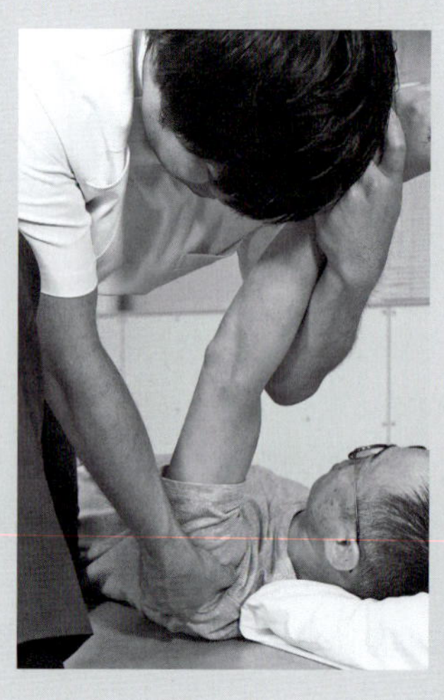

図6　肩関節付近の操作
療法士の母指で患者の肩関節前面を，示指で肩関節後面を把持し関節包内運動を操作する。また，その他の指で肩甲骨を把持し肩甲骨運動を操作する。

8．適度な伸張感で，関節可動域の変化を確認する。
- 触診や患者への問診で適度な伸張感を確認し，持続伸張前の関節可動域との比較を行う。
- 疼痛による防御性収縮が生じないよう，適宜，患者に疼痛の有無を確認する。
- 関節可動域の維持もしくは拡大を図るため，肩甲骨を固定し大円筋や広背筋を触診しながら最終可動域までの伸張運動を行う（図7）。

9．運動前後の変化や関節可動域運動の結果を患者に説明する。
- 関節可動域運動前後の変化について患者に説明する。
- 関節可動域運動によって得られた効果について，患者にわかりやすく簡潔に説明する。

10．課題全般を通して，リスク管理を行う。
- 不適切な体肢への触れ方（接触面が少ないことや強い圧迫など）による疼痛や不十分な関節可動域運動による可動域制限の助長などに注意する。

11．終了を伝える。

12．適宜，適切なフィードバックを行う。
- 適切な内容，タイミング，量でフィードバックを行う。

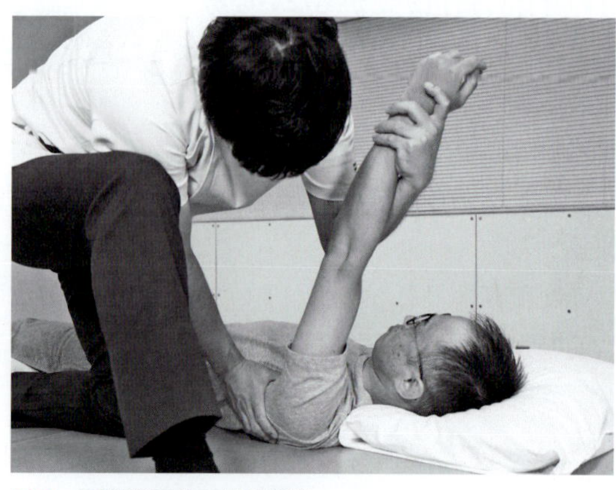

図7　肩関節屈曲の伸張運動

## 採点基準

採点者は模擬患者に受験者の言動の適否を適宜確認して，以下の項目を採点してください。

### 1．態度

|  |  |
|---|---|
| (1) ①適切な身なりで，②明瞭な挨拶（開始時・終了時），③自己紹介ができる。 | 2点：①～③すべてできる<br>1点：①～③のうち2項目できる<br>0点：1項目できる<br>0点：すべてできない |
| (2) 2つの識別子で患者の確認ができる。 | 2点：2つの識別子で患者の確認ができる<br>1点：1つの識別子で患者の確認ができる<br>0点：確認ができない |
| (3) ①関節可動域運動を行う旨を患者に伝え，②了承を得ることができる。 | 2点：①，②どちらもできる<br>1点：①のみできる<br>0点：どちらもできない |
| (4) 課題全般を通して，患者の様子（表情・姿勢・身体機能）や状況に応じた丁寧な対処（①声かけ・②触れ方・③動かし方）ができる。 | 2点：①～③すべてできる<br>1点：①～③のうち2項目できる<br>0点：1項目できる<br>0点：すべてできない |

### 2．技能

|  |  |
|---|---|
| (1) ①関節可動域運動に適した枕の位置，②安定した臥位姿勢，③リラックスした状態に設定できる。 | 2点：①～③すべてできる<br>1点：①～③のうち2項目できる<br>0点：1項目できる<br>0点：すべてできない |
| (2) ①肩関節屈曲運動について専門用語を使わずにデモンストレーションを行い，②息を止めずリラックスすること，③疼痛があれば伝えることを，わかりやすく説明することができる。 | 2点：①～③すべてできる<br>1点：①～③のうち2項目できる<br>0点：1項目できる<br>0点：すべてできない |
| (3) ①肩甲骨の可動性を確認し，②肩関節屈曲運動を行いやすい状態にすることができる。 | 2点：①，②どちらもできる<br>1点：①，②のどちらか一方のみできる<br>0点：どちらもできない |
| (4) ①肘関節の可動性を確認する旨を説明し，②肘関節の可動性を確認すること，③筋緊張増加による肘関節屈曲位の修正を図り肩関節屈曲運動を行いやすい状態にすることができる。 | 2点：①～③すべてできる<br>1点：①～③のうち2項目できる<br>0点：1項目できる<br>0点：すべてできない |
| (5) 肩関節屈曲運動の前に，①適切な肢位で上腕骨を支えて，②関節の遊びを確認することができる。 | 2点：①，②どちらもできる<br>1点：①，②のどちらか一方のみできる<br>0点：どちらもできない |
| (6) 肩関節屈曲運動を，①他動運動で確認し，②可動域，③疼痛，④エンドフィール，⑤普段との変化を確認することができる。 | 2点：①～⑤すべてできる<br>1点：①～⑤のうち3～4項目できる<br>0点：1～2項目できる<br>0点：すべてできない |
| (7) ①自身に負担のかからない姿勢，②筋緊張を亢進させない上肢の把持で，肩関節屈曲運動を行うことができる。 | 2点：①，②どちらもできる<br>1点：①，②のどちらか一方のみできる<br>0点：どちらもできない |
| (8) ①患者の前腕～肘部を把持した正しい肩関節屈曲運動方向への操作，②肩関節付近を把持した関節包内運動の操作ができる。 | 2点：①，②どちらもできる<br>1点：①，②のどちらか一方のみできる<br>0点：どちらもできない |

| | |
|---|---|
| (9) ①筋緊張が増加しないようゆっくりと上肢を操作し，②10秒間の持続伸張を行うことができる。 | 2点：①，②どちらもできる<br>1点：①，②のどちらか一方のみできる<br>0点：どちらもできない |
| (10) ①持続伸張中に疼痛を確認し，②適度な伸張感で行い，③関節可動域の変化を確認することができる。 | 2点：①～③すべてできる<br>1点：①～③のうち2項目できる<br>0点：1項目できる<br>0点：すべてできない |
| (11) ①運動前後の変化，②関節可動域運動の結果を患者に説明することができる。 | 2点：①，②どちらもできる<br>1点：①，②のどちらか一方のみできる<br>0点：どちらもできない |
| (12) 課題を通して，受験者の視線・身構え，患者との距離を確保することで，常に患者の安全を確保できる。 | 2点：課題を通して，受験者の視線・身構え，患者との距離を確保することで，常に患者の安全を確保できる<br>0点：課題を通して，1回でも受験者の視線・身構え，患者との距離を保つことができず患者の身体に危険を感じる対応である |
| (13) 課題を通して，適宜，患者にフィードバックを行うことができる。 | 2点：内容，タイミング，量が適切である<br>1点：2項目が適切である<br>0点：内容が不適切である<br>0点：フィードバックがない<br>0点：1項目が適切である<br>0点：すべて適切でない |

## OSCE担当者確認事項

### 模擬患者と採点者

・誘導・補助が不十分，不適切なためそれ以降の採点項目が減点となる場合は，模擬患者，採点者が修正した後に試験を再開する。

・模擬患者，受験者に危険が及ぶ可能性がある場合は，採点者，模擬患者が修正した後に試験を再開する。

### 模擬患者

・患者は治療用ベッド中央に位置し，枕の中央に頭部を置いた背臥位で待機する。

・クッションでの支持面増加を行わない場合，筋緊張を亢進させるようにする。

・関節可動域は肩関節屈曲110°，可動域制限因子は関節包や大円筋・広背筋の短縮によるものとする。

・肩甲骨の動きや関節包内運動を考慮しない上肢の扱いを行った場合は，疼痛を表出する。

### 採点者

・OSCE課題では10秒間の持続伸長を行うよう設定しているため，受験者が10秒以上行った場合は10秒経過した旨を説明する。

・採点者は，適度な伸張感で肩関節屈曲運動を行えていたかを模擬患者に確認する。

### 引用文献

1) 市橋則明 編：運動療法学―障害別アプローチの理論と実際― 第2版．文光堂，2014.
2) 千野直一 編：現代リハビリテーション医学　改訂第3版．金原出版，2009.
3) 沖田実 編：関節可動域制限 第2版―病態の理解と治療の考え方―．三輪書店，2015.
4) 才藤栄一 監：PT・OTのための臨床技能とOSCE　コミュニケーションと介助・検査測定編．金原出版，2015.
5) Cyriax J：Textbook of Orthopaedic Medicine Vol 1：Diagnosis of soft tissue lesions. Bailliere Tindall, London, 1982.

### 参考文献

1) 千野直一 編：現代リハビリテーション医学　改訂第2版．金原出版，2004.
2) 市橋則明 編：運動療法学―障害別アプローチの理論と実際―．文光堂，2008.
3) 才藤栄一 監：PT・OTのための臨床技能とOSCE　コミュニケーションと介助・検査測定編．金原出版，2015.
4) 沖田実 編：関節可動域制限 第2版―病態の理解と治療の考え方―．三輪書店，2015.

# 2 筋力増強運動

## 1 筋力増強運動とは

筋力はヒトの姿勢保持や，あらゆる身体運動を遂行する原動力である。そのため，筋力の低下は姿勢の悪化，運動や動作の障害を引き起こす。中枢神経疾患患者，整形外科疾患患者において，下肢筋力は起立動作，階段昇降，歩行などの日常生活動作の自立度や速度と相関すると報告されていることもあり，筋力増強運動はリハビリテーションの中でも運動療法の一つとしてよく用いられる。

### A 目 的

リハビリテーションでは，活動障害の改善を目的として筋力増強運動を実施する。日常生活における活動には，瞬発的かつ単発的な最大筋力が必要とされる運動や最大筋力の20〜30%程度の筋力で持続的に繰り返される運動，等尺性収縮による運動や等張性収縮による運動など，さまざまな運動がある。そのため，筋力増強運動を実施する場合は，これらの運動特性を十分に考慮したうえで，運動の種類や負荷を選択することが必要である。

### B 筋力低下の原因

筋力低下をきたす原因には，神経原性（運動ニューロンに起因する障害），筋原性（筋自体に起因する障害），廃用性がある。また，疼痛や関節の腫脹により発揮筋力が低下していることもある。一方，筋力低下をきたす原疾患を有していなくとも副腎皮質ステロイドを経口投与されていると，その副作用として筋力低下（ステロイド誘発性ミオパチー）が生じる。

急性期におけるベッドレストや身体の局所の活動制限によって生じる筋力低下は，神経原性や筋原性に加え廃用性も要因となるため，筋力回復を予測するうえではこのことを念頭に置く必要がある。活動制限と廃用性筋力低下の関係については，ギプスで1カ月前腕を固定すると握力が44%減少したという報告[1]や，2週間の完全免荷で膝伸展筋力が23%減少したという報告[2]がある。さらに，廃用症候群を呈する高齢者の多くに低栄養を認めたという報告[3]から，廃用性の筋力低下は安静だけでなく低栄養も原因の一つになっているといえる。栄養状態が不良の際に積極的に筋力増強運動を行うと低栄養を引き起こし，かえって筋肉量（筋力）が低下することがあるため，実施前にアルブミンや総蛋白の値から栄養状態を確認することが重要である。

### C 筋力増強のメカニズム

筋力は，筋出力の効果器である筋および腱の適応（構造的要素）と，それを制御する中枢神経系機能の適応（機能的要素）によって増大する。筋力増強運動を開始した直後の最大筋力の増加は中枢神経系の適応により生じる。中枢神経系の適応とは，大脳の興奮水準の高まり，活動する運動単位数の増加，運動単位の発火頻度増加，複数運動単位の活動の同期化である。運動を継続すると筋肥大が生じ，筋力が増加する。絶対筋力（単位面積あたりの筋力）は統計的に4〜8 kg/cm$^2$といわれており，筋肥大により筋の断面積が増加し，その結果として筋力が増大する。また，腱の弾性や強度が変化する。これらが筋および腱の適応である。

## 2 筋力増強運動の進め方

筋力増強運動を実施するにあたり，基本条件として運動の強度（負荷量），持続時間（反復回数），頻度，期間を設定する。設定の際には，以下の原則やポイントを考慮する。

## A　過負荷の原則

日常生活活動では，最大筋力の20～30%程度しか筋力を発揮しておらず，筋力増強のためには最大筋力の2/3以上，筋持久力増強であれば最大筋力の1/3～2/3の運動強度が必要となる。負荷量と回数の決定には，反復最大負荷（repetition maximum；RM）を用いて負荷を漸増しながら運動を90～100回繰り返すというDeLormeの漸増抵抗運動[4,5]がよく知られている。臨床では，過負荷の原則に従い，筋が疲労する強度と回数を設定するとよい。しかし，易疲労性や過用性筋力低下を生じやすい疾患に対しては，翌日に疲労が残らない程度の負荷量に調整するなどの工夫が必要である。

## B　特異性の原則

筋力増強は，対象となる筋，収縮様式（求心性収縮，遠心性収縮，等尺性収縮），運動速度，実施する関節角度に依存する。そのため，日常生活活動の中で改善したい動作を念頭に置いた設定にて筋力増強運動を実施する。

## C　可逆性の原則

筋力増強運動を中止した場合，経時的にその効果は消失する。そのため，筋力増強運動で得られた筋力（能力）が生活の中で継続的に使われるように指導する。

## D　年齢・性別

筋量の増加には男性ホルモンが重要な働きをしている。したがって，女性は男性に比べて筋量が増加しにくいと考えられている。しかし，筋力増強後の筋断面積の増加率や筋線維組成の変化率は，男性と女性で同程度であるという報告もあり，筋量の増加に関する性差は明らかになっていない。

一般的に加齢に伴い，筋断面積と筋線維数，運動単位数が減少するが，高齢者においても筋力増強運動の効果は認められる。高齢者が若年成人と異なるのは，筋肥大は得られるが，長期的な筋力増加には中枢神経系の適応による要素が大きい[6]という点である。

## E　筋力低下の程度に合わせた筋力増強運動

筋力増強運動は，Danielsらの徒手筋力検査（manual muscle test；MMT）などの筋力検査の結果に基づき，段階的に進める。例えばMMTで段階1（Trace）であれば重力除去位での自動介助運動，段階2（Poor）であれば重力除去位や抗重力位での自動運動，段階3（Fair）以上では抗重力位での抵抗運動といったように段階的に進める。

また，筋力が背臥位や座位でのテストにて十分回復したと判定されても，立位バランスの低下や歩行時の膝折れなどが生じる場合がある。このように，獲得された筋力を日常生活動作の中で発揮させるためには，非荷重位（open kinetic chain；OKC）での単一の運動のみではなく，荷重位（closed kinetic chain；CKC）で実際に必要な動作を実施することが重要となる。しかしCKCでは自重以上の負荷がかけにくいなどの問題があるため，OKCの筋力増強運動を並行して行うとよい。

## F　徒手による筋力増強運動と器具による筋力増強運動

臨床における筋力増強運動は，療法士の徒手か器具を用いて負荷を与える。

徒手による筋力増強運動では，運動を繰り返すことで生じる疲労，疼痛，代償運動の程度を評価しながら関節角度変化に合わせて負荷を変化させるなど，細かな抵抗の加減が容易となる。そのため，筋力増強運動を行いながらシームレスに他動運動から自動介助運動，自動運動へと移行させることができるようになる。その反面，負荷量が一定に保てず，多くの回数を反復するには不利である。

一方で，器具による筋力増強運動は，負荷量を一定に保ちながら多くの回数を反復するのに有利である。MMTが段階3以上であれば，徒手による抵抗運動よりも，器具を用いた自主トレーニングで筋力増強運動をさせることが望ましい。

筋力増強運動に用いる器具には，重錘バンド，ゴムチューブやセラバンド®，滑車重錘運動器，各種トレーニングマシンなどがある。器具は自主トレーニングで利用されることが多いが，誤った運動になっていないか，定期的にチェックするとよい。

### G 運動を継続させるための導入とフィードバック，声かけ効果

筋力増強は運動実施直後に効果は現れず，自覚症状や運動能力の改善または動作に影響を及ぼすまでにある程度の期間が必要となる。さらに，実施中や実施後には筋肉痛，息切れ，疲労感などが生じやすいため，筋力増強運動は対象者にとって辛く，継続しにくい運動といえる。筋力増強運動を継続して実施させるためには，実施前に目標値や期間，一般的な回復過程といった見通しを提示することや，実施後には賞賛，実施した運動量や筋力値の推移のフィードバック，報酬やトークンを与えることで動機づけをすることが大切である。

また，運動中の「もっと強く！」「頑張って！」などの声かけは，脳幹機能などによる意識レベル・興奮水準を増大させ，最大発揮筋力を向上させる効果がある[7,8]。

## 3 疾患別の筋力増強運動

疾患や合併症，全身状態を考慮して収縮様式や負荷量を決定する必要がある。以下に，その一部を紹介する。

### A 変形性股関節症・膝関節症

変形性股関節症では，特に股関節外転筋力が低下することが多く，股関節周囲筋群の強化を図り股関節を安定させることが重要となる。変形性膝関節症では，膝関節周囲筋，特に大腿四頭筋に筋力低下が生じる。また，変形性膝関節症患者は，健常者と比べて股関節周囲筋力も有意に低下するという報告がある。股関節周囲筋は主に二関節筋を通して膝関節を補強し，股関節外転筋は片脚立位時に膝関節に生じる内反ストレスに抵抗するなど，重要な役割を果たしている。そのため，膝関節周囲だけでなく股関節周囲の筋力増強も重要となる。

手術直後の安静や術部の固定により膝関節運動ができない場合，等尺性運動による筋力増強運動が適応となり，臨床では大腿四頭筋のセッティングがよく行われる。大腿四頭筋のセッティングは，教示の仕方により発揮される最大筋力が異なることがわかっている[9]。「気をつけ」「膝の裏をベッドにつけて踵を浮かせる」「太ももの内側に力を入れ膝のお皿を引き上げる」という3つの教示を比較すると，「膝の裏をベッドにつけて踵を浮かせる」が最も強い筋収縮となり，また，これらを組み合わせた場合は，「気をつけ」から「膝の裏をベッドにつけて踵を浮かせる」の順に，下肢全体から局所へと意識を向けると強い筋収縮が得られる。

### B 関節リウマチ

過度な運動は関節破壊を助長するため，積極的な筋力増強は適用しにくい。特に疼痛を有する関節周囲の筋力増強を行う場合は，等尺性収縮を選択するなど工夫が必要である。安全に筋力増強運動を実施するため，疼痛が運動終了後2〜3時間以上持続したり，翌日まで残る場合には過用と判断し，運動量を減らすようにする。また，等張性収縮で筋力増強運動を行う場合，関節運動はゆっくりと行うように指示する。これは，関節を保護しながら遠心性収縮により筋力増強を図るという狙いがある。

### C 神経筋疾患

神経難病を含む神経筋疾患の多くは，筋萎縮と筋力低下を伴う。筋力低下が優位なのは近位筋か遠位筋か，また仮性肥大の有無などは疾患により異なるため，各疾患の特徴を把握して筋力増強を進める。また，病期によって負荷量を変更したり，過用に十分注意する必要がある。

多発性硬化症患者の筋力増強では，運動の過負荷や体温上昇に注意する。多発性硬化症患者の体温変

化の許容範囲は0.8～1.0℃であり[10]，環境温度を25℃以下に調整することや外気温が高い時間帯は避けるなどの配慮が必要である。

Guillain-Barré（ギラン・バレー）症候群では，内科的治療の状況や電気生理学的検査などによる重症度と予後予測についての情報を収集し，発症後早期には過用を避けるよう低負荷・高頻度運動から開始する。また，個別の筋に集中せずに全身的な運動を実施する[11]。

### D　廃用症候群

ギプスなどによる関節固定が除去された直後は，関節運動に対する恐怖心のために筋収縮が上手にできない患者がいる。このような場合，まずは等尺性収縮から開始し，次に等張性収縮による自動介助運動を行わせることで，関節周囲の筋収縮を自覚（再学習）させることが有効である。

廃用性筋萎縮では，type I線維とtype II線維のどちらが萎縮しやすいかは見解が分かれる。また，筋線維の萎縮のみではなく筋線維周囲の毛細血管数や血中グリコーゲン濃度も減少する。そのため，廃用症候群による筋力低下には，持久性トレーニングの実施も重要である。自転車エルゴメータを用いた持久性トレーニングや，セラバンド®を用いた自主トレーニングが有効である。

## 4　手順のポイント

本項では，療法士の徒手による自動介助運動を複数回行う場合の手順を示す。

**1）挨拶・自己紹介を行い，2つの識別子で患者の確認を行う**

- 患者とのラポール（信頼関係）形成のため，挨拶，自己紹介を行う。
- 患者の取り違えを防止するため，氏名に加え生年月日もしくはIDなど，2つの識別子で確認する。

**2）筋力増強運動を行う旨を患者に伝え了承を得る**

- 筋力増強運動について簡潔にわかりやすく説明し，筋力増強運動を行うことについて了承を得る。

**3）筋力評価に基づいて，重力除去位または抗重力位をとらせる**

- 抗重力位での随意的な運動ができない場合は，MMT 2（Poor）のテストの姿勢に基づき，重力の影響を最小にした姿勢をとらせる。
- 代償運動や目的筋以外の筋出力をさせないため，徒手やベルトを用いて患者の姿勢を安定させる。

**4）他動的関節可動域を確認し，同時に疼痛の有無を確認する**

- 患者をリラックスさせ，可動域と疼痛を確認する。

**5）代償運動を行わないように指示する**

- 代償運動の例を示し，あらかじめ代償運動を行わないように指示する。

**6）自動運動を行わせ，運動可能範囲，疼痛と代償運動の有無を確認する**

- 開始肢位に戻す際は，関節保護と遠心性収縮を促す目的から，ゆっくりと運動を行わせる。
- 代償運動を認めた場合，運動を中断させ代償運動を行わないよう指示する。

**7）必要に応じて誘導・補助しながら，自動運動を繰り返し行わせる**

- 最終可動域まで運動を行わせる。
- 誘導・補助量は患者の筋出力に合わせ，代償運動を出現させない範囲で最小限とする。
- 運動中に誘導・補助する際，療法士は患者の上肢または下肢を下方から誘導・補助できる位置に手を添える。
- 運動中に代償運動を認めたら，一度運動を中断させ代償運動を行わないよう指示し，必要であれば誘導・補助量を増やす。
- 運動中は，運動が正しく行えているかフィードバックを行う。
- 運動中は，最大筋力を発揮させることができるように励ましの声かけを行う。

**8）運動を終えて，安定した姿勢をとらせる**

- 疼痛の有無を確認する。

対応動画

# OSCE課題 筋力増強運動

## 設問

廃用により筋力低下を呈した患者です。普段，股関節外転筋力低下に対して背臥位で自主トレーニングを行っています。昨日，随意的な左（もしくは右）股関節外転運動を重力に抗して数回，最大関節可動域まで行うことができましたが，徐々に代償運動を認めました。この患者に対し，適切な姿勢にて，左（もしくは右）股関節外転運動を10回，最大可動域まで行わせてください。その際，代償運動を出現させないように，必要に応じて最小限の誘導・補助を行ってください。制限時間は5分です。では，始めてください。

## 準備するもの

治療用ベッド（やや横幅が広いもの），枕

## 患者情報

| 疾患・障害 | 廃用症候群・筋力低下 | 疼痛 | なし |
|---|---|---|---|
| 障害側 | 両側 | 起居動作 | 自立 |
| 年齢・性別 | 不問 | 理解 | 良好 |
| ROM | 制限なし | 表出 | 良好 |

### 筋力の現状

股関節の自動外転運動は，数回であれば，代償運動を伴わずに重力に抗して最大可動域まで可能である。疼痛はない。しかし運動を繰り返すと，徐々に股関節や膝関節の屈曲など，代償運動を伴った股関節外転運動となる。

### 経過と目標

長期間の臥床により全身の筋力低下を呈している。そのため，起居動作は自立しているが，立位と歩行は不安定である。医師から筋力増強運動が処方され，前日に評価と介入を行った。適切な負荷と運動により筋力増強が可能であると考えられたが，やや意欲が低下していると思われたため，動機づけを意識しながら短期的な目標として筋力増強を目指す。

## 課題の目標

態度

1．筋力増強運動に備えた清潔で安全な身なりができる。
2．患者に筋力増強運動を行う旨を説明し，了承を得ることができる。
3．患者に不快な思いをさせない（話し方，表情，振る舞い）。

技能

1．患者の安全に配慮しながら進めることができる。
2．筋力増強運動を実施するための準備を行うことができる。
3．筋力増強運動を適切な手順および方法で実施することができる。
4．適宜，適切なフィードバックを行うことができる。

## 手順

1. 挨拶・自己紹介を行い，2つの識別子で患者の確認を行う。
2. 筋力増強運動を行う旨を患者に伝え了承を得る。
3. 運動側の下肢が上方となるように側臥位をとらせる。
   - 下方になった側の肩甲帯は，疼痛を誘発しないようにやや前方に突出させる。
   - 頸部が側屈しないように枕の高さを調整する。また，頭頸部は屈伸中間位とする。
   - 側臥位は体幹が不安定になりやすいため，患者自身の上肢で支えさせる（図1）。
   - 患者の体幹が中間位となっているか，運動中も常に確認する（図2）。
   - 患者の後方に位置し，下方の下肢の股関節・膝関節を屈曲させ，上方の膝関節の下に下方の下肢の下腿遠位～内果が位置するように姿勢を整える。
   - 上方の下肢の股関節は内外旋・屈伸中間位，膝関節は伸展位とする。
   - 下腿遠位部の下方に手を添え，もう一方の手で骨盤を支える（図3）。骨盤を支える手は，中殿筋を圧迫せず，腸骨稜を頭側から尾側に向かって支えることで，代償運動である骨盤挙上を防ぐとともに，その有無を触知することができる（図4）。
   - 療法士の下肢で骨盤を後方から支え安定させる。その際，反対側の膝を立てることで療法士の姿勢を安定させる（図5）
4. 股関節の他動的関節可動域を確認し，同時に疼痛の有無を確認する。
   - 患者をリラックスさせ，可動域と疼痛を確認する。

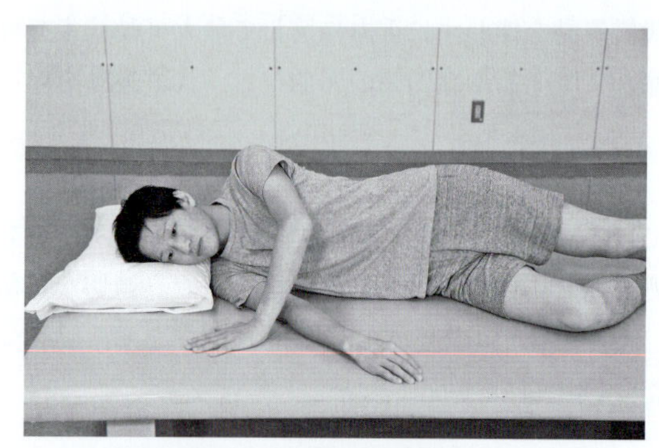

図1 姿勢を安定させるための上肢の支え

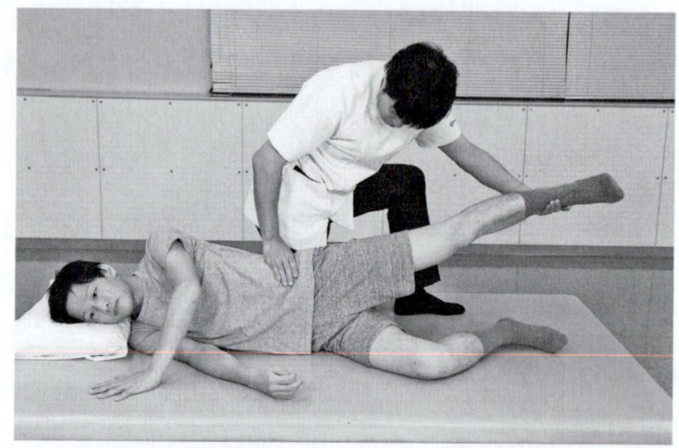

図3 骨盤と下肢の支え方

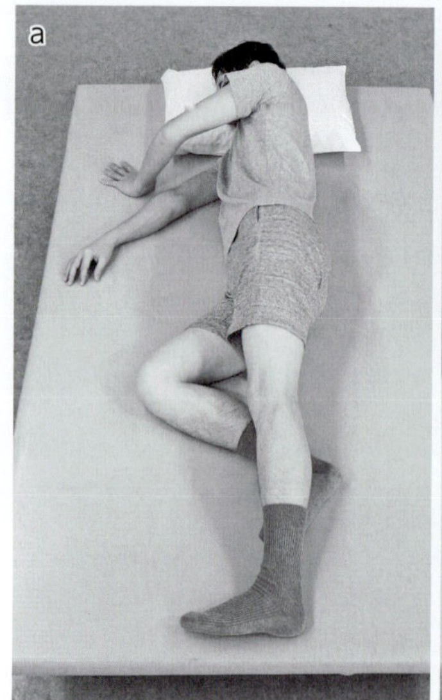



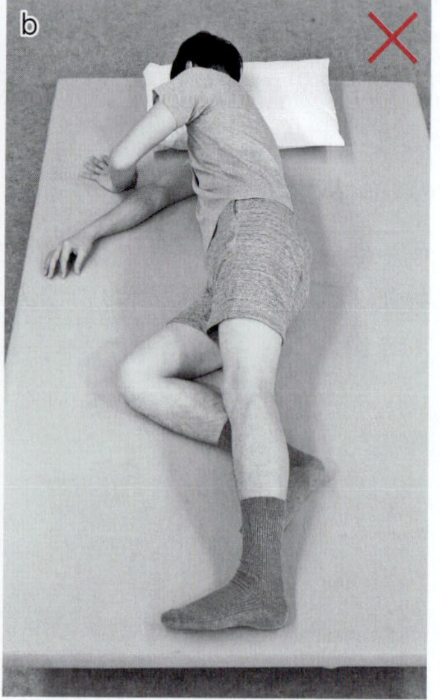



図2 患者の姿勢

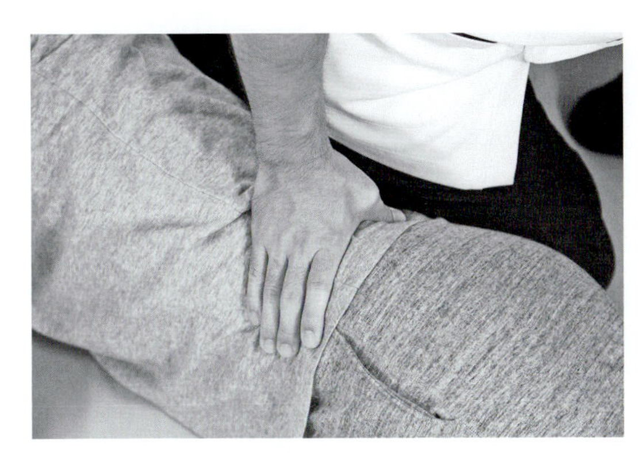

図4 骨盤の支え方（頭側から）

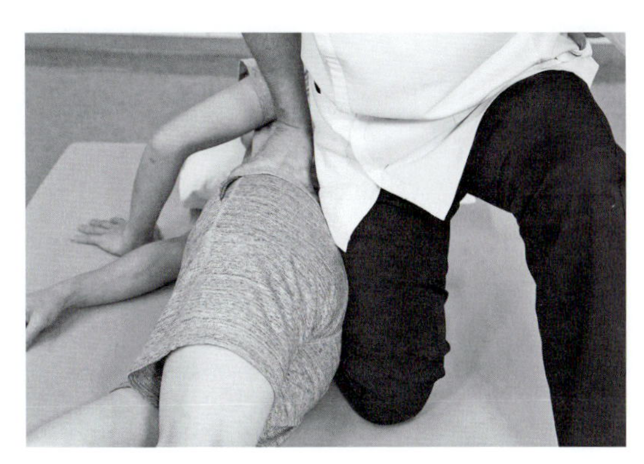

図5 骨盤の支え方（後方から）

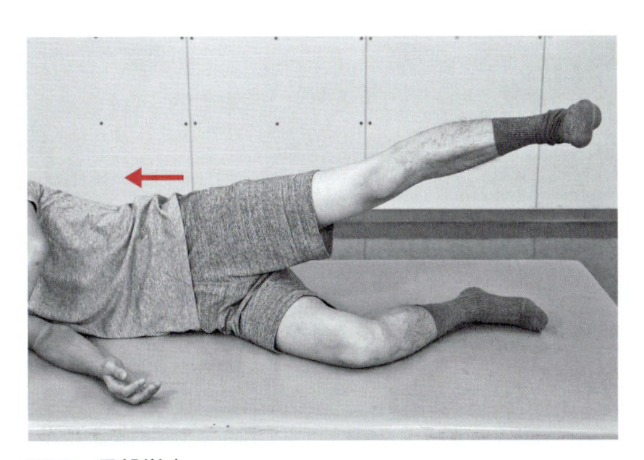

図6 骨盤挙上

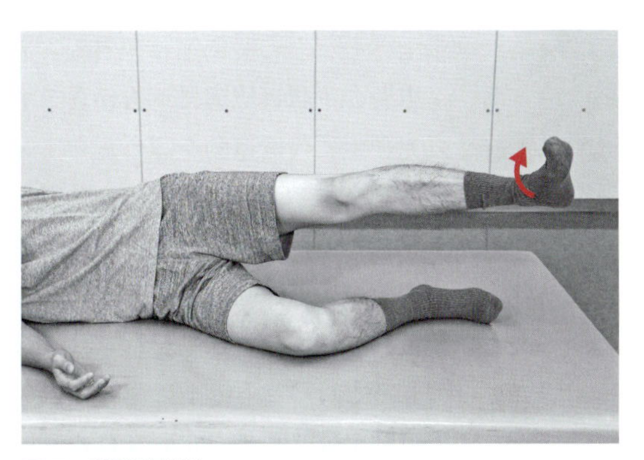

図7 股関節外旋

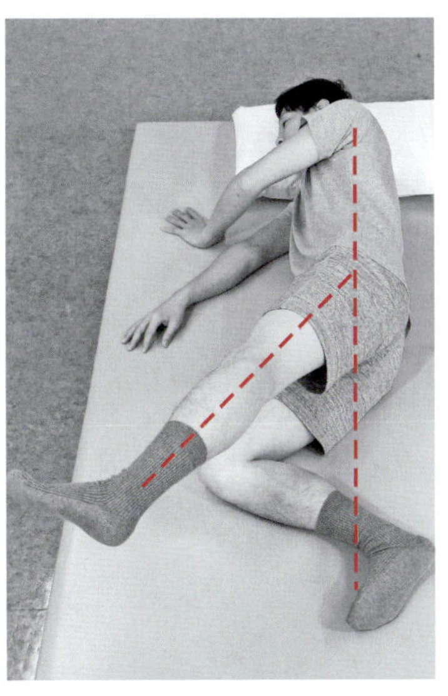

図8 股関節屈曲

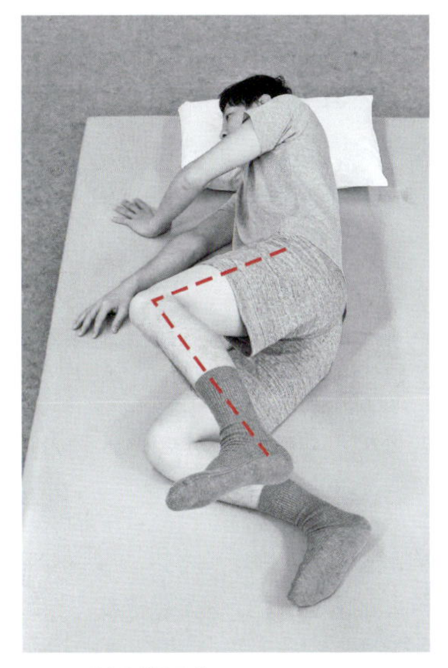

図9 膝関節屈曲

5．代償運動を行わないように指示する。

・股関節外転運動の主な代償運動を示し，代償運動を行わないよう指示する。

股関節外転運動の主な代償運動：骨盤挙上（図6），股関節外旋（図7），股関節屈曲（図8），膝関節屈曲（図9）

6．股関節外転運動を自動運動で行わせ，挙上可能範囲，疼痛と代償運動の有無を確認する。

・開始肢位に戻す際は，関節保護と遠心性収縮を促す目的から，ゆっくりと行わせる。

・代償運動を認めた場合，一度運動を中断させ代償運動を行わないよう指示する。

7．股関節外転運動を行わせる。

・誘導・補助の量は患者の筋出力に合わせ，代償運動を出現させない範囲で最小限とする。

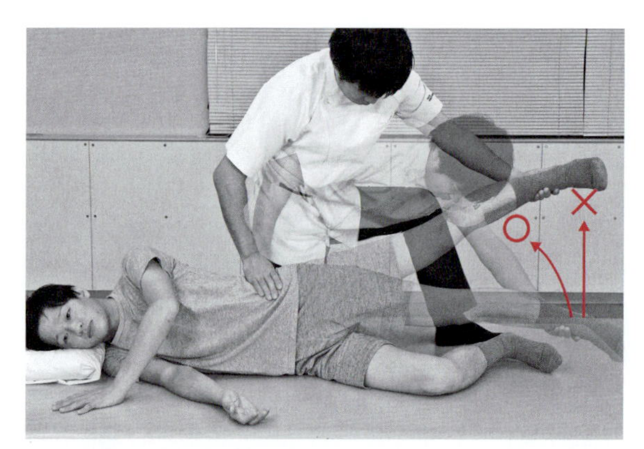

図10　股関節の運動を意識した介助の方向

・患者の下腿遠位部に下方から手を添え，いつでも支えられるように準備する。
・運動中に代償運動を認めたら，一度運動を中断させ代償運動を行わないよう指示してから再開する。また，必要であれば介助量を増やす。
・誘導・補助は，下腿遠位部の下方に添えた手を真上に挙上するのではなく，股関節を中心とした下肢の回転運動を意識して斜めに挙上する（図10）。
・最終可動域まで運動を行わせ，開始肢位に戻す際は関節保護と遠心性収縮を促す目的から，ゆっくりと行わせる。
・運動中は，運動が正しく行えているかフィードバックを行うとともに励ましの声かけをする。

**8．運動を終えて，背臥位をとらせる。**
・疼痛の有無を確認する。

**9．終了を伝える。**

**10．適宜，適切なフィードバックを行う。**
・適切な内容，タイミング，量でフィードバックを行う。

## 採点基準

採点者は模擬患者に受験者の言動の適否を適宜確認して，以下の項目を採点してください。

**1．態度**

| | |
|---|---|
| (1) ①適切な身なりで，②明瞭な挨拶（開始時・終了時），③自己紹介ができる。 | 2点：①～③すべてできる<br>1点：①～③のうち2項目できる<br>0点：1項目できる<br>0点：すべてできない |
| (2) 2つの識別子で患者の確認ができる。 | 2点：2つの識別子で患者の確認ができる<br>1点：1つの識別子で患者の確認ができる<br>0点：確認ができない |
| (3) ①筋力増強運動を行う旨を患者に伝え，②了承を得ることができる。 | 2点：①，②どちらもできる<br>1点：①のみできる<br>0点：どちらもできない |
| (4) 課題全般を通して，患者の様子（表情・姿勢・身体機能）や状況に応じた丁寧な対処（①声かけ・②触れ方・③動かし方）ができる。 | 2点：①～③すべてできる<br>1点：①～③のうち2項目できる<br>0点：1項目できる<br>0点：すべてできない |

2．技能

| | |
|---|---|
| (1) ①上方の膝関節の下に下方の下肢の下腿遠位～内果が位置しており，②下方の肩甲帯がやや前方に突出しており，③体幹や骨盤が回旋せず中間位での側臥位にすることができる。 | 2点：①～③すべてできる<br>1点：①～③のうち2項目できる<br>0点：1項目できる<br>0点：すべてできない |
| (2) ①側臥位で上方の手掌をベッドにつかせ，②適切な姿勢を保持しながら運動させることができる。 | 2点：①，②どちらもできる<br>1点：①，②のどちらか一方のみできる<br>0点：どちらもできない |
| (3) 患者の後方に位置し，骨盤を①後方，②頭側から固定することができる。 | 2点：①，②どちらもできる<br>1点：後方に位置するが①，②のどちらか一方のみできる<br>0点：後方に位置しない<br>0点：後方に位置するが固定できない |
| (4) 運動実施前に他動的関節可動域を，全可動域を動かして確認することができる。 | 2点：確認できる<br>1点：一部可動域を確認する<br>0点：確認しない |
| (5) あらかじめ代償運動を行わないよう伝え，かつ運動中も代償運動を抑制できる。 | 2点：あらかじめ代償運動を行わないよう伝え，かつ運動中も代償運動を抑制できる<br>1点：あらかじめ代償運動について伝えないが，運動中は代償動作を抑制できる<br>0点：運動中に代償動作を抑制できない |
| (6) ①常に最小限の補助量で，②最大外転角度まで運動を行わせることができる。 | 2点：①，②どちらもできる<br>1点：①，②のどちらか一方のみできる<br>0点：どちらもできない |
| (7) 下肢を内転して開始肢位に戻す際，最小限の誘導・補助量でゆっくりと行うことができる。 | 2点：10回の運動中，9回以上できる<br>1点：10回の運動中，8回できる<br>0点：10回の運動中，1～7回できる<br>0点：すべてできない |
| (8) 運動中，最大筋力が発揮できるよう適切に声かけすることができる。 | 2点：励ましの声かけができる<br>1点：声かけをするが，最大筋力が発揮できるような声かけができない<br>0点：励ましの声かけをしない |
| (9) ①他動運動時，②自動運動時，③自動介助運動時，④運動終了時に疼痛の有無を確認できる。 | 2点：①～④すべてできる<br>1点：①～④のうち2～3項目できる<br>0点：1項目できる<br>0点：すべてできない |
| (10) 課題を通して，受験者の視線・身構え，患者との距離を確保することで，常に患者の安全を確保できる。 | 2点：課題を通して，受験者の視線・身構え，患者との距離を確保することで，常に患者の安全を確保できる<br>0点：課題を通して，1回でも受験者の視線・身構え，患者との距離を保つことができず患者の身体に危険を感じる対応である |
| (11) 課題を通して，適宜，患者にフィードバックを行うことができる。 | 2点：内容，タイミング，量が適切である<br>1点：2項目が適切である<br>0点：内容が不適切である<br>0点：フィードバックがない<br>0点：1項目が適切である<br>0点：すべて適切でない |

## OSCE担当者確認事項

### 環境設定

・模擬患者が側臥位になった際，頸部が側屈位とならないよう，適切な高さの枕を用意しておく。

### 模擬患者と採点者

・模擬患者の疲労に応じて受験者ごとに運動側を決定し，設問に「左側」（もしくは「右側」）と明示する。
・模擬患者がベッドの端で運動することにより転落の危険がないよう，やや幅の広い治療用ベッドを用意する。
- 誘導・補助が不十分，不適切なためそれ以降の採点項目が減点となる場合は，模擬患者，採点者が修正した後に試験を再開する。
- 模擬患者，受験者に危険が及ぶ可能性がある場合は，採点者，模擬患者が修正した後に試験を再開する。

## 模擬患者

- 体幹と下肢の運動を観察しやすい服を着用する。
- 課題開始時に治療用ベッドに端座位で待機する。
- 股関節外転を以下のように実施する。

  自動運動の確認時：ゆっくりと，全可動域を誘導・補助なしで実施する。

  1，2回目：ゆっくりと，全可動域を誘導・補助なしで実施する。内転は指示があればゆっくりと誘導・補助なしで実施するが，指示がなければ素早く行う。

  3回目：ゆっくりと，全可動域の3/4程度までの挙上とし，誘導・補助があれば全可動域実施する。内転は誘導・補助がなければ素早く行う。

  4回目以降：自動運動可能な範囲を徐々に狭くし，誘導・補助があれば全可動域実施する。10回目までに，代償運動（骨盤挙上，股関節外旋，股関節屈曲，膝関節屈曲のいずれか）を1～2回程度出現させる。内転をゆっくり行うために必要な補助量が少しずつ大きくなるようにする。

## 引用文献


1) Hills WL, Byrd RJ：Effects of immobilization in the human forearm. Arch Phys Med Rehabil 54：87-90, 1973.
2) Labarque VL, Eijnde BO, Van Leemputte M：Effects of immobilization and retraining on torque-velocity relationship of human knee flexor and extensor muscles. Eur J Appl Physiol 86：251-7, 2002.
3) 若林秀隆：高齢者の廃用症候群の機能予後とリハビリテーション栄養管理．静脈経腸栄養 28：1045-50, 2013.
4) DeLorme TL：Restoration of muscle power by heavy resistance exercises. JBJS 27：645-67, 1945.
5) DeLorme TL, Watkins AL：Techniques of progressive resistive exercise. Arch Phys Med Rehabil 29：263-73, 1948.
6) 奈良勲，岡西哲夫 編：筋力．pp112-37，医歯薬出版，2004.
7) 秋田智子，宮津真寿美：応援を含めた声かけによって発揮筋力は高くなるか．愛知医療学院短期大学紀要 6：1-5, 2015.
8) 浦川将，高木孝一，松井一訓，他：手指のリハビリテーション課題に対する声かけ効果：前頭前野の役割．みんなの理学療法 28：28-32, 2016.
9) 池上久美子，加藤正樹，及部珠紀，他：教示とパフォーマンス─大腿四頭筋Settingにおける検討．日本私立医科大学理学療法学会誌 21：24-5, 2004.
10) 中田正司：多発性硬化症の運動療法．運動療法学各論 第2版（吉尾雅春 編），pp244-51，医学書院，2006.
11) 金尾顕郎：ギラン・バレー症候群の運動療法．運動療法学各論 第2版（吉尾雅春 編），pp252-8，医学書院，2006.


## 参考文献


1) 山崎裕司，長谷川輝美，横山仁志，他：等尺性膝伸展筋力と移動動作の関連─運動器疾患のない高齢患者を対象として．総合リハ 30：747-52，2002.
2) 大森圭貢，横山仁志，青木詩子，他：高齢患者における等尺性膝伸展筋力と立ち上がり能力の関連．理学療法学 31：106-12, 2004.
3) 岡西哲夫：筋力増強運動．運動療法学総論 第2版（吉尾雅春 編），pp199-219，医学書院，2006.
4) 津山直一，中村耕三 訳：新・徒手筋力検査法 原著第9版．協同医書出版，2014.
5) 山崎裕司，山本淳一 編：リハビリテーション効果を最大限に引き出すコツ─応用行動分析で運動療法とADL訓練は変わる．三輪書店，2008.
6) 斉藤秀之，加藤浩，山田英司 編：極める変形性膝関節症の理学療法─保存的および術後理学療法の評価とそのアプローチ．文光堂，2014.

# 3 促通手技

## 1 促通とは

生理学における促通とは，2つの求心神経から1つのニューロンプールへ刺激を与えるとき，2つの求心神経のそれぞれの刺激効果の和より，同時刺激による効果の方が大きくなることをいう（図1）[1]。

リハビリテーションやスポーツの分野における促通とは，運動を実現するために標的筋を支配する運動ニューロン自体の興奮性を高める介入と捉えることができる。脳卒中患者のリハビリテーションに焦点をあてると，促通の目的と手技は麻痺の状態によって異なる。麻痺肢の随意運動が生じない患者では，運動を実現させることが目的であり，連合反応を利用することもある。また，痙縮を伴うことで一部運動が可能な患者には，亢進した伸張反射や痙縮を利用して目的とする運動を実現することもある。さらに，共同運動からより分離した運動を実現させるために行う促通手技もある。このように，脳卒中患者に対する促通手技は一様ではない。

これらの促通手技は，諸家が体系化しており，例としてPNF法（proprioceptive neuromuscular facilitation；固有受容性神経筋促通法），Bobath法，Brunnstrom法，促通反復療法（repetitive facilitation exercise；RFE）などがある。詳細については成書を参照されたい。

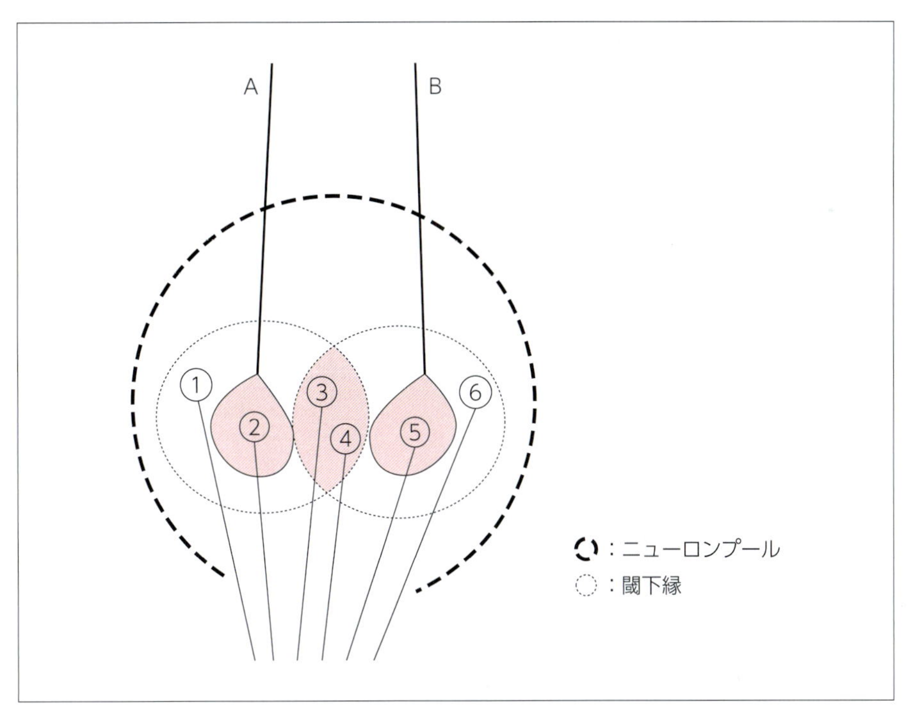


図1　促通

刺激が弱い場合，ニューロンAの刺激により，②のニューロンが発射する。同様にニューロンBの刺激により，⑤のニューロンが発射する。このとき，ニューロンA，Bの入力を受ける① ③ ④ ⑥のニューロンは閾下縁に置かれる。しかし，ニューロンA，Bを同時に刺激すると，閾下縁の重なった部分のニューロン③ ④が閾値に達して発射が起こる。

（川口三郎：神経系の機能/概説 総論．標準生理学第5版（本郷利憲，廣重力 監，豊田順一，熊田衛，小沢瀞司，他 編），p168-9，医学書院，2000. より）

## 2 運動ニューロンの興奮性を高める手技

中枢神経疾患患者のリハビリテーションでは，運動ニューロンの興奮性を高める手技として，電気刺激，振動刺激，タッピングなどの手技が用いられている。これらの促通手技のうち，電気刺激やタッピングは臨床場面で汎用されている手技である。電気刺激は標的筋を支配する運動ニューロン自体の興奮性を高めることや，拮抗筋を支配する運動ニューロンに対する相反抑制により，促通効果が生じると考えられる。タッピングについては，標的筋を叩打することにより標的筋を素早く伸張させて伸張反射を利用するものや，標的筋の皮膚上を掃くようなスウィープタッピングがある。このスウィープタッピングは，同側性伸展反射を応用していると考えられる[2]。同側性伸展反射とは，皮膚を刺激したとき一般的には屈曲反射が生じるが，伸筋の表面を刺激したときに限り，その伸筋が収縮する反射[3]であり，標的筋を支配する運動ニューロンの興奮性を高める。本項ではこのスウィープタッピングに焦点をあてる。

## 3 手順のポイント

### 1) 挨拶・自己紹介を行い，2つの識別子で患者の確認を行う

・患者とのラポール（信頼関係）形成のため，挨拶，自己紹介を行う。

・患者の取り違えを防止するため，氏名に加え生年月日もしくはIDなど，2つの識別子で確認する。

### 2) 促通手技を用いた機能練習を行う旨を患者に伝え了承を得る

・促通手技を用いた機能練習について簡潔にわかりやすく説明し，練習を行うことについて了承を得る。

### 3) 患者の運動を促通しやすい姿勢をとらせる

・標的となる筋ごとに姿勢は異なるが，運動時に安定した姿勢でなければならない。端座位であれば，両足底を床面に接地させる（図2）。

・肩関節の運動の場合，端座位で骨盤が後傾していると，肩関節の運動が阻害されるため，骨盤直立位の姿勢をとる（図3）。姿勢が運動に影響を及ぼすことを考慮する。

### 4) 運動を行う麻痺肢の関節可動域，筋緊張，疼痛の有無を確認する

・運動に関与する関節の可動域を確認する。

・筋緊張の程度や疼痛の有無を確認する。

### 5) 促通手技を用いた機能練習の開始肢位をとらせ，可能であれば促通刺激部位を露出させる

・促通手技を用いた機能練習を実施するための開始肢位にする。

・促通刺激がより有効となるよう，可能であれば促通刺激部位を露出させる。

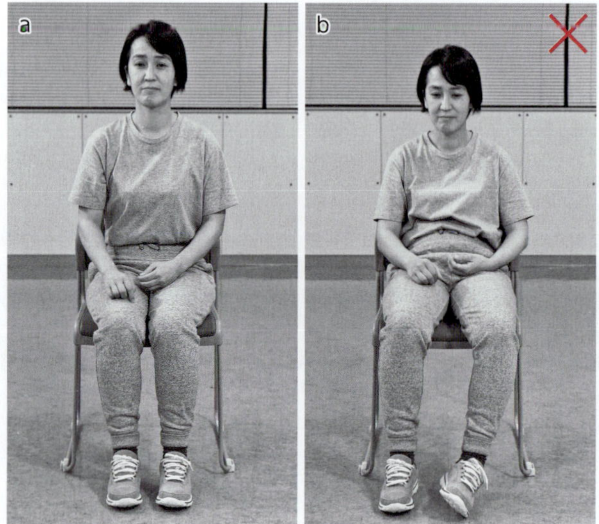


図2 座位姿勢（前額面）
a：良い例（両側の足底が接地している）
b：悪い例（麻痺側の足底が接地していない）

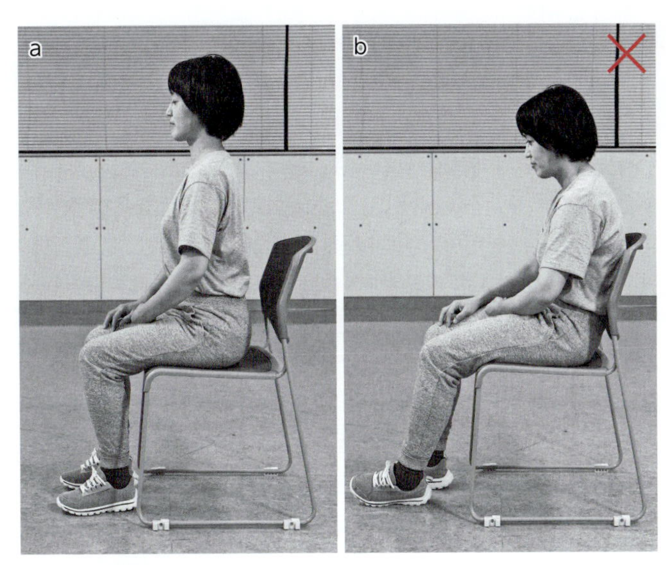


図3 座位姿勢（矢状面）
a：良い例（骨盤直立位）
b：悪い例（骨盤後傾位）

### 6) 促通手技を用いた機能練習の説明を行い，目的とする関節の自動運動と代償運動の有無を確認する

・促通手技を用いた機能練習の方法について，専門用語を用いずに患者が理解しやすい表現で説明する。
・随意運動を確認するため，目的とする関節の自動運動を行わせる。また，その際の代償運動の有無を確認する。

### 7) 患者の運動を最も誘発できる促通刺激の強度を評価する

・促通刺激強度は，皮膚を圧迫せず触れる程度を最も弱い強度，患者に不快感や疼痛を与えない範囲で最大限皮膚を圧迫する程度を最も強い強度としたとき，その中間程度の刺激強度から開始する。刺激強度を反応に応じて調整し，運動が最も出現する刺激強度を評価する。

### 8) 適切な促通刺激を入れながら，目的運動を実施する

・促通手技を用いた機能練習を行う際，刺激部位は一定であることが望ましい。
・適切な刺激強度で目的運動を実施する。必要に応じて目的運動を補助し，全可動域を動かす。
・促通刺激を加えながら運動を繰り返す際，目的とする運動を随意的に行える範囲が拡大したり，速く動かせるようになれば刺激強度を漸減し，逆に運動範囲や速度が低下する場合には刺激強度を漸増するなど，患者の反応に合わせて刺激強度を調整する。
・促通刺激に加えて運動を補助する場合，最小限の補助となるように注意する。
・促通手技を用いた機能練習の際は，患者自身の目でも確認させ，目的運動を療法士の明瞭な声かけ（運動開始の合図，可能な限り自動運動を促す声かけなど）のもとで実施する。
・代償運動の有無を確認し，出現した場合は指摘する。患者自身で代償運動の抑制が困難な場合，補助量を調整し代償運動が出現しないようにする。
・分離運動を促通する場合は，共同運動の出現に注意する。

### 9) 練習後に再度自動運動を行わせ，機能練習の即時効果を確認する

・自動運動の開始姿勢は，練習前と同一になるように注意する。
・練習前と比較した結果を患者に伝える。

### 10) 適宜，適切なフィードバックを行う

### 11) 練習後，刺激部位の皮膚状態と疼痛の有無を確認し，露出部位の衣類を元に戻して姿勢を整える

・皮膚状態（発赤や皮下出血の有無）を確認する。
・疼痛の有無を確認する。

**臨床のコツ**

◆以下の場合は，促通手技の実施について主治医と相談する。
- ・刺激部位の皮膚表面に何らかの異常所見がある場合
- ・刺激により神経因性疼痛を惹起する場合
- ・抗凝固薬の使用や加齢，各種疾患により，外部刺激に起因する皮下出血が容易に生じる場合

◆麻痺肢に対する促通手技を用いた機能練習は，繰り返し行うことが重要である。例を挙げると，促通反復療法では，1つの運動に対し反復回数を100回として治療結果を報告している[4]。また，電気刺激療法では1日30分以上の促通により麻痺改善効果があるとする報告もある[5]。

◆促通手技を用いた機能練習は反復回数が多いことから，疲労の蓄積や筋緊張の変化が生じることがある。休憩時や終了時には疲労感の聴取や血圧・心拍数などのバイタルサインを確認することが望ましい。疲労により目的動作が行えない場合は，休憩回数や休憩時間を増やすなどの工夫をする。また，標的筋以外の筋緊張が亢進した場合は，一度中断して持続伸張による筋緊張の抑制を図る。

◆促通の刺激強度は，随意運動が向上してきたら徐々に弱めていく。

# OSCE課題　促通手技

対応動画

## 設問

右被殻出血により左片麻痺を呈した患者です。発症後6週が経過し，全身状態は安定しています。目立った高次脳機能障害はなく，Brunnstrom Recovery Stage (BRS) は上肢がⅢ，手指がⅢで，中等度の左片麻痺を呈しています。上肢・手指ともに共同運動レベルですが，分離した肘関節の伸展運動がわずかに可能な状況です。この患者の肩関節と肘関節の分離運動を引き出す目的で，スウィープタッピングを用いて肩関節屈曲位での肘関節伸展運動を5回実施してください。制限時間は5分です。では，始めてください。

## 準備するもの

昇降式机，肘かけのない椅子 (2脚)，バスタオル

## 患者情報

| 疾患・障害 | 右被殻出血・左片麻痺 |
|---|---|
| 年齢・性別 | 50歳代・不問 |
| 障害側 | 左 |
| 発症後期間 | 6週 |
| BRS | 上肢：Ⅳ　手指：Ⅲ　下肢：Ⅲ |
| 感覚 | 軽度鈍麻 |

| 筋緊張 | Modified Ashworth Scale<br>上腕二頭筋：2　上腕三頭筋：1＋　大胸筋：2 |
|---|---|
| ROM | 制限なし |
| 座位 | 自立 |
| 理解 | 良好 |
| 表出 | 良好 |

### 麻痺側上肢機能の現状

麻痺側上肢の自動運動ではわずかに肘関節伸展運動が可能であるが，麻痺側肩関節屈曲位での肘関節伸展運動では体幹前傾や肩関節水平外転による代償運動が出現する。

端座位は自立しているが，その座位姿勢を観察すると，麻痺側股関節が外転・外旋し，麻痺側足底を接地せず，骨盤後傾位となりやすい。座位姿勢の修正は自己にて可能である。

### 経過と目標

6週間前に右被殻出血を発症し，現在は回復期リハビリテーション病棟入院中である。4週間後に退院予定である。医師の処方のもと，関節可動域練習，上肢機能向上練習，筋力増強練習，歩行練習を行っている。退院後も麻痺側上肢の機能維持・向上を目的とし，麻痺側上肢をADLに参加させるよう練習を進めている。発症直後の麻痺側上肢機能はBRS Ⅰであったが，経過とともにBRS Ⅲまで改善し，わずかに肘関節伸展運動が可能となった。また，筋緊張は経過に伴い麻痺側上・下肢ともに筋緊張が亢進してきている。発症後期間が短く麻痺側上肢機能の改善を見込める時期であることから，促通手技を用いた麻痺側の上肢機能向上練習を行っている。

## 課題の目標

**態度**

1. 促通手技を用いた上肢機能練習に備えた清潔で安全な身なりができる。
2. 患者に促通手技を用いた上肢機能練習を行う旨を説明し，了承を得ることができる。
3. 患者に不快な思いをさせない (話し方，表情，振る舞い)。

**技能**

1. 患者の安全に配慮しながら進めることができる。
2. 促通手技を用いた上肢機能練習を実施するための準備を行うことができる。
3. 促通手技を用いた上肢機能練習を適切な手順および方法で実施することができる。
4. 適宜，適切なフィードバックを行うことができる。

## 手順

1．挨拶・自己紹介を行い，2つの識別子で患者の確認を行う。
2．促通手技を用いた上肢機能練習を行う旨を患者に伝え了承を得る。
3．患者の座位姿勢を調整する。
　・両足底が床面に接地していることを確認する。
　・骨盤後傾の有無を確認し，骨盤直立位となるよう修正する。
　・運動中も骨盤が後傾して体幹が屈曲位とならないように注意する。
4．麻痺側上肢の関節可動域と筋緊張，疼痛の有無を確認する。
　・肩関節屈曲，肘関節屈曲・伸展，前腕回内・回外，手関節屈曲・伸展，手指関節屈曲・伸展の関節可動域と筋緊張，疼痛の有無を確認する。
5．机と身体の距離，机の高さを適切に調整する。
　・肩関節90°屈曲位を目安に机の高さを調整する（図4）。肩関節90°屈曲位で机の上に乗せることで，体幹や肩関節による代償運動を抑制しやすくなる。
　・机の位置が遠いと，上肢を乗せた際に体幹が前傾しやすくなるため，机と身体の距離は肩関節を90°屈曲位にした際に，体幹と骨盤が無理なく直立を保持できるように調整する。
　・患者が自己にて身体の位置を修正できるのであれば，声かけにより修正させる。
6．促通手技を用いた上肢機能練習の開始肢位にし，促通刺激部位を露出させる。
　・患者の非麻痺側上肢で，麻痺側の手掌をタオルの上に乗せるよう指示する。麻痺側上肢の肢位は肩関節90°屈曲位・軽度外転，前腕回内位，肘関節90°屈曲位，手指関節伸展位を目安とする。
　・肘関節が浮いていると運動時に肩関節の動きを伴いやすいため，肘・前腕が机の上に乗るようにする。また，姿勢を安定させるため，非麻痺側の上肢を机の上に乗せるよう指示する（図5）。
　・促通刺激がより有効となるように，促通刺激部位である上腕を露出させる。
7．促通手技を用いた上肢機能練習について説明し，肘関節の自動運動と代償運動の有無を確認する。
　・患者の麻痺側に位置し，肩関節屈曲位での肘関節伸展運動の方法と抑制すべき代償動作（体幹前傾，肩関節水平外転）の説明を，専門用語を用いずに行う。
　・随意運動を確認するため，自動運動での肘関節伸展運動を確認する。
　・体幹前傾や肩関節水平外転などの代償運動の有無を確認する。
8．患者の上腕三頭筋に対する適切な促通刺激強度を評価する。
　・患者の上肢の動きを誘導するため，療法士の左手を患者の麻痺側手背に軽くあてる（図6）。
　・患者に肘関節伸展運動を指示しながら至適刺激強度を探り，刺激強度を決定する。刺激強度を調整して，肘関節伸展運動が最も出現する強度を至適刺激強度とする。
9．上腕三頭筋に適切な促通刺激を入れながら，肘関節伸展運動を実施する。
　・上腕三頭筋の筋腱移行部から筋腹にかけて，上腕三頭筋の皮膚表面を至適強度にて刺激しながら肘関節伸展運動を行う（図7）。

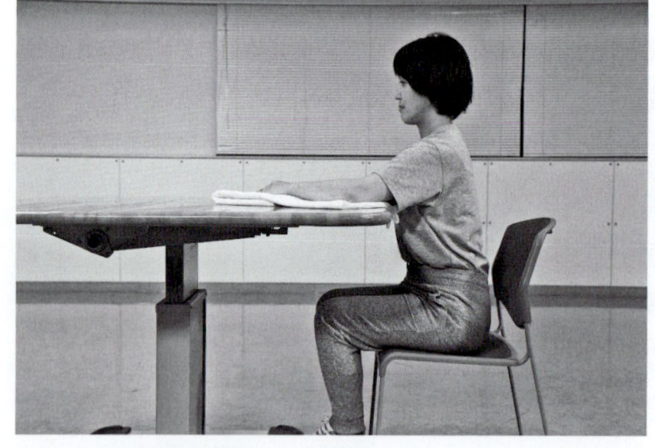

図4　机の高さの調整（矢状面）

図5　運動開始肢位

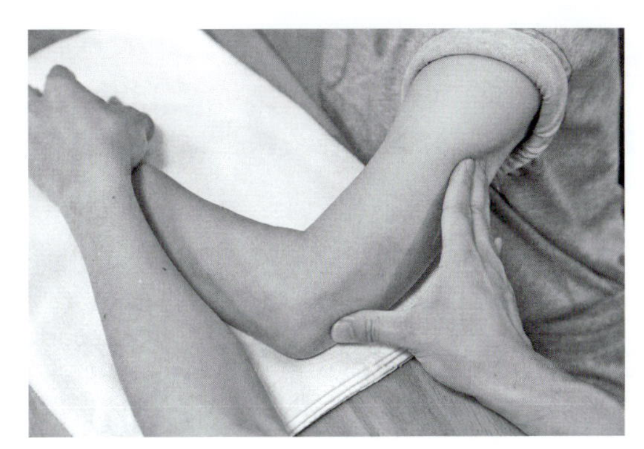
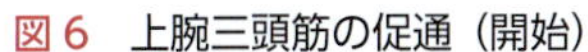

図６　上腕三頭筋の促通（開始）

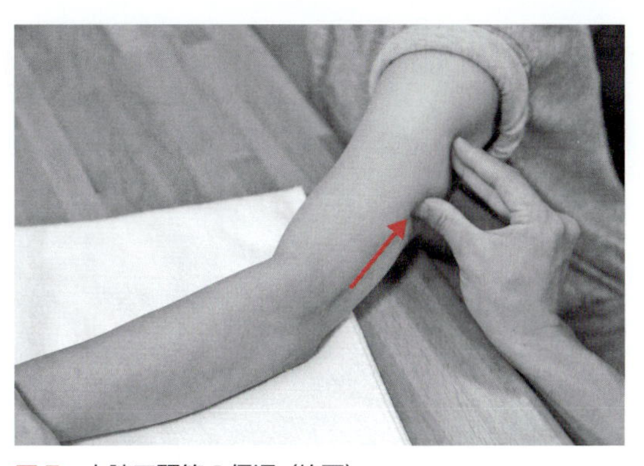

図７　上腕三頭筋の促通（終了）

・患者には自身の目で麻痺側の肘関節の伸展運動を確認させながら実施する。
・明瞭な声かけ（運動開始の合図，可能な限り自動運動を促す声かけなど）を行う。
・刺激を開始するタイミングは随意運動開始時とする。
・患者の手背に軽くあてた療法士の手で必要に応じて伸展運動を補助し，全可動域を動かす。補助は最小限とし，過剰にならないように注意する。
・体幹前傾や肩関節水平外転などの代償運動を伴わないように注意する。代償運動を認めた場合は，代償運動の出現を指摘する。まずは口頭で指摘し，患者自身で代償運動の抑制が困難であれば，療法士が補助量を調整し，代償運動が出現しないようにする。

10. **再度，肘関節伸展を自動運動で行わせ，機能練習の即時効果を確認する。**
 ・自動運動の開始姿勢は，練習前と同一になるように注意する。
 ・練習前と比較した結果を患者に伝える。
11. **終了を伝える。**
12. **刺激を加えた部分の皮膚の状態と疼痛の有無を確認し，露出部位の衣類を元に戻し，上肢を机から下ろす。**
 ・皮膚状態（発赤や皮下出血の有無）を確認する。
 ・疼痛の有無を確認する。
 ・露出部位の衣類を元に戻し，麻痺側上肢を机上から大腿部の上に戻すように指示する。
13. **適宜，適切なフィードバックを行う。**
 ・適切な内容，タイミング，量でフィードバックを行う。

## 採点基準

採点者は模擬患者に受験者の言動の適否を適宜確認して，以下の項目を採点してください。

### 1．態度

|  |  |
|---|---|
| (1) ①適切な身なりで，②明瞭な挨拶（開始時・終了時），③自己紹介ができる。 | 2点：①～③すべてできる<br>1点：①～③のうち2項目できる<br>0点：1項目できる<br>0点：すべてできない |
| (2) 2つの識別子で患者の確認ができる。 | 2点：2つの識別子で患者の確認ができる<br>1点：1つの識別子で患者の確認ができる<br>0点：確認ができない |
| (3) ①促通手技を用いた上肢機能練習を行う旨を患者に伝え，②了承を得ることができる。 | 2点：①，②どちらもできる<br>1点：①のみできる<br>0点：どちらもできない |
| (4) 課題全般を通して，患者の様子（表情・姿勢・身体機能）や状況に応じた丁寧な対処（①声かけ・②触れ方・③動かし方）ができる。 | 2点：①～③すべてできる<br>1点：①～③のうち2項目できる<br>0点：1項目できる<br>0点：すべてできない |

### 2．技能

|  |  |
|---|---|
| (1) ①両側の足底を接地させ，②骨盤直立位に座位姿勢を調整することができる。 | 2点：①，②どちらもできる<br>1点：①，②のどちらか一方のみできる<br>0点：どちらもできない |
| (2) 麻痺側上肢（①肩・②肘・③手・④手指）すべての関節を，最大可動域まで動かして確認することができる。 | 2点：①～④すべてできる<br>1点：①～④のうち2～3項目できる<br>0点：1項目できる<br>0点：すべてできない |
| (3) 肩関節90°屈曲位を目安に，①机の高さ，②机と身体の距離を適切に調整し，③両上肢を肘まで机の上に乗せるよう指示ができる。 | 2点：①～③すべてできる<br>1点：①～③のうち2項目できる<br>0点：1項目できる<br>0点：すべてできない |
| (4) 刺激部位を完全に露出させることができる。 | 2点：刺激部位を完全に露出させることができる<br>1点：露出が不十分<br>0点：露出しない |
| (5) ①上肢機能練習の説明，②自動運動の確認を行うことができる。 | 2点：①，②どちらもできる<br>1点：①，②のどちらか一方のみできる<br>0点：どちらもできない |
| (6) 上腕三頭筋に対する適切な促通刺激として，肘関節伸展運動が最も出現する強度を評価することができる。 | 2点：適切に評価できる<br>1点：至適強度が適切ではない評価を行う<br>0点：評価しない |
| 注）採点者は，肘関節伸展運動が最も出現した際の強度と受験者が評価した強度との整合性を，患者役に確認する。 | |
| (7) ①上腕三頭筋の適切な位置に，②適切な刺激強度で促通刺激を与え，③代償運動を抑制しながら肘伸展運動を補助することができる。 | 2点：①～③すべてできる<br>1点：①～③のうち2項目できる<br>0点：1項目できる<br>0点：すべてできない |
| (8) ①麻痺側上肢の動きを患者自身の目で確認させ，②明瞭な声かけ（運動開始の合図，自動運動の促し）をすることができる。 | 2点：①，②どちらもできる<br>1点：①，②のどちらか一方のみできる<br>0点：どちらもできない |
| (9) ①肘関節伸展の自動運動を練習前と同じ開始姿勢から確認し，②練習前後を比較した結果を患者に伝えることができる。 | 2点：①，②どちらもできる<br>1点：①，②のどちらか一方のみできる<br>0点：どちらもできない |

| | |
|---|---|
| (10) ①皮膚の状態，②疼痛の確認を行い，③衣類を戻し，④上肢を机上から大腿部の上に戻すよう指示ができる | 2点：①～④すべてできる<br>1点：①～④のうち2～3項目できる<br>0点：1項目できる<br>0点：すべてできない |
| (11) 課題を通して，受験者の視線・身構え，患者との距離を確保することで，常に患者の安全を確保できる。 | 2点：課題を通して，受験者の視線・身構え，患者との距離を確保することで，常に患者の安全を確保できる<br>0点：課題を通して，1回でも受験者の視線・身構え，患者との距離を保つことができず患者の身体に危険を感じる対応である |
| (12) 課題を通して，適宜，患者にフィードバックを行うことができる。 | 2点：内容，タイミング，量が適切である<br>1点：2項目が適切である<br>0点：内容が不適切である<br>0点：フィードバックがない<br>0点：1項目が適切である<br>0点：すべて適切でない |

## OSCE担当者確認事項

### 環境設定

・開始時の昇降式机の高さは，模擬患者の臍部から乳頭間とする。
・昇降式机と椅子との距離は，模擬患者の上腕の長さよりもやや遠い位置とする。

### 模擬患者と採点者

・最も肘伸展運動が出現する，適切な刺激強度を事前に決めておく。
・設定した適切な刺激強度以外の刺激に対する反応を決めておく。
・誘導・補助が不十分，不適切なためそれ以降の採点項目が減点となる場合は，模擬患者，採点者が修正した後に試験を再開する。
・模擬患者，受験者に危険が及ぶ可能性がある場合は，採点者，模擬患者が修正した後に試験を再開する。

### 模擬患者

・上腕の近位2/3程度が隠れる半袖Tシャツを着用する。
・開始時は骨盤後傾位で，左（麻痺側）股関節外転・外旋位とし，足底の内側が床に接地しないようにする。
・姿勢の修正は指示のみで可能とする。
・机と身体との距離は，椅子を少し移動する程度で調整できる。
・机の高さ，机と身体の距離を適切に調整された後は，体幹と骨盤が無理なく直立を保持することができる。
・練習前に自動運動を求められた際は，肩関節水平外転（代償運動）を出現させながら，肘関節伸展が不十分となるよう運動を行う。
・代償運動を抑制するように指示された場合，運動中の過度な代償は出現させないようにする。
・5回の反復動作を求められるため，動作の再現性を担保できるよう練習しておく。
・1回の肘関節伸展運動は2秒程度で終了できる速度で実施する。
・適切な刺激強度でも肘関節伸展の自動運動は−40°程度までとし，これ以降の伸展は自動介助運動で最終可動域まで運動を行う。

## 引用文献

1) 川口三郎：神経系の機能/概説　総論．標準生理学第5版（本郷利憲，廣重力 監，豊田順一，熊田衛，小沢瀞司，他 編），pp168-9，医学書院，2000.
2) 小林孝誌：触圧覚刺激法―触圧覚刺激法における評価と治療―．理学療法学 26：127-30, 1999.
3) 真島英信：生理学 第6版．p141，金芳堂，2001.
4) 川平和美：片麻痺回復のための運動療法―促通反復療法「川平法」の理論と実際 第2版．pp19-21，医学書院，2010.
5) Hsu SS, Hu MH, Wang YH, et al：Dose-response relation between neuromuscular electrical stimulation and upper-extremity function in patients with stroke. Stroke 41：821-4, 2010.

## 参考文献

1) Adler Susan S, Beckers Dominiek, Buck Math 著，柳澤健，中島榮一郎，高橋護 訳：PNFハンドブック 第2版．シュプリンガー・ジャパン，2006.
2) Paeth Rohlfs Bettina 著，新保松雄，大橋知行 監，服部由希子 訳：ボバースコンセプト実践編　基礎，治療，症例．ガイアブックス，2013.
3) Signe Brunnstrom, M.A.（著），佐久間穣爾，松村秩 訳：片麻痺の運動療法．医歯薬出版，1974.

# 4 振り子運動

## 1 振り子運動(pendulum exercise)とは(図1)

Codmanは，体幹前傾位で患側上肢を下垂した状態(stooping position)で保持することをstooping exerciseとして運動療法に取り入れた。さらに，stooping positionで上肢を振り子様に動かし肩関節の運動を行う振り子運動では，疼痛を誘発せずに肩関節の運動が行えることを提唱した。

振り子運動は，患者自身による他動的関節可動域運動であり，stooping positionをとり，身体の重心移動によって上肢を屈曲－伸展，内転－外転，内回し－外回し方向に動かす運動である。Stooping positionでは，下垂した腕にかかる重力により肩甲上腕関節に軽度の離開を起こし，関節包が軽度伸張された状態になり，肩関節周囲筋を収縮させずに肩甲上腕関節を全運動方向に動かすことができる。肩関節に疼痛のある患者は，上肢の使用を避け疼痛を防御した肢位を自然にとりやすく，また，スリングや三角巾などで固定する場合では，肩関節内転・内旋位となりやすい。このような患者に対して，肩甲上腕関節周囲のリラクセーションを図る目的で振り子運動が用いられる。そのため，患者を安楽な肢位にし，他の部位での過剰努力と肩甲上腕筋群の収縮を避けた状態で障害側上肢を下垂することが重要である。

振り子運動は原則，医師の処方に基づき，肩関節周囲炎(五十肩)の炎症や疼痛が緩和してきた亜急性期，上腕骨近位端骨折術後の他動的関節可動域運動が開始された時期などに実施することが多い。特に上腕骨近位端骨折術後の場合は，骨折部へのストレスを引き起こし遷延治癒につながりやすいため，振り子運動実施中の肢位，疼痛，他の部位での過剰努力に十分注意し，運動範囲を制限する必要がある。

不動の時間を減少させ，リラクセーションの機会を多くするために，患者自身で行う自主練習として用いられることも多い。自主練習では実施中の肢位や運動方向，運動範囲，実施頻度に加え，疼痛や過剰努力に注意するよう患者に指導することが重要となる。

振り子運動は障害側に1kg程度の重錘をもって行う方法も紹介されているが，疼痛や過剰努力を誘発するリスクを伴うため，自重から開始するとよい。重錘をもつと重力によって肩甲上腕関節がさらに離開しやすくなり，上腕骨頭の動きが容易になるという利点がある。重錘を負荷する際は0.5kg程度の重量から始め，患者の疼痛や過剰努力には十分に注意をして重量を調整する必要がある。

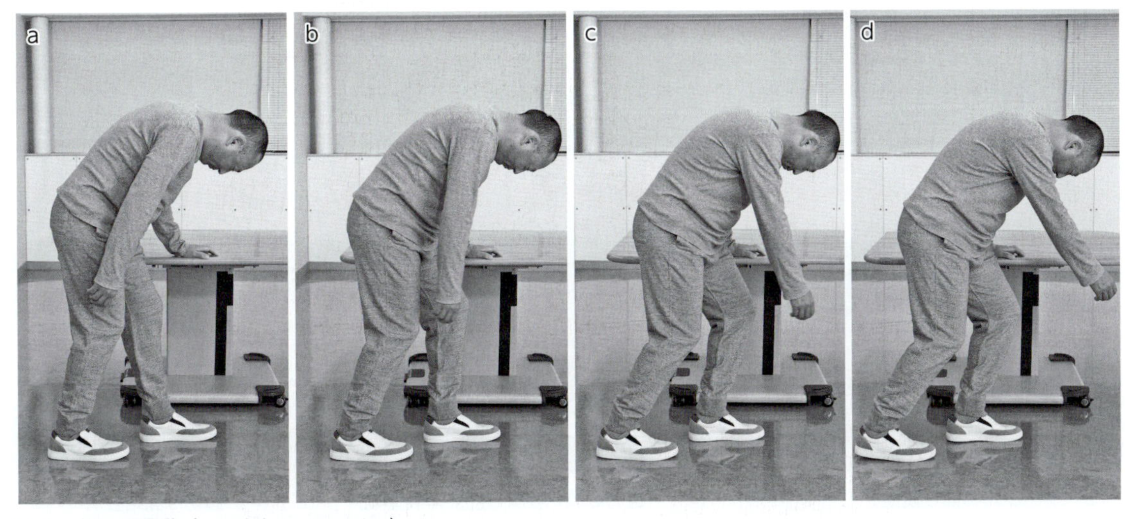


図1　振り子運動(pendulum exercise)

## 2 手順のポイント

### 1）挨拶・自己紹介を行い，2つの識別子で患者の確認を行う

・患者とのラポール（信頼関係）形成のため，挨拶，自己紹介を行う。

・患者の取り違えを防止するため，氏名に加え生年月日もしくはIDなど，2つの識別子で確認する。

### 2）振り子運動を行う旨を患者に伝え了承を得る

・振り子運動について簡潔にわかりやすく説明し，振り子運動を行うことについて了承を得る。

### 3）疼痛について確認する

・普段の安静時痛・運動時痛・夜間痛の有無，部位について確認する。

・振り子運動開始前の安静時痛の有無を確認する。

### 4）障害側肩関節の可動域（自動・他動）やその際の疼痛を確認する

・肩関節の各運動方向の可動域（自動・他動），疼痛の有無を確認する。

・他動運動の際は，患者の力が抜けていることを確認したうえで，疼痛に配慮しながらゆっくりと動かす。

### 5）振り子運動の方法と注意点を患者に説明する

・デモンストレーションを行いながら方法や注意点について説明する。

・障害側上肢を下垂して，重心移動によって肩甲上腕関節を他動的に運動することを説明する。

・肩甲上腕関節の自動運動で上肢を振らないことを説明する。

・上肢や体幹の過剰努力について説明し，障害側上肢の力を抜いてリラックスするよう伝える。

### 6）振り子運動に適した環境を設定する

・体幹を安定させることのできる台や手すりなどの支持物を準備する。患者の体格に合わせて高さ調整のできるものが好ましい。リハビリテーション室で実施する際は，昇降式机や昇降式ベッドを使用するとよい。

・支持物の高さを調整する。非障害側の手を上面についたときに体幹を傾けずに容易に手指が触れる高さに調整する（図2）。

### 7）振り子運動に適した肢位にする

・非障害側の手を支持物につき，頭頸部・体幹を屈曲して障害側の上肢を下垂させ，できるだけ安楽な姿勢となるようにする。

・重心移動によって障害側の上肢が振れるように，下肢の位置を調整する。運動方向が屈曲－伸展方向

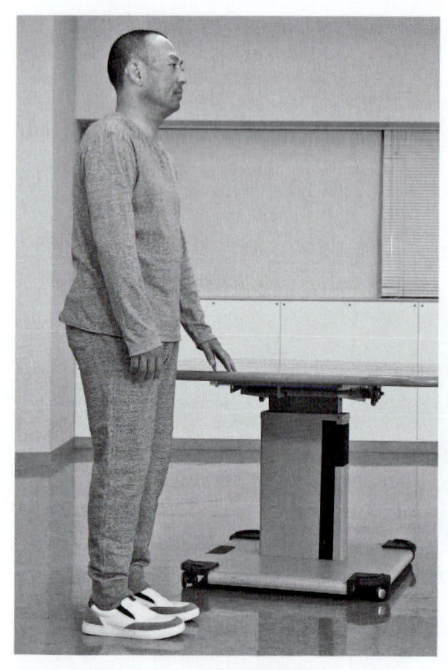

図2　テーブルの高さ調整

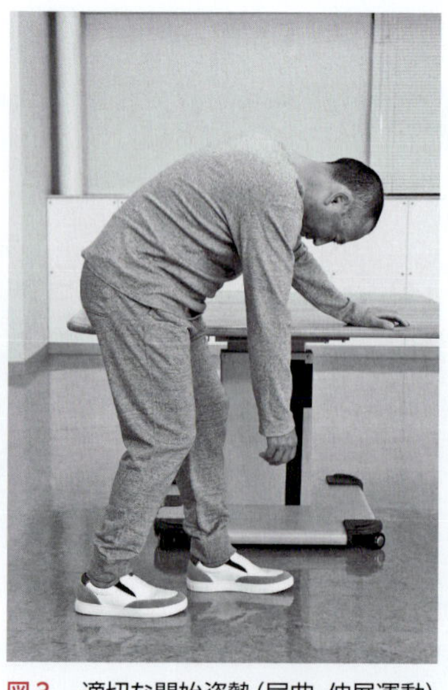

図3　適切な開始姿勢（屈曲–伸展運動）

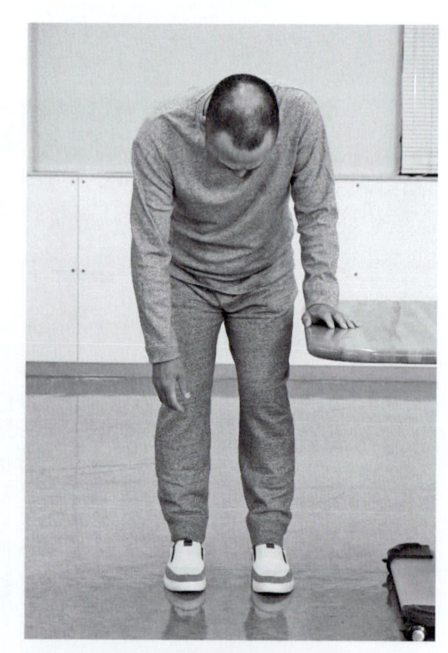

図4　適切な開始姿勢（内転–外転・内回し–外回し運動）

の場合は非障害側の下肢が前になるように足部を前後に開く（図3）。

- 障害側の上肢を下垂した際，上肢の重みによって肩関節の関節包に離開を生じさせ，かつ振り子運動が行える角度となるように非障害側の手をつく位置を調整する（図3）。
- 運動方向が内転－外転，内回し－外回しの場合は足部を左右に開く（図4）。
- 障害側の上肢を下垂した際に肩関節に疼痛がないか確認する。
- 障害側の肩甲上腕筋群などに筋活動が起きていないか，肩甲骨を挙上するなど他の部位に過剰努力が生じていないか確認する。生じやすい過剰努力を図5に示す。筋活動を確認する際は，視診だけでなく触診も合わせて行う（図6）。
- 過剰努力が生じている場合は，指摘し修正を促す。

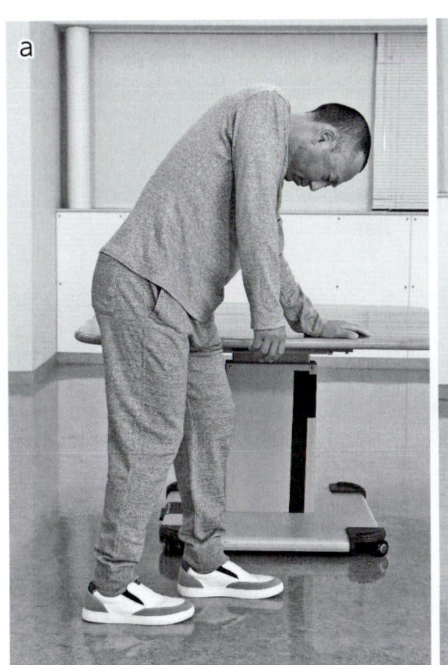

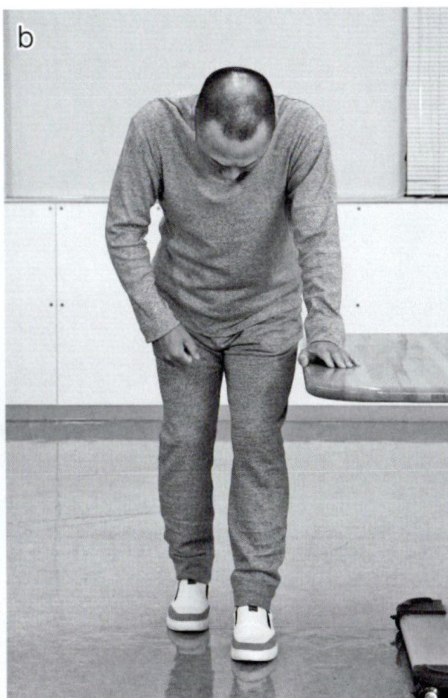

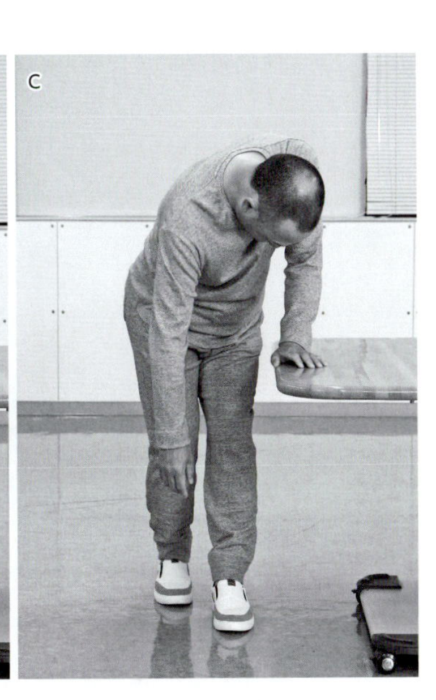


図5 生じやすい過剰努力
a：肩甲骨挙上
b：肘・手指屈曲
c：体幹回旋

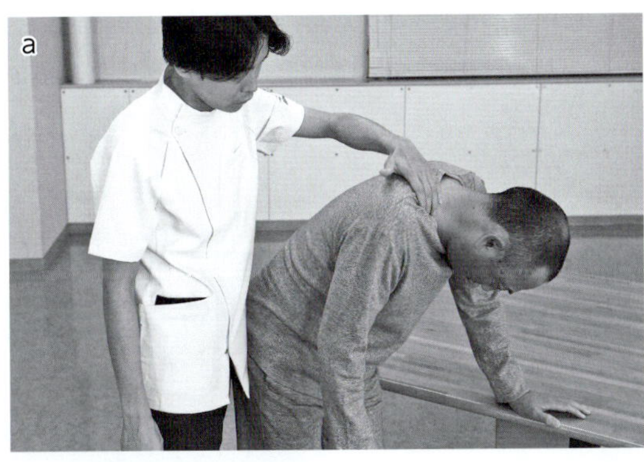

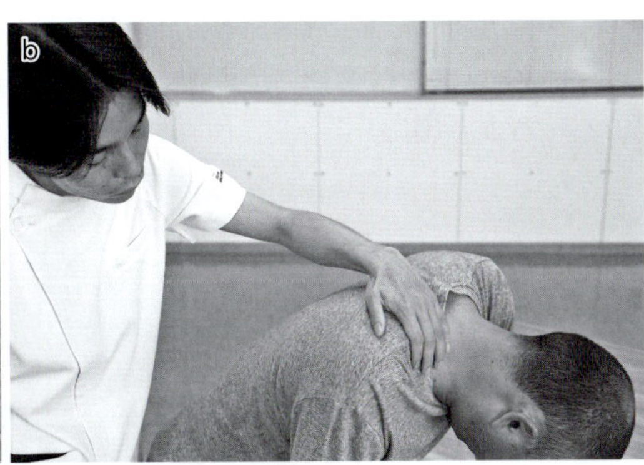


図6 筋活動の視診・触診
a：療法士の位置
b：触診部位の一例（僧帽筋上部線維）

臨床のコツ

◆過剰努力を修正しきれない場合は，前腕や頭部を支持物につき支持面を広げることで，より安楽な姿勢にするとよい。ただし，上肢を振る際は重心移動距離が短くなるため，関節可動域の拡大には不利であることを理解する。

◆肩関節の可動域制限が比較的軽度であり，運動範囲を大きくしたい場合は，支持する手を体幹から前方へ離し，より体幹を前傾させるとよい。肩関節の可動域制限が重度で疼痛が強い場合など，運動範囲を小さくしたい際は，支持する手を手前につき体幹前傾を小さくとするとよい（図7）。運動範囲は疼痛や疲労感，筋緊張等を確認しながら徐々に大きくしていく。

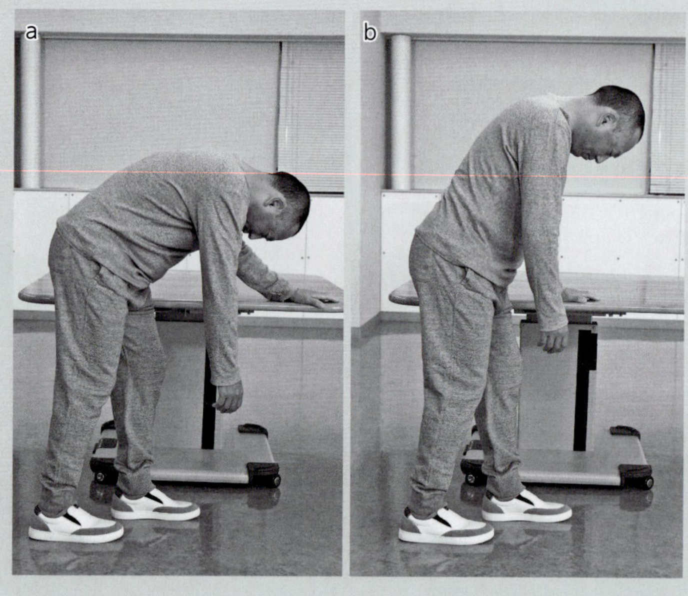

図7　肢位による運動範囲の違い
a：運動範囲を大きくしたい場合
b：運動範囲を小さくしたい場合

### 8）振り子運動を実施する

・身体の重心移動によって，障害側の上肢を下垂位のまま，屈曲–伸展，内転–外転，内回し–外回し方向に動かす。
・腰部への負担を軽減するため，非障害側上肢で体幹を支持し，膝関節をしっかり屈伸させることで重心移動する。振り子運動実施の際には腰痛の出現にも十分配慮する。
・振り子運動実施時の疼痛の有無について確認する。
・障害側の肩甲上腕関節の自動運動が起きていないか，肩甲骨を挙上するなど他の部位に過剰努力が生じていないか確認し，患者にフィードバックを行う。確認する際は，視診だけでなく触診も合わせて行う。（図8）

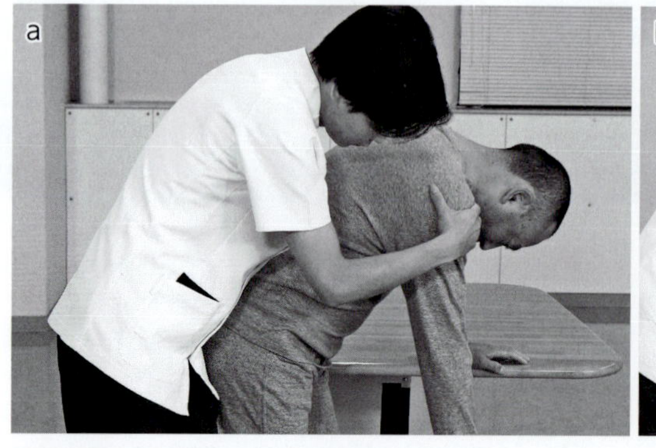

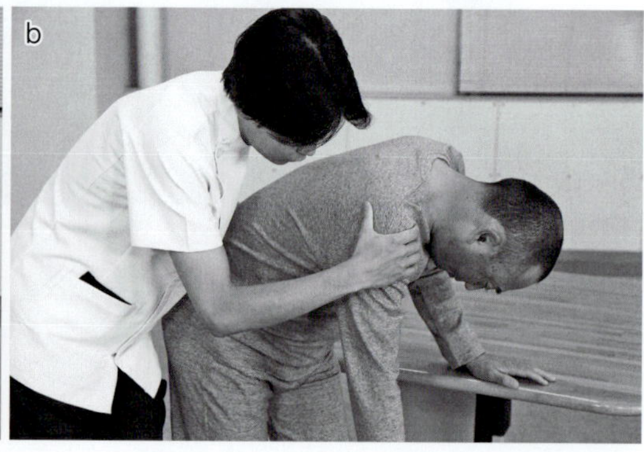

図8　振り子運動中の視診・触診
a：療法士の位置
b：触診部位の一例（三角筋前部・中部線維）

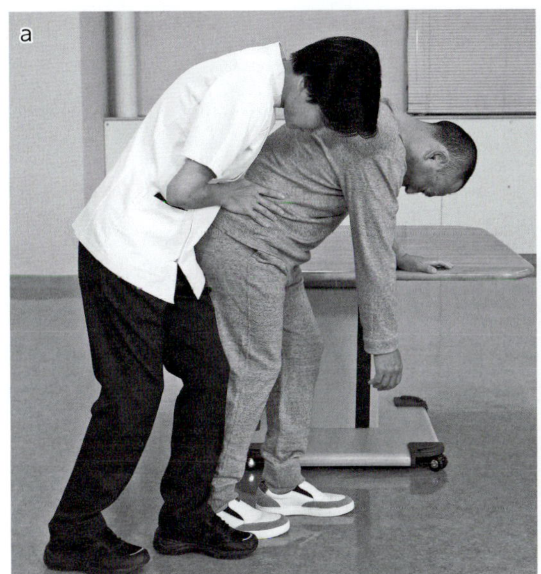
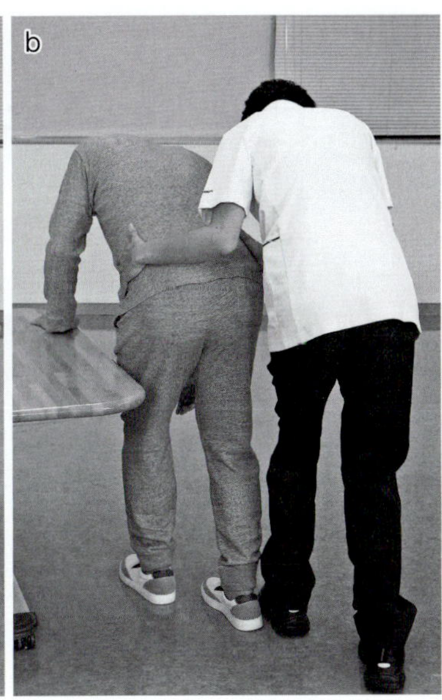

図 9　重心移動の誘導・補助

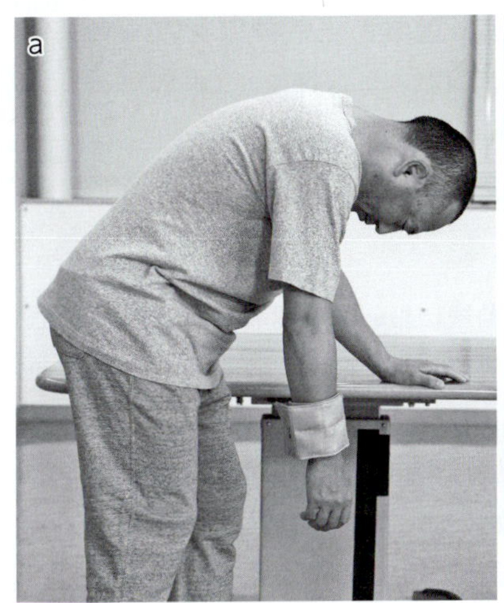
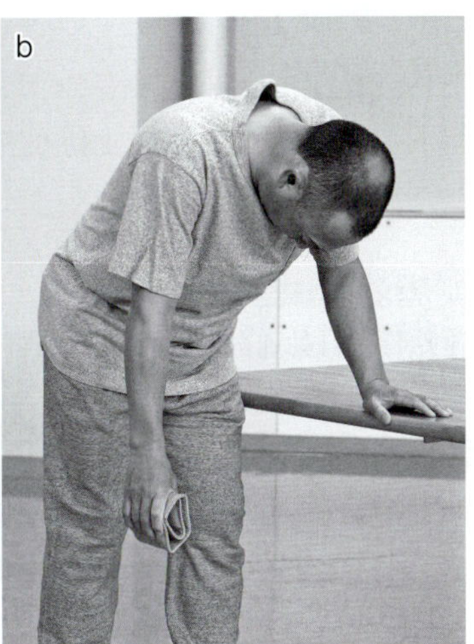

図 10　重錘の利用
a：重錘を手関節に巻く場合
b：重錘を把持する場合

・重心移動が不十分で肩甲上腕関節の運動が生じない場合は，重心移動を誘導・補助する（図9）。
・肩甲上腕関節を離開しやすくするために障害側に重錘を負荷する場合，重錘を手関節に巻いて取りつけると，過剰努力による肩甲上腕筋群の収縮が緩和されやすい場合もある（図10）。緩和されない場合は，重錘を負荷せず，自重にて実施するとよい。

### 9)　自主練習の目的と方法，注意点を伝える

・不動の時間の減少やリラクセーションの機会を増やすことが目的であることを伝える。
・重心移動によって他動的な関節可動域運動を行うこと，障害側上肢の力を抜いて行うこと，肩甲骨の挙上などの過剰努力が生じないようにすることなど，運動時の注意点を伝える。
・低負荷高頻度で（短時間を頻回に）実施することを伝える。
・疼痛自制内での運動にとどめること，疼痛が生じた場合は運動を中止することを伝える。

**臨床のコツ**

◆自主練習指導の際は，患者の生活スタイルに合わせて時間や頻度を調整するよう伝えるとよい。

対応動画

# OSCE課題 振り子運動

## 設問

右肩関節周囲炎と診断された患者です。疼痛が徐々に軽減し，医師から振り子運動の処方が出たので，初回の振り子運動の指導を行ってください。事前の評価で右肩関節屈曲他動120°，自動80°にて疼痛を認め，安静時痛は認めないことを確認しています。今回は屈曲-伸展方向のみの指導とします。また今後，患者が1人で自主練習として実施できるよう指導をしてください。制限時間は5分です。では，始めてください。

## 準備するもの

昇降式机，椅子

## 患者情報

| 疾患・障害 | 右肩関節周囲炎・右上腕運動機能障害 |
|---|---|
| 年齢・性別 | 60歳代・不問 |
| 職業 | 事務職 |
| 発症後期間 | 2カ月 |
| 疼痛 | 肩関節前面～上方に他動・自動運動時痛あり<br>安静時・夜間痛なし |

| 感覚 | 正常 | | |
|---|---|---|---|
| ROM | | 他動 | 自動 |
| | 肩関節屈曲 | 120° | 80° |
| | 伸展 | 20° | 20° |
| | 外転 | 95° | 50° |
| ADL | 洗髪では部分的に右手を使用<br>被り服では疼痛が出現<br>下衣を腰まで上げにくい | | |

### 右肩関節周囲炎の現状

他動運動時，自動運動時ともに最終可動域において肩関節前面から上方にかけて疼痛を認める。その際，肩甲骨周囲筋は過緊張状態となり，肩甲骨挙上位をとっている。

### 経過と目標

約2カ月前に右肩関節痛（安静時・運動時）が出現し，疼痛が改善しないため約1カ月前に受診し，外来にて週2回のリハビリテーションを開始した。開始時は，疼痛緩和目的で肩甲骨周囲筋のリラクセーションや疼痛のない範囲での自動・他動運動を実施した。徐々に疼痛緩和と可動域の改善を認め，医師から振り子運動の処方が出た。肩甲骨周囲筋の筋緊張を緩和し疼痛のない状態での振り子運動を実施することで，関節可動域の拡大につなげたい。他動的・自動的可動域の維持・拡大とともに再発予防のための自主練習の獲得を目指す。

## 課題の目標

**態度**

1. 振り子運動の指導に備えた清潔で安全な身なりができる。
2. 患者に振り子運動を行う旨を説明し，了承を得ることができる。
3. 患者に不快な思いをさせない（話し方，表情，振る舞い）。

**技能**

1. 患者の安全に配慮しながら進めることができる。
2. 振り子運動を実施するための準備をすることができる。
3. 振り子運動を適切な手順および方法で実施することができる。
4. 適宜，適切なフィードバックを行うことができる。

## 手順

1. 挨拶・自己紹介を行い，2つの識別子で患者の確認を行なう。
2. 振り子運動を行う旨を患者に伝え了承を得る。
3. 疼痛について確認する。
   - ・振り子運動開始前の安静時痛の有無を確認する。
4. 振り子運動の方法と注意点を患者に説明する。
   - ・デモンストレーションを行いながら方法や注意点について説明する。
   - ・障害側上肢を下垂して，重心移動によって肩甲上腕関節を他動的に運動することを説明する。
   - ・肩甲上腕関節の自動運動で上肢を振らないことを説明する。
   - ・上肢や体幹の過剰努力について説明し，障害側上肢の力を抜いて行うことを伝える。
5. 振り子運動に適した環境を設定する。
   - ・昇降式机の上面に非障害側の手をついたとき，体幹を傾けず容易に手指が触れる高さに調整する。
6. 振り子運動に適した肢位にする。
   - ・非障害側の手を昇降式机につき，頭頸部・体幹を屈曲して障害側の上肢を下垂する肢位とする。できるだけ安楽な姿勢となるようにする。
   - ・重心移動によって障害側の上肢を振れるように，非障害側の下肢を前に出し，足部を前後に開いて下肢の位置を調整する。
   - ・障害側上肢の重みによって肩関節の関節包に離開を生じさせ，かつ振り子運動が行える角度となるように手をつく位置を調整する。
   - ・障害側の上肢を下垂した際に肩関節に疼痛がないか確認する。
   - ・障害側の肩甲上腕筋群などに筋活動が生じていないか，他の部位に過剰努力が生じていないか確認する。筋活動を確認する際は，視診だけでなく触診も合わせて行う。
   - ・過剰努力が生じている場合は，指摘し修正を促す。
7. 振り子運動を開始し，必要があれば誘導・補助する。
   - ・障害側の上肢を下垂位のまま，身体の重心移動によって屈曲-伸展方向に動かす。
   - ・膝関節をしっかりと屈伸させることで重心移動する。
   - ・振り子運動実施時の疼痛の有無について確認する。
   - ・障害側の肩甲上腕関節の自動運動が起きていないか，過剰努力が生じていないか確認し，患者にフィードバックを行う。
   - ・重心移動が不十分で肩甲上腕関節の振り子運動が生じない場合は，重心移動を誘導・補助する。
8. 自主練習の目的と方法，注意点を伝える。
   - ・重心移動によって他動的な関節可動域運動を行うこと，障害側上肢の力を抜いて行うこと，肩甲骨の挙上などの過剰努力が生じないようにすることなど，運動時の注意点を伝える。
   - ・低負荷高頻度で（短時間を頻回に）実施することを伝える。
   - ・疼痛自制内での運動にとどめること，疼痛が生じた場合は運動を中止することを伝える。
9. 終了を伝える。
10. 適宜，適切なフィードバックを行う。
    - ・適切な内容，タイミング，量でフィードバックを行う。

## 採点基準

採点者は模擬患者に受験者の言動の適否を適宜確認して，以下の項目を採点してください。

### 1．態度

| | |
|---|---|
| (1) ①適切な身なりで，②明瞭な挨拶（開始時・終了時），③自己紹介ができる。 | 2点：①～③すべてできる<br>1点：①～③のうち2項目できる<br>0点：1項目できる<br>0点：すべてできない |
| (2) 2つの識別子で患者の確認ができる。 | 2点：2つの識別子で患者の確認ができる<br>1点：1つの識別子で患者の確認ができる<br>0点：確認ができない |
| (3) ①振り子運動を行う旨を患者に伝え，②了承を得ることができる。 | 2点：①，②どちらもできる<br>1点：①のみできる<br>0点：どちらもできない |
| (4) 課題全般を通して，患者の様子（表情・姿勢・身体機能）や状況に応じた丁寧な対処（①声かけ・②触れ方・③動かし方）ができる。 | 2点：①～③すべてできる<br>1点：①～③のうち2項目できる<br>0点：1項目できる<br>0点：すべてできない |

### 2．技能

| | |
|---|---|
| (1) 振り子運動では障害側上肢を下垂させ重心移動により動かすことを，デモンストレーションを交えて説明できる。 | 2点：デモンストレーションを交えて説明できる<br>1点：説明できるが，デモンストレーションを行わない<br>0点：説明をしない |
| (2) 振り子運動の注意点として，上肢や体幹の過剰努力について，デモンストレーションを交えて説明できる。 | 2点：デモンストレーションを交えて説明できる<br>1点：説明できるが，デモンストレーションを行わない<br>0点：説明をしない |
| (3) 振り子運動に適した環境を設定できる。 | 2点：昇降式机を調節し，適切な高さに設定できる<br>0点：高さを調整するが，適切でない<br>0点：調節をしない |
| (4) ①非障害側の手を昇降式机につき障害側上肢を下垂した肢位にし，②手の位置，③下肢の位置を調節できる。 | 2点：①～③すべてできる<br>1点：①～③のうち2項目できる<br>0点：1項目できる<br>0点：すべてできない |
| (5) 下垂させた障害側上肢の筋活動や過剰努力の有無を，①視診，②触診を用いて確認し修正できる。 | 2点：①，②どちらも用いて確認・修正できる<br>1点：①，②のどちらか一方で確認・修正できる<br>0点：確認をしない，修正ができない |
| (6) 振り子運動中の障害側上肢の筋活動や過剰努力の有無を，①視診，②触診を用いて確認し修正できる。 | 2点：①，②どちらも用いて確認・修正できる<br>1点：①，②のどちらか一方で確認・修正できる<br>0点：確認をしない<br>0点：修正ができない |
| (7) 正しい①膝関節の屈伸，②方向，③量で，重心移動を誘導・補助できる。 | 2点：①～③すべてできる<br>1点：①～③のうち2項目できる<br>0点：1項目できる<br>0点：すべてできない |
| (8) ①実施前，②障害側上肢を下垂させた際，③振り子運動実施中，④実施後に，疼痛の有無を確認できる。 | 2点：①～④すべてできる<br>1点：①～④のうち2～3項目できる<br>0点：1項目できる<br>0点：すべてできない |
| (9) ①適切な方法，②頻度，③実施時の注意点，④疼痛出現時の対応について，患者に伝えることができる | 2点：①～④すべてできる<br>1点：①～④のうち2～3項目できる<br>0点：1項目できる<br>0点：すべてできない |

| | |
|---|---|
| (10) 課題を通して，受験者の視線・身構え，患者との距離を確保することで，常に患者の安全を確保できる。 | 2点：課題を通して，受験者の視線・身構え，患者との距離を確保することで，常に患者の安全を確保できる<br>0点：課題を通して，1回でも受験者の視線・身構え，患者との距離を保つことができず患者の身体に危険を感じる対応である |
| (11) 課題を通して，適宜，患者にフィードバックを行うことができる。 | 2点：内容，タイミング，量が適切である<br>1点：2項目が適切である<br>0点：内容が不適切である<br>0点：フィードバックがない<br>0点：1項目が適切である<br>0点：すべて適切でない |

## OSCE担当者確認事項

### 環境設定

・昇降式机は振り子運動の実施に不適切な高さにしておく。

### 模擬患者と採点者

・誘導・補助が不十分，不適切なためそれ以降の採点項目が減点となる場合は，模擬患者，採点者が修正した後に試験を再開する。

・模擬患者，受験者に危険が及ぶ可能性がある場合は，採点者，模擬患者が修正した後に試験を再開する。

### 模擬患者

・課題開始時に昇降式机の横の椅子に座位で待機する。

・障害側の上肢を下垂した際に障害側上肢の筋活動や過剰努力例（p59 図5参照）のうち1つを生じさせるが，適切に誘導・補助されれば修正できる。

・振り子運動中においても障害側上肢の筋活動や過剰努力例（p59 図5参照）のうち1つを生じさせるが，適切に誘導・補助されれば修正できる。

・適切な誘導・補助にて重心移動による振り子運動を行った後は，1人でも実施できるようにする。

### 参考文献

1) 荻島秀男：肩の痛み 第3版．医歯薬出版，1992.
2) 武富由雄：CodmanのStooping Exercise．理学療法 6：120-1，1989.
3) 信原克哉：肩─その機能と臨床 第4版．医学書院，2012.
4) 乾浩明，信原克哉：新版 肩診療マニュアル．医歯薬出版，2013.
5) 乗松尋道，豊島良太：リハビリテーションと理学療法エッセンシャル　臨床で役立つ診断と治療．西村書店，2012.
6) 整形外科リハビリテーション学会 編：改訂第2版　関節機能解剖に基づく整形外科運動療法ナビゲーション 上肢・体幹．メジカルビュー社，2014.
7) 平野孝行，青木一治，寺西智子：凍結肩患者に対する新しい治療法の経験．理学療法学 17：347-52，1990.
8) 鵜飼建志，松本正和：上腕骨近位端骨折の理学療法．関節外科 32：78-83，2013.

# 5 部分荷重練習

## 1 部分荷重練習とは

骨折，靱帯損傷，変形性股関節・膝関節症などの疾患において，保存療法や手術療法後の患部安静のため，患側下肢への荷重をコントロールすることがある。患側下肢に荷重しないことを「免荷」，体重の一部を荷重することを「部分荷重」という。

部分荷重練習の開始時期と荷重する量は医師より処方される。部分荷重「10 kg」といったように数値で処方される場合や，「体重の1/3」のように体重に対する割合で処方される場合がある。体重に対する割合で処方された場合は，部分荷重練習を始めるに先立ち，現在の体重を計測し荷重量を計算しておく。療法士は患者に荷重量を厳守させ，過少荷重・過荷重にならないように介入する必要がある。しかし，処方された荷重量を厳守しても，疼痛の誘発や骨折部の離開，再骨折，接合部の弛みなどの危険を伴っている。そのため部分荷重練習は，転倒への備え，荷重量の厳守以外に疼痛・違和感の有無も確認しながら実施する。

部分荷重練習において，患者が荷重量を確認するために体重計や免荷装具，荷重練習機器や分析機器が用いられる。部分荷重練習は立位や歩行にて行われ，疼痛・違和感の有無や転倒のリスクに応じて両脚立位→片脚立位→歩行へと進めると安全である。

歩行補助具の選択も部分荷重練習において重要な要素である。臨床場面では，荷重量や患者の立位バランス，歩行安定性を考慮して歩行補助具を選択する必要がある。荷重量と歩行補助具の関係については成書を参考にしていただきたい。

本項では，体重に対する割合で部分荷重が処方された患者における，平行棒内で体重計および体重計と同じ高さの台を使用した方法での，片脚立位までの部分荷重練習について概説する。

## 2 手順のポイント

### 1） 挨拶・自己紹介を行い，2つの識別子で患者の確認を行う

・患者とのラポール（信頼関係）形成のため，挨拶，自己紹介を行う。
・患者の取り違えを防止するため，患者の氏名に加え生年月日もしくはIDなど，2つの識別子で確認する。

### 2） 部分荷重練習を行う旨を患者に伝え了承を得る

・部分荷重練習について簡潔にわかりやすく説明し，部分荷重練習を行うことについて了承を得る。
・医師から許可された荷重量を患者に伝える。

**臨床のコツ**

◆デモンストレーションを用いて部分荷重練習の方法を説明すると，患者の理解の助けとなる。

### 3） 疼痛・違和感の有無について確認する

・安静時，動作時の疼痛・違和感の有無について確認する。

### 4） 平行棒の高さを調整する

・体重を上肢で支えるため，平行棒を握ったときに上腕三頭筋が収縮しやすいよう，肘関節が軽度屈曲位となる高さに調整する。
・体重計の厚みを加味して平行棒の高さを決定する。

臨床のコツ

◆平行棒を準備できない場合は4点歩行器などで代替可能だが，バランスを崩すリスクが高くなるため，十分に注意して実施する。

### 5） 現在の体重を計測するため，体重計を設置する

・体重計は目盛り部分を外側に向けて健側下肢側に置き，体重計の下には必ず滑り止めを使用する。
・体重計は目盛りが0kgを指していることを確認し，必要があれば0kg補正を実施してから使用する。

### 6） 体重を計測し，荷重量を算出する

・患側下肢は免荷の状態にて体重を計測する。上肢の支持なしに計測するのが望ましい。
・現在の体重から処方された荷重量を算出し，正確に患者に伝える。

臨床のコツ

◆アナログ体重計には目盛り盤が固定され針が可動するタイプと，針が固定されて目盛り盤が可動するタイプがある。前者を用いる場合は，処方された荷重量の値を示す目盛りに目印をつけ，視覚情報を得やすくする工夫ができる（図1）。

図1 視覚情報を得やすくする工夫

### 7） 部分荷重練習を実施するため，体重計と台を設置する

・体重計は目盛り部分を外側に向けて患側下肢側に置き，健側下肢側には体重計と同じ高さの台を設置する（図2）。
・体重計や台は床の上で滑りやすいため，必ず滑り止めシートを下に敷いて使用する。また，体重計は端に乗るとバランスを崩しやすいため，足を乗せる位置に注意する（図3）。

### 8） 患側下肢は免荷を保持し，健側下肢を台に乗せる

・両手で平行棒をしっかりと把持させる。
・足幅は過剰に広くならないように注意する。

### 9） 患側下肢にわずかに荷重させる

・患側下肢にわずかに（体重計に足を置く程度）荷重し，疼痛・違和感の有無を確認する。

臨床のコツ

◆患側下肢への荷重時は，筋力低下などにより膝折れするリスクがあるため，初回の部分荷重練習や荷重量が変更となった際には注意が必要である。

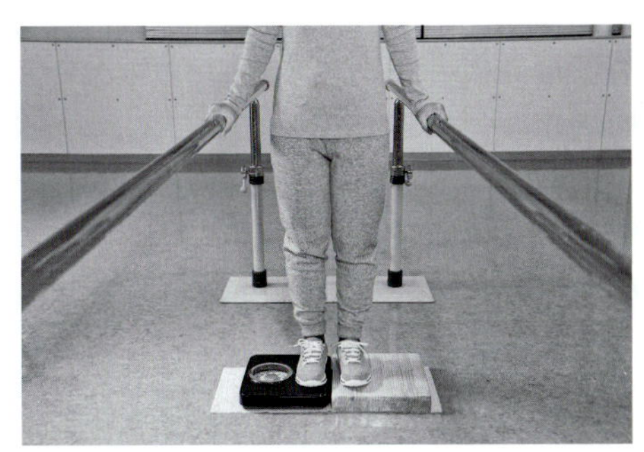
図2 体重計と台の設置

図3 足を乗せる位置の不良例

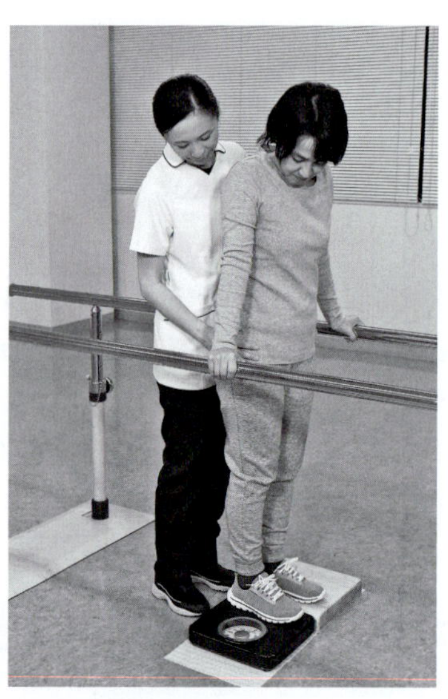

**図4　療法士の位置**
転倒への対応と荷重コントロールの誘導・補助をするため，患者の骨盤部に触れておく。

### 10）両脚立位で，処方された荷重量まで患側下肢に荷重させる

- 両脚立位にて，処方された荷重量まで徐々に荷重する。患者には視覚情報（体重計の目盛り）や聴覚情報（療法士による声かけ）を頼りに，処方された荷重量を厳守するよう促す。
- 途中で疼痛・違和感の出現や増悪がみられた場合は，速やかに健側下肢と上肢で体重を支えて患側下肢を免荷，もしくは疼痛・違和感の出現しない荷重量に誘導する。
- 療法士は患者の後方に位置し，常に過荷重や転倒に対応できるようにする（図4）。
- 荷重コントロールが不十分な場合には，処方された荷重量を厳守するよう指示するとともに，患者の骨盤を把持し誘導・補助する。特に患側下肢への過荷重になりそうな場合は，骨盤部から誘導して健側下肢へ荷重を戻す。
- 何度か部分荷重を反復させ，疼痛・違和感の出現や増悪がないか確認する。
- 荷重コントロールが十分に行えるようになり，疼痛・違和感の出現や増悪がなければ，次のステップに進む。

### 11）片脚立位で，視覚情報や聴覚情報を利用して，処方された荷重量まで患側下肢に荷重させる

- 片脚立位にて視覚情報（体重計の目盛り）や聴覚情報（療法士による声かけ）を頼りに部分荷重練習を行わせる。
- 平行棒を把持させ，患側下肢にわずかに荷重（体重計に足を置く程度）した両脚立位から，患側下肢にわずかに荷重した状態を保ったまま両上肢で体重を支え健側下肢を挙上させる。その後，両上肢の支えを徐々に減じて，処方された荷重量まで患側下肢に荷重させる。
- 療法士は患者の後方に位置し，常に過荷重や転倒に対応できるようにする。
- 荷重コントロールが不十分な場合には，処方された荷重量を厳守するよう指示するとともに，過荷重になりそうな場合は，体重を支えるよう補助を行う。
- 過荷重が反復される場合は練習を中断する。
- 部分荷重を反復させ，疼痛・違和感の出現や増悪がないか確認する。
- 荷重コントロールが十分に行えるようになり，疼痛・違和感の出現や増悪がなければ，次のステップに進む。
- 荷重コントロールを体得できていない場合には，無理に次のステップに進まず，本ステップで十分に練習する。

臨床のコツ

◆上肢筋力が弱く，片脚立位にて指定された荷重コントロールが十分に行えず過荷重となるリスクのある症例では，無理に片脚立位での練習に進まず，両脚立位にて指定された荷重量の練習を行う。

◆荷重することに意識が向き過ぎて不良姿勢になることがないよう，常に患者の立位姿勢を確認しながら練習を行う（図5）。

図5　不良姿勢の例（患側股関節の過度な内転）

### 12）片脚立位で，上肢や患側下肢からの感覚情報を利用して，処方された荷重量まで患側下肢に荷重させる

- 前方に視線を向けさせ，体重計の目盛りから視線を外させる。
- 体重を支える上肢や患側下肢から得られる感覚情報を頼りに荷重コントロールができるよう練習する。
- 療法士は患者の後方に位置し，常に過荷重や転倒に対応できるようにする。
- 荷重コントロールが不十分な場合には，処方された荷重量を厳守するよう指示するとともに，過荷重になりそうな場合は，体重を支えるよう補助を行う。
- 過荷重が反復される場合は練習を中断する。
- 部分荷重を反復させ，疼痛・違和感の出現や増悪がないか確認する。
- 荷重コントロールが十分に行えるようになり，疼痛・違和感の出現や増悪がなければ，立位での部分荷重練習を終了する。

### 13）安全に体重計から降ろす

- 荷重コントロールの体得が良好な患者は，荷重量を厳守させ患側下肢から降りるように誘導する。
- 過少荷重となる患者は，荷重可能な量まで荷重しながら，患側下肢から降りるように誘導する。
- 過荷重となる可能性の高い患者は，患側下肢を免荷して降りるように誘導する。

### 14）安全に着座させる

- 着座時に過荷重とならないように注意する。

臨床のコツ

◆フィードバックは，与えるタイミングが遅過ぎると過荷重のリスクとなるが，早過ぎても口頭指示に依存しやすくなるため注意する。

対応動画

# OSCE課題　部分荷重練習

## 設問

右脛骨高原骨折の患者です。完全免荷期間6週間の後，本日より体重の1/3（◯kg）の部分荷重練習の処方が出ました。今後，部分荷重歩行練習に移行するために，平行棒内で立位での部分荷重練習を実施してください。患者は平行棒の端に椅子座位で待機しています。平行棒はすでに部分荷重練習を行える高さに設定されています。体重計は0kg補正済みです。この患者に荷重練習方法を説明し，実際に部分荷重練習を実施してください。試験時間の都合上，荷重の反復は最大3回までとします。制限時間は5分です。では，始めてください。

## 準備するもの

平行棒，椅子，体重計，体重計と同じ高さの台，滑り止めシート

## 患者情報

| 疾患・障害 | 右脛骨高原骨折・右下肢運動障害 |
|---|---|
| 年齢・性別 | 70歳代・不問 |
| 術後期間 | 6週 |
| ROM | 膝関節屈曲100°，伸展制限なし |
| 疼痛 | 右膝関節（屈曲時） |
| 筋力 | 膝関節伸展MMT 3<br>（完全免荷期間中は自重までの処方） |

| 感覚 | 正常 |
|---|---|
| 座位 | 自立 |
| 立位 | 免荷で修正自立 |
| 歩行 | 監視（歩行器による右下肢完全免荷） |
| 理解 | 良好 |
| 表出 | 良好 |
| その他 | 部分荷重練習を楽しみにしている |

### 免荷の現状

術後翌週から完全免荷での歩行練習を開始し，現在，歩行器歩行は監視レベルである。患者は部分荷重練習の開始を楽しみにしている。膝関節伸展制限はなく，膝関節伸展筋力はMMTで3までを確認している。

### 経過と目標

受傷同日に観血的整復固定術が施行された。術後翌日からリハビリテーションが開始された。医師からは，術後3週から右膝関節愛護的他動運動開始，術後6週から部分荷重（体重の1/3荷重）開始の処方が出ていた。予定通りリハビリテーションが進んでおり，現在，右膝関節屈曲100°にて疼痛が出現し，固定式の歩行器にて右完全免荷で監視レベルの歩行である。本日から体重の1/3の部分荷重練習が開始となった。今後数日の練習で，荷重量をコントロールした歩行器歩行の獲得を目指す。

## 課題の目標

**態度**

1．部分荷重練習に備えた清潔で安全な身なりができる。
2．部分荷重練習を行う旨を説明し，了承を得ることができる。
3．患者に不快な思いをさせない（話し方，表情，振る舞い）。

**技能**

1．患者の安全に配慮しながら進めることができる。
2．部分荷重練習を実施するための準備を行うことができる。
3．部分荷重練習を適切な手順および方法で実施することができる。
4．適宜，適切なフィードバックを行うことができる。

## 手順

1．挨拶・自己紹介を行い，2つの識別子で患者の確認を行う。
2．部分荷重練習を行う旨を患者に伝え了承を得る。
3．安静時，動作時の疼痛・違和感の有無について確認する。
　・安静時，動作時の疼痛・違和感の有無について確認する。
4．体重計と台を設置する。
　・体重計は目盛り部分を外側に向けて患側下肢側に置き，健側下肢側には体重計と同じ高さの台を設置する。
　・体重計や台は床の上で滑りやすいため，必ず滑り止めシートを下に敷く。
5．患側下肢は免荷を保持し，健側下肢を台に乗せる。
　・平行棒を両手でしっかりと把持させる。
6．患側下肢にわずかに荷重させ，疼痛・違和感の出現の有無を確認する。
　・体重計に足を置く程度に患側下肢にわずかに荷重させ，疼痛・違和感の有無を確認する。
7．両脚立位で，処方された荷重量まで患側下肢に荷重させる（試験時間の都合上，荷重の反復は最大3回までとする）。
　・荷重量を患者に正確に伝える。
　・両脚立位にて，処方された荷重量まで徐々に荷重させる。
　・療法士は患者の後方に位置し，常に過荷重や転倒に対応できるようにする。
　・患者に最大3回まで部分荷重を反復させ，疼痛・違和感の出現や増悪がないか確認する。
　・荷重量を厳守させ，必要時には誘導・補助を行う。
8．片脚立位で，視覚情報や聴覚情報を利用して，患側下肢に処方された荷重量まで荷重させる（試験時間の都合，荷重の反復は最大3回までとする）。
　・片脚立位にて視覚情報（体重計の目盛り）や聴覚情報（療法士による声かけ）を頼りに部分荷重練習を行うよう説明する。
　・平行棒を把持させ，患側下肢にわずかに荷重（体重計に足を置く程度）して両脚で立たせる。患側下肢にわずかに荷重した状態を保ったまま両上肢で体重を支え，健側下肢を挙上させる。その後，両上肢の支えを徐々に減じて，処方された荷重量まで荷重させる。
　・最大3回まで部分荷重を反復させ，疼痛・違和感の出現や増悪がないか確認する。
　・荷重量を厳守させ，必要時には誘導・補助を行う。
9．片脚立位で，上肢や患側下肢からの情報を利用して患側下肢に処方された荷重量まで荷重する（試験時間の都合，荷重の反復は最大3回までとする）。
　・患者の視線を前方に向けさせ，体重計の目盛りから視線を外させる。
　・体重を支える上肢や患側下肢から得られる感覚情報を頼りに荷重をコントロールできるよう練習する。
　・最大3回まで部分荷重を反復させ，疼痛・違和感の出現や増悪がないか確認する。
　・荷重量を厳守させ，必要時には誘導・補助を行う。
10．安全に体重計から降ろす。
　・荷重コントロールの体得が良好な患者は，荷重量を厳守させ患側下肢から降りるように誘導する。
　・過少荷重となる患者は，荷重可能な量まで荷重しながら，患側下肢から降りるように誘導する。
　・過荷重となってしまう患者は，患側下肢を免荷して降りるように誘導する。
11．安全に着座させる。
　・着座時に過荷重とならないように注意する。
12．終了を伝える。
13．適宜，適切なフィードバックを行う。
　・適切な内容，タイミング，量でフィードバックを行う。

## 採点基準

採点者は模擬患者に受験者の言動の適否を適宜確認して，以下の項目を採点してください。

### 1．態度

|  |  |
|---|---|
| (1) ①適切な身なりで，②明瞭な挨拶（開始時・終了時），③自己紹介ができる。 | 2点：①～③すべてできる<br>1点：①～③のうち2項目できる<br>0点：1項目できる<br>0点：すべてできない |
| (2) 2つの識別子で患者の確認ができる。 | 2点：2つの識別子で患者の確認ができる<br>1点：1つの識別子で患者の確認ができる<br>0点：確認ができない |
| (3) ①部分荷重練習を行う旨を患者に伝え，②了承を得ることができる。 | 2点：①，②どちらもできる<br>1点：①のみできる<br>0点：どちらもできない |
| (4) 課題全般を通して，患者の様子（表情・姿勢・身体機能）や状況に応じた丁寧な対処（①声かけ・②触れ方・③動かし方）ができる。 | 2点：①～③すべてできる<br>1点：①～③のうち2項目できる<br>0点：1項目できる<br>0点：すべてできない |

### 2．技能

|  |  |
|---|---|
| (1) 体重計と台の設置ができる。 | 2点：滑り止めシートを使用して適切に体重計と台の設置ができる<br>1点：滑り止めシートを利用して体重計と台の設置をするが不十分である<br>0点：滑り止めシートを使用しない |
| (2) 患側下肢の①免荷を指示し，②リスク管理を実施したうえで患者を台に乗せることができる。 | 2点：①，②どちらもできる<br>1点：①，②のどちらか一方のみできる<br>0点：どちらもできない |
| (3) 両脚立位で，①患側下肢にわずかに荷重させ，②疼痛・違和感の確認ができる。 | 2点：①，②どちらもできる<br>1点：①，②のどちらか一方のみできる<br>0点：どちらもできない |
| (4) ①リスク管理を実施したうえで，②両脚立位で患側下肢に処方された荷重量まで荷重するよう誘導・補助ができる。 | 2点：①，②どちらもできる<br>1点：①，②のどちらか一方のみできる<br>0点：どちらもできない |
| (5) 片脚立位で，視覚情報や聴覚情報を利用して部分荷重練習を行うよう，正しく説明できる。 | 2点：正しく説明できる<br>1点：説明するが患者の理解が得られない<br>0点：説明をしない |
| (6) 片脚立位で，①両上肢の支えを徐々に減じさせ，②リスク管理を実施して処方された荷重量まで荷重させることができる。 | 2点：①，②どちらもできる<br>1点：①，②のどちらか一方のみできる<br>0点：どちらもできない |
| (7) 片脚立位で，上肢や患側下肢からの情報を利用して患側下肢に処方された荷重量まで荷重するよう，正しく説明できる。 | 2点：正しく説明できる<br>1点：説明するが患者の理解が得られない<br>0点：説明をしない |
| (8) 片脚立位で，①上肢や患側下肢からの情報を利用して，②リスク管理を実施して処方された荷重量まで荷重せさることができる。 | 2点：①，②どちらもできる<br>1点：①，②のどちらか一方のみできる<br>0点：どちらもできない |
| (9) ①適切な荷重の方法を選択し，②リスク管理を実施して体重計から降ろすことができる。 | 2点：①，②どちらもできる<br>1点：①，②のどちらか一方のみできる<br>0点：どちらもできない |
| (10) ①練習した荷重量以内で患側に荷重しながら椅子まで誘導し，②着座をさせることができる。 | 2点：①，②どちらもできる<br>1点：①，②のどちらか一方のみできる<br>0点：どちらもできない |

| | |
|---|---|
| (11) 部分荷重練習の手順 (7)～(9) を通して，疼痛・違和感の有無の確認ができる。 | 2点：3つすべての手順で確認できる<br>1点：2つの手順で確認できる<br>0点：1項目できる<br>0点：すべてできない |
| (12) 課題を通して，受験者の視線・身構え，患者との距離を確保することで，常に患者の安全を確保できる。 | 2点：課題を通して，受験者の視線・身構え，患者との距離を確保することで，常に患者の安全を確保できる<br>0点：課題を通して，1回でも受験者の視線・身構え，患者との距離を保つことができず患者の身体に危険を感じる対応である |
| (13) 課題を通して，適宜，患者にフィードバックを行うことができる。 | 2点：内容，タイミング，量が適切である<br>1点：2項目が適切である<br>0点：内容が不適切である<br>0点：フィードバックがない<br>0点：1項目が適切である<br>0点：すべて適切でない |

## OSCE担当者確認事項

### 環境設定

・平行棒の高さは体重計の厚みを考慮し，高さ調節を行わなくても部分荷重練習が実施可能な高さに設定しておく。

・体重計と台，滑り止めシートは平行棒のそばに準備しておく。

### 模擬患者と採点者

・荷重量は模擬患者の体重のおおよそ1/3になるよう設定し，設問に「○kg」と明示する。

・誘導・補助が不十分，不適切なためそれ以降の採点項目が減点となる場合は，模擬患者，採点者が修正した後に試験を再開する。

・模擬患者，受験者に危険が及ぶ可能性がある場合は，採点者，模擬患者が修正した後に試験を再開する。

### 模擬患者

・平行棒の端に椅子座位で待機する。

・受験者の指示が不適切でない限り，指示された荷重量を守る。

・最大3回の反復動作を求められるため，動作の再現性を担保できるよう練習しておく。

### 参考文献

1) 渡邉観世子，樋口貴広，谷浩明，他：整形疾患術後における部分荷重課題の正確性の特性―目標荷重量の大きさと荷重下肢側の方向からの検討―．理学療法科学 28：231-6，2013.

2) 浅海岩生：部分荷重訓練における上下肢の筋活動．理学療法科学 24：273-9，2009.

# 6 物理療法

## 1 物理療法とは

物理療法とは，「電気，熱・寒熱，水，光線，力などの物理的エネルギーをさまざまな症状に適応し，その改善を目的として行われる治療の総称」である[1]。

理学療法士及び作業療法士法第2条には，「『理学療法』とは，身体に障害のある者に対し，主としてその基本的動作能力の回復を図るため，治療体操その他の運動を行わせ，及び電気刺激，マッサージ，温熱その他の物理的手段を加えることをいう」と記されている。すなわち，基本的動作能力に障害のある者に対し，その能力を回復するため運動療法，物理療法などを行うことを理学療法と定義している[2]。運動療法と物理療法が理学療法の主たる技術といえるが，現代のわが国の理学療法では運動療法が主体となり，物理療法はその補助的な手段となっている。物理療法は，療法士が患者の臨床症状の特性に適した物理的なエネルギーの種類とその性質，強度や時間を選択すれば機能障害の改善に十分な効果が期待できるため，補助的手段にとどまることなく，運動療法と物理療法の双方を組み合わせてさらなる機能改善を図るよう努めるべきである。そのためにも，物理的エネルギーの種類と性質，機器設定とその操作方法を熟知し，実践的な臨床判断を的確に行えるようにすることが大切である。

## 2 分類および各種の療法

物理療法は温熱療法，寒冷療法，水治療法，機械的刺激療法，電気刺激療法，光線療法，その他に大別される（表1）。

本項では多岐にわたる物理療法の中から，超音波療法について詳細に触れる（図1）。

表1　物理療法の分類

| | |
|---|---|
| 温熱療法 | 表在熱：ホットパック，パラフィン浴，赤外線 |
| | 深部熱：超短波，極超短波，超音波 |
| 寒冷療法 | アイスパック，アイスマッサージ，コールドパック，スプレー冷却法 |
| 水治療法 | 渦流浴，気泡浴，交代浴，ハバードタンク |
| 機械的刺激療法 | 牽引療法，持続的他動運動（CPM），間欠的圧迫法，マッサージ |
| 電気刺激療法 | 低周波（治療的電気刺激療法，機能的電気刺激療法），中周波，干渉電流療法 |
| 光線療法 | 紫外線，赤外線，レーザー療法 |
| その他 | バイオフィードバック療法 |

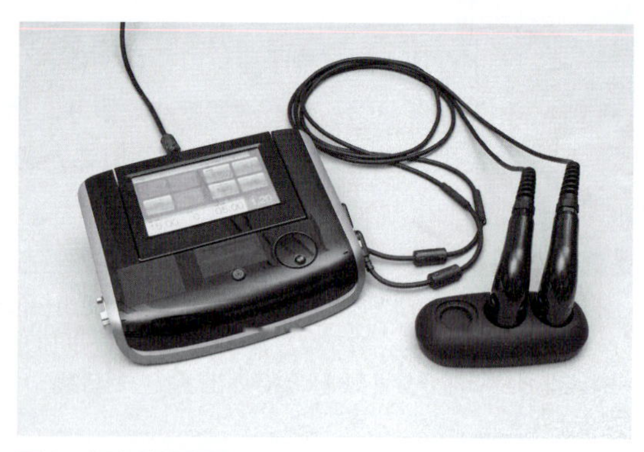

図1　超音波治療器

### A 超音波とは

周波数が20 kHz以上の音波であり，ヒトの耳には聞こえない。音波は，粒子の運動方向とエネルギーの進行方向とが同一である縦波により伝播する振動波である。出力される機械的振動エネルギーが，生体に伝播することにより熱エネルギーに変換され（温熱作用），熱は生体の深部まで到達する。温熱作用以外に非温熱作用も有する。温熱作用，非温熱作用については後述する。気体，固体，液体中を伝播するが，真空では伝わらない。超音波治療器における超音波発生原理は，逆圧電効果（逆ピエゾ効果）

が利用されており，圧電材料（水晶，セラミック，セラミックの一種であるジルコンチタン酸鉛）に高周波電流を流すと圧電材料が周波数に応じて振動することで超音波が発生する。

## B 物理的性質

### 1) 周波数

- 周波数は，3 MHzあるいは1 MHzが使用されることが多い。
- 周波数により深達度が異なる（図2）[3]。皮膚表面から2 cmまでの深さでは3 MHzを，2～5 cmの深さでは1 MHzを用いる。

### 2) 照射時間率

- 治療時間に対する照射時間の比率である。

照射時間率（%）＝照射時間/（照射時間＋休止時間）×100（図3）[4]

- 連続波は連続的に照射し，温熱作用が期待できる（図4）[4]。
- パルス波は間欠的に照射し，期待する効果により照射時間と休止時間を決定する。
- 非温熱作用が期待できる。
- 非温熱効果のみが目的の場合は，照射時間率20%以下で行う。

### 3) 強度

- 導子の単位面積あたりの力で，単位は $W/cm^2$ で表される。
- 組織温度上昇が目的の場合は，超音波照射開始後2～3分以内に患者が温感を感じるようにし，照射中は不快感がないようにする。一般には，1 MHzで1.5～2.0 $W/cm^2$，3 MHzで0.5 $W/cm^2$ に設定する。
- 非温熱作用が目的の場合は0.5～1.0 $W/cm^2$ であるが，骨の治癒促進が目的の場合は0.15 $W/cm^2$ の低強度で良好な結果が得られる。

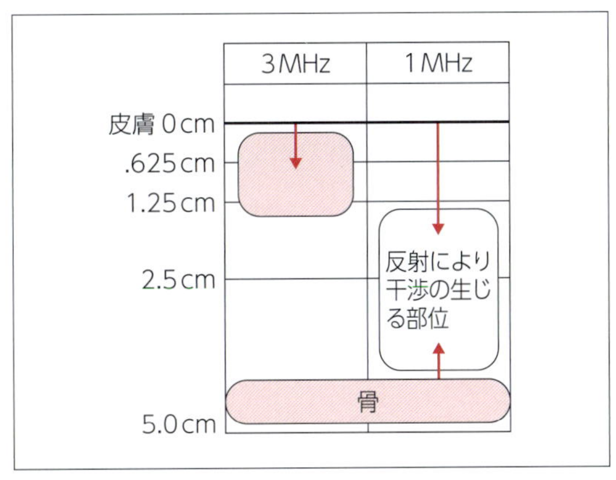


図2 周波数による深達度
3 MHzでは皮膚表面から約2 cmまで，1 MHzでは約2～5 cmの深さに伝播する。
(Draper DO : Ten mistakes commonly made with ultrasound use. Athletic Training : Sports Health Care Perspectives 2 : 95-107, 1996. より)

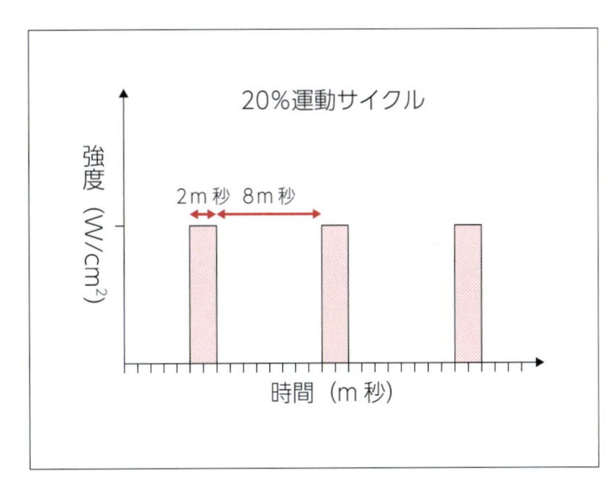


図3 パルス波
照射時間2 m秒，休止時間8 m秒を示し，2/(2+8)×100＝20%照射時間率である。
(Michelle H. Cameron 原著，渡部一郎 訳：EBM 物理療法 原著第4版．p212，医歯薬出版，2015. より)

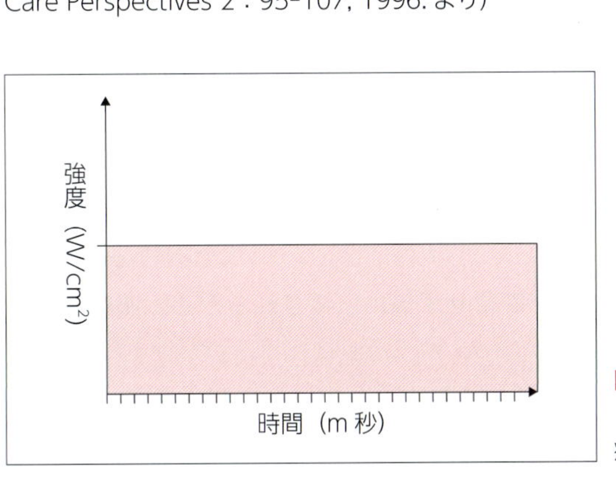


図4 連続波
(Michelle H. Cameron 原著，渡部一郎 訳：EBM 物理療法 原著第4版．p212，医歯薬出版，2015. より)

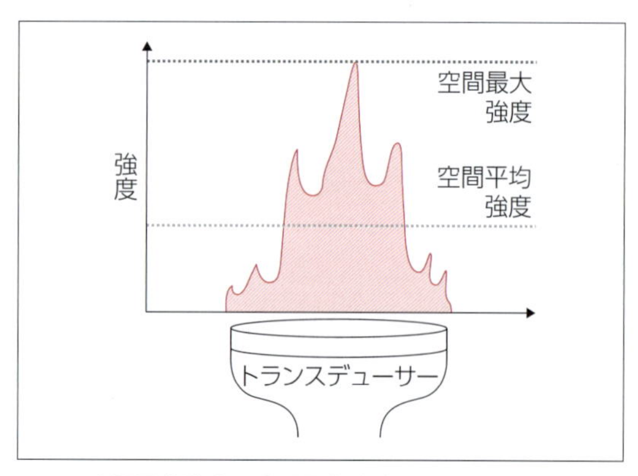


図5　空間最大強度と空間平均強度
トランスデューサーは本書では導子と表現する。
(Michelle H. Cameron 原著，渡部一郎 訳：EBM 物理療法 原著第4版．p210，医歯薬出版，2015.より改変)

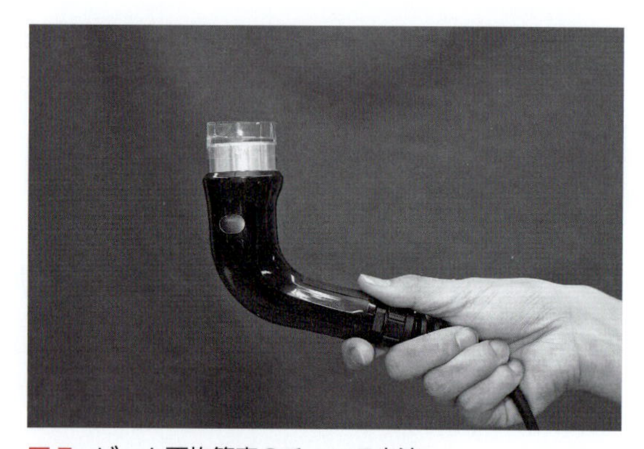

図7　ビーム不均等率のチェック方法
出力面を上に向けセロハンテープなどで導子の縁を囲み，その中に水を5 mmの深さで入れ出力を1～2 W/cm²にして水面の動きを観察する。

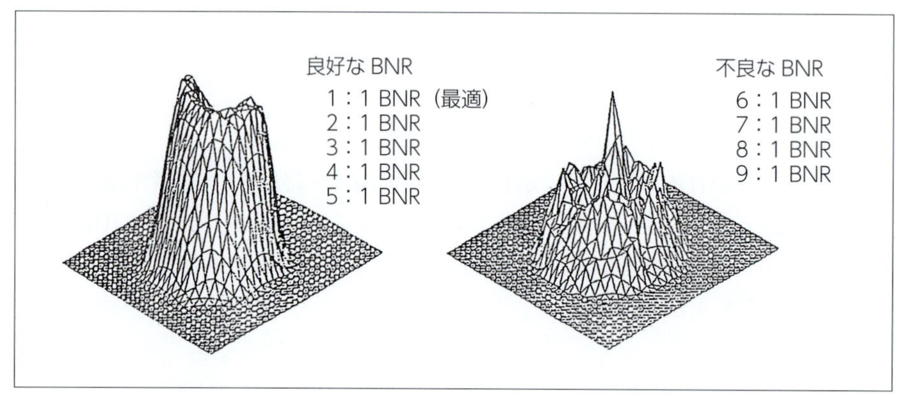


図6　ビーム不均等率
導子に入れた水の膨隆がドーム状であれば良好なBNR（3：1～5：1），スパイク状であれば不良なBNRと考えられる。
(Castel M, et al：Ultrasound. International Academy of Physio Therapeutics, 1992. より)

- 空間最大強度とは導子全体での最大強度のことである。通常，照射ビームの中央で最大に，照射ビームの両端で最小となる(図5)[4]。
- 空間平均強度とは導子全体での平均強度のことである(図5)[4]。

### 4) ビーム不均等率(beam non-uniformity ratio；BNR)

- 空間最大強度と空間平均強度の比率である。
- この比率が1：1に近づくほど，超音波の均等性が良いことを示す。
- 良好なBNRは5：1以下であり，導子を動かす速度は1 cm/秒でゆっくりと動かすことができるが，不良なBNR(6：1以上)では導子を4 cm/秒以上で比較的速く動かさなければならない(図6)[5]。
- 簡易的なチェック方法として，出力面を上に向けセロハンテープなどで導子の縁を囲み，その中に水を5 mmの深さで入れ，出力を1～2 W/cm²にして水の変化を観察する方法がある(図7)[5]。良好なBNRでは中心部がドーム状に膨隆し，不良なBNRでは複数のスパイク状の山が出現する。

### 5) 反射

- 照射した超音波が入射角と同じ角度ではね返ることを反射という。
- 身体では，軟部組織と骨との境界で約30%の反射が生じるが，皮膚と脂肪，脂肪と筋の間では顕著な反射は生じない。
- 金属は反射率が大きいが，熱伝導性が良好で熱が貯留せず他に伝播されるため，照射部位に挿入金属体があっても問題ない。
- 空気と皮膚との境界では100%の反射が生じるため，水やジェルといった媒介物質(カップリング剤)を使用することで0.1%の反射率にすることができる。

表2 1 MHzと3 MHzにおける吸収係数

| 組織 | 1 MHz | 3 MHz | 温熱効果 |
|---|---|---|---|
| 血液 | 0.028 | 0.084 | 小 |
| 脂肪 | 0.14 | 0.42 | ↓ |
| 神経 | 0.2 | 0.6 | |
| 筋（平行） | 0.28 | 0.84 | |
| 筋（垂直） | 0.76 | 2.28 | |
| 血管 | 0.4 | 1.2 | |
| 皮膚 | 0.62 | 1.86 | |
| 腱 | 1.12 | 3.36 | |
| 軟骨 | 1.16 | 3.48 | |
| 骨 | 3.22 | — | 大 |

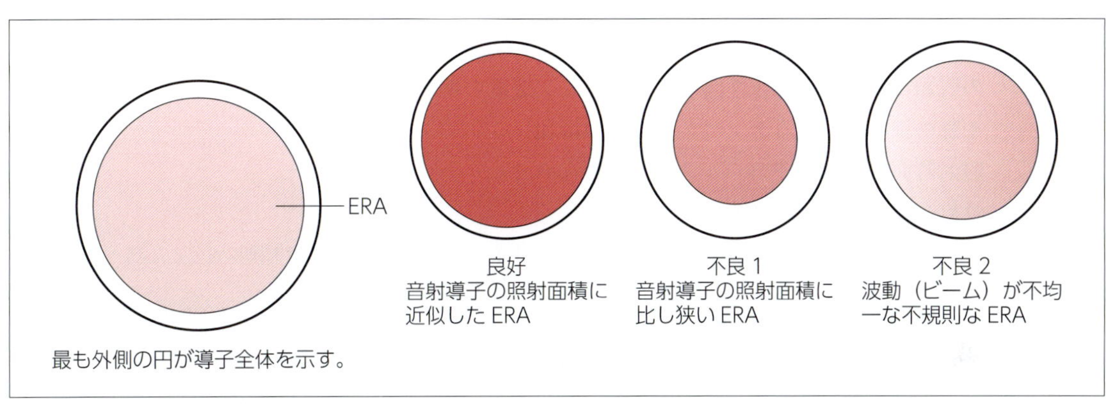


図8 有効照射面積
（左図：庄本康治：超音波治療法の概要．シンプル理学療法学シリーズ 物理療法学テキスト 改訂第2版（細田多穂 監，木村貞治，沖田 実，Goh Ah Cheng 編）．p131，南江堂，2013．より 右図：松澤正，江口勝彦 監：物理療法学 改訂第2版．p135，金原出版，2012．より）

### 6) 透過

・超音波が組織を通過する現象を透過という。
・超音波が生体組織を透過するにつれ超音波エネルギーは徐々に減衰する。人体の組織では深さ2～5 cm以内を透過する。
・透過半価層とは，エネルギーの大きさが半分に減衰する組織の深さを指す。

### 7) 吸収

・超音波の機械的エネルギーが熱に変換されることを吸収という。
・吸収係数とは，特定の周波数における各組織での吸収量を示し，コラーゲン含有量が多い組織ほど高値となる（表2）。
・加温速度は組織の吸収係数に比例する。つまり，吸収係数が高ければ温まりやすいことを意味する。

### 8) 有効照射面積（effective radiation area；ERA）

・超音波の機械的エネルギーが導子から照射される面積を有効照射面積という。
・ERAは常に導子面積より小さい（図8）[6,7]が，導子面積に近いほど良好なものといえる。
・超音波療法で照射する面積はERAの2倍以内とする。広範囲にわたり超音波療法を実施する場合には，複数回に分けて照射すべきである。

### 9) 媒介物質（カップリング剤）

超音波は空気と皮膚との境界面で100％反射してしまうため，導子と照射する組織の間に水やジェルといった媒介物質（カップリング剤）が必要となる。媒介物質の種類によって超音波の透過率が異なる。理想的な媒介物質は，①超音波の機械的エネルギーをよく透過し吸収が少ないこと，②空気を含まないこと，③適度な粘性を有すること，④安価であること，⑤使用しやすいこと，の5つの条件が必要で[8]，これらの条件を満たすものとして超音波専用のジェルが市販されている。

## C 生理学的効果

### 1) 温熱作用

- 1 MHz, 1 W/cm$^2$の強度で照射を行うと，生体の軟部組織温度は毎分平均0.2℃上昇する。
- 温熱作用を期待する場合，連続波による照射を行う。
- 代謝の促進，疼痛と痙縮の軽減・制御，神経伝導速度の変化，循環改善，軟部組織伸張性増大など，他の温熱療法と同様の効果が期待できる。
- 効果が得られやすい部位は，腱，靱帯，筋膜，筋，関節包である。
- 最大の温熱作用が得られるのは，反射が最大である軟部組織－骨境界面である。

### 2) 非温熱作用

- キャビテーション*，微小流**，音響流***による振動作用である。
- 組織損傷の治癒促進の効果が期待できる（細胞膜の透過性促進，細胞内カルシウムの増加，肥満細胞の脱顆粒の増加，走化性因子とヒスタミン遊離の増加，マクロファージの反応性の増強，線維芽細胞や腱の細胞におけるタンパク合成率の増加）。
- 照射時間率20％以下のパルス波が用いられる。
- 骨癒合促進に用いられる。

*キャビテーション：体内の血液や組織液に存在する小さな気泡が超音波の振動により，圧縮・拡張を繰り返す現象。
①安定したキャビテーション：0.5～2.0 W/cm$^2$，細胞膜の活性度の増大。
②不安定なキャビテーション：強度が大きい不均等な超音波，気泡・組織破壊（空洞化現象というが，8 W/cm$^2$以上の強度で発生する）。
**微小流：超音波振動物体の近傍に発生する微小な渦巻き。気泡周辺に発生する。
***音響流：超音波で誘導される血液細胞の循環の様子。

## D 適応・禁忌

超音波の適応と禁忌を表3[1]に示す。

表3 超音波の適応と禁忌

| 適応症状 | 禁 忌 |
|---|---|
| 軟部組織短縮 | 悪性腫瘍 |
| 筋スパズム | 脳・脊髄 |
| 疼痛 | 心臓 |
| 圧迫由来の神経症状（椎間板ヘルニア，腰部脊柱管狭窄症，手根管症候群など） | 骨セメント |
| 筋・腱停止部の炎症 | 合成樹脂構成部分 |
| 組織損傷（創傷，骨折，靱帯・腱損傷など） | ペースメーカー |
| 石灰沈着物 | 除細動器 |
| フォノフォレシスに使用する薬剤の適応疾患 | 血栓性静脈炎 |
| | 眼球 |
| | 生殖器 |

（前重伯壮：各種温熱療法の実際：超音波療法．標準理学療法学 専門分野 物理療法学 第4版（網本和，菅原憲一 編）．p47，医学書院，2013. より改変）

## E 照射方法

### 1) 移動法

- 導子の表面が常に皮膚と平行して接触するように保持し，導子の有効照射面積の半分が重なるように緩やかに移動させる（一般的には4 cm/秒以上）。超音波を組織に確実に伝播させる。
- 回転法は最も多く用いられ，小さく重なり合う円を描くように導子を移動させる方法である（図9）[7]。
- ストローク法は導子を直線的に往復させる方法である（図10）[7]。

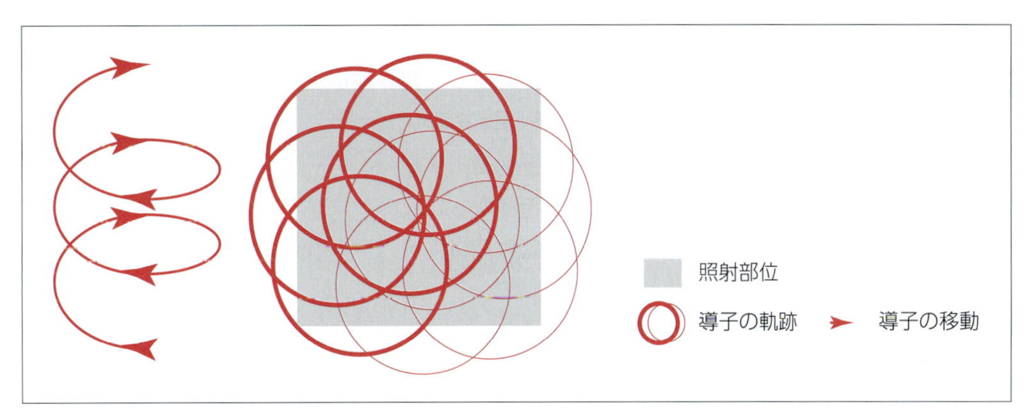


図9 回転法
(松澤正，江口勝彦 監：物理療法学 改訂第2版．p142，金原出版，2012. より)

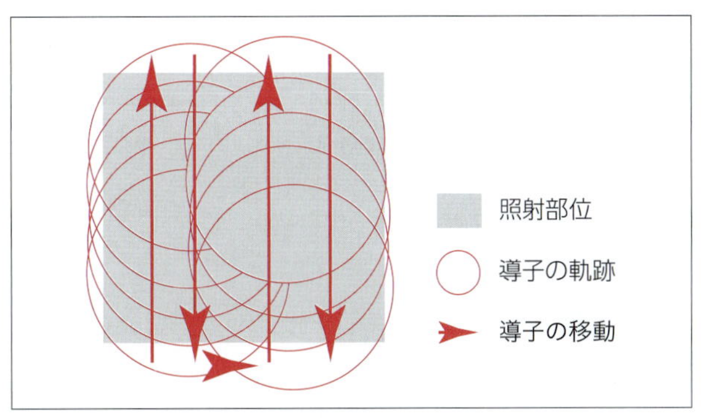


図10 ストローク法
(松澤正，江口勝彦 監：物理療法学 改訂第2版．p142，金原出版，2012. より)

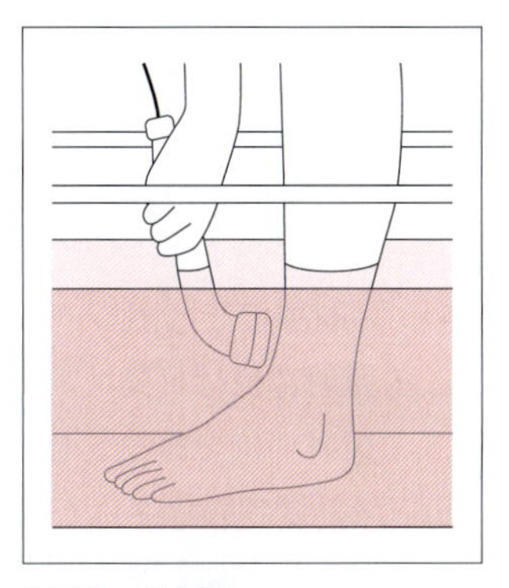

図11 水中法
(嶋田智明，高見正利，田口順子，他 編：物理療法マニュアル．p59，医歯薬出版，2009. より)

### 2) 水中法(図11)[8)]

・凹凸のある患部に照射するときに用いる方法である。

・超音波の透過率を上げるため，30分以上煮沸した水道水(18～24℃)に患部を入れる。導子と患部の距離は通常0.5～1 cm離し，療法士の手を水中に浸さないようにする(反射した超音波による照射を避けるため)。

## F 照射時間

照射目的，照射部位の面積，導子のERAに応じて照射時間を選ぶ。ERAの2倍以内の照射部位に5～10分間の照射が一般的である。広範囲にわたり超音波療法を実施する場合には複数回に分けて照射するため，合計での照射時間が延長する。

骨の治癒促進を目的に行う場合は，15～20分間の照射時間を推奨する。

# 3 手順のポイント

本項では，可動域制限を有する患者に対する，移動法による超音波照射の手順を示す。

一般的には電源コードのプラグをコンセントに挿し込んで使用するが，本項では既にコンセントが挿し込まれた状態からの手順を示す。

### 1) 挨拶・自己紹介を行い，2つの識別子で患者の確認を行う

・患者とのラポール(信頼関係)形成のため，挨拶，自己紹介を行う。

・患者の取り違えを防止するため，氏名に加え生年月日もしくはIDなど，2つの識別子で確認する。

### 2）超音波療法を行う旨を患者に伝え了承を得る

・超音波療法について簡潔にわかりやすく説明し，超音波療法を行うことについて了承を得る。

### 3）超音波照射のために適切な姿勢・肢位を確保する

・照射目的に合わせ，照射時の安楽な姿勢を選択する。
・照射時の姿勢・肢位の選択では，導子表面が常に患部の皮膚と平行に接触するよう留意する。
・照射目的が腱，靱帯，筋膜，筋，関節包の伸張性増大である場合は，それらが伸張する肢位となるようアライメントを整える。

**臨床のコツ**

◆アライメントを整えるために，必要に応じてバスタオルやクッションなどを挿入する。
◆保守・点検に係る事項については，各種機器の取扱説明書を参考にすること。
◆感染症対策などの機器の衛生管理としては，メーカーに直接問い合わせることを推奨する。次亜塩素酸水や消毒用のアルコールを直接機器に吹きかけると機器内部に入る恐れがあり，故障の原因になりうるので行わない。
◆超音波機器を安全に使用するため，定期的（1年を目安）なメーカーへの定期点検依頼を推奨する。導子の精度を表すBNR，ERAの正確な測定には，専用器具が必要である。

### 4）照射部位を露出し，装飾品の有無，皮膚の状態を確認する

・照射部位は可動域制限が生じている部位とする。
・照射部位を露出させ，皮膚に傷がなく清潔であること，炎症や感覚障害がないことを確認する。

### 5）可動域制限が生じている関節の動きを確認する

・可動域制限が生じている関節について，他動的に可動域を確認する。このとき，運動方向への抵抗感，疼痛や不快感の程度も確認する。

### 6）照射時間，周波数，照射時間率の設定を行う

・照射目的，照射部位の面積，導子のERAに応じて照射時間を設定する。
・周波数は深部への照射で1 MHz，表層部への照射で3 MHzとする。
・照射時間率は温熱作用を目的とする場合は連続波，非温熱作用を目的とする場合はパルス波とする。

### 7）導子の大きさを選択し，照射部位を伸張した肢位にする

・照射面積の大きさに応じて導子の大きさを決め，ERAの2倍以内の範囲で動かす（図12）。

### 8）超音波ジェルに気泡を入れずに，患部または導子へ均等に塗布する

・透過率を考慮した十分な量の超音波ジェルを患部または導子へ均等に塗布する。超音波が患部へ透過しやすくするため，超音波ジェルに気泡が入らないよう留意する。

### 9）出力を至適強度に設定し，導子のあて方，動かす速度と移動範囲に留意する

・至適強度での患者の主観（疼痛，不快感，温感）を確認する。
・導子の表面が常に患部の皮膚と平行に接触するように保持し，超音波を組織に確実に伝播させる（図13）。

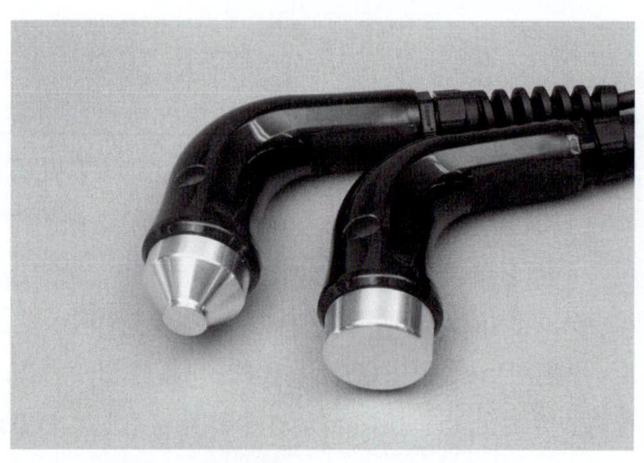

図12　導子サイズの選択

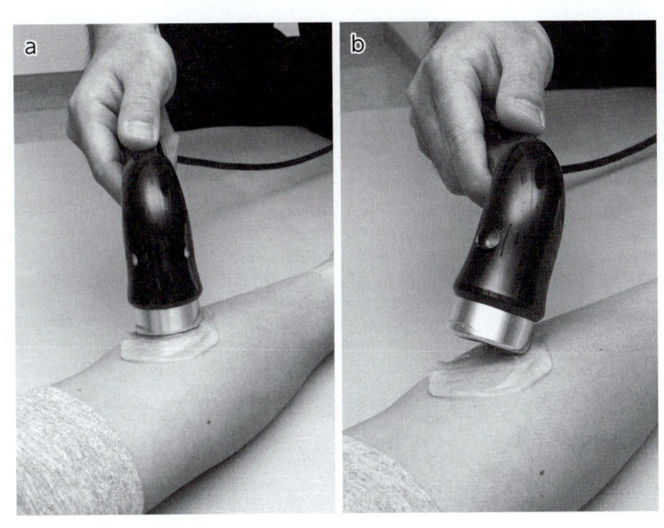


図13　導子のあて方
a：適切，b：不適切（導子表面が患部の皮膚と平行でない）

・患者に不快な刺激とならないよう，導子を一定速度で動かして照射する。導子を動かす速度はBNRに基づき決定する。
・導子の移動はERAの2倍以内の範囲で行う。広範囲にわたり超音波療法を実施する場合には，複数回に分けて実施する。
・1カ所への照射時間が長くなると，熱傷のリスクが高くなるため注意する。

10）照射時は伸張肢位を保持し，疼痛や不快感，皮膚の変化がないかを適宜確認する
・照射部位が常に伸張位になるよう，療法士の身体を利用し保持する。
・適宜，患者の主観を確認するとともに，皮膚に発赤が生じていないか観察する。
・皮膚上の超音波ジェルが拡散してしまい疼痛や不快感が生じ始めた場合は，超音波ジェルを追加する。
・疼痛や不快感，発赤などを認める場合は，中止もしくは一度出力を下げる。

11）照射時間終了後，皮膚と導子に付着した超音波ジェルを拭き取る
・出力が0になったことを確認する。
・終了後は，皮膚と導子に付着した超音波ジェルを速やかに拭き取る。

**臨床のコツ**

◆機器によっては，体表から導子が離れると出力が自動的にオフになるものと，設定した照射時間が経過すると出力がオフになるものがある。そのため，機器の出力を下げる手順を省略することがあるが，どのような機器であっても必ず出力がオフであることを表示画面で確認する。

12）皮膚の状態，異常感覚の有無，可動域制限が生じている関節の動きを確認し，安楽な姿勢・肢位にする
・皮膚に発赤が生じていないか，異常感覚がないか確認する。
・可動域制限が生じている関節の可動域を他動的に確認する。このとき，運動方向への抵抗感，疼痛や不快感の程度も確認する。
・終了後は安楽な姿勢・肢位に戻す。

13）適宜，適切なフィードバックを行う

**臨床のコツ**

◆超音波療法の目的が腱，靱帯，筋膜，筋，関節包の伸張性増大である場合，照射前・後に関節可動域を測定し，可動域，疼痛や不快感の変化を確認して効果判定を行う。
◆リハビリテーション室で超音波療法を実施する際は，電源コードでのつまずきや転倒が生じないよう，電源コードにガムテープなどによる固定を行うなどするとよい。

# OSCE課題　超音波療法

対応動画

## 設問

右膝蓋骨骨折に対して骨接合術(鋼線締結法)を施行された患者です。術後8週が経過し，熱感・腫脹なく全荷重可能となっていますが，膝関節の屈曲制限が生じています。主な可動域制限因子は膝蓋靱帯の短縮と考えられます。この患者に対し，関節可動域運動前に可動域改善を目的とした超音波療法(移動法)を実施してください。照射条件を設定し，照射部位の状態と患者の主観を確認した後，照射直前に採点者に声をかけてください。試験時間の都合上，採点者が超音波療法終了の合図を出します。その後，片づけを指示します。制限時間は5分です。では，始めてください。

注1) 普段はBNR 4：1の導子を用いて，至適強度は1.2 W/cm$^2$の強度で10分間照射しています。
注2) 昇降式ベッドは超音波照射に最適な高さに設定されています。
注3) 不必要な照射を避けるため，照射直前に採点者が電源を落としますが，模擬照射で課題を継続してください。

## 準備するもの

超音波治療器(BNR 4：1以下を推奨)，超音波ジェル，ティッシュペーパー，ゴミ箱，昇降式ベッド(可動域が確保できるもの)，高さ調整可能な椅子(キャスターチェアなど)，バスタオル(数枚)，ズボン(丈が膝よりも上のもの)

## 患者情報

| 疾患・障害 | 右膝蓋骨骨折・右下肢運動障害 |
|---|---|
| 年齢・性別 | 50歳代・男性 |
| 術後期間 | 8週 |
| 疼痛 | 右膝関節(荷重時) |
| ROM | 膝関節屈曲100° |

| 感覚 | 障害なし |
|---|---|
| 座位 | 自立 |
| ADL | FIM 7 |
| 理解 | 良好 |
| 表出 | 良好 |

### 関節可動域の現状

他動運動にて関節可動域運動を行うと，膝蓋靱帯の短縮により，膝関節屈曲100°付近から抵抗感があり膝関節屈曲105°で可動域制限が生じている。自動運動では95°まで屈曲可能である。

### 経過と目標

受傷当日に骨接合術(鋼線締結法)を施行され，術後翌日からベッドサイドにてリハビリテーションが開始された。術後3日目からリハビリテーション室にて開始され，医師からは術後3週まで膝関節屈曲0～45°の範囲での関節可動域運動，非障害側および障害側の膝関節周囲筋以外の筋力増強運動が処方された。術後4～5週では膝関節屈曲0～90°の範囲での関節可動域運動，膝伸展位での荷重練習，knee braceを使用しての松葉杖歩行練習が実施された。術後6～7週では膝関節屈曲0～90°の範囲での関節可動域運動，松葉杖歩行練習(knee braceなし)，術後8週目から全可動域にわたる関節可動域運動が開始されたが，膝関節屈曲に可動域制限を認めたため，医師から超音波療法の処方が追加された。今後1カ月で膝関節の全可動域獲得と，杖なし歩行を目指す。

## 課題の目標

### 態度

1．超音波療法に備えた清潔で安全な身なりができる。
2．患者に超音波療法を行う旨を説明し，了承を得ることができる。
3．患者に不快な思いをさせない(話し方，表情，振る舞い)。

### 技能

1．患者の安全に配慮しながら進めることができる。
2．超音波療法を実施するための準備(機器設定)を行うことができる。

3．超音波療法を適切な手順および方法で実施することができる。
4．適宜，適切なフィードバックを行うことができる。

## 手 順

1．挨拶・自己紹介を行い，2つの識別子で患者の確認を行う。
2．超音波療法を行う旨を患者に伝え了承を得る。
3．超音波照射のために適切な姿勢・肢位を確保する。
・患者を端座位とする。また，照射部位が伸張される肢位となるようアライメントを整える（図14）。
・姿勢・肢位の選択時に，導子表面が常に患部の皮膚と平行に接触するよう留意する。
4．照射部位を露出し，装飾品の有無，皮膚の状態を確認する。
・照射部位は膝蓋靱帯とする（図15）。
5．膝関節の動きを確認する。
・膝関節の可動域を他動的に確認する。本課題は超音波照射が主目的となるため，角度計をあてた測定は不要とする。
・膝関節の可動域確認時は膝蓋靱帯の抵抗感，疼痛や不快感の程度も確認する。
6．照射時間，周波数，照射時間率の設定を行う。
・照射時間は10分，周波数は3 MHz，照射時間率は連続波とする。
7．導子の大きさを選択し，膝蓋靱帯が伸張した肢位にする。
・導子の大きさは照射面積の1/2を目安としたものを選択する。
・膝関節90〜100°屈曲位にし，膝蓋靱帯が伸張した肢位を保持する。
8．超音波ジェルを，気泡を入れずに患部または導子へ均等に塗布する。
・透過率を考慮した十分な量の超音波ジェルを，患部または導子へ気泡が入らないように均等に塗布する。
9．出力を至適強度に設定し，導子のあて方，動かす速度と移動範囲に留意する。
・強度を1.2 W/cm$^2$に設定し，超音波照射中は疼痛，不快感，温感の有無を確認する。
・導子は患部の皮膚と平行に接触させ，動かす速度は1 cm/秒を基本とするが，本課題で用いる導

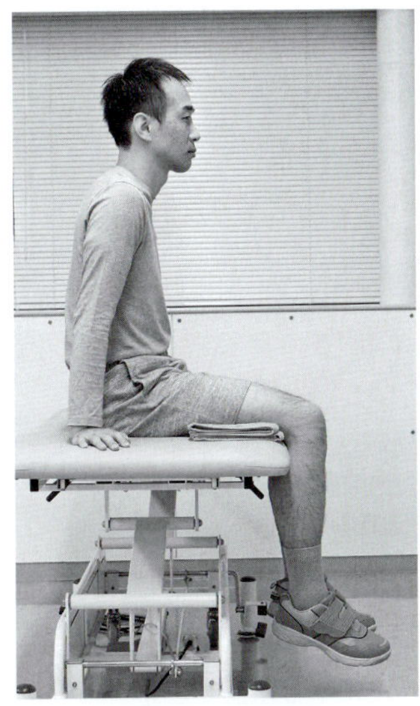

図14 アライメント調整
目的部位が伸張されるようバスタオルを挿入する。

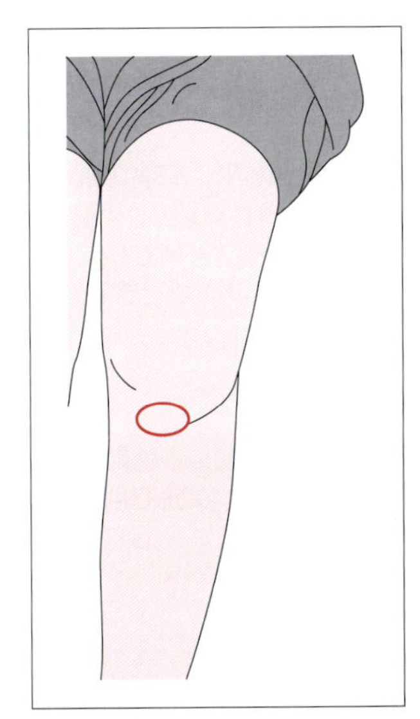

図15 超音波照射部位
膝蓋靱帯に照射する。

子のBNRが6：1以上の場合は4 cm/秒以上とする。

・導子の移動範囲はERAの2倍以内で行う。

・1カ所への照射時間が長くなると，熱傷のリスクが高くなるため注意する。

10. 照射時は伸張肢位を保持し，疼痛や不快感，皮膚の変化がないかを適宜確認する。

・療法士は一方の手に導子をもち，もう一方の手で脛骨近位部を保持し，自身の下肢を用いて膝蓋靱帯の抵抗感を確認しながら屈曲角度を調整し，膝蓋靱帯が伸張する膝関節屈曲位100°付近に保持する（対応動画）。

・皮膚上の超音波ジェルが拡散してしまい疼痛や不快感が生じ始めた場合は，超音波ジェルを追加する。

11. 照射時間終了後，皮膚と導子に付着した超音波ジェルを拭き取る。

・出力が0になったことを確認する。

・照射終了後は，皮膚と導子に付着した超音波ジェルを速やかに拭き取る。

12. 皮膚の状態，異常感覚の有無，膝関節の動きを確認し，安楽な姿勢・肢位にする。

・皮膚に発赤が生じていないか，異常感覚がないか確認する。

・膝関節の可動域を他動的に確認し，膝蓋靱帯の抵抗感，疼痛や不快感の程度の変化を確認する。

13. 終了を伝える。

14. 適宜，適切なフィードバックを行う。

・照射前後での関節の動きの変化についてフィードバックを行う。

## 採点基準

採点者は模擬患者に受験者の言動の適否を適宜確認して，以下の項目を採点してください。

### 1．態度

|  |  |
|---|---|
| (1) ①適切な身なりで，②明瞭な挨拶（開始時・終了時），③自己紹介ができる。 | 2点：①～③すべてできる<br>1点：①～③のうち2項目できる<br>0点：1項目できる<br>0点：すべてできない |
| (2) 2つの識別子で患者の確認ができる。 | 2点：2つの識別子で患者の確認ができる<br>1点：1つの識別子で患者の確認ができる<br>0点：確認ができない |
| (3) ①超音波療法を行う旨を患者に伝え，②了承を得ることができる。 | 2点：①，②どちらもできる<br>1点：①のみできる<br>0点：どちらもできない |
| (4) 課題全般を通して，患者の様子（表情・姿勢・身体機能）や状況に応じた丁寧な対処（①声かけ・②触れ方・③動かし方）ができる。 | 2点：①～③すべてできる<br>1点：①～③のうち2項目できる<br>0点：1項目できる<br>0点：すべてできない |

### 2．技能

|  |  |
|---|---|
| (1) ①患者を端座位とし，②照射目的に適した肢位（本課題では，加温組織に伸張刺激を加えられる肢位）となるようアライメントを整えることができる。 | 2点：①，②どちらもできる<br>1点：①，②のどちらか一方のみできる<br>0点：どちらもできない |
| (2) ①照射部位の露出，②装飾品の有無，③皮膚の状態，④関節可動域（実測不要）を確認することができる。 | 2点：①～④すべてできる<br>1点：①～④のうち2～3項目できる<br>0点：1項目できる<br>0点：すべてできない |

| | |
|---|---|
| (3) ①照射時間，②周波数，③照射時間率を正しく設定することができる。 | 2点：①～③すべてできる<br>1点：①～③のうち2項目できる<br>0点：1項目できる<br>0点：すべてできない |
| (4) ①適切な大きさの導子を選択し，②膝蓋靱帯を伸張した肢位に保持することができる。 | 2点：①，②どちらもできる<br>1点：①，②のどちらか一方のみできる<br>0点：どちらもできない |
| (5) ①超音波ジェル内に気泡を入れず，②患部または導子へ均等に塗布し，③出力を至適強度に設定することができる。 | 2点：①～③すべてできる<br>1点：①～③のうち2項目できる<br>0点：1項目できる<br>0点：すべてできない |
| (6) ①導子のあて方，②動かす速度，③移動範囲に留意して，適切に照射を行うことができる。 | 2点：①～③すべてできる<br>1点：①～③のうち2項目できる<br>0点：1項目できる<br>0点：すべてできない |
| (7) 照射時に，①伸張肢位を保持し，②疼痛や不快感，③皮膚の変化の有無を確認することができる。 | 2点：①～③すべてできる<br>1点：①～③のうち2項目できる<br>0点：1項目できる<br>0点：すべてできない |
| (8) 照射終了後，①機器の出力が0になったことを確認し，②皮膚と導子に付着したジェルを拭き取ることができる。 | 2点：①，②どちらもできる<br>1点：①，②のどちらか一方のみできる<br>0点：どちらもできない |
| (9) 照射終了後，①皮膚の状態，②異常感覚の有無，③関節可動域（実測不要）を確認することができる。 | 2点：①～③すべてできる<br>1点：①～③のうち2項目できる<br>0点：1項目できる<br>0点：すべてできない |
| (10) 課題を通して，受験者の視線・身構え，患者との距離を確保することで，常に患者の安全を確保できる。 | 2点：課題を通して，受験者の視線・身構え，患者との距離を確保することで，常に患者の安全を確保できる<br>0点：課題を通して，1回でも受験者の視線・身構え，患者との距離を保つことができず患者の身体に危険を感じる対応である |
| (11) 課題を通して，適宜，患者にフィードバックを行うことができる。 | 2点：内容，タイミング，量が適切である<br>1点：2項目が適切である<br>0点：内容が不適切である<br>0点：フィードバックがない<br>0点：1項目が適切である<br>0点：すべて適切でない |

## OSCE担当者確認事項

### 環境設定

・昇降式ベッドの高さは，足部が床に接地しない高さに設定しておく。

・受験者の椅子は適切と思われる高さに設定されているが，体格などにより受験者が調整してもよい。

・超音波治療器の電源コードのプラグをコンセントに挿しておく。

### 模擬患者と採点者

・試験で用いる超音波治療機器のBNRやERAを事前に確認しておく。

・誘導・補助が不十分，不適切なためそれ以降の採点項目が減点となる場合は，模擬患者，採点者が修正した後に試験を再開する。

・模擬患者，受験者に危険が及ぶ可能性がある場合は，採点者，模擬患者が修正した後に試験を再開する。

**模擬患者**

・ズボン（丈が膝よりも上のもの）を着用し，膝関節を露出しておく。
・課題開始時，昇降式ベッドに端座位（右膝関節屈曲70°程度）で待機する。
・超音波療法の実施前・後ともに，他動運動にて膝関節屈曲95°付近から疼痛（伸張痛）を訴える。

**採点者**

・不必要な超音波照射を避けるため，照射直前に電源を落とし，受験者に模擬照射での課題継続を促す。

## 引用文献


1) 網本和，菅原憲一 編：標準理学療法学 専門分野 物理療法学 第4版．p2，医学書院，2013.
2) 奈良勲 編著：理学療法概論 第6版．p184，医歯薬出版，2013.
3) Draper DO：Ten mistakes commonly made with ultrasound use. Athletic Training：Sports Health Care Perspectives 2：95-107, 1996.
4) Cameron MH 原著，渡部一郎 訳：EBM 物理療法 原著第4版．p212，医歯薬出版，2015.
5) Castel M, et al：Ultrasound. International Academy of Physio Therapeutics, 1992.
6) 庄本康治：超音波治療法の概要．シンプル理学療法学シリーズ 物理療法学テキスト 改訂第2版．p131，南江堂，2013.
7) 松澤正，江口勝彦 監：物理療法学 改訂第2版．金原出版，2012.
8) 嶋田智明，高見正利，田口順子，他 編：物理療法マニュアル．p56，医歯薬出版，2009.


## 参考文献


1) Cameron MH 原著，渡部一郎 訳：EBM物理療法 原著第4版．医歯薬出版，2015.
2) 細田多穂 監，木村貞治，沖田実，Goh AC 編：シンプル理学療法学シリーズ 物理療法学テキスト．南江堂，2008.
3) 松澤正，江口勝彦 監：物理療法学 改訂第2版．金原出版，2012.
4) 柳澤健 編：理学療法学ゴールド・マスター・テキスト3 物理療法学．メジカルビュー社，2009.
5) 黒川幸雄，高橋正明，鶴見隆正，他 編：理学療法MOOK5 物理療法．三輪書店，2006.
6) Chanmuram P，Viel E，中村隆一，増子宣雄：物理療法のすべて．医歯薬出版，1973.

# 7 呼吸練習・排痰手技

## 1 呼吸リハビリテーションとは

わが国のガイドラインにおいては，呼吸リハビリテーションとは「呼吸器の病気によって生じた障害をもつ患者に対して，可能な限り機能を回復，あるいは維持させ，これにより，患者自身が自立できるように継続的に支援していくための医療」と定義されている[1]。呼吸リハビリテーションは，その中心となる運動療法をはじめとし，患者教育，薬物療法，栄養管理などを含んだ包括的なアプローチを意味しており，すべての病態および年齢層における呼吸障害が対象となる。呼吸法の修正や排痰などによるコンディション作りは，運動療法の導入を円滑にし呼吸困難を軽減させるため，運動療法を始める前に行うことが望ましい。その中でも本項では呼吸練習と排痰手技を中心に取り扱う。

## 2 呼吸練習とは

呼吸障害患者は，努力性呼吸を呈しやすい。努力性呼吸では，吸気努力時に鼻翼の広がりや呼吸補助筋（胸鎖乳突筋，斜角筋，僧帽筋など）の収縮による肩の挙上が観察されることが多く，呼気努力時には腹筋群の収縮が観察されることが多い。

呼吸練習とは，努力性呼吸や呼吸困難の軽減，リラクセーション，パニックコントロール，換気効率・酸素化能など呼吸生理学的諸機能の改善，およびこれらを通じた運動能力の向上に寄与することを目的とした呼吸コントロール諸法の総称である。成人においては，1回換気量のうち約150 mlが解剖学的死腔（鼻腔・口腔から終末細気管支までのガス交換に寄与しないスペース）にとどまることにより，浅い呼吸では，たとえ速く呼吸してもガス交換に寄与する換気量が少なくなるため換気効率が悪い。そのため，呼吸練習ではできる限り努力性呼吸が少なく，換気効率の良い深くゆっくりとした呼吸法の習得を目指す。

### A 安楽姿勢

安楽姿勢は，呼吸困難を最も軽減することのできる姿勢とされる。姿勢保持のための筋活動や努力性呼吸に伴う呼吸補助筋の過剰な活動を減少させるため，呼吸困難の軽減のみでなく，呼吸法を習得するための姿勢としても利用される。

#### 1）姿勢（体位・肢位）

・臥位や座位，立位などの体位に応じて，最も呼吸が楽に感じる肢位を選択する（図1）。

#### 2）安楽姿勢のポイント

・背臥位では腹部周囲筋を弛緩させた肢位とする。腹部周囲筋が伸長された肢位では，吸気時の腹壁の拡張が妨げられる。骨盤の前傾により腹部周囲筋を弛緩させるために，背臥位では膝下に枕等を入れ，膝関節と股関節を屈曲位にさせる。

・前傾座位や前傾立位により呼吸困難が軽減しやすい。

・上肢の重さを取り除く肢位とする。上肢の重さを支えるために肩甲帯周囲筋の筋活動が動員されることにより，本来，呼吸補助筋として働く筋が呼吸運動に動員できなくなる。

・安楽な姿勢は患者により異なる。呼吸困難が生じた際に迅速な対応ができるよう，あらかじめ患者に合った安楽な姿勢を評価しておくことが望ましい。

・腹部の圧迫により吸気時の腹壁の拡張が妨げられるため，衣服による腹部の圧迫を除去する。

#### 3）適応と禁忌

・呼吸困難を感じている患者はすべて適応となる。

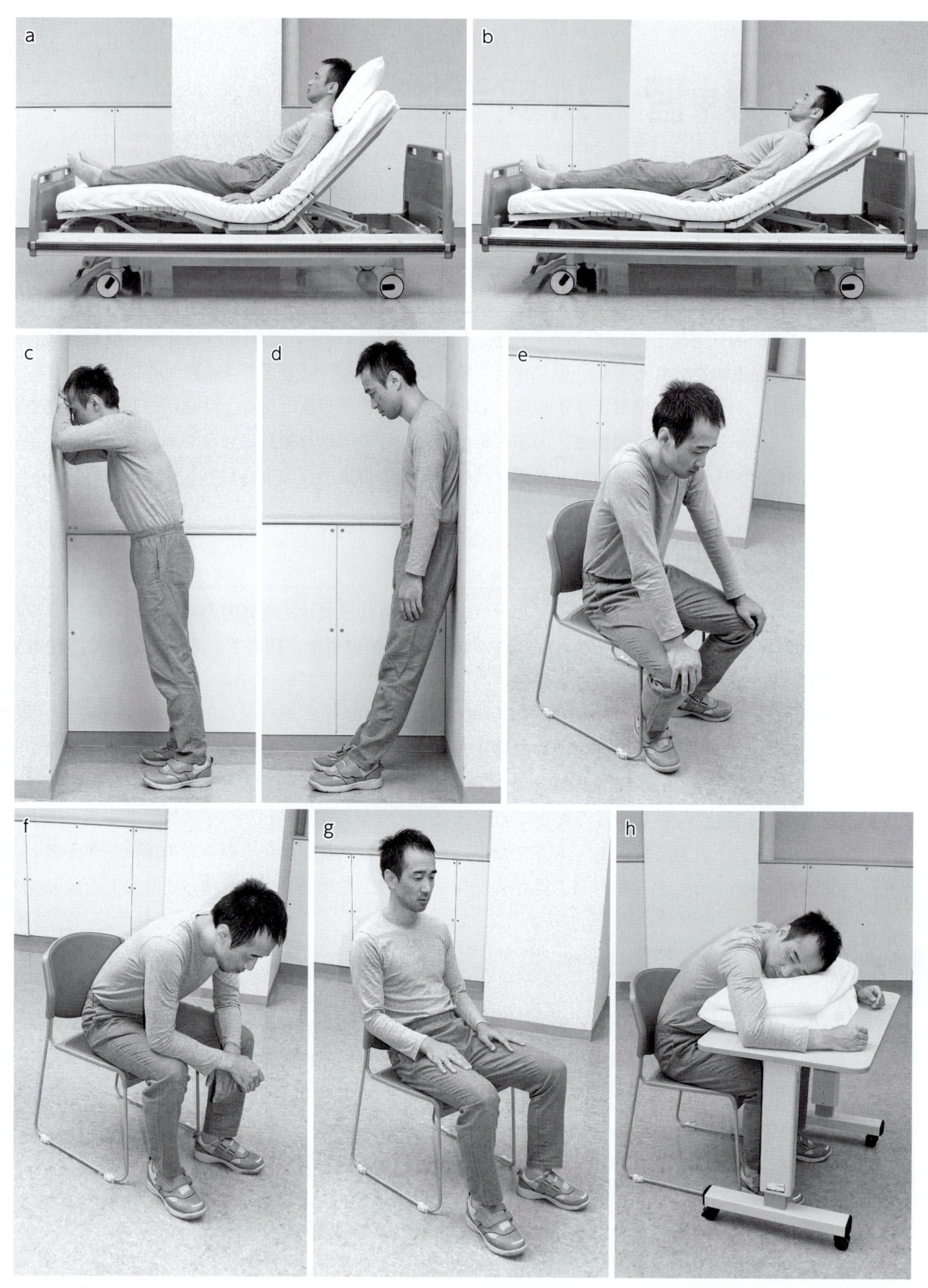

図1　安楽姿勢
a：ファーラー位
b：セミファーラー位
c：前傾位
d：壁にもたれる
e：手掌を膝に置く
f：肘や前腕部を大腿前面に置く
g：背もたれに寄りかかる
h：テーブル等を使用する

・禁忌は特にないが，呼吸困難が増強する場合は別の姿勢を検討する。

**臨床のコツ**

◆重症の慢性閉塞性肺疾患患者の横隔膜は，機能が低下し平坦化していることが多い。体幹を前傾することで腹圧が高まり，横隔膜が挙上することで可動性が増し，一時的な横隔膜機能の改善により呼吸困難が軽減する。

## B 呼吸法（口すぼめ呼吸）

代表的な呼吸法について表1に示す[2)]。本項では口すぼめ呼吸について詳細に触れる。

### 1) 口すぼめ呼吸とは

・口すぼめ呼吸は，鼻からの吸気後，口唇をすぼめながら，細く，長く，ゆっくりとした呼気を行う呼吸法である。口をすぼめることで，呼気終末に陽圧をかけて気道の虚脱を防ぐことができるため呼気が行いやすくなる（図2）。

### 2) 適応と禁忌

・呼吸困難を自覚する閉塞性換気障害（慢性閉塞性肺疾患や気管支喘息など）や，深くゆっくりとした呼吸パターンを学習させたい場合に適応となる。

・禁忌は特にないが，呼吸困難が軽減しない場合や呼吸法の習得に多大な努力が必要と判断した場合，顔面神経麻痺などで口をすぼめることが難しい場合は指導を控える。

**表1 呼吸法**

| | |
|---|---|
| 口すぼめ呼吸 | 口唇をすぼめながら，細く，ゆっくりとした呼気を行う呼吸法 |
| 横隔膜呼吸 | 吸気時に主に横隔膜運動を増幅させ，それに伴う腹壁の拡張運動を強調させて換気を行う呼吸法 |
| 腹圧呼吸 | 呼気時に腹筋群を収縮させ，腹圧を高めて横隔膜の押し上げを助ける呼吸法 |
| 舌咽頭呼吸 | 舌と咽頭，喉頭を使って空気を肺に送り込む呼吸法 |

（千住秀明，眞渕敏，宮川哲夫 編：呼吸理学療法標準手技．pp28-31，34，38，医学書院，2008．より抜粋し作成）

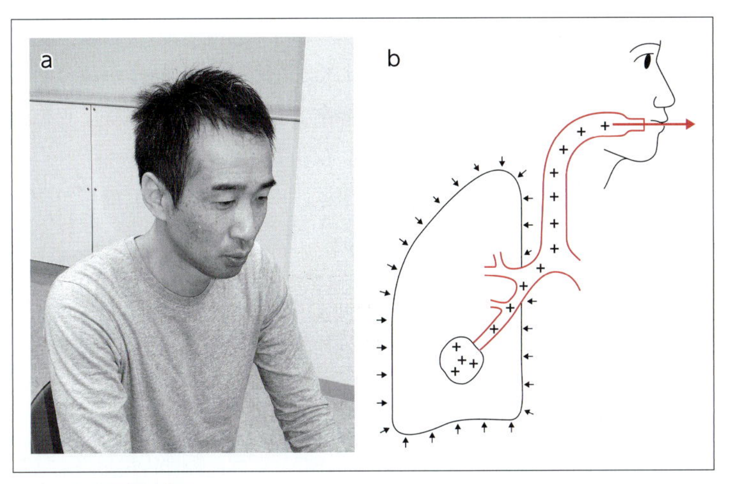


**図2 口すぼめ呼吸**

a：口すぼめ呼吸の様子，b：メカニズム

（b：日本呼吸ケア・リハビリテーション学会呼吸リハビリテーション委員会ワーキンググループ，日本呼吸器学会呼吸管理学術部会，日本リハビリテーション医学会呼吸リハビリテーションガイドライン策定委員会，日本理学療法士協会理学療法診療ガイドライン作成委員会：呼吸リハビリテーションマニュアル ―運動療法―第2版．p36，照林社，2012．より改変）

### 3) 口すぼめ呼吸のポイント

①安静時呼吸法

・リラックスできる体位で，呼吸困難が軽減できる肢位を基本とする。
・鼻から息を吸った後，ロウソクの火を吹くときのように口をすぼめる。
・[f] または [s] の音をさせながら，ゆっくりと息を呼出させる。
・吸気と呼気の時間の比率は1：2程度から開始し，徐々に呼気の時間を延長させて20回/分以下を目指す。
・患者自身が口すぼめ呼吸の有用性を自覚し，呼吸困難軽減のために自主的に実施できれば，安静時呼吸法の指導を終了する。

**臨床のコツ**

◆最初から極端に呼吸数を減少させない。呼吸パターンの急激な変化は呼吸困難を増強させることがある。
◆口唇を強くとがらせたり，頬を膨らませない。呼気抵抗が強くなり，呼気の呼吸補助筋である腹部周囲筋が過度に収縮することで，呼吸困難を増強させることがある。
◆過度な吸気努力をさせない。努力的な筋活動は酸素負債が増大し，呼吸困難が増強しやすい。
◆呼吸困難が増強する場合は，無理に口すぼめ呼吸を行わせない。口すぼめ呼吸を行うことで呼吸困難が増強する場合には，口唇の形や，吸気と呼気の時間比率にとらわれず，ゆっくりとした呼気を意識させて呼吸数の軽減を図る。

②動作時呼吸法

・安静時の呼吸法を習得したら，歩行をはじめとした動作にも応用して日常生活に活かす方法（動作時呼吸法）を指導する。
・動作時呼吸法の原則は，ゆっくりとした呼気を意識して，最小の努力で落ち着いて呼吸することである。
・呼吸を整えてから動作を開始する。
・動作はゆっくりと，呼吸とリズムを同調させて行う。動作時の息こらえや，動作と呼吸のリズムの不一致は酸素負債を増大させ，呼吸困難を増強させる。また，呼気に合わせて動作を行うことで，動作時の過剰な筋活動を軽減させることができる。歩行のように連続した動作では，吸気と呼気の比率は1：2が理想であるが，楽に呼吸できるリズムは患者によってさまざまであるため，個々の患者に適した呼吸リズムをみつける。
・動作と動作の間に休憩を入れて，呼吸のリズムを整える。動作が続く場合や呼吸のリズムが不規則になった場合，また呼吸困難の増強や動脈血酸素飽和度（$SpO_2$）の低下を認めた場合には，動作を一度中止し，呼吸を整えたうえで動作を再開する。
・療法士は，実施させる動作の自立度に合わせ，リスク管理を重視した位置につく。必要に応じて患者の呼吸状態が確認しやすい位置で観察する。

**臨床のコツ**

◆動作と呼吸のリズムの同調に難渋する場合は，まずは息こらえをしたままの動作を行わせないよう指導する。
◆動作時の呼吸法獲得には期間を要することが多いため，難易度を調整しながら時間をかけて指導する。
◆肩より上に上肢を挙上する動作を避ける。肩周囲や背部，胸部の筋群は，上肢の運動だけでなく呼吸運動にも関与しており，これらの筋群が重力に抗した上肢の運動に動員されると胸郭の運動制限を招き呼吸困難を増強させる。
◆呼吸困難を感じる動作は患者により異なるため，各患者・動作に合わせた動作方法と呼吸法を指導する。

## C　リスク管理

### 1）パニックコントロール

・パニックコントロールとは，呼吸困難が生じた際に，落ち着いて呼吸を調整し，患者自身が呼吸困難状態から速やかに回復することを意味する[3]。パニックコントロールの姿勢は安楽姿勢を基本とするが，姿勢変換のための筋活動により，かえって呼吸困難を引き起こすことがあるため，むやみに姿勢を変換することは避けるべきである。また，口すぼめ呼吸などを併用し，徐々にゆっくりとした深い呼吸へ誘導する。

### 2）経皮的酸素飽和度の測定

・経皮的酸素飽和度（$SpO_2$）は，パルスオキシメーターを用いて，経皮的に血液中の全ヘモグロビンに対する酸化ヘモグロビンの割合を測定した値であり，動脈血酸素飽和度（$SaO_2$）とほぼ同じ値を示す。$SpO_2$が90％を下回ると動脈血酸素分圧（$PaO_2$）が60Torrを下回り，呼吸不全と判断され酸素吸入が適応となる場合があるため，$SpO_2$が90％を下回らないようにする（図3）[4]。ただし，体温やpH，乳酸値，動脈血二酸化炭素分圧（$PaCO_2$）の変化により酸素解離曲線は左右へ移動するため，$SpO_2$が90％以上の場合でも必ずしも安全ではないことに留意する。パルスオキシメーターの特性は介助・検査測定編「呼吸パターンと動脈血酸素飽和度の評価」参照。

・慢性の呼吸器疾患患者においては，呼吸困難に対する慣れにより$SpO_2$が低下していても呼吸困難感を認めないことがあるため，自覚症状の出現がなくても$SpO_2$が90％以下にならないよう休憩をとらせる必要がある。

・$SpO_2$のわずかな低下であっても，精神的な不安を引き起こし呼吸困難が増強する場合があるため，患者によっては測定結果の提示に配慮する必要がある。

### 3）その他

・胸痛，めまい，チアノーゼなどの症状を認めた場合には，ただちに動作を中止させ，必要に応じて医師に報告する。

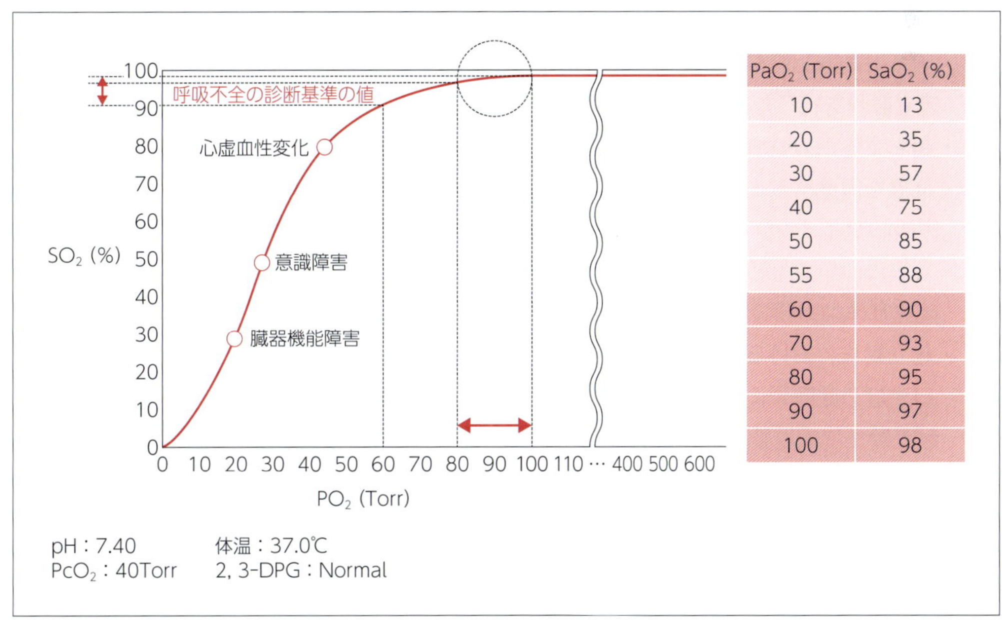


| $PaO_2$ (Torr) | $SaO_2$ (%) |
|---|---|
| 10 | 13 |
| 20 | 35 |
| 30 | 57 |
| 40 | 75 |
| 50 | 85 |
| 55 | 88 |
| 60 | 90 |
| 70 | 93 |
| 80 | 95 |
| 90 | 97 |
| 100 | 98 |

図3　酸素解離曲線
体温の上昇，pHの低下，乳酸上昇，$PaCO_2$上昇により右方移動する。
（小原史子：血液ガスの解釈．リハ実践テクニック　呼吸ケア 第3版（塩谷隆信，高橋仁美 編），p13，メジカルビュー社，2011. より）

## D 手順のポイント

本項では，口すぼめ呼吸練習と，口すぼめ呼吸を用いた起立動作の手順を示す。

1) 挨拶・自己紹介を行い，2つの識別子で患者の確認を行う
・患者とのラポール（信頼関係）形成のため，挨拶，自己紹介を行う。
・患者の取り違えを防止するため，氏名に加え生年月日もしくはIDなど，2つの識別子で確認する。

2) 呼吸練習を行う旨を患者に伝え了承を得る
・呼吸練習について，簡潔にわかりやすく説明し，呼吸練習を行うことについて了承を得る。

3) 安楽な座位姿勢をとらせ，腹部の圧迫感の有無，呼吸困難感の有無，努力性呼吸の有無，$SpO_2$の確認をする
・安楽な姿勢をとらせ，衣類による腹部の圧迫感の有無を確認する。
・問診で呼吸困難感の有無を確認する。
・視診で努力性呼吸の有無を確認する。
・パルスオキシメーターで$SpO_2$を確認する。

4) 口すぼめ呼吸の実施方法を説明し，実施させる
・努力性呼吸とならないように指導する。
・吸気は鼻から行い，呼気は口唇を軽く閉じて[f]または[s]の音をさせながら行わせる。
・デモンストレーションを用いて説明すると，患者の理解を得られやすい。

5) 口すぼめ呼吸練習中の努力性呼吸の有無を確認する
・吸気努力と呼気努力の有無を確認する。必要に応じて努力性呼吸を緩和するように指導する。
・「力を抜きながら息を吐きましょう」などゆったりとした口調で声かけをするとよい。

6) 口すぼめ呼吸の呼気を延長させる
・練習開始時点では呼気の延長を意識させず，徐々に呼気の時間を延長させる。

7) 口すぼめ呼吸練習中の呼吸困難感，$SpO_2$の変化を確認する

8) 起立時の呼吸法を説明する
・口すぼめ呼吸を併用して行う旨を説明する。
・動作を行う前に吸気を行い，呼気を行いながら動作を行う旨を説明する。
・デモンストレーションを用いて説明すると，患者の理解を得られやすい。

9) 起立動作を行うために姿勢を整えさせる
・起立するための準備として，背もたれから背を離す，骨盤を直立位にする，椅子に浅く座る，足部の位置を調整するよう促す（p164「起立・着座」参照）。

10) 呼吸のタイミングを指示しながら起立動作を行わせる
・着座についても呼気に合わせて行わせることが望ましい。

11) 起立動作中の呼吸を確認する
・起立動作における呼吸練習中に努力性呼吸となっていないか確認し，必要に応じて緩和するために，口すぼめ呼吸による呼気を行いながら起立するように指導する。

12) 起立動作における呼吸練習中の呼吸困難感の程度，$SpO_2$の変化を確認する

13) 安楽な座位姿勢をとらせ，今後の練習について説明する
・呼吸法の習得状況と，次回の練習や自主トレーニング等について説明する。

14) 適宜，適切なフィードバックを行う

# 3 排痰とは

排痰とは，気道分泌物である痰を気道から取り除くことをいい，痰の多い内科疾患患者（急性気管支炎や気管支拡張症など）や胸部・腹部の外科手術後患者，神経筋疾患患者などにおいて，肺炎や無気肺などの呼吸器合併症を治療・予防するために重要である。

## A 気道分泌物の貯留部位評価

気道分泌物の貯留部位を評価することは，排痰法や排痰のための体位を選択するうえで必須であり，触診や聴診所見，胸部画像所見などで総合的に判断する。また，効果判定や体位の再検討を行うため，排痰を実施している際にも定期的に気道分泌物の貯留部位を評価する必要がある。

### 1）触診

気道分泌物が貯留している場合，呼吸に伴い胸壁上で振動を触知することがある。これは手掌振動（ラトリング）といわれ，比較的中枢気道に分泌物が存在している場合に触知される。

### 2）聴診

呼吸音の分類を図4に示す。副雑音は呼吸運動に伴って生じる異常呼吸音であり，気道分泌物の存在以外にもさまざまな病態で聴取される。断続性ラ音は水泡音と捻髪音に分類され，呼気性に聴取された場合は流動性のある気道分泌物の存在を疑う。連続性ラ音はいびき様音（低音性）と笛様音（高音性）に分類され，いびき様音が聴取された場合は比較的中枢の気道での粘稠な分泌物の存在を疑い，笛様音が聴取された場合は比較的末梢での分泌物の存在を疑う。

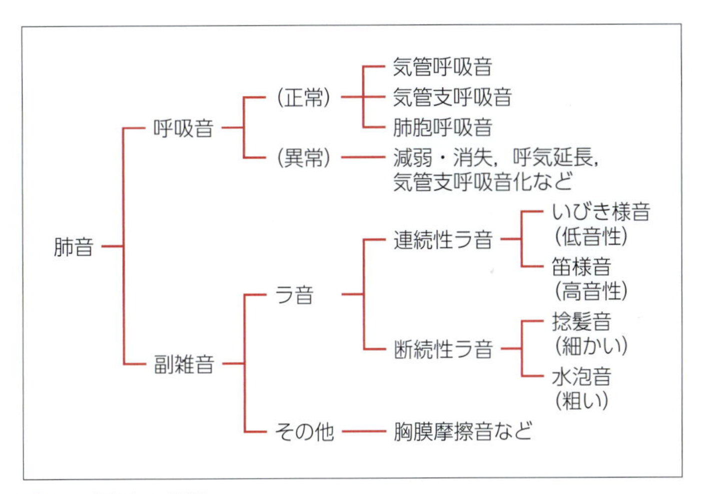


図4 呼吸音の分類

## B 排痰手技

排痰手技とは，気道分泌物を喀出するための技術の一つである。排痰手技を表2に示す。本項では，臨床上よく用いられるスクイージング，咳嗽と咳嗽介助手技について詳細に触れる。

表2 排痰手技

| | |
|---|---|
| 患者自身による排痰手技 | 咳嗽，強制呼出手技/ハフィング，体位ドレナージ/体位排痰法，ガーグリング，アクティブサイクル呼吸法，自律性排痰法など |
| 介助を用いた排痰手技 | 咳嗽介助，スクイージング，軽打法，振動法，揺すり法，気管圧迫法/咳嗽誘発法など |
| 器具を用いた排痰手技 | 振動呼気陽圧療法（アカペラ™，フラッタ®等），機械による咳嗽介助法（カフアシスト®），高頻度胸壁圧迫法，吸引など |

## C スクイージング

気道分泌物の貯留している部位が最も高い位置となる体位をとり，気道分泌物の貯留する胸郭を呼気時に圧迫し，吸気時に圧迫を解放する手技である[2)]。

## 1）適応と禁忌

・末梢肺領域から中枢気道へ気道分泌物の移動を促したい場合に適応となる。

・禁忌は表3のとおりである[2]。

## 2）スクイージングのポイント

①準備・姿勢

・聴診や触診により気道分泌物が貯留している部位（図5）[5]を確認する。

**表3　スクイージングの禁忌**

| | |
|---|---|
| 絶対的禁忌 | 頭頸部の外傷で損傷部の非固定状態，血行動態の不安定な活動性出血，熱傷による胸部の広範な植皮術後 |
| 相対的禁忌 | 頭蓋内圧が 20 Torr 以上，脊椎外科術直後，急性脊髄損傷あるいは活動性の喀血，膿胸，気管支胸腔瘻，うっ血性心不全に関連した肺水腫，大量胸水，肺塞栓，体位変換に耐えられない高齢者，精神混乱，不安状態，フレイルチェストを伴う肋骨骨折，外科的創傷あるいは治癒過程の組織を有する患者，循環動態が不安定な患者，多発肋骨骨折，脆弱化した皮膚や骨粗鬆症の合併，離開した術創または胸骨切開の存在 |

（千住秀明，眞渕敏，宮川哲夫 編：呼吸理学療法標準手技．pp46-7，96-8，医学書院，2008．より抜粋し作成）

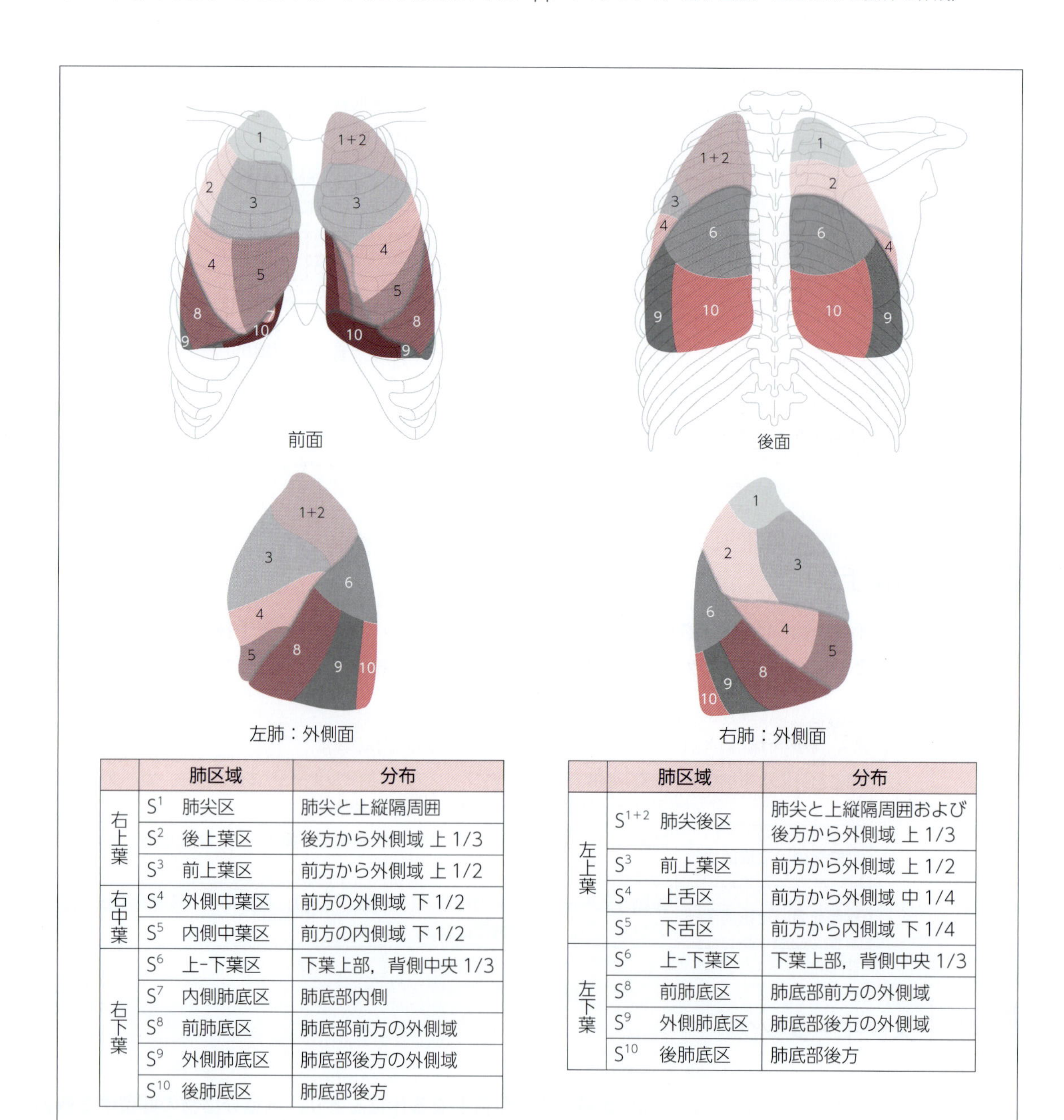


| | 肺区域 | 分布 |
|---|---|---|
| 右上葉 | S1　肺尖区 | 肺尖と上縦隔周囲 |
| | S2　後上葉区 | 後方から外側域 上 1/3 |
| | S3　前上葉区 | 前方から外側域 上 1/2 |
| 右中葉 | S4　外側中葉区 | 前方の外側域 下 1/2 |
| | S5　内側中葉区 | 前方の内側域 下 1/2 |
| 右下葉 | S6　上-下葉区 | 下葉上部，背側中央 1/3 |
| | S7　内側肺底区 | 肺底部内側 |
| | S8　前肺底区 | 肺底部前方の外側域 |
| | S9　外側肺底区 | 肺底部後方の外側域 |
| | S10　後肺底区 | 肺底部後方 |

| | 肺区域 | 分布 |
|---|---|---|
| 左上葉 | S1+2　肺尖後区 | 肺尖と上縦隔周囲および後方から外側域 上 1/3 |
| | S3　前上葉区 | 前方から外側域 上 1/2 |
| | S4　上舌区 | 前方から外側域 中 1/4 |
| | S5　下舌区 | 前方から内側域 下 1/4 |
| 左下葉 | S6　上-下葉区 | 下葉上部，背側中央 1/3 |
| | S8　前肺底区 | 肺底部前方の外側域 |
| | S9　外側肺底区 | 肺底部後方の外側域 |
| | S10　後肺底区 | 肺底部後方 |

**図5　肺区域**

（牛木辰男，小林弘祐：カラー図解人体の正常構造と機能 呼吸器．pp16-17，日本医事新報社，2021．より）

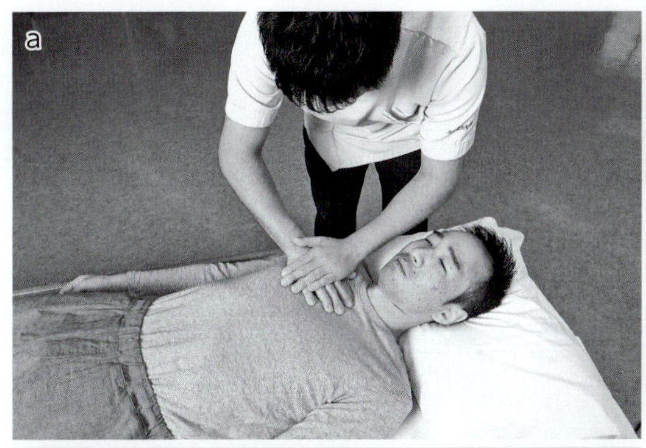


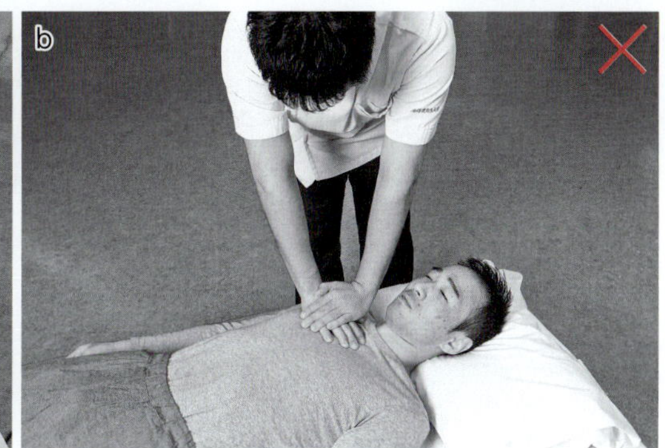


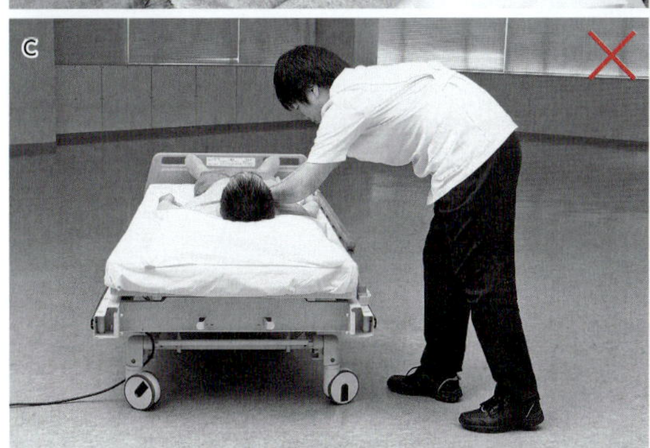


図6 スクイージング実施時の姿勢
a：良い例
b：悪い例（肘関節が伸展している）
c：悪い例（距離が遠い）

表4 スクイージングにおける圧迫部位，療法士の位置および患者の体位

| | | |
|---|---|---|
| 上葉 | 患者の体位 | 背臥位 |
| | 療法士の位置 | 介助を加える側の頭部の横に位置し，患者の頭部側から足下をみる位置 |
| | 圧迫を加える部位 | 第4肋骨より上部の胸郭 |
| | 圧迫方向 | 腰部の方向に圧迫する |
| 右中葉・左上葉舌区 | 患者の体位 | 介助を加える側を上にした45°後傾した側臥位 |
| | 療法士の位置 | 患者の背側で腰部付近 |
| | 圧迫を加える部位 | 前胸部は第4肋骨と第6肋骨に挟まれた部位，背側は肩甲骨部 |
| | 圧迫方向 | 両手で前後方向に挟みこむように圧迫する |
| 下葉 | 患者の体位 | 介助を加える側を上にした側臥位 |
| | 療法士の位置 | 患者の背側で腰部付近 |
| | 圧迫を加える部位 | 中腋窩線と第8肋骨の交点より上部の胸郭 |
| | 圧迫方向 | 胸郭を骨盤の方向に引き下げるように圧迫する |
| 下葉後肺底区 | 患者の体位 | 腹臥位または介助を加える側を上にしたシムス位 |
| | 療法士の位置 | 患者の側方で腰部付近 |
| | 圧迫を加える部位 | 側胸部と第10肋骨より上部の胸郭 |
| | 圧迫方向 | 側胸部は内側方向に，背側は腹側方向に圧迫する |

・気道分泌物の貯留部位に応じて適切な体位をとらせ，療法士はできる限り患者の近くに位置する（図6）。
・圧迫部位ごとの患者の体位，療法士の位置を表4に示す。
・体位によっては基底面が狭く不安定になるため，枕を入れるなどして姿勢を安定させることが大切である。
・患者がベッドの端から離れた位置にいる場合は，療法士ができる限り患者の近くに位置するために，患者をベッドの端まで移動させるか，療法士の身体の一部をベッドの上に乗せるなどの工夫をする。

②胸郭圧迫

・胸郭に圧迫を加える手掌全面を胸郭に対して均等に接触し（図7），呼吸時の胸郭の動きや呼吸パター

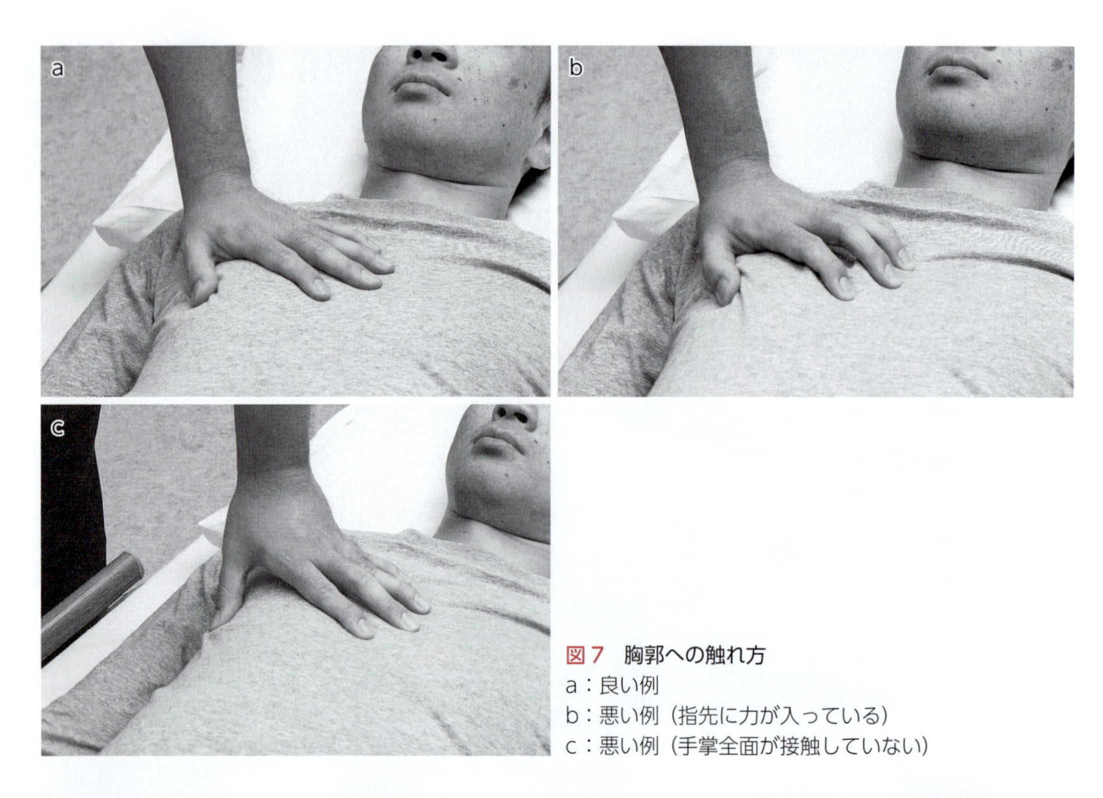


図7　胸郭への触れ方
a：良い例
b：悪い例（指先に力が入っている）
c：悪い例（手掌全面が接触していない）

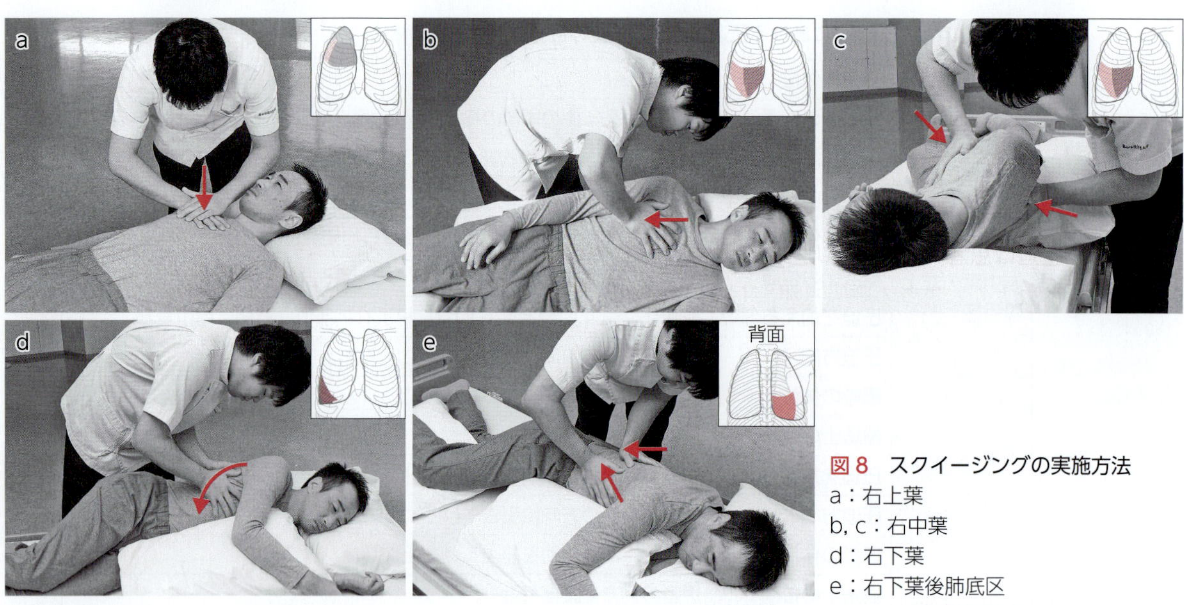


図8　スクイージングの実施方法
a：右上葉
b, c：右中葉
d：右下葉
e：右下葉後肺底区

ン，呼吸リズムを確認する。手根部や指先など特定の部位に圧が集中しないよう注意する。

・圧迫を加える部位を表4に示す。

**臨床のコツ**

◆療法士の手が冷たいと，患者に不快感を与えるだけでなく呼吸パターンを変化させてしまうことがある。手を温めてから触れる配慮が必要である。

・患者の呼気時に生理的胸郭運動方向へ他動的にゆっくりと圧迫を加え，吸気に移行すると同時に圧迫を解放する（図8）。

・気道分泌物の貯留部位に応じた標準的な圧迫方向を表4に示す。一般的に胸郭の動きは，上部胸郭はポンプの柄のように前後径の動きが主となり，下部胸郭はバケツの柄のように左右径の変化が主となる（図9）[6]。しかし，胸郭の動き方は患者により違いがあり，体位によっても左右されるため，胸郭

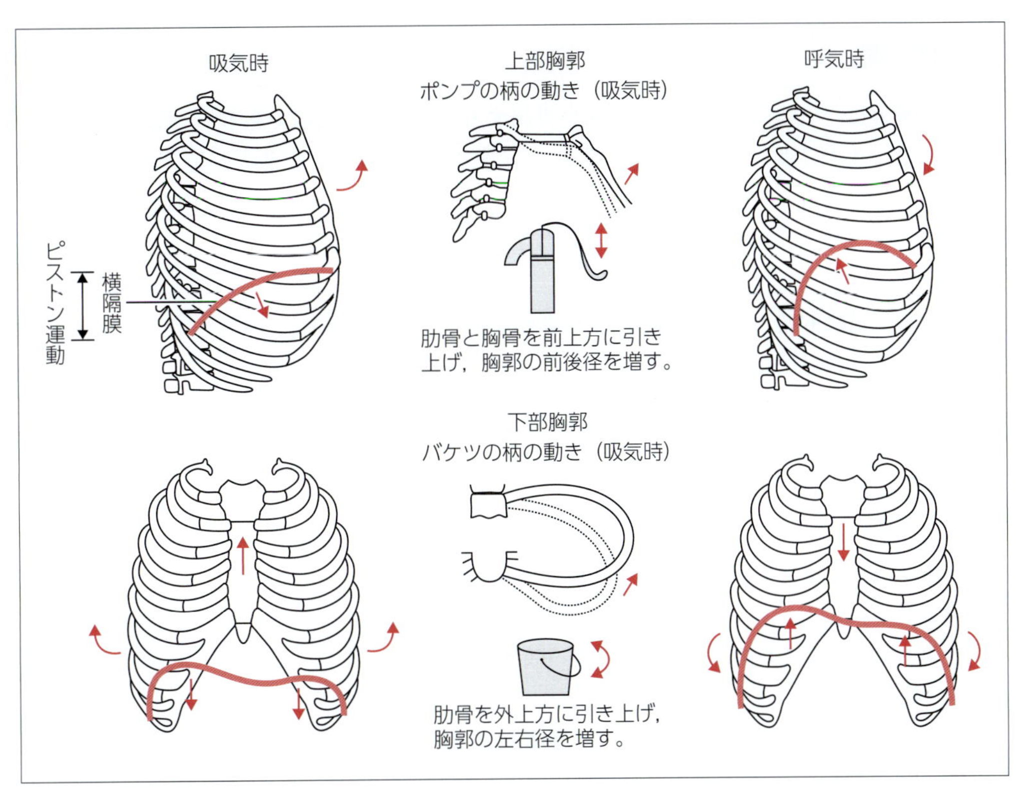


**図9　胸郭の呼吸運動**
（佐野正明，佐藤一洋：正常な呼吸のメカニズム．動画でわかる呼吸リハビリテーション 第5版（高橋仁美，宮川哲夫，塩谷隆信 編），p41，中山書店，2020. より）

の動きに合わせて圧迫を加える。
・圧迫は患者にとって心地よく，呼吸が楽に感じられる程度とし，強く圧迫しない。療法士の上肢の重さにより，患者の呼吸を阻害しないように配慮する。
・療法士は上肢の力を抜き，肘関節を屈曲させながら胸部を患者の胸郭（圧迫を加える部位が目安）に近づけるようにスクイージングを行う。下肢の支持基底面内での重心移動を利用しながら胸郭を圧迫する。重心移動が不十分であったり，上肢運動と重心移動のタイミングが合わなかったりすると圧迫力の不足が生じる。また，過度な重心移動や肘関節の屈曲運動を伴わない重心移動で圧迫すると，患者の胸郭に体重を乗せてしまう危険が高くなるため注意する。

**臨床のコツ**

◆患者と療法士の呼吸リズムを合わせることで，圧迫のタイミングが計りやすくなる。ただし，療法士が苦痛と感じる呼吸リズムの場合は，かえって圧迫のタイミングがずれやすくなることがあるため，無理に患者に合わせる必要はない。
◆患者が吸気へ移行しても圧迫を続けていると，患者は吸気が行えず呼吸困難を生じやすい。
◆患者の呼吸数が多い場合は介助のタイミングがずれやすくなるため，数呼吸に1回の割合で実施する。

・バイタルサインの変化など，好ましくない反応を認めた際には中止を検討する。
③気道分泌物の移動確認
・中枢気道への気道分泌物の移動を確認したら喀痰を促す。
・中枢気道に気道分泌物が貯留すると，触診で手掌振動（ラトリング）を認めたり，聴診で水泡音やいびき様音が聴取される。
・中枢気道からの喀痰には，主に咳嗽を用いる（後述）。
・スクイージングは末梢気道からの気道分泌物の排出を目的としているため，目的が達成できたら終了とし，決められた回数や時間はない。

## D　咳　嗽

咳嗽とは，気道内の異物や分泌物を排出するための防御反応である[2]。閉鎖した声門を急激に解放することで生じる強い呼出により，第4〜5気管分岐部よりも中枢側の気道分泌物を排出するのに有効である。咳嗽は痰の喀出における重要な要素の一つであり，咳嗽能力の低下によって，痰による気道閉塞，肺炎，無気肺，呼吸不全の急性増悪を起こすリスクが増加する。

### 1）適応と禁忌

・中枢気道に貯留した分泌物の除去が必要な場合が適応となる。

・絶対的な禁忌はないが，適応については医師と検討を要する場合がある（表5）[2]。

### 2）咳嗽における4つの相

咳嗽は図10に示すように4つの相に分けられる[7]。

第1相：誘発

気道での刺激によって引き起こされる。この刺激には，炎症性刺激，機械的刺激，化学的刺激，熱性刺激があり，感覚線維から延髄の咳嗽中枢が刺激される。

第2相：吸気

第1相の刺激により，咳嗽中枢は深い吸気を開始する。

第3相：圧縮

声門閉鎖と呼気筋の収縮を生じて，胸腔内圧を高める。

第4相：呼気

声門を開口し，高流速で肺から空気を排出する。

### 3）咳嗽能力の評価

・咳嗽能力は，ピークフローメーター（図11）を用いて咳嗽時の最大呼気流量（cough peak flow；CPF）を測定することで評価する。自己排痰の可否を判別するCPF水準は240 L/minとされている。それより低い値では痰の自己喀出が困難になることが多く，排痰介助が有効である。また，気管吸引を必要とするCPF水準は100 L/minとされている。

表5　咳嗽の禁忌

| 絶対的禁忌 | なし |
|---|---|
| 相対的禁忌 | ①頭蓋内圧上昇，頭蓋内動脈瘤，急性心筋梗塞，分泌物の飛沫による病原菌の伝播，またはその可能性がある場合，②頭頸部，脊椎の急性損傷，③急性腹部病変，腹部大動脈瘤，裂孔ヘルニア，妊娠，出血性素因，未治療な気胸，骨粗鬆症，フレイルチェスト |

（千住秀明，眞淵敏，宮川哲夫 編：呼吸理学療法標準手技．p41，医学書院，2011 より改変）

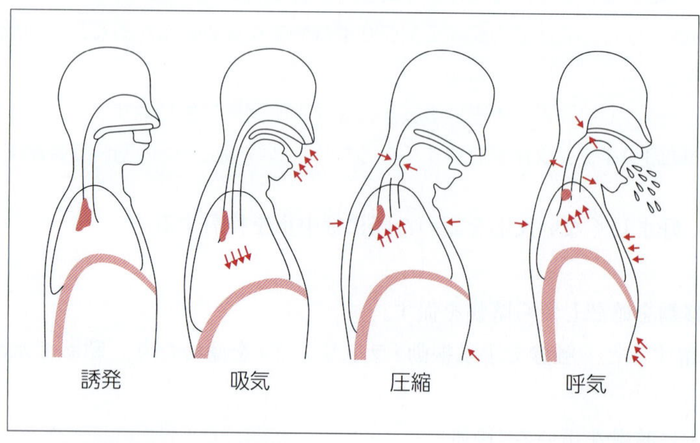


図10　咳嗽における4つの相
（Craig LS：Bronchial Hygiene Therapy：Fundamentals of respiratory care, 7th ed. pp791-816, Mosby, St. Louis, 1998. より改変）

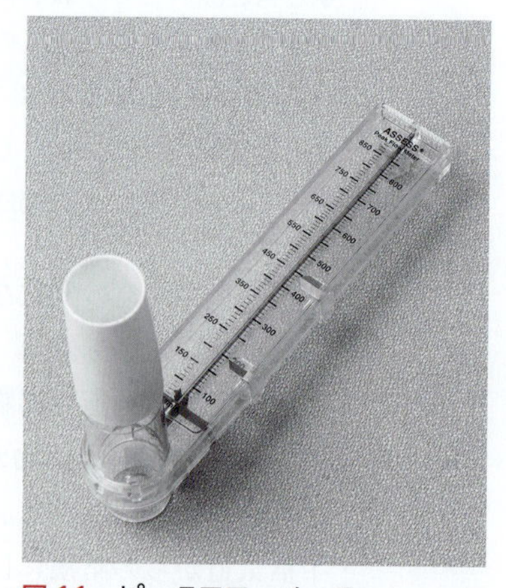

図11　ピークフローメーター
（フィリップス・レスピロニクス合同会社製）

### 4) 注意点

・咳嗽は疲労をきたしやすいため，繰り返し実施する場合は患者の疲労に合わせて適宜休憩をとる。
・血圧の上昇や$SpO_2$の低下など，好ましくない反応を認めた際には中止する。

## E 咳嗽介助手技

咳嗽介助手技とは，咳嗽の効果を高めるために，咳嗽に合わせて胸部または腹部を徒手的に固定あるいは圧迫することである[2)]。

### 1) 適応と禁忌

・咳嗽能力が低下した患者で，気道分泌物の除去が困難な患者は適応となる。
・禁忌は咳嗽に準ずるが，胃食道逆流のある患者に対しても注意を要する。

### 2) 姿勢

・ファーラー位またはセミファーラー位をとらせる。どのような体位でも実施可能であるが，十分な吸気を得るために，腹部内臓器の下降による横隔膜の押し上げが減少する姿勢を選択する。
・療法士はできる限り患者の横近くに位置するが，喀出物による汚染を避けるため，療法士は患者の顔の正面に近づかない。
・患者の状態によっては，背臥位や側臥位，端座位にて施行する。

### 3) 介助方法

・圧迫を加える患者の下部胸郭（乳頭よりやや下方の外側）に手掌の全面を接触する。
・深い吸気を促す。反射的に行われる咳嗽と違い，随意的な咳嗽では咳嗽中枢の刺激による深い吸気が生じないため，深い吸気を促す必要がある。
・咳嗽に合わせて，斜め下方内側，臍部に向かって胸郭を押し下げるように胸郭を圧迫する（図12）。
・療法士は上肢の力を抜いて肘関節を屈曲させ，喀出物による飛沫汚染を避けながら，療法士の顔を患者の身体に近づけるように重心移動とともに圧迫介助を行う。
・療法士の重心移動が不十分であったり，上肢運動と重心移動のタイミングが合わないと，患者の胸部に体重を乗せてしまう危険性が高くなるので注意する。

### 4) 疾患別アプローチの要点

①腹部術後，胸部術後のポイント
・咳嗽による術創部の動揺により，創部痛が出現しやすい。療法士の手掌で創部の上から覆うようにし，創部を保護しながら圧迫を行うことで創部痛が軽減しやすい。

②脊髄損傷のポイント
・腹筋群の麻痺により腹部の固定性が低下し，胸腔内圧を高めることができない。そのため，咳嗽時には上腹部を固定あるいは圧迫する方法が有効であることが多い。

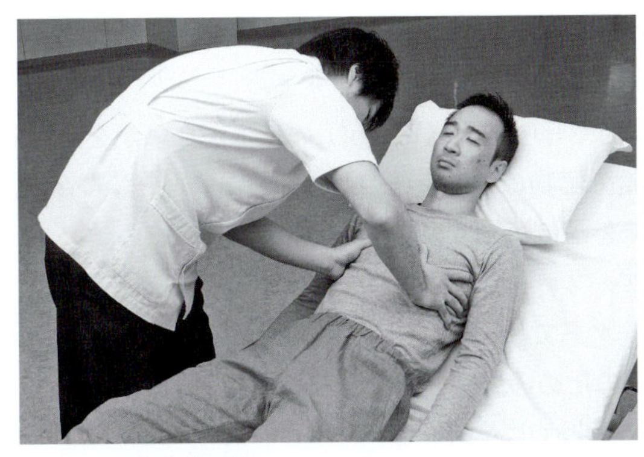

図12 咳嗽介助手技

## F リスク管理

### 1) 標準予防策の実践

・排痰においては，気道分泌物が飛散して衣服，目，鼻，口を汚染する恐れがあるため，感染症の有無にかかわらず，手袋，ガウン，マスク，必要に応じてゴーグルまたはフェイスシールドを用いた標準予防策を実施する。

### 2) 経皮的酸素飽和度の測定

・排痰の過程においては，気道分泌物の移動に伴う新たな気道閉塞のリスクがある。特に，体位を変換した場合には，変換直後から一定時間ごとに$SpO_2$を確認する必要がある。$SpO_2$の低下を認めた場合には，ただちに医師や看護師等に報告し，必要に応じて吸引等による気道分泌物の除去や体位変換を検討する。

3) その他

・排痰法は体位を利用したり，患者に咳嗽努力を強いるため，循環動態の変化をきたす場合がある。必ずバイタルサインのモニタリングや患者の訴えに注意を払い，胸痛，めまい，チアノーゼ等の症状を認めた場合には，ただちに中止し，必要に応じて医師に報告する。

## G 手順のポイント

本項では，スクイージングと，咳嗽介助の手順を示す。

### 1) 挨拶・自己紹介を行い，2つの識別子で患者の確認を行う

・患者とのラポール（信頼関係）形成のため，挨拶，自己紹介を行う。

・患者の取り違えを防止するため，氏名に加え生年月日もしくはIDなど，2つの識別子で確認する。

### 2) 排痰手技を用いて排痰を促す旨を患者に伝え了承を得る

・排痰手技について簡潔にわかりやすく説明し，排痰手技を行うことについて了承を得る。

### 3) 痰の貯留部位に応じた適切な姿勢をとらせ，$SpO_2$を確認する

・適切な体位をとらせ，不快感がないか確認する。

・パルスオキシメーターで$SpO_2$を確認する。

### 4) 適切なスクイージング実施位置に立つ

### 5) 患者の胸郭に触れて，胸郭の動きや呼吸リズムを確認する

・患者の了承を得て，圧迫を加える部位に触れる。

・圧迫を加える部位は痰の貯留部位に合わせる。

・患者の呼吸運動を阻害しないように胸郭の動きや呼吸リズムを確認する。

### 6) スクイージングを行う

・患者の呼吸リズム，生理的胸郭運動方向に合わせて，呼気時に手掌全面で圧迫を行い，吸気時に圧迫を解放する。

・上肢の力を抜き，肘関節を屈曲させながら重心移動とともに圧迫を行う。

・重心移動が不十分であったり，上肢運動と重心移動のタイミングが合わないと，患者の胸郭に体重を乗せてしまう危険性が高くなるので注意する。

・患者の不快感（疼痛や呼吸困難感），$SpO_2$の低下がないかを確認しながら行う。

・中枢気道への気道分泌物の移動を確認したら，スクイージングを終了する。

### 7) 咳嗽のための姿勢をとらせる

・ベッドを調整して，ファーラー位もしくはセミファーラー位をとらせ，呼吸困難感がないか確認する。

・パルスオキシメーターで$SpO_2$を確認する。

### 8) 咳嗽介助手技実施のための適切な位置に立ち，患者の下部胸郭に触れる

・できる限り患者の横近くに位置する。

・喀出物による汚染を避けるため，患者の顔の正面には位置しない。

・患者の乳頭よりやや下方の外側胸郭に両手を触れる。

### 9) 咳嗽を誘導しながら，咳嗽介助手技を行い排痰を促す

・十分な吸気を促し，呼気に合わせて圧迫を行う。
・療法士の手掌全面で圧迫を行う。
・上肢の力を抜き，肘関節を屈曲させながら重心移動とともに圧迫を行う。
・咳嗽に合わせて，斜め下方内側，臍部に向かって胸郭を押し下げるように胸郭を圧迫する。
・重心移動が不十分であったり，上肢運動と重心移動のタイミングが合わないと患者の胸郭に体重を乗せてしまう危険性が高くなるので注意する。
・患者の不快感（疼痛や呼吸困難感）や疲労，$SpO_2$の低下がないかを確認しながら行う。

### 10) 適宜，適切なフィードバックを行う

# OSCE課題　呼吸練習

対応動画

## 設問

中等度の慢性閉塞性肺疾患（COPD）患者で，安静時より軽度の努力性呼吸が認められます。今回は2回目のリハビリテーションです。この患者に，努力性呼吸緩和のため座位にて口すぼめ呼吸を改めて指導してください。次に，呼吸困難の訴えがある起立時の呼吸法を指導し，呼吸を誘導しながら，起立動作を行ってください。なお，努力性呼吸の状態と$SpO_2$の変化を患者に説明しながら行ってください。試験時間の都合上，口すぼめ呼吸と起立回数は3回を上限に実施してください。制限時間は5分です。では，始めてください。

## 準備するもの

背もたれつき椅子（2脚），パルスオキシメーター

## 患者情報

| 疾患・障害 | 慢性閉塞性肺疾患・閉塞性換気障害 |
|---|---|
| 年齢・性別 | 70歳代・不問 |
| 発症後期間 | 1年 |
| 酸素療法 | 検討中 |
| リハビリテーション歴 | なし |
| 主訴 | 動く時，特に起立時に息が苦しい |
| 呼吸パターン | 胸式呼吸で浅い呼吸 |
| 安静時呼吸数 | 25回/分 |
| 努力性呼吸 | 肩挙上による努力性吸気 |
| 修正MRC息切れスケール | 4（息切れがひどく家から出られない） |

| COPD病期分類 | Ⅱ期：中等度の気流制限［50%≦対標準1秒量（% $FEV_1$）＜80%］ |
|---|---|
| 筋緊張 | 胸鎖乳突筋，肩甲挙筋，大胸筋：軽度亢進 |
| 感覚 | 正常 |
| ROM | 制限なし |
| 座位 | 自立 |
| 立位 | 自立 |
| 理解 | 良好 |
| 表出 | 良好 |

### 呼吸の現状

安静時，動作時ともに努力性呼吸となる。前日の呼吸練習では，座位での口すぼめ呼吸にて，努力性呼気を認めたが改善傾向にあった。また，椅子座位からの起立動作では，起立前の過剰な吸気努力と起立の際の息こらえが認められた。起立時の呼吸法についてはまだ指導を受けていない。

### 経過と目標

2年前から階段や坂道で呼吸困難を自覚しはじめ，3カ月前から平坦な道を歩く際にも呼吸困難を認めるようになった。着座動作では呼吸困難を認めないが，起立動作時に息こらえと呼吸困難を認めるようになり，今回初めて医療機関を受診した。慢性閉塞性肺疾患（COPD）と診断され，教育目的で1週間の入院となり，前日から呼吸リハビリテーションが開始となった。現在のリハビリテーションの目標は，今後2日間で安静時と動作時の呼吸困難の少ない深い呼吸法を習得させ，積極的な運動療法導入前のコンディショニングを行うことである。

## 課題の目標

**態度**

1. 呼吸練習に備えた清潔で安全な身なりができる。
2. 患者に呼吸練習を行う旨を説明し，了承を得ることができる。
3. 患者に不快な思いをさせない（話し方，表情，振る舞い）。

**技能**

1. 患者の安全に配慮しながら進めることができる。
2. 呼吸練習を実施するための準備を行うことができる。
3. 呼吸練習を適切な手順および方法で実施することができる。
4. 適宜，適切なフィードバックを行うことができる。

## 手順

1．挨拶・自己紹介を行い，2つの識別子で患者の確認を行う。
2．呼吸練習を行う旨を患者に伝え了承を得る。
3．安楽な座位姿勢をとらせ，腹部の圧迫感の有無，呼吸困難感の有無，努力性呼吸の有無，$SpO_2$の確認をする。
・安楽な座位姿勢をとらせ，衣服による腹部の圧迫感の有無を確認する。
・問診で呼吸困難感の有無を確認する。
・視診で努力性呼吸の有無を確認する。
・パルスオキシメーターで$SpO_2$を確認する。
4．口すぼめ呼吸の実施方法を説明し，実施させる。
・努力性呼吸とならないように指導する。
・吸気は鼻から行い，呼気は口唇を軽く閉じて[f]または[s]の音をさせながら行わせる。
・デモンストレーションを用いて説明すると，患者の理解を得られやすい。
5．口すぼめ呼吸練習中の努力性呼吸の有無を確認する。
・吸気努力と呼気努力の有無を確認する。必要に応じて努力性呼吸を緩和するように指導する。
・「力を抜きながら息を吐きましょう」などゆったりとした口調で声かけをする。
6．口すぼめ呼吸の呼気を延長させる。
・練習開始時点では呼気の延長を意識させず，徐々に呼気の時間を延長させる。
7．口すぼめ呼吸練習時の呼吸困難感，$SpO_2$の変化を確認する。
8．起立時の呼吸法を説明する。
・口すぼめ呼吸を併用して行う旨を説明する。
・動作を行う前に吸気を行い，呼気を行いながら動作を行う旨を説明する。
・デモンストレーションを用いて説明すると，患者の理解を得られやすい。
9．起立動作を行うために姿勢を整えさせる。
・起立するための準備として，背もたれから背を離す，骨盤を直立位にする，椅子に浅く座る，足部の位置を調整するよう促す。
10．呼吸のタイミングを指示しながら起立動作を行わせる。
・着座についても呼気に合わせて行わせることが望ましい。
11．起立動作中の呼吸を確認する。
・起立動作における呼吸練習中に努力性呼吸となっていないか確認し，必要に応じて緩和させるために，口すぼめ呼吸による呼気を行いながら起立するように指導する。
12．起立動作における呼吸練習中の呼吸困難感，$SpO_2$の変化を確認する。
13．安楽な座位姿勢をとらせ，今後の練習について説明する。
・呼吸法の習得状況と，次回の練習や自主トレーニング等について説明する。
14．終了を伝える。
15．適宜，適切なフィードバックを行う。
・適切な内容，タイミング，量でフィードバックを行う。

## 採点基準

採点者は模擬患者に受験者の言動の適否を適宜確認して，以下の項目を採点してください。

### 1．態度

|  |  |
|---|---|
| (1) ①適切な身なりで，②明瞭な挨拶（開始時・終了時），③自己紹介ができる。 | 2点：①～③すべてできる<br>1点：①～③のうち2項目できる<br>0点：1項目できる<br>0点：すべてできない |
| (2) 2つの識別子で患者の確認ができる。 | 2点：2つの識別子で患者の確認ができる<br>1点：1つの識別子で患者の確認ができる<br>0点：確認ができない |
| (3) ①呼吸練習を行う旨を患者に伝え，②了承を得ることができる。 | 2点：①，②どちらもできる<br>1点：①のみできる<br>0点：どちらもできない |
| (4) 課題全般を通して，患者の様子（表情・姿勢・身体機能）や状況に応じた丁寧な対処（①声かけ・②触れ方・③動かし方）ができる。 | 2点：①～③すべてできる<br>1点：①～③のうち2項目できる<br>0点：1項目できる<br>0点：すべてできない |

### 2．技能

|  |  |
|---|---|
| (1) ①安楽な姿勢にすることができ，②服装による腹部への圧迫の有無が確認できる。 | 2点：①，②どちらもできる<br>1点：①，②のどちらか一方のみできる<br>0点：どちらもできない |
| (2) ①鼻から吸気を行い，②[f]または[s]の音をさせながら口から呼気を行う，口すぼめ呼吸の練習を実施することができる。 | 2点：①，②どちらもできる<br>1点：①，②のどちらか一方のみできる<br>0点：どちらもできない |
| (3) ①吸気努力，②呼気努力の有無を確認し，指導ができる。 | 2点：①，②どちらも確認し，患者の理解を得る指導ができる<br>1点：①，②のどちらか一方を確認し，患者の理解を得る指導ができる<br>1点：①，②どちらも確認するが，患者の理解を得る指導ができない<br>0点：どちらもできない |
| (4) 深くゆっくりと呼出させ，呼気を延長させることができる。 | 2点：深くゆっくりと呼出させ，呼気を延長させることができる<br>0点：呼気を延長させることができない |
| (5) ①口すぼめ呼吸の併用の説明，②起立前の吸気と起立時の呼気についての説明ができる。 | 2点：①，②どちらもできる<br>1点：①，②のどちらか一方のみできる<br>0点：どちらもできない |
| (6) ①起立前の吸気，②起立時の呼気を動作に合わせて指示することができる。 | 2点：①，②どちらもできる<br>1点：①，②のどちらか一方のみできる<br>0点：どちらもできない |
| (7) 起立動作時，①努力性呼吸の有無，②口すぼめ呼吸の様子を確認し，患者の理解を得る指導ができる。 | 2点：①，②どちらも確認し，患者の理解を得る指導ができる<br>1点：①，②のどちらか一方を確認し，患者の理解を得る指導ができる<br>1点：①，②どちらも確認するが，患者の理解を得る指導ができない<br>0点：どちらもできない |
| (8) ①安楽な座位姿勢をとらせ，②今後の練習について説明できる。 | 2点：①，②どちらもできる<br>1点：①，②のどちらか一方のみできる<br>0点：どちらもできない |
| (9) ①安楽肢位時，②口すぼめ呼吸実施時，③起立での呼吸練習時に，呼吸困難感を確認できる。 | 2点：①～③すべてできる<br>1点：①～③のうち2項目できる<br>0点：1項目できる<br>0点：すべてできない |
| (10) ①安楽肢位時，②口すぼめ呼吸実施時，③起立での呼吸練習時に，$SpO_2$を確認できる。 | 2点：①～③すべてできる<br>1点：①～③のうち2項目できる<br>0点：1項目できる<br>0点：すべてできない |

| | |
|---|---|
| (11) 課題を通して，受験者の視線・身構え，患者との距離を確保することで，常に患者の安全を確保できる。 | 2点：課題を通して，受験者の視線・身構え，患者との距離を確保することで，常に患者の安全を確保できる<br>0点：課題を通して，1回でも受験者の視線・身構え，患者との距離を保つことができず患者の身体に危険を感じる対応である |
| (12) 課題を通して，適宜，患者にフィードバックを行うことができる。 | 2点：内容，タイミング，量が適切である<br>1点：2項目が適切である<br>0点：内容が不適切である<br>0点：フィードバックがない<br>0点：1項目が適切である<br>0点：すべて適切でない |

## OSCE担当者確認事項

### 模擬患者と採点者

・座位での口すぼめ呼吸の練習は，受験者の指導通りに行えるものとする。起立動作時の呼吸練習は上手に実施できず，実施後に再度指導が必要な設定とする。

### 模擬患者

・努力性呼吸の変化がわかりやすいよう，少し大げさに行えるよう練習しておく。
・腹部を圧迫しない程度の緩めのズボンを着用する。
・課題開始時にパルスオキシメーターを装着した状態で，背もたれつき椅子にもたれずに待機する。
・座位での口すぼめ呼吸は事前の呼吸法指導が適切であれば努力性呼吸とならないが，呼気は短くする。呼気の延長を受験者から求められたら呼気を長くする。
・1回目の起立動作は，起立直前に吸気努力を行い，起立動作時に息こらえを行う。2回目以降は，受験者の指導に合わせて呼吸法を修正する。

### 採点者

・受験者が座位での口すぼめ呼吸練習と起立動作での呼吸練習を，それぞれ4回以上求めた際は3回までであることを説明し，課題を進めるように促す。

対応動画

# OSCE課題 排痰手技

## 設問

慢性閉塞性肺疾患（COPD）患者で，気道感染による急性増悪で入院しました。痰の自己喀出が困難で，肺野（試験の際に部位を提示）に痰の貯留を認めます。この患者に徒手的排痰手技であるスクイージングを実施し，痰の移動を促進してください。その後，採点者から「中枢気道への痰の移動が確認されました」と声がかかったら，ファーラー位もしくはセミファーラー位で咳嗽介助手技を3回実施し，痰の喀出を促してください。なお，必要に応じて$SpO_2$を測定し，測定結果を採点者に報告しながら実施してください。制限時間は5分です。では，始めてください。

注）排痰手技は喀出物による汚染の可能性があるため標準予防策が必要ですが，今回の課題では省略します。

## 準備するもの

ギャッチベッド（柵を外しておく），枕（3個），パルスオキシメーター，枕を置く台（椅子でも可）

## 患者情報

|  |  |
|---|---|
| 疾患・障害 | 慢性閉塞性肺疾患・閉塞性換気障害 |
| 年齢・性別 | 不問・男性 |
| 発症後期間 | 5年 |
| 酸素療法 | 3 L/分（経鼻投与） |
| 体温 | 38.0℃ |
| 安静時呼吸数 | 20回/分 |
| 呼吸法 | 口すぼめ呼吸 |
| CPF | 230 L/min |
| 修正MRC息切れスケール | 2（平坦な道を自分のペースで歩いているときに息切れのために立ち止まる） |

|  |  |
|---|---|
| COPD病期分類 | Ⅱ期：中等度の気流制限［50%≦対標準1秒量（% $FEV_1$）<80%］ |
| 筋緊張 | 胸鎖乳突筋，肩甲挙筋，大胸筋：軽度亢進 |
| 感覚 | 正常 |
| ROM | 制限なし |
| 起居動作 | 監視 |
| 理解 | 良好 |
| 表出 | 良好 |

### 排痰の現状

痰の増加があり，1日に何度か肺野に痰の貯留を認めている。咳嗽は実施可能であるが，咳嗽能力は低下しており，痰の自己喀出は困難である。リハビリテーションの時間以外は，体位ドレナージと吸引で対応している。

### 経過と目標

安定期の慢性閉塞性肺疾患（COPD）患者で，2日前より倦怠感と発熱を認めた。医療機関を受診したところ，気道感染による慢性閉塞性肺疾患の急性増悪の診断で入院となり，入院翌日より排痰目的でリハビリテーションを開始した。現在のリハビリテーションの目標は，痰の喀出を促し，コンディショニングを行うことである。

## 課題の目標

**態度**

1．排痰手技実施に備えた清潔で安全な身なりができる。
2．患者に排痰を行う旨を説明し，了承を得ることができる。
3．患者に不快な思いをさせない（話し方，表情，振る舞い）。

**技能**

1．患者の安全に配慮しながら進めることができる。
2．排痰を行うための準備（姿勢調整）ができる。
3．排痰手技を適切な手順および方法で実施することができる。
4．適宜，適切なフィードバックを行うことができる。

## 手順

1．挨拶・自己紹介を行い，2つの識別子で患者の確認を行う。
2．排痰手技を用いて排痰を促す旨を患者に伝え了承を得る。
3．痰の貯留部位に応じた適切な姿勢をとらせ，$SpO_2$の確認をする。
・適切な体位をとらせ，不快感がないか確認する。
・パルスオキシメーターで$SpO_2$を確認する。
4．適切なスクイージング実施位置に立つ。
5．患者の胸郭に触れて，胸郭の動きや呼吸リズムを確認する。
・患者の了承を得て，圧迫を加える部位に触れる。
・圧迫を加える部位は痰の貯留部位に合わせる。
・患者の呼吸運動を阻害しないように胸郭の動きや呼吸リズムを確認する。
6．スクイージングを行う。
・患者の呼吸リズム，生理的胸郭運動方向に合わせて，呼気時に手掌全面で圧迫を行い，吸気時に圧迫を解放する。
・上肢の力を抜き，肘関節を屈曲させながら重心移動とともに圧迫を行う。
・患者の不快感（疼痛や呼吸困難感），$SpO_2$の低下がないかを確認しながら行う。
7．咳嗽のための姿勢をとらせる。
・ベッドを調整して，ファーラー位もしくはセミファーラー位をとらせ，呼吸困難感がないか確認する。
・パルスオキシメーターで$SpO_2$を確認する。
8．咳嗽介助手技実施のための適切な位置に立ち，患者の下部胸郭に触れる。
・できる限り患者の横近くに位置する。
・喀出物による汚染を避けるため，患者の顔の正面には位置しない。
・患者の乳頭よりやや下方の外側胸郭に両手を触れる。
9．咳嗽を誘導しながら，咳嗽介助手技を行い排痰を促す。
・十分な吸気を促し，呼気に合わせて圧迫を行う。
・療法士の手掌全面で圧迫を行う。
・上肢の力を抜き，肘関節を屈曲させながら重心移動とともに圧迫を行う。
・咳嗽に合わせて，斜め下方内側，臍部に向かって胸郭を押し下げるように胸郭を圧迫する。
・重心移動が不十分であったり，上肢運動と重心移動のタイミングが合わないと患者の胸郭に体重を乗せてしまう危険性が高くなるので注意する。
・患者の不快感（疼痛や呼吸困難感）や疲労，$SpO_2$の低下がないかを確認しながら行う。
10．終了を伝える。
11．適宜，適切なフィードバックを行う。
・適切な内容，タイミング，量でフィードバックを行う。

## 採点基準

採点者は模擬患者に受験者の言動の適否を適宜確認して，以下の項目を採点してください。

### 1．態度

|  |  |
|---|---|
| (1) ①適切な身なりで，②明瞭な挨拶（開始時・終了時），③自己紹介ができる。 | 2点：①～③すべてできる<br>1点：①～③のうち2項目できる<br>0点：1項目できる<br>0点：すべてできない |
| (2) 2つの識別子で患者の確認ができる。 | 2点：2つの識別子で患者の確認ができる<br>1点：1つの識別子で患者の確認ができる<br>0点：確認ができない |
| (3) ①排痰手技を用いて排痰を促す旨を患者に伝え，②了承を得ることができる。 | 2点：①，②どちらもできる<br>1点：①のみできる<br>0点：どちらもできない |
| (4) 課題全般を通して，患者の様子（表情・姿勢・身体機能）や状況に応じた丁寧な対処（①声かけ・②触れ方・③動かし方）ができる。 | 2点：①～③すべてできる<br>1点：①～③のうち2項目できる<br>0点：1項目できる<br>0点：すべてできない |

### 2．技能

|  |  |
|---|---|
| (1) 排痰手技を行うにあたり，痰の貯留部位に応じた適切な体位にすることができる。 | 2点：痰の貯留部位に応じた適切な体位にすることができる<br>1点：体位が誤っているが，途中で誤りに気づく<br>0点：誤った体位で最後まで行う |
| (2) ①患者の了承を得て，②手掌全面で胸郭を触れることができる。 | 2点：①，②どちらもできる<br>1点：①，②のどちらか一方のみできる<br>0点：どちらもできない |
| (3) 圧迫前に，呼吸運動を阻害しないように胸郭の動きを触診にて確認できる。 | 2点：胸郭の動きを確認できる<br>1点：胸郭の動きの確認はできるが，手の重さなどにより呼吸を阻害している<br>0点：胸郭の動きの確認をしない |
| (4) ①療法士の位置，②介助を加える部位が適切である。 | 2点：①，②どちらも適切である<br>1点：①，②のどちらか一方のみ適切である<br>0点：どちらも適切でない |
| (5) 施行回数の半分以上，患者の呼気時に圧迫し，吸気時に圧迫を開放できる。 | 2点：施行回数の半分以上，患者の呼気時に圧迫し，吸気時に圧迫を開放できる<br>1点：1回は患者の呼吸に合わせて圧迫・解放できる<br>0点：患者の呼吸に合わせて圧迫・解放できない |
| (6) 施行回数の半分以上，臍部に向かって胸郭を押し上げるよう圧迫できる。 | 2点：施行回数の半分以上，臍部に向かって胸郭を押し上げるよう圧迫できる<br>1点：1回は臍部に向かって胸郭を押し上げるよう圧迫できる<br>0点：臍部に向かって胸郭を押し上げるよう圧迫できない |
| (7) 全施行で過圧迫なく，かつ施行回数の半分以上，適度な力で圧迫できる。 | 2点：全施行で過圧迫なく，かつ施行回数の半分以上，適度な力で圧迫できる<br>1点：1回は適度な力で圧迫できる<br>0点：適度な力で圧迫できない |
| (8) ①疼痛，②呼吸困難感の出現がないかを確認できる。 | 2点：①，②どちらもできる<br>1点：①，②のどちらか一方のみできる<br>0点：どちらもできない |
| (9) ファーラー位もしくはセミファーラー位にすることができる。 | 2点：ファーラー位もしくはセミファーラー位にすることができる<br>0点：ファーラー位もしくはセミファーラー位にしない |

| | |
|---|---|
| (10) ①喀出物に曝露しない位置，②患者に近い距離で，③両手の位置が患者の乳頭よりやや下方の外側胸郭で行うことができる。 | 2点：①〜③すべてできる<br>1点：①〜③のうち2項目できる<br>0点：1項目できる<br>0点：すべてできない |
| (11) ①十分な吸気を促し，②呼気に合わせた咳嗽介助を行うことができる。 | 2点：①，②どちらもできる<br>1点：①，②のどちらか一方のみできる<br>1点：1回は十分な吸気を促し，呼気に合わせた咳嗽介助ができる<br>0点：どちらもできない |
| (12) ①体位変換時，②スクイージング実施時，③咳嗽介助手技実施時に，$SpO_2$の確認ができる。 | 2点：①〜③すべてできる<br>1点：①〜③のうち2項目できる<br>0点：1項目できる<br>0点：すべてできない |
| (13) 課題を通して，受験者の視線・身構え，患者との距離を確保することで，常に患者の安全を確保できる。 | 2点：課題を通して，受験者の視線・身構え，患者との距離を確保することで，常に患者の安全を確保できる<br>0点：課題を通して，1回でも受験者の視線・身構え，患者との距離を保つことができず患者の身体に危険を感じる対応である |
| (14) 課題を通して，適宜，患者にフィードバックを行うことができる。 | 2点：内容，タイミング，量が適切である<br>1点：2項目が適切である<br>0点：内容が不適切である<br>0点：フィードバックがない<br>0点：1項目が適切である<br>0点：すべて適切でない |

## OSCE担当者確認事項

### 環境設定

・ギャッチベッドはリクライニング位0°とする。

### 模擬患者と採点者

・提示する痰の貯留部位を決め（右または左上葉，右中葉，左舌区，右または左下葉，右または左後肺底区の8つより1つを選択），設問に明示する。
・誘導・補助が不十分，不適切なためそれ以降の採点項目が減点となる場合は，模擬患者，採点者が修正した後に試験を再開する。
・模擬患者，受験者に危険が及ぶ可能性がある場合は，採点者，模擬患者が修正した後に試験を再開する。

### 模擬患者

・胸郭への触れ方や圧迫の仕方など，模擬患者による採点が必要なため，採点項目を理解しておく。
・課題開始時にパルスオキシメーターを装着した状態で，背臥位にて待機する。
・起居動作は受験者の指示に合わせて行えるものとする。

### 採点者

・受験者からの$SpO_2$の値の報告に対しては返事のみとする。
・スクイージングを実施する体位が誤っている場合は，「採点基準：技能(1)」のみで減点する。途中で誤りに気づき，体位の修正を受験者が行おうとした場合はそのままの体位で継続すればよいことを伝える。体位選択の誤りに気づかない場合もそのまま継続させる。
・受験者が，スクイージングを5回実施したら「中枢気道への痰の移動が確認されました」と受験者に伝え，咳嗽介助手技へ課題を進めるよう促す。課題開始後3分ほど経過した時点で，スクイージングが5回実施できていない場合は，咳嗽介助手技へ課題を進めるよう指示する。

・ファーラー位もしくはセミファーラー位が正しくなく，咳嗽介助に影響が出ると判断した場合は，「採点基準：技能(9)」を0点とし，正しい姿勢を呈示した後に再開する。
・受験者が4回以上の咳嗽を求めた際は3回までであることを説明し，課題を進めるように促す。

## 引用文献


1) 日本呼吸管理学会呼吸リハビリテーションガイドライン作成委員会，日本呼吸器学会ガイドライン施行管理委員会：日本呼吸管理学会／日本呼吸器学会 呼吸リハビリテーションに関するステートメント．日本呼吸器学会雑誌 40：536-44, 2002.
2) 千住秀明，眞渕敏，宮川哲夫 編：呼吸理学療法標準手技．pp28，29，40，41，44，45，96-8，医学書院，2008.
3) 日本呼吸ケア・リハビリテーション学会呼吸リハビリテーション委員会ワーキンググループ，日本呼吸器学会呼吸管理学術部会，日本リハビリテーション医学会呼吸リハビリテーションガイドライン策定委員会，日本理学療法士協会理学療法診療ガイドライン作成委員会：呼吸リハビリテーションマニュアル —運動療法—第2版．pp53-6，照林社，2012.
4) 小原史子：血液ガスの解釈．リハ実践テクニック 呼吸ケア 第3版(塩谷隆信，高橋仁美 編)，p13，メジカルビュー社，2011.
5) 牛木辰男，小林弘祐：カラー図解人体の正常構造と機能 呼吸器．pp16-17，日本医事新報社，2021.
6) 佐野正明，佐藤一洋：正常な呼吸のメカニズム．動画でわかる呼吸リハビリテーション 第5版(高橋仁美，宮川哲夫，塩谷隆信 編)，p41，中山書店，2020.
7) Craig LS：Bronchial Hygiene Therapy：Fundamentals of respiratory care, 7th ed. pp791-816, Mosby, St. Louis, 1998.


## 参考文献


1) 千住秀明，眞渕敏，宮川哲夫 編：呼吸理学療法標準手技．医学書院，2008.
2) 川俣幹雄：呼吸練習と呼吸筋トレーニング．理学療法MOOK4 呼吸理学療法 第2版(黒川幸雄，高橋正明，鶴見隆正 編)，三輪書店，2009.
3) 宮川哲夫，高橋仁美：排痰法．リハ実践テクニック 呼吸ケア 第3版(塩谷隆信，高橋仁美 編)．メジカルビュー社，2011.
4) 山川梨絵，横山仁志，渡邉陽介，他：排痰能力を判定するcough peak flowの水準 —中高齢患者における検討—．人工呼吸 27：260-6, 2010.

# 8 構音練習

## 1 運動障害性構音障害へのアプローチとは

構音は話し言葉を構成する声・発音・韻律を作り出すことである。呼吸器，喉頭，咽頭から口腔に至る諸器官の運動が構音を司る。大脳の運動中枢から末梢に至るまでのいずれかの病変によって構音関連器官の運動が障害されるとさまざまな構音の異常が出現する。これを運動障害性構音障害という。運動障害性構音障害はその原因によって6つに分類される（表1）[1-3]。この分類は評価や診断に不可欠なものであり，運動障害性構音障害の病態を整理するために有用である。

構音障害になると話し言葉でのコミュニケーションが制限されQOLに直結する問題となる。そのため評価に基づいた迅速かつ適切なリハビリテーションが求められる。構音に関わる器官は多岐にわたり，系統的なリハビリテーションが必須となる。リハビリテーションのゴールは言語コミュニケーション，「話す」活動の再建である。この活動再建のために①呼吸機能や発語器官など機能障害へ直接アプローチする要素別練習，②実際の発声や構音の練習を行う課題指向的練習，③代替手段や補助具などを使用する支援的アプローチにて対応する（図1）。

表1 運動障害性構音障害の分類

| 種類 | 原因 | 損傷の型ないし代表的疾患 |
|---|---|---|
| 痙性麻痺性構音障害 | 上位運動ニューロンの損傷 | 仮性球麻痺 |
| 弛緩性麻痺性構音障害 | 下位運動ニューロンの損傷 | 球麻痺 |
| 失調性構音障害 | 小脳あるいは小脳路損傷 | 脊髄小脳変性症 |
| 運動低下性構音障害 | 錐体外路損傷 | パーキンソン症候群 |
| 運動過多性構音障害 | 錐体外路損傷 | ジストニア，舞踏病 |
| 混合性構音障害 | 上記５つのうち２つ以上が混在している | 筋萎縮性側索硬化症（痙性と弛緩性） |

(Darley FL, Aronson AE, Brown JR : Motor Speech Disorders. WB Saunders, Philadelphia, 1975. および Darley FL, Aronson AE, Brown JR 著，柴田貞雄 訳：運動性構音障害．医歯薬出版，1982．および廣瀬肇，柴田貞雄，白坂康俊：言語聴覚士のための運動性構音障害学．p2，87，医歯薬出版，2001．より作成)

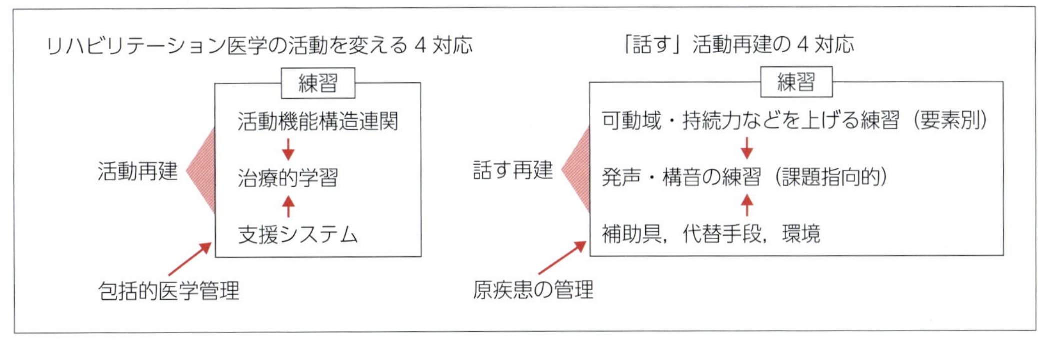


図1 「話す」活動再建の４対応

## 2 各種の療法について

前述した方法論のうち要素別練習とは，発声のための呼吸器（脊柱や胸郭，呼吸筋群），頸部，口唇，舌，軟口蓋，下顎，頬それぞれの対象器官に直接働きかけ，可動域，筋力増強，協調性の改善を図る。

課題指向的練習とは，難易度を調整しながら発声や構音を行い，実際の「話し言葉」を練習し機能改善を図る。構音の難易度調整は音節から単語，短文，文章，会話と進んでいく。文レベルの練習では発話速度のコントロールや韻律へのアプローチも適宜加えていく。ここでいう韻律とはアクセントや文の抑揚，イントネーション，疑問文における語尾の上昇などを指す。プロソディという語も用いられる。

支援的アプローチとは，軟口蓋挙上装置（PLP）など補助具を使用しての練習や代替コミュニケーション手段（AAC）の使用練習を行うことである。表2に運動障害性構音障害に対するアプローチについて簡単にまとめた。本項では要素別練習の舌運動練習および課題指向的練習の構音課題について解説する。

表2 運動障害性構音障害アプローチの分類

<table>
<tr><td rowspan="8">要素別練習</td><td colspan="2">呼吸器官（脊柱，胸郭，呼吸筋群），頸部</td></tr>
<tr><td colspan="2">胸腹式呼吸・ブローイング</td></tr>
<tr><td colspan="2">発語器官（口唇，舌，軟口蓋，下顎，頬）</td></tr>
<tr><td>可動域の改善</td><td>口唇閉鎖，口唇突出，口唇引き運動</td></tr>
<tr><td>持続力（筋力）の改善</td><td>舌突出-後退，舌尖挙上-下降，舌左右運動，口腔内から左右頬の内側を舌で押す，舌平保持など</td></tr>
<tr><td>運動速度の改善</td><td>開口，閉口，軟口蓋直接挙上介助，ブローイング</td></tr>
<tr><td>協調性（巧緻性）の改善</td><td>顎と口唇・顎と舌の協調運動など</td></tr>
<tr><td colspan="2"></td></tr>
<tr><td rowspan="4">課題指向的練習</td><td colspan="2">発声練習</td></tr>
<tr><td colspan="2">プッシング法，喉頭圧迫介助での声帯内転の練習<br>発声持続の延長<br>あくび-ためいき法，アクセント法，リー・シルバーマンの音声治療（LSVT）など</td></tr>
<tr><td colspan="2">構音練習</td></tr>
<tr><td colspan="2">音節→複数音節→単語→短文→文章会話レベルへ<br>発話速度のコントロール（モーラ指折り法，ペーシング法など）<br>プロソディ練習<br>歌唱</td></tr>
<tr><td rowspan="4">支援的<br>アプローチ</td><td colspan="2">補装具・補助具使用</td></tr>
<tr><td colspan="2">軟口蓋挙上装置（PLP），腹帯の活用など</td></tr>
<tr><td colspan="2">代替コミュニケーション手段（AAC）の使用</td></tr>
<tr><td colspan="2">YES-NOの意思表示，筆談，50音表，コミュニケーションノート，意思伝達装置など</td></tr>
</table>

## A 要素別練習（舌運動課題）

### 1) 舌と構音

・構音点は喉頭から口唇まで広く分布している。特に子音の構音は歯，歯茎，硬口蓋，軟口蓋などの部位と，これに対応する舌尖から舌背，舌根に至る各部位との間で狭めや閉鎖が作られることで産生される音がほとんどである。表3は日本語子音についての構音点を簡単にまとめたものである。構音の表記は国際音声字母（IPA）である。IPAとはあらゆる言語の音声を文字で表記すべく国際音声学会が定めた音声記号である。子音と構音点の関係についての詳細は成書を参照されたい。

・舌の運動が障害されるとそれらの音が歪む，省略される，別の音に置換されるなどの問題が生じる。正しく構音するためには可動域のみではなく，持続力（筋力）や運動速度，協調性（巧緻性）が必要と

表3 発語器官と子音

| 発語器官 | | 産生される音 |
|---|---|---|
| 口唇 | | [m]（マ行） [p]（パ行） [b]（バ行） [ɸ]（フ） [w]（ワ） |
| 舌 | 舌尖 | [t]（タテト） [d]（ダデド） [n]（ニを除くナ行） [ɾ]（ラ行） [ts]（ツ）<br>[tʃ]（チ，チャチュチョ） [s]（シを除くサ行） [ʃ]（シ） [dz]（ジを除くザ行）<br>[dʒ]（ジ，ジャジュジョ） |
| | 舌の側面 | [j]（ヤユヨ） [ç]（ヒ） [ɲ]（ニ） |
| | 奥舌 | [k]（カ行） [g]（ガ行） |

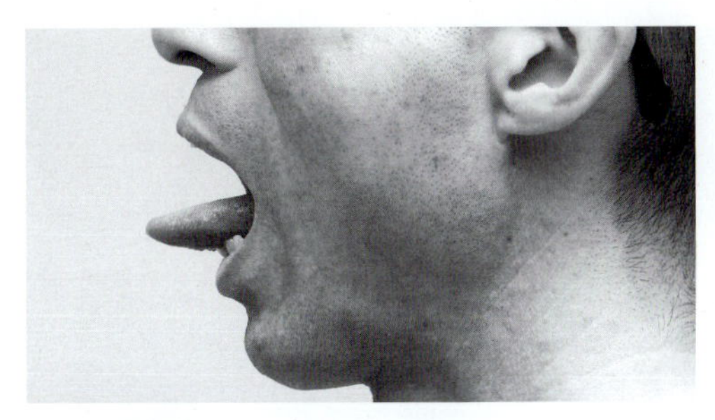
図 2 舌突出

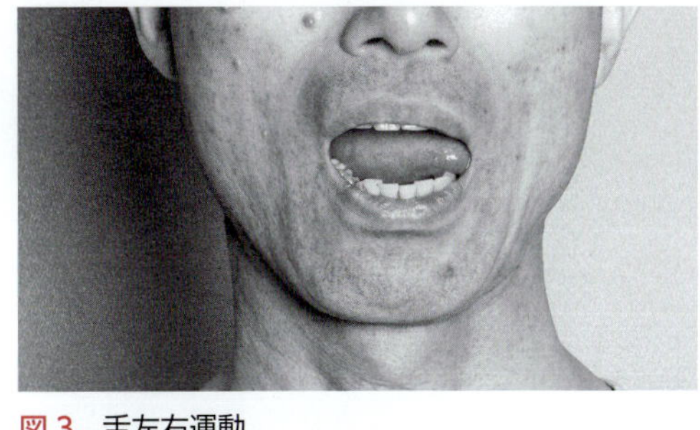
図 3 舌左右運動

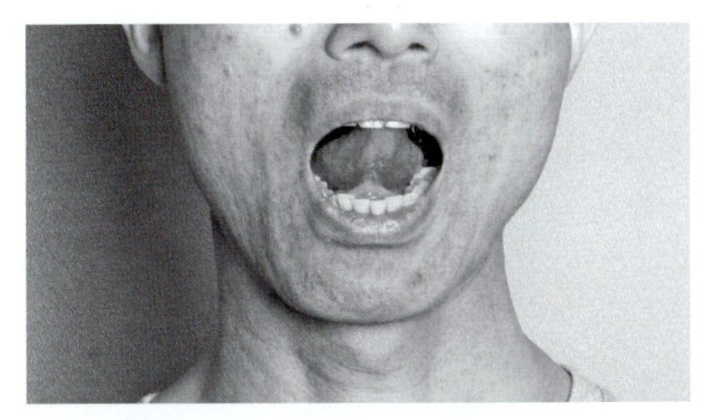
図 4 舌尖挙上

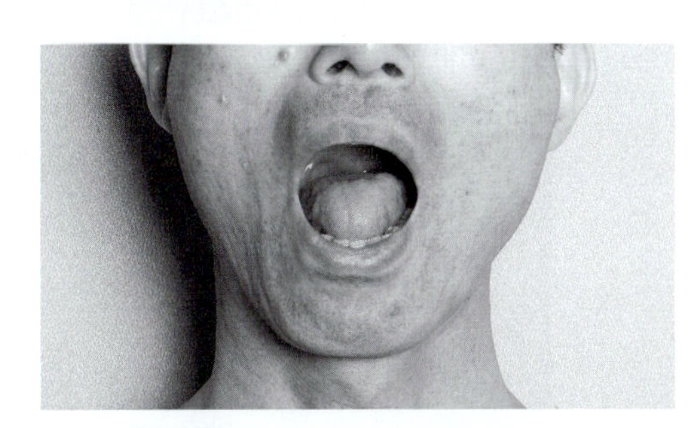
図 5 舌尖下降

なってくる。

・可動域が制限されていると，歯や歯茎，口蓋と舌との間の狭めや閉鎖が不十分となり，明瞭な音が産生できなくなる。持続力が低下していると，徐々に十分な可動域が得られなくなる，発話速度が一定に保てない，などの問題が生じる。そのため，長く発話する場合に構音が不明瞭になる一因となる。巧緻性に問題があると [s] [ɾ] など複雑な舌の操作を必要とする音に影響を与える。

・舌運動練習において，可動域が保たれていない状態では持続力や運動速度，協調性の練習が実施できない。可動域に問題がある場合は可動域練習から開始し，ある程度改善した段階で持続力や運動速度の練習に移行する。繰り返し一定の速度で運動ができるようになれば協調性の練習を実施する。

### 2) 目的

・舌の可動域制限や持続力（筋力），運動速度，協調性（巧緻性）を改善させ，構音が可能となる。

### 3) 方法

・自動運動が全くできない場合は，舌を湿らせたガーゼで包み徒手的に引き出すなど，他動運動から開始する。

・ある程度自動運動ができる場合は，開口位のまま舌突出（図2），舌左右運動（舌尖を左右口角につける：図3），舌尖の挙上・下降（図4, 5），などの運動を可動域拡大を目的に行う。

・可動域に問題がなければ，舌突出や左右への運動，筋力増強練習や巧緻性の練習へ移行する。

・方法としては，同一運動を複数回繰り返し行う，舌突出，左右・挙上位を数秒間保持する，それぞれの運動に拮抗する力で抵抗をかけるなどがある。詳細は成書を参照されたい。同一運動を複数回繰り返し行う場合は，運動速度やリズムをコントロールすることで難易度の調整を行う。

・可動域が不十分，目標点に舌が届かないなど運動が適切でない場合は，湿らせた綿球や舌圧子を使用して運動を修正する。舌を正確に目標点につけるなど，位置の修正の場合は綿球の方が目標点を示しやすい。舌突出範囲を拡大させる場合は目標が大きくわかりやすいように舌圧子を使用することが多い。

・回数，セット数，運動速度は症例によって適宜変更する。原則として疲労の程度をみながら負荷量を漸増的に上げていく。可能な患者には自主練習も行ってもらう。

### 4) 注意点

・可動域が不十分とならないように注意する（図6, 7）。

・舌尖挙上運動では，特に下顎との分離ができるよう注意する（図8）。

・舌の左右運動では，口角から舌尖が逸脱しないように注意する（図9）。

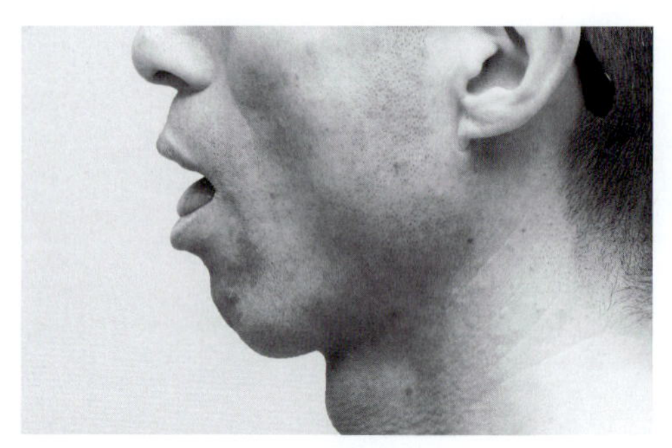

図6　舌突出範囲が十分でない

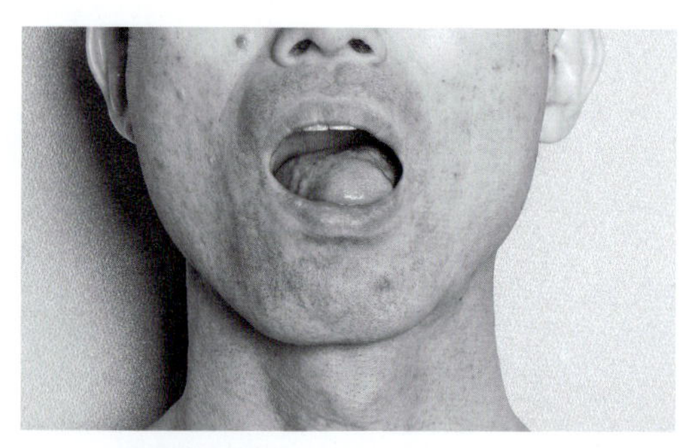

図7　左右運動範囲が十分でない

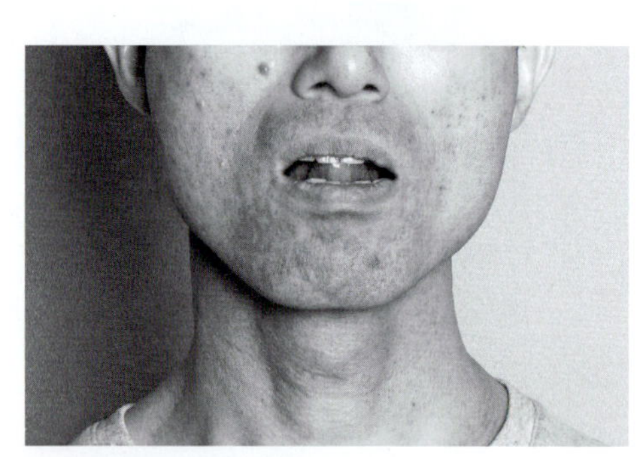

図8　舌尖挙上で下顎が上がっている

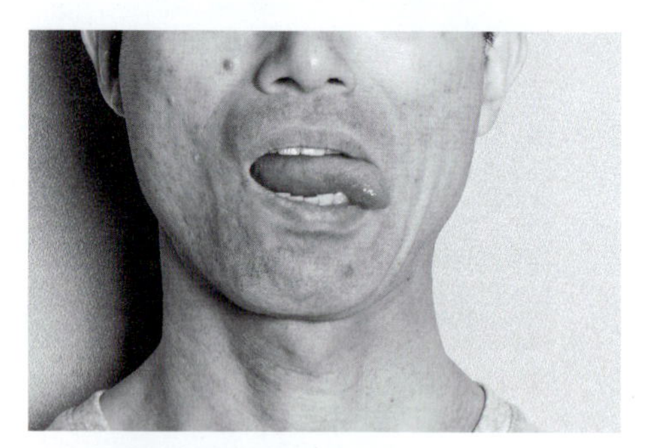

図9　舌尖が口角を越えている

**臨床のコツ**

◆神経変性疾患などで過負荷が禁忌である場合は，運動の負荷量に十分注意する。
◆舌圧子を目標点へ置き，舌圧子に触るよう教示しながら可動域を拡大させていく（図10）。
◆目標点を綿球で触りながら教示し的確な場所へ誘導する（図11, 12）。
◆下顎との分離ができていない場合は下顎を介助する（図13）。

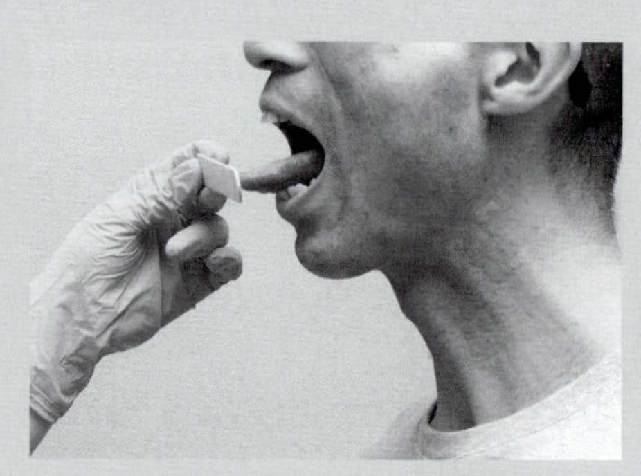

図10　舌圧子を用いた可動域の拡大

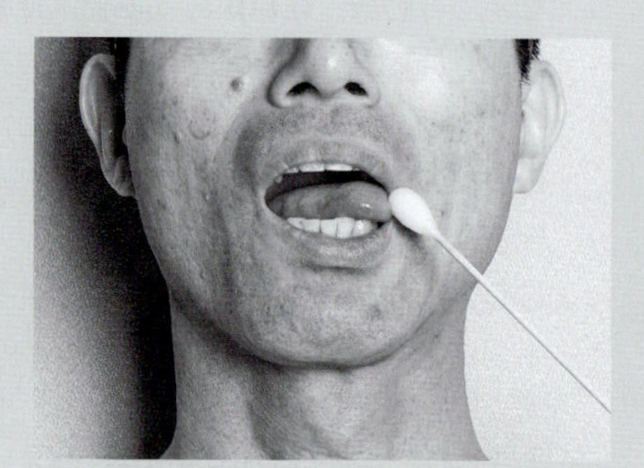

図11　綿球を用いた目標点への誘導（舌尖を口角へつける）

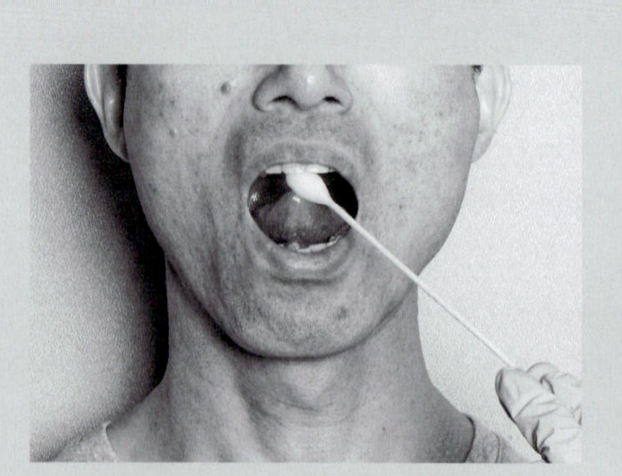

図12　綿球を用いた目標点への誘導（舌尖挙上）

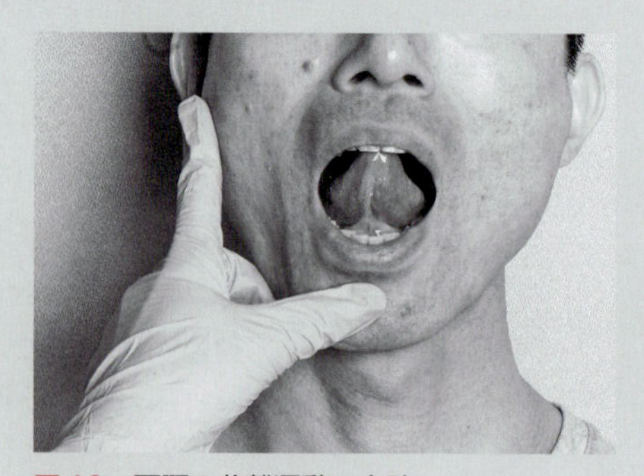

図13　下顎の分離運動の介助

## B 課題指向的練習（構音練習課題）

### 1) 音の産生から話し言葉へ

・構音評価の結果を踏まえ，発話明瞭度に影響を及ぼしている音を中心に産生する課題を行う。構音障害では単一の音ではなく，複数の音が障害されていることが多い。練習すべき音が複数ある場合は，発話に最も影響している音，容易に獲得できそうな音，などの順位づけを行い，優先順位の高い音から練習を開始する。

・基本的には1音ずつの練習が最も容易であり，単語→短文→文章と文節数が増加していくほど難易度は高くなる。難易度が上がるにつれ実際の会話により近い発話へ移行させていく。

音節レベル：目標音1音を産生させる練習（「た」など）。

複数音節：目標音を含む2音節以上を組み合わせた課題を設定し練習する。機械的な組み合わせでよい（「たあ」「あたあ」「いたい」など）

単語：目標音を含む単語で練習する。目標音が語頭にあるもの→目標音が語尾にあるもの→目標音がランダムに出現するもの，の順に難易度は上がる。苦手な音の組み合わせがある場合はその点にも配慮し課題を設定する（「たいこ」「かた」「かたつむり」など）

短文：単語レベルで正しく構音できるようになった時点で短文へと移行する。この段階になると発話速度や韻律の調整が必要となる。

文章：自然で生活に密着した題材が望ましい（新聞の文章など）。

会話：特定の条件下ではなく，より実際的な場面で行う。自然な場面での明瞭度向上と実用的なコミュニケーション能力向上を目的としている。

・課題の呈示形式には復唱，音読，自発がある。療法士が言った内容をそのまま復唱させる復唱課題，文字を音読させる音読課題，絵カードの説明をするなど自発話で練習する自発課題がある。復唱課題ではデモンストレーションによって発話速度や抑揚などのコントロールがしやすくなる。音読課題では文字を指でなぞる，文節ごとにスペースを入れる，目標音を丸で囲む，などで課題の難易度が調整できる。一方，自発課題は復唱・音読課題に比べ難しいことが多い。話す内容に加え，自身の構音する1音1音に配慮し，発話速度や韻律に注意しながら話さなければならないためである。課題の難易度を設定する際は，これらの点にも留意する必要がある。

### 2) 目的

・正しく構音できていない音を練習し，適切な音を産生できるようにする。

・話し方の自己コントロール（発話速度など）を行い，全体的な発話明瞭度を向上させる。

**臨床のコツ**

構音のフィードバックは下記の点に注意する。

◆構音，発話速度，韻律それぞれについて，正しいか修正が必要か速やかにフィードバックを行う。

◆正しい構音が産生できなかった場合

・「もう一度」などの声かけで自己修正できる場合は最小の介入にとどめる。

・最小の介入で修正できない場合は，「舌をしっかり歯の裏につけて」など発語器官の動きを指示する，構音点を模倣させる，目標点を綿球で示すなどの介入を行う。

## 3 手順のポイント

### 1) 挨拶・自己紹介を行い，2つの識別子で患者の確認を行う

・患者とのラポール（信頼関係）形成のため，挨拶，自己紹介を行う。

・患者の取り違えを防止するため，氏名に加え生年月日もしくはIDなど，2つの識別子で確認する。

### 2) 構音練習を行う旨を伝え了承を得る

・構音練習について簡潔にわかりやすく説明し，構音練習を行うことについて了承を得る。

### 3) 観察・介入がしやすい位置関係をとる

・療法士と患者の座る位置に配慮する。舌の運動や構音の状態を観察するため対面が望ましく，正しい動作を誘導するために比較的近い距離である必要がある。

### 4) 姿勢を調整する

・円背や左右非対称の姿勢では声量低下などを招く。左右対称で骨盤直立位となるよう，必要であれば枕やタオルを使用し姿勢を調整する。

### 5) 衛生管理，感染管理を行う

・練習実施中，患者の唾液に触れる可能性があるため，衛生面や感染面を考慮し手指消毒を行った後，両手にゴム手袋を装着する。

### 6) 舌運動練習と構音練習の目的を説明する

・舌の機能低下やそれに伴う構音の誤りがあることを指摘し，それらを改善させるために練習を行うことを説明する。

### 7) 舌運動練習の方法を説明する

・各運動の前にデモンストレーションを行いながら説明する。

・可動域や運動速度，リズムなど，各運動の注意点を説明する。

### 8) 舌運動練習を実施する

・運動範囲や運動速度，リズムなど，各運動ごとの注意点に留意しながら実施する。

・運動範囲についての注意点は図6〜9を参照のこと。

・運動速度やリズムについては療法士が拍を打つ，「1，2」と声かけする，メトロノームを使用するなどで調整する。

・運動の注意点が守られていない場合は指摘し，必要であれば舌圧子や綿球を用いて正しい運動を誘導する（図10〜13）。

### 9) 舌運動のフィードバックを行う

・適切にできている場合はその旨のフィードバックを行う。

・可動域が十分でない場合は舌圧子で運動範囲を示す，開口位が保てない場合は下顎を誘導・補助するなど，目的の動作を行うことができていない場合は介入し修正する。

### 10) 構音練習課題を例示し，練習の方法を説明する

・練習課題は，練習すべき音が語頭や語中，語尾に入った単語や，練習すべき音が多く含まれている短文を構音練習用のテキストから選択して用いる。

・練習すべき音は，評価結果をもとに優先順位の高い音を選択する。音節，単語，短文など，どの難易度の課題で練習するかは患者の状況に合わせて調整する。一般的には目標音1音の練習が難易度が低く，音節や文が長くなるほど難易度は高くなる。

・復唱，音読，自発のどの方法で実施するかを説明する。

・どの音に注意して練習するかを説明する。必要であれば目標音に丸印をつけるなど，注意が向きやすいよう調整する。

・発話速度や韻律などについても注意すべき点があれば説明する。

・復唱で実施する場合は，ゆっくりと抑揚をつけて明瞭にデモンストレーションを行う。

### 11) 構音練習課題を実施する

・発話速度のコントロールのため，例文を呈示し文節ごと区切る，呈示した文を指でなぞる，メトロノームを使用するなどする。

### 12) 構音のフィードバックを行う

・正しく構音でき，発話速度や韻律にも問題のない場合はその旨のフィードバックを行う。

・正しく構音できていない，発話速度や韻律に問題がある場合は介入し修正する。

# OSCE課題 構音練習

対応動画

## 設問

脳梗塞左片麻痺の患者です。発話明瞭度の低下が認められます。発語器官は軽度左麻痺であり，舌の筋力や舌尖と下顎の分離運動が不十分です。そのため，[t][d][s][dz][ɾ]など舌尖を使用する音を中心に不明瞭となっています。発話明瞭度2(ときどきわからない言葉がある)レベルです。今回は構音練習のうち，舌突出－後退運動5回，舌左右運動5回，舌尖挙上－下降運動5回，[t]が含まれる短文1つの復唱課題を実施してください。舌運動は，1方向へ1秒間で動かす速度で実施してください。制限時間は5分です。では，始めてください。

## 準備するもの

机，椅子，車椅子，速乾性擦式手指消毒液，ゴム手袋，舌圧子，タオル，枕，ティッシュペーパー，課題の短文が記載されている用紙，赤ペン

## 患者情報

| 疾患・障害 | 脳梗塞・構音障害 |
|---|---|
| 年齢・性別 | 不問 |
| 障害側 | 左 |
| 発症後期間 | 2週 |
| 意識 | 清明 |
| 見当識 | 問題なし |
| BRS | 上肢：Ⅱ　手指：Ⅱ　下肢：Ⅲ |
| 口唇 | 左側の可動域軽度低下あり |
| 舌 | 左偏位(舌尖挙上の可動域低下あり) |

| 軟口蓋 | 左側の挙上がやや弱い |
|---|---|
| 下顎 | 問題なし |
| 流涎 | なし |
| 発話明瞭度 | 2：ときどきわからない言葉がある |
| 座位 | 自立 |
| 理解 | FIM 7 |
| 表出 | FIM 6 |
| 記憶 | FIM 7 |

### 構音の現状

声量は問題なく，発話速度はやや速い。舌尖の筋力低下および下顎との分離運動が不十分である。構音検査の結果，単語レベルでは音の歪みなく明瞭であるが，短文レベルになると[t][d][s][dz][ɾ]など舌尖音を中心に音の歪みを認めた。また，発語器官の運動速度は遅いが速く話してしまうため，不明瞭となることが多い。リハビリテーションでは，要素別練習として舌の筋力増強練習，巧緻性練習を実施している。舌運動は，舌突出－後退，舌左右運動，舌尖挙上－下降，舌尖挙上保持を行っている。舌突出－後退運動や舌尖挙上運動時には下顎が上がってしまうことがある。また，同一の運動を繰り返し行ったり運動速度を速めたりすると，運動範囲が低下してしまうという問題がみられる。課題指向的練習では短文レベルで[t][s][ɾ]の構音練習を実施している。課題中，発話速度が速くなり不明瞭さが増すことがある。発話明瞭度は2(ときどきわからない言葉がある)である。

### 経過と目標

発症後3日目にベッドサイドでのリハビリテーションが開始された。発語器官は，口唇，舌，軟口蓋ともに左麻痺を呈しており，特に舌尖の挙上運動に可動域制限を認めた。構音は舌尖音を中心に単音から単語レベルで歪みがみられ，声量低下や発話速度の亢進もあり，発話明瞭度3(内容を知っていればわかる)へ低下していた。そのため，要素別練習では舌の可動域練習を，課題指向的練習では呼吸・発声練習，舌尖音の複数音節から単語レベルの構音練習を開始した。経過とともに舌の可動域は改善し，声量も増大した。構音も単語レベルでは音の歪みは減少した。発症後2週目にセンターでのリハビリテーションに変更となった。現在，舌運動の持続力や協調性は不十分で，短文レベルでの舌尖音の歪みは残存している。発話速度や構音点を意識することで，[t][d]は正しく構音可能となってきている。今後2週間で舌と下顎の分離運動と舌の持続力向上，[t][d]の構音改善を目指している。

## 課題の目標

態度

1. 構音練習に備えた清潔で安全な身なりができる。
2. 患者に構音練習を行う旨を説明し，了承を得ることができる。
3. 患者に不快な思いをさせない（話し方，表情，振る舞い）。

技能

1. 患者の安全に配慮しながら進めることができる。
2. 構音練習を実施するための準備を行うことができる。
3. 構音練習を適切な手順および方法で実施することができる。
4. 適宜，適切なフィードバックを行うことができる。

## 手順

1. 挨拶・自己紹介を行い，2つの識別子で患者の確認を行う。
2. 構音練習を行う旨を患者に伝え了承を得る。
3. 観察・介入がしやすい位置関係をとる。
   - 舌の運動や構音の状態を観察するため対面となり，正しい動作を誘導できるよう比較的近い距離に位置する。
4. 姿勢を調整する。
   - 左右対称で骨盤直立位となるよう姿勢を調整する。
5. 衛生管理，感染管理を行う。
   - 手指消毒を行った後，両手にゴム手袋を装着する。
6. 舌運動練習と構音練習の目的を説明する。
   - 舌の筋力低下があること，[t]音の歪みがあるため舌運動と[t]を含む短文の構音課題を実施することを説明する。
7. 舌運動練習の方法を説明する。
   - 各運動の前にデモンストレーションを行いながら，舌運動方向，運動範囲，運動速度，代償動作の抑制について説明する。運動範囲については，開口位のまま最大可動域まで舌を動かすよう説明する。運動速度は1方向の運動が1秒間で行えるよう，療法士が拍を打つ，「1，2」と声かけするなどにより運動速度を提示する。
8. 舌運動練習を実施する。

   ①舌突出－後退運動を実施する
   - 5回反復させる。
   - 適切な運動速度で行えるよう拍を打つか，「1，2」「前，後ろ」と声かけを行う。
   - 最大の可動域で運動が行えているか確認する。
   - 代償動作が出現していないか確認する。

   ②舌左右運動を実施する
   - 5回反復させる。
   - 適切な運動速度で行えるよう拍を打つか，「1，2」「右，左」と声かけを行う。
   - 最大の可動域で運動が行えているか確認する。
   - 代償動作が出現していないか確認する。

   ③舌尖挙上－下降運動を実施する
   - 5回反復させる。
   - 適切な運動速度で行えるよう拍を打つか，「1，2」「上，下」と声かけを行う。
   - 最大の可動域で運動が行えているか確認する。

・代償動作が出現していないか確認する。

9．舌運動のフィードバックを行う。

・適切にできている場合はその旨のフィードバックを行う。

・可動域が十分でない場合は舌圧子で運動範囲を示す，開口位が保てない場合は下顎を誘導・補助するなど，目的の動作を行うことができていない場合は介入し修正する。

10. 構音練習課題（[t] を含む短文）を例示し，実施方法を説明する。

・目標音がわかりやすくなるよう，短文の[t]すべてに赤ペンで丸印をつける。[t]に注意しながら構音するよう説明する。また，療法士のデモンストレーションと同じようにゆっくり明瞭に構音するよう説明する。

・課題文の例示の際は，ゆっくりと明瞭にデモンストレーションする。

短文例：「とおりの　むこうに　あたらしい　レストランが　かいてん　しました」[4)]

11. 構音練習課題（[t] を含む短文）を実施する。

・療法士のデモンストレーション後に復唱させる。

・患者の発話速度をコントロールするために，課題文を療法士の指で適切な速度でなぞる。

12. 構音のフィードバックを行う。

・正しく構音できているかフィードバックを行う。患者が正しく構音できない場合は指摘し，再度復唱させる。2度復唱させても正しく構音できない場合は，その課題を中止する。

13. 終了を伝える。

## 採点基準

採点者は模擬患者に受験者の言動の適否を適宜確認して，以下の項目を採点してください。

### 1．態度

|  |  |
|---|---|
| (1) ①適切な身なりで，②明瞭な挨拶（開始時・終了時），③自己紹介ができる。 | 2点：①～③すべてできる<br>1点：①～③のうち2項目できる<br>0点：1項目できる<br>0点：すべてできない |
| (2) 2つの識別子で患者の確認ができる。 | 2点：2つの識別子で患者の確認ができる<br>1点：1つの識別子で患者の確認ができる<br>0点：確認ができない |
| (3) ①構音練習を行う旨を患者に伝え，②了承を得ることができる。 | 2点：①，②どちらもできる<br>1点：①のみできる<br>0点：どちらもできない |
| (4) 課題全般を通して，患者の様子（表情・姿勢・身体機能）や状況に応じた丁寧な対処（①声かけ・②触れ方・③動かし方）ができる。 | 2点：①～③すべてできる<br>1点：①～③のうち2項目できる<br>0点：1項目できる<br>0点：すべてできない |

### 2．技能

|  |  |
|---|---|
| (1) 正面から舌運動や構音の状態を観察できるよう，①対面，②近距離に位置することができる。 | 2点：①，②どちらもできる<br>1点：①，②のどちらか一方のみできる<br>0点：どちらもできない |
| (2) 姿勢を適切に調整することができる。 | 2点：適切に調整できる<br>1点：調整するが不十分<br>0点：調整を行わない，調整が不適切，誤った調整を行う |

| | |
|---|---|
| (3) 課題を通して衛生管理，感染管理が十分にできる。 | 2点：課題を通じて衛生管理，感染管理が十分にできる<br>1点：衛生管理，感染管理を行うが，手順が違う，手袋をしたまま他のものを触るなどする<br>0点：衛生管理，感染管理をしない |
| (4) ①舌の筋力低下（持続力低下），②[t] 音の歪みについて言及して課題の目的を説明できる。 | 2点：①，②どちらも説明できる<br>1点：①，②のどちらか一方のみ説明できる<br>0点：どちらもできない |
| (5) デモンストレーションを行いながら，①運動方向，②運動範囲，③運動速度，④代償動作の抑制について，⑤デモンストレーションを行いながら説明できる。 | 2点：①～⑤すべてできる<br>1点：①～⑤のうち3～4項目できる<br>0点：1～2項目できる<br>0点：すべてできない |
| (6) 舌突出-後退運動を，①適切な速度で行えるようリズムをとり，②代償動作が出現していないか確認しながら，③最大の可動域での運動を5回反復練習できる。 | 2点：①～③すべてできる<br>1点：①～③のうち2項目できる<br>0点：1項目できる<br>0点：すべてできない |
| (7) 舌左右運動を，①適切な速度で行えるようリズムをとり，②代償動作が出現していないか確認しながら，③最大の可動域での運動を5回反復練習できる。 | 2点：①～③すべてできる<br>1点：①～③のうち2項目できる<br>0点：1項目できる<br>0点：すべてできない |
| (8) 舌尖挙上-下降運動を，①適切な速度で行えるようリズムをとり，②代償動作が出現していないか確認しながら，③最大の可動範囲での運動を5回反復練習できる。 | 2点：①～③すべてできる<br>1点：①～③のうち2項目できる<br>0点：1項目できる<br>0点：すべてできない |
| (9) 各運動のフィードバックを行うことができる。 | 2点：内容，タイミング，量が適切である<br>1点：2項目が適切である<br>0点：内容が不適切である<br>0点：フィードバックがない<br>0点：1項目が適切である<br>0点：すべて適切でない |
| (10) ①短文内すべての [t] に赤ペンで丸印をつけて [t] に注意して構音するよう指示すること，②デモンストレーションと同じようにゆっくりと明瞭に復唱することについて説明できる。 | 2点：①，②どちらもできる<br>1点：①，②のどちらか一方のみできる<br>0点：どちらもできない |
| (11) 課題文の例示の際，①ゆっくりとした発話速度で，②明瞭にデモンストレーションできる。 | 2点：①，②どちらもできる<br>1点：①，②のどちらか一方のみできる<br>0点：どちらもできない |
| (12) 患者の発話速度コントロールのために，課題文を適切な速度でなぞることができる。 | 2点：適切な速度で課題文をなぞることができる<br>1点：課題文をなぞることはできるが，速度が適切でない<br>0点：課題文をなぞることをしない |
| (13) 課題を通して，受験者の視線・身構え，患者との距離を確保することで，常に患者の安全を確保できる。 | 2点：課題を通して，受験者の視線・身構え，患者との距離を確保することで，常に患者の安全を確保できる<br>0点：課題を通して，1回でも受験者の視線・身構え，患者との距離を保つことができず患者の身体に危険を感じる対応である |
| (14) 課題を通して，適宜，患者にフィードバックを行うことができる。 | 2点：内容，タイミング，量が適切である<br>1点：2項目が適切である<br>0点：内容が不適切である<br>0点：フィードバックがない<br>0点：1項目が適切である<br>0点：すべて適切でない |

## OSCE担当者確認事項

### 環境設定

・机上には，速乾性擦式手指消毒液，ゴム手袋，舌圧子，ティッシュペーパー，課題の短文が記載されている用紙（対応動画），赤ペンを準備する。
・受験者用の椅子の位置もしくは模擬患者の車椅子の向きは，調整が必要な配置とする。
・受験者が椅子の位置を変更したら，次の受験者が入室するまでに調整する。

### 模擬患者と採点者

・誘導・補助が不十分，不適切なためそれ以降の採点項目が減点となる場合は，模擬患者，採点者が修正した後に試験を再開する。
・模擬患者，受験者に危険が及ぶ可能性がある場合は，採点者，模擬患者が修正した後に試験を再開する。

### 模擬患者

・舌運動，構音課題いずれも失敗する必要があるため，失敗内容を再現できるよう練習する。
・課題開始時に車椅子に座って待機する。そのとき，やや左側に傾くなど，崩れた座位姿勢をとる。

#### 舌運動について

・舌突出－後退運動は，最初は舌突出範囲を狭小とする。受験者が舌突出範囲不十分であることを指摘し介入した後，舌突出範囲を最大に保つようにする。
・舌左右運動は失敗なく実施する。
・舌尖挙上－下降運動は，最初は舌尖挙上するときに下顎も同時に挙上させる。受験者が舌と顎の分離運動が不十分なことを指摘し介入した後，下顎は固定したまま舌尖運動を継続する。

#### 構音課題について

・短文の後半，すなわち，短文例（p119）の「かいてん　しました」の部分で発話を速くし，特に「て」「た」については構音不明瞭となるように発話する。受験者が発話速度や構音の問題点を指摘し修正を求めた場合は，発話速度を落とし，構音も明瞭になるよう発話する。

### 引用文献


1) Darley FL, Aronson AE, Brown JR：Motor Speech Disorders. WB Saunders, Philadelphia, 1975.
2) Darley FL, Aronson AE, Brown JR 著，柴田貞雄 訳：運動性構音障害．医歯薬出版，1982.
3) 廣瀬肇，柴田貞雄，白坂康俊：言語聴覚士のための運動性構音障害学．医歯薬出版，2001.
4) 岡崎恵子，船山美奈子 編著：構音訓練のためのドリルブック 改訂第2版．協同医書出版社，2006.


### 参考文献


1) 小寺富子 監：言語聴覚 療法臨床マニュアル 改訂第2版．協同医書出版社，2005.
2) 西尾正輝：ディサースリアの基礎と臨床 第3巻 臨床実用編．インテルナ出版，2006.
3) 廣瀬肇，柴田貞雄，白坂康俊：言語聴覚士のための運動障害性構音障害．医歯薬出版，2004.
4) 西尾正輝 編著：スピーチ・リハビリテーション2 プロソディー訓練・総合訓練編．インテルナ出版，2000.

# 9 摂食嚥下練習

## 1 摂食嚥下障害とは

摂食嚥下とは，気道防護を行いながら，食物を口腔から咽頭，食道を経て胃へと輸送する一連の過程である。諸器官が協調し，時間的にオーバーラップしながら連動して起こる神経筋活動である。この過程に障害が生じ，安全な摂食嚥下が困難になった状態が摂食嚥下障害である。重要所見としては，嚥下前・中・後に食物が気道内に入る「誤嚥」および嚥下後に食塊が口腔内や咽頭に残る「残留」である。残留した食塊は，嚥下後の誤嚥につながることもあるため，誤嚥とともにリスクの高い所見である。このような所見により，誤嚥性肺炎，窒息，脱水，低栄養など生命に関わる医学的問題を引き起こす。さらに食べる楽しみの喪失などQOLの低下を引き起こす原因ともなる。摂食嚥下障害が生命，その後の日常生活に与える影響は計り知れず，迅速かつ適切な評価に基づいた適切なリハビリテーションが求められる。

摂食嚥下リハビリテーションのゴールは「食べる」活動の再建である。「食べる」活動の再建のために4つの方法論，①原疾患の管理や肺炎，脱水などの医学的管理，②活動機能構造連関の観点から活動に依存して変化する要素を増強する要素別練習，③実際に嚥下を練習する課題指向的練習，④社会的な支援や工学，などの支援システムを駆使して対応する（図1）。

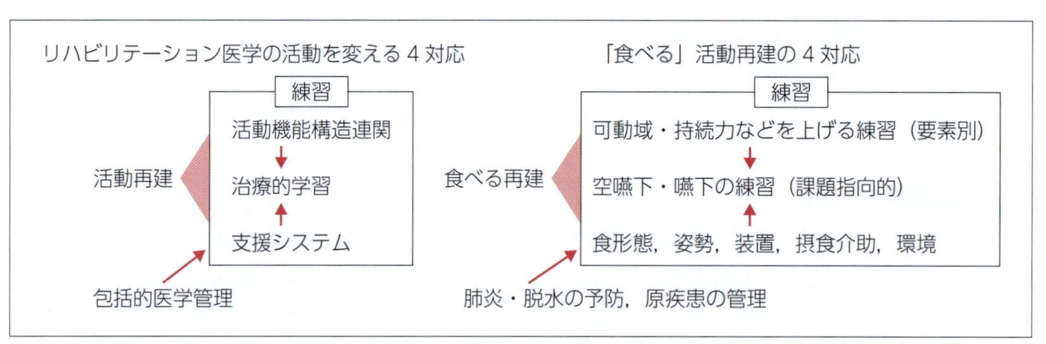


図1 「食べる」活動再建の4対応

## 2 分類および各種の療法について（表1）

「食べる」活動再建の4対応の中で練習として位置づけられるのは，要素別練習と課題指向的練習である。要素別練習では，口腔期・咽頭期それぞれの嚥下関連諸器官に直接働きかけ，対象器官の可動域，筋力，協調性の改善を図る。課題指向的練習では，難易度を調整しながら唾液の空嚥下や食物・水分の嚥下など，実際の「飲む・食べる」動作を練習し機能改善を図る。難易度調整の変数は姿勢，食形態，嚥下手技であり，安全性に留意した適切な姿勢，最適な食形態，有効な嚥下手技を用いて嚥下の練習を行う。

本項では要素別練習の頭部挙上練習（Shaker exercise）および課題指向的練習の姿勢調整について詳細に触れる。

表1 摂食嚥下練習の分類

<table>
<tr><td rowspan="6">要素別</td><td rowspan="4">口腔期</td><td colspan="3">対象器官：口唇・舌・下顎・頬<br>機能：捕食，咀嚼，食塊形成，送り込み</td></tr>
<tr><td>1</td><td>可動域運動</td><td>口唇・舌・下顎・頬の可動域運動</td></tr>
<tr><td>2</td><td>抵抗練習</td><td>舌尖挙上，舌背挙上，舌捻転</td></tr>
<tr><td>3</td><td>巧緻性練習</td><td>綿球移送</td></tr>
<tr><td rowspan="2">咽頭期</td><td colspan="3">対象器官：軟口蓋・咽頭・喉頭・咽頭食道接合部<br>機能：鼻咽腔閉鎖，舌骨喉頭挙上，食道入口部開大，送り込み（舌根と咽頭後壁の接触，収縮）</td></tr>
<tr><td>1</td><td>抵抗練習</td><td>頭部挙上練習，舌根後退，前舌保持法，ブローイング</td></tr>
<tr><td rowspan="4">課題指向的</td><td colspan="4">空嚥下・嚥下の練習</td></tr>
<tr><td>1</td><td colspan="2">姿勢</td><td>リクライニング，頭部回旋，半側臥位，頭部屈曲・頸部屈曲・複合屈曲</td></tr>
<tr><td>2</td><td colspan="2">食形態</td><td>物性：ゼリー，ペースト，固形物，液体，二相性（液体＋固形）<br>※誤嚥の観点からみた難易度順<br>一口量</td></tr>
<tr><td>3</td><td colspan="2">嚥下手技</td><td>Mendelsohn maneuver，super-supraglottic swallow，supraglottic swallow，effortful swallow</td></tr>
</table>

## 3 頭部挙上練習 (Shaker exercise)

### A 咽頭期の運動生理

食塊が咽頭に送り込まれてから食道を通過するまでの期間は通常1秒以内であるが，このわずかな時間に多くの連動した運動が起こる。鼻咽腔閉鎖，舌骨喉頭前上方挙上，喉頭閉鎖，舌根後方運動，咽頭収縮，食道入口部開大である。これらの運動が時間的に協調し，さらに必要な量，動くことで安全な嚥下がもたらされる。1つでも障害されると誤嚥や咽頭残留の原因となる。一連の運動の中で，食道入口部の開大は，いくつかの要素によってもたらされる。まず，輪状咽頭筋が弛緩することで食道が開き始め，同時期に起こる舌骨喉頭前上方挙上によって輪状咽頭筋が前上方に引き伸ばされ，さらに開大する（図2）。また，食道に到達する食塊の圧力も開大に影響する。食道入口部が適切に開大しないと，食塊が食道に送り込まれず，誤嚥したり，嚥下後も咽頭に残留する。

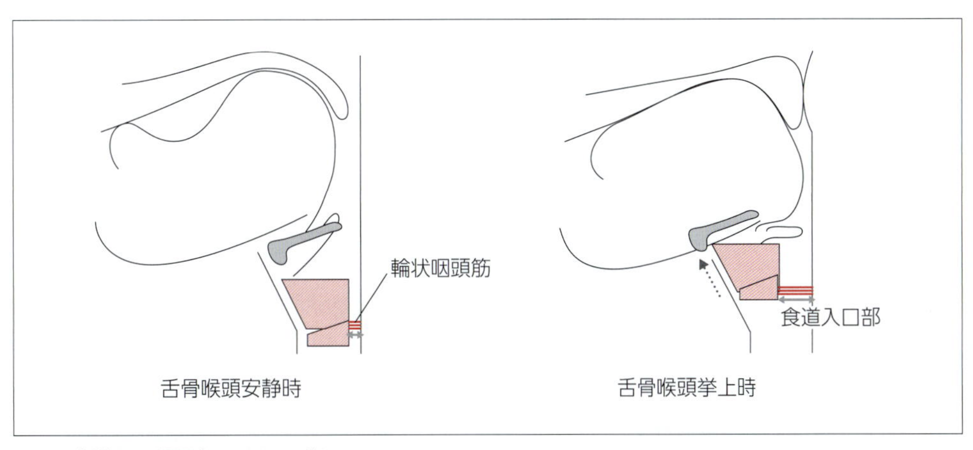


図2 食道入口部開大のメカニズム

## B 目 的

舌骨喉頭挙上をもたらす舌骨上筋群を強化し，舌骨喉頭の前上方挙上不良を改善させる。舌骨喉頭の前上方挙上の改善により食道入口部の開大不全を改善させる。

## C 適応と禁忌

舌骨喉頭の挙上に問題があり食道入口部開大が不良な症例が適応となる。嚥下造影検査などの画像評価によって，その所見の有無を確認して適応を判断することが望ましい。

頸椎症で頸椎の運動制限がある場合は禁忌となる。高血圧や心臓病がある場合は，リスク管理が必要となる。医師と相談してから実施する。

## D 方 法

下記の1)と2)を1日3回，6週間継続する。

### 1) 頭部挙上位保持－等尺性運動

・背臥位で両肩が上がらないようにして，臍やつま先をみるように指示して頭部のみを挙上させる。この挙上位を1分間保持した後，1分間休憩する。これを3セット繰り返す。

### 2) 頭部挙上反復－等張性運動

・背臥位で両肩を床面につけたまま，頭部を挙上・下降する運動を30回繰り返す。

## E 注意点（図3）

頭部とともに肩がベッド面から浮かないように注意する。顎を引いてオトガイ下（舌骨上筋群）に力が入るようにする。

1分間の挙上や30回の反復は負荷が大きく実施困難な場合が多いため，個々の患者に応じた持続時間と回数，セット数を設定し，漸増的に負荷量を上げていく。目安としては，本人の最大持続時間の50％を持続挙上の負荷時間とする。運動後，バイタルサインを測定し，収縮期血圧が安静時より20 mmHg以上上昇せず180 mmHgを超えない，脈拍が安静時より20回／秒以上増加せず120回／秒以上にならないように設定する。

挙上位から頭部を下降させる際，勢いよく戻して頭部を床面に打たないように注意する。

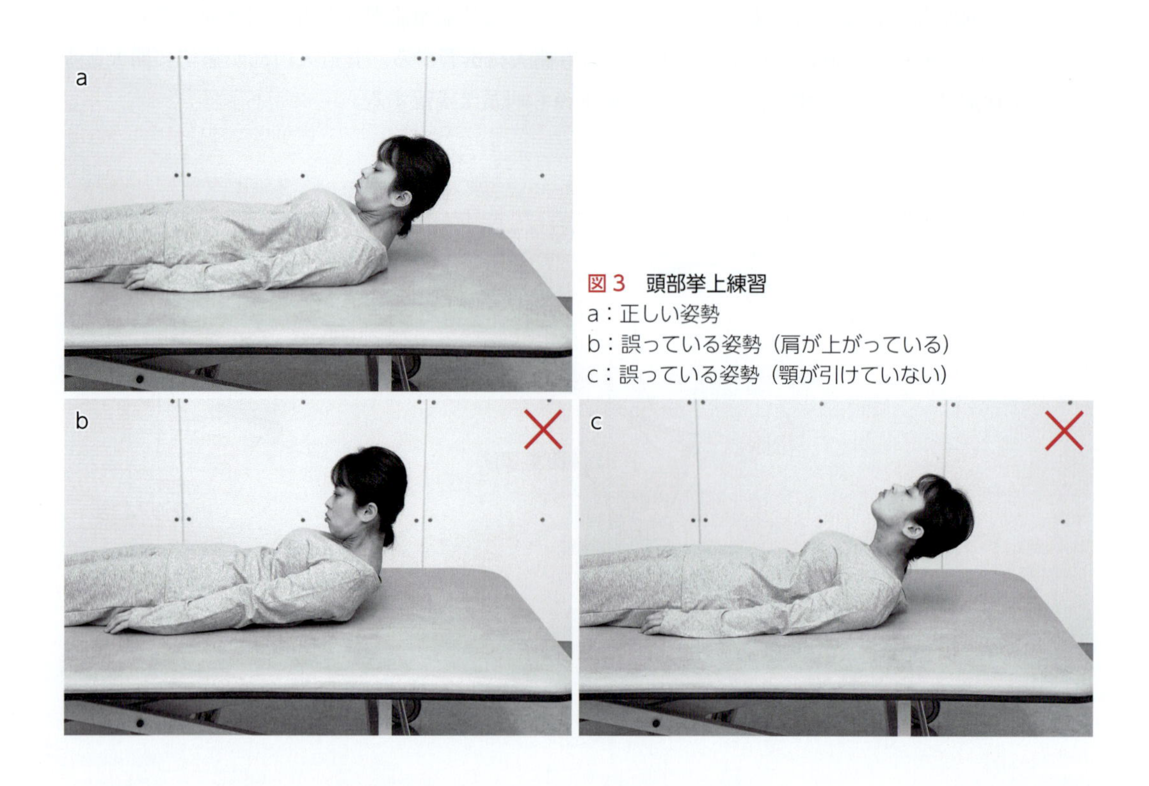


図3 頭部挙上練習
a：正しい姿勢
b：誤っている姿勢（肩が上がっている）
c：誤っている姿勢（顎が引けていない）

臨床のコツ

腹部の筋力が弱く，腰背部の緊張が高い場合の工夫（図4）

◆頭部から肩甲骨の下にタオルを入れ，腰部を床面につけやすい状態にすることで，頭部挙上を行いやすくする。

◆2〜3 kg程度の重錘を下部胸郭に置くことで，頭部挙上を行いやすくする。

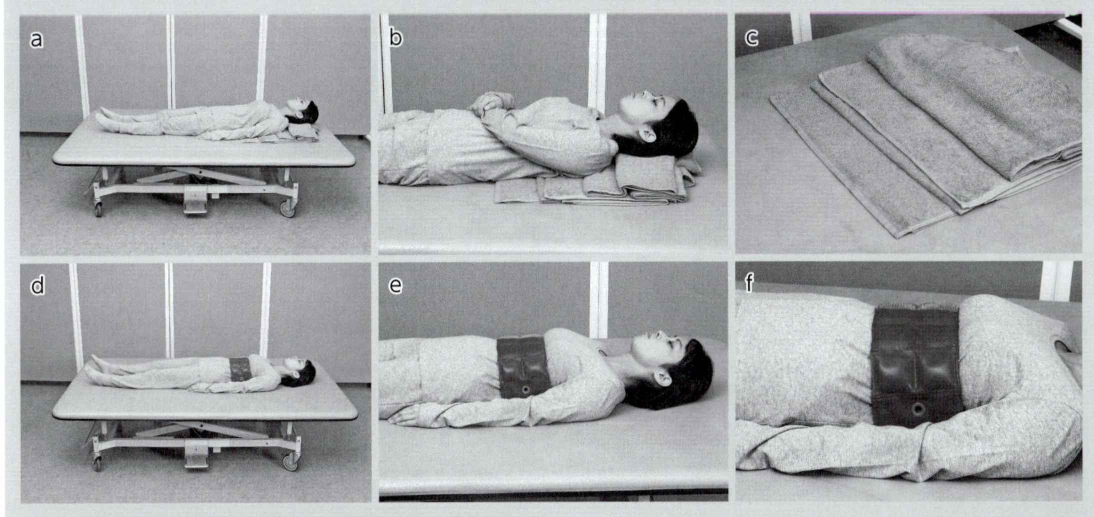

図4　腹部の筋力が弱く，腰背部の緊張が高い場合の工夫
a〜c：タオルを用いる方法
d〜f：重錘を用いる方法

## 4 姿勢調整とは

### A 姿勢調整の概要

重力の利用，または空間を操作して食塊の通過経路と通過速度を変化させ，誤嚥や咽頭残留の軽減を図る。姿勢調整には，リクライニング位，頭部回旋，頭部・頸部・複合屈曲，さらにこれらを組み合わせた複合姿勢がある。

#### 1) リクライニング位（背臥位）

床面に対する体幹の角度をベッドのリクライニングにより調整させる，重力を利用した姿勢である。臨床場面では，床から頭部を30°，45°，60°高くしたリクライニング位がよく用いられる（図5）。リクライニング角度を小さくする（臥位に近くする）と，気道が上方，食道が下方になり，食塊が咽頭後壁を滑るように伝って流れ，下方にある食道に入りやすくなり，誤嚥をしにくい位置関係になる。またリクライニング角度を小さくすると，口腔前方が高く，後方が低くなり，重力で食塊が口腔から咽頭へ送り込まれやすい位置関係になる。リクライニングによって口腔の傾斜がつき，咽頭の傾斜が緩やかになることを念頭に置き，口腔と咽頭の送り込み能力に合わせて，症例ごとに適切な角度を選択する。臨床的観察や嚥下造影検査で嚥下障害の病態を十分に評価したうえで，最も安全で効果的なリクライニング角度を選択することが求められる。

①効果

・口腔から咽頭に傾斜がつき，食塊を咽頭に送り込みやすくなる。
・咽頭から食道は傾斜が緩やかとなり，食塊の移送を緩徐にする。
・構造の位置関係が変化し，気管が上，食道が下になり，誤嚥が起こりにくい姿勢となる（図6）。

②適応

・口腔期の障害を認め，舌による食塊の送り込み能力が低下している症例が適応となる。
・嚥下反射の惹起遅延があり，急な食塊の移送に対して嚥下が間に合わない症例が適応となる。

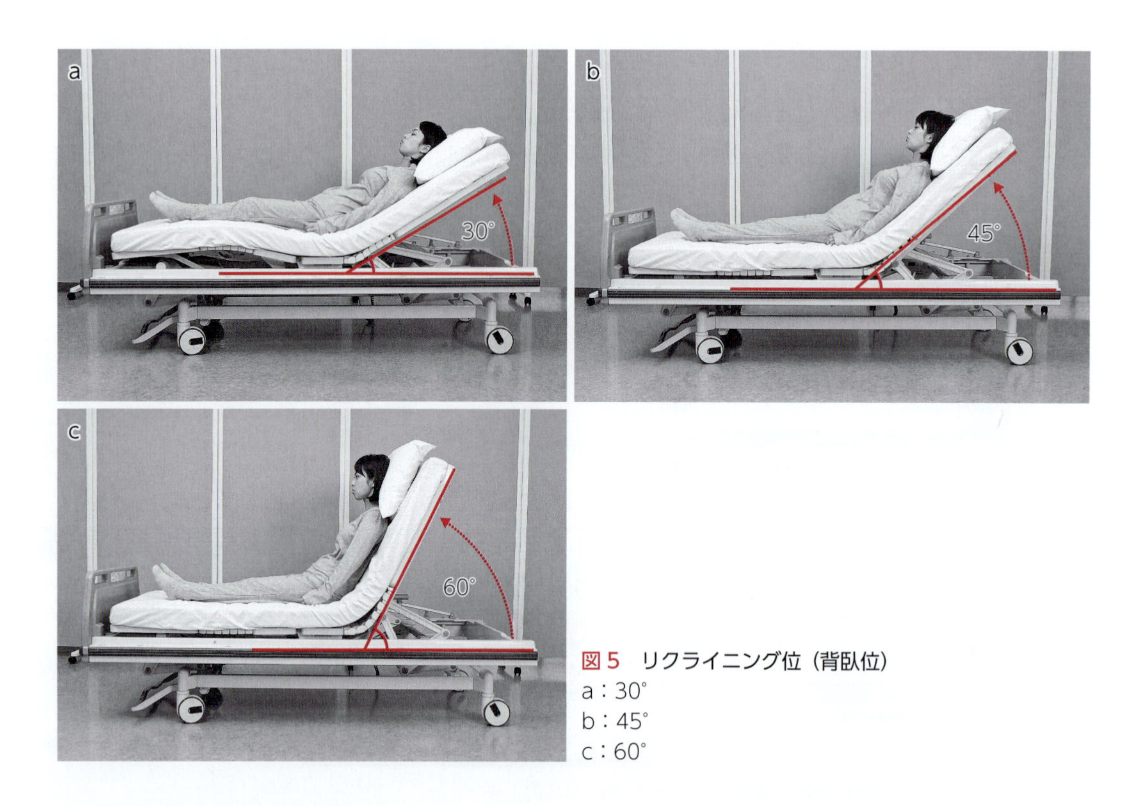


図5　リクライニング位（背臥位）
a：30°
b：45°
c：60°

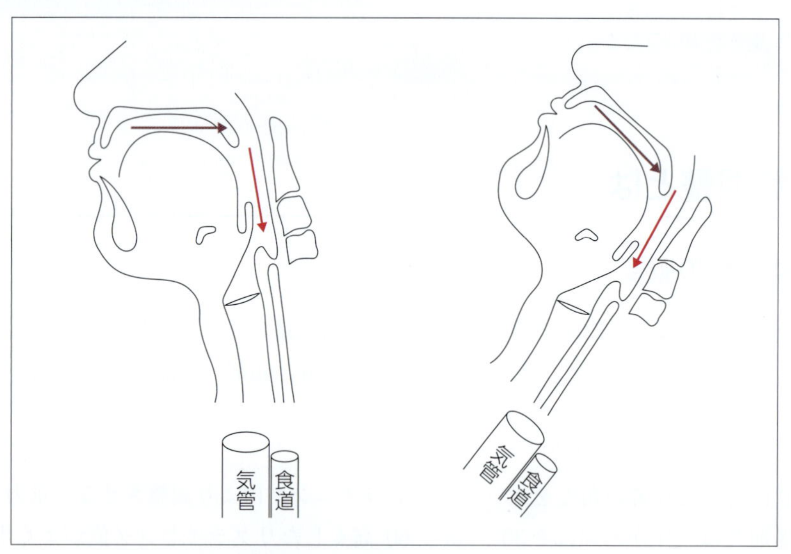


図6　リクライニングによる構造の位置変化

③注意点

・一般的に背臥位の方が座位より誤嚥が少ないといわれているが，全例にあてはまるとは限らない。
・食塊保持が不良な例では，液体など物性によっては咽頭へ流れ込む速度が速くなり，逆に誤嚥の危険を高めることもあり，座位の方が安全な場合もある。
・リクライニング位によって，頭頸部や腹部が伸展し，頸部や腹筋群が過緊張になることがある。過緊張になると嚥下運動が阻害されることもあるため，頭部や下肢を枕で支えるなどして，安定した姿勢づくりに留意する（図7）。

### 2）頭部回旋（図8～11）

頭部を左右いずれかに回旋させて，咽頭の空間を操作する姿勢調整である。嚥下造影や内視鏡（図9, 10）など画像評価で咽頭腔の変化，食塊の輸送方向を確認し，最も適切な回旋の程度を確認することが望ましい。

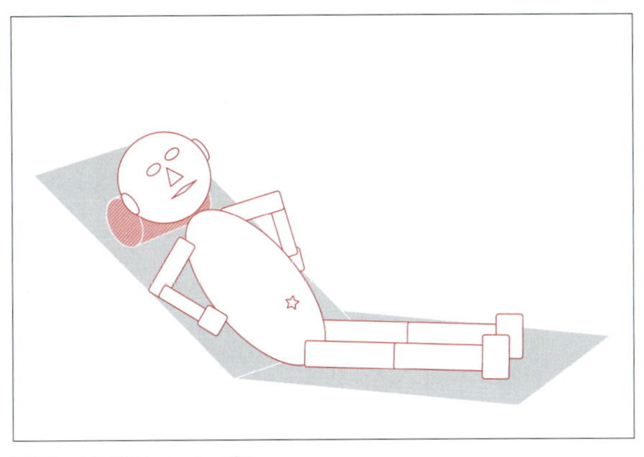

図7 リクライニング位

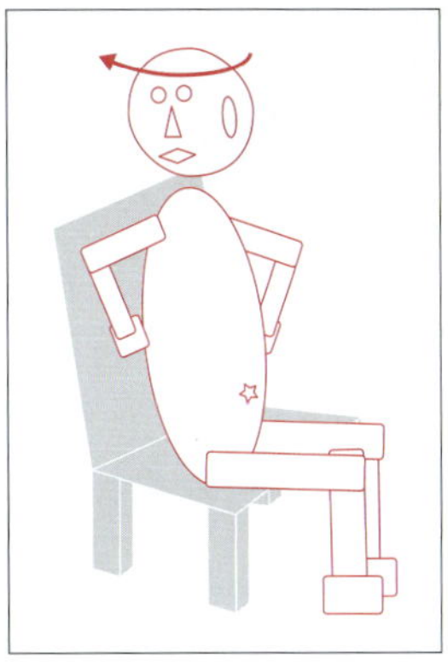

図8 頭部回旋（右）

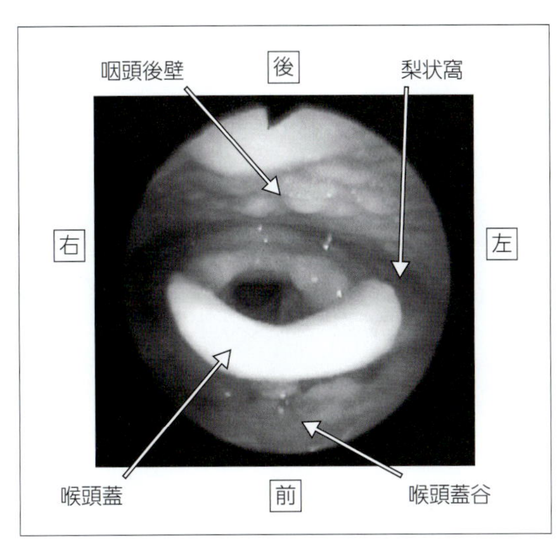


図9 内視鏡所見

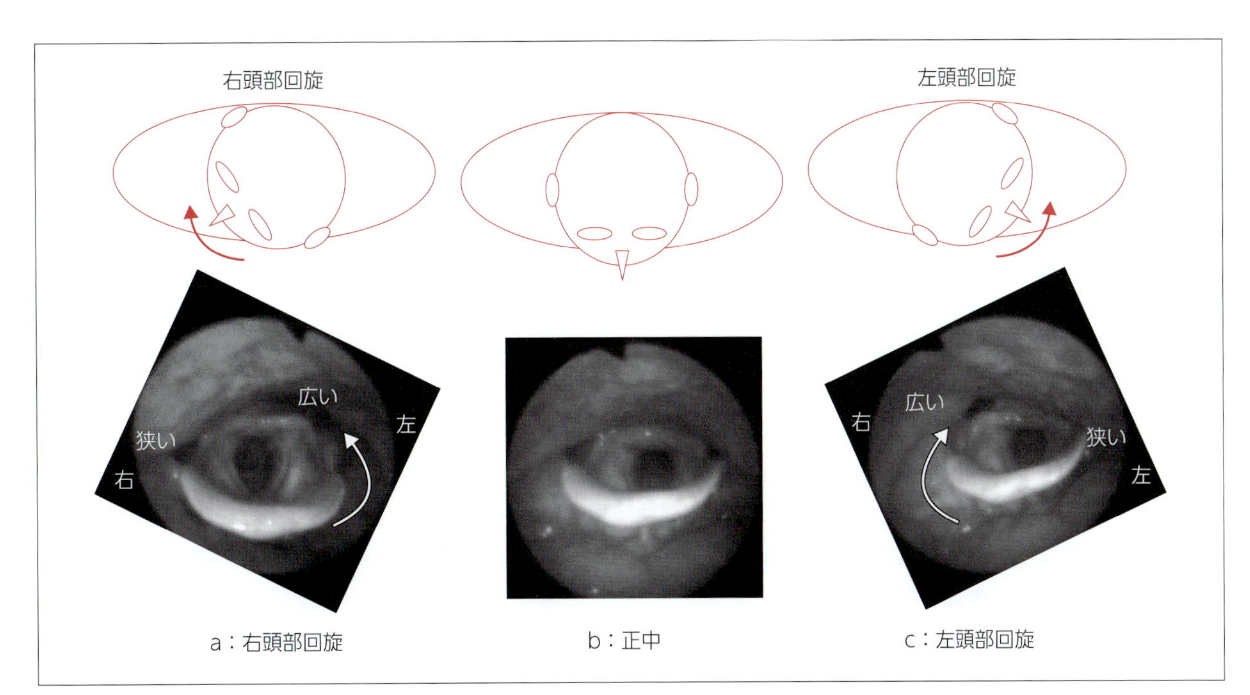


図10 頭部回旋

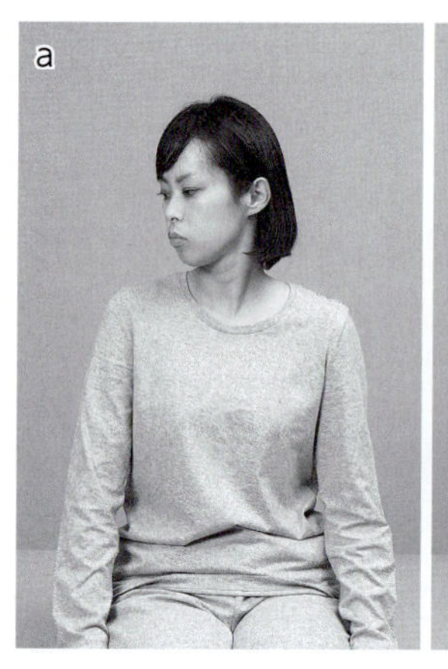

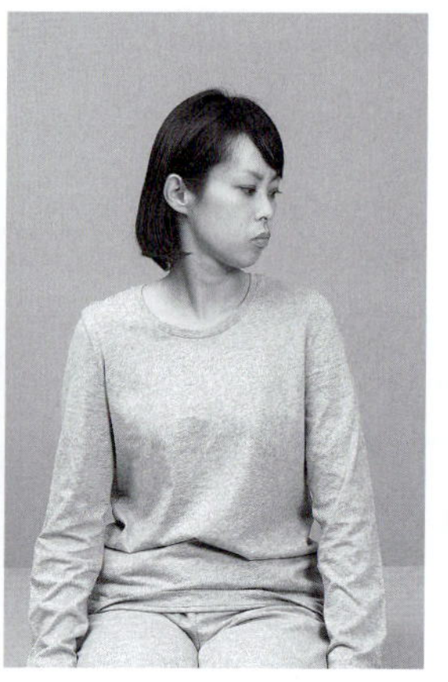
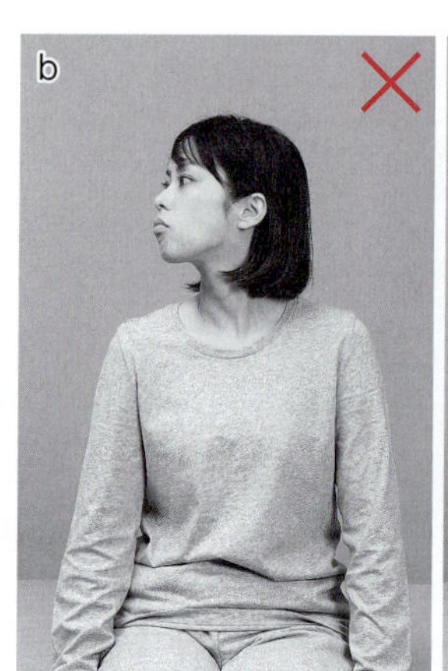

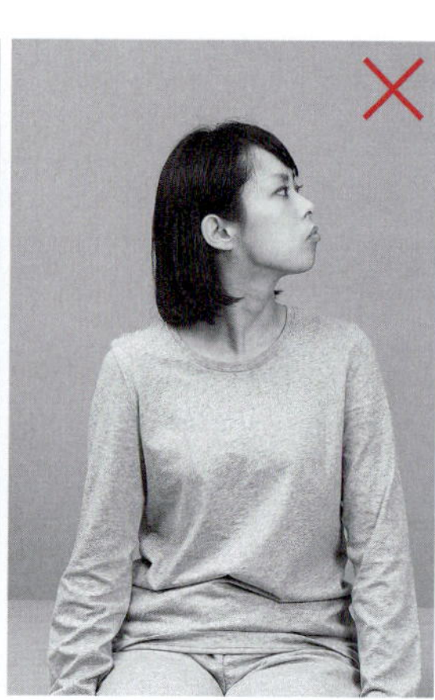

図11　頭部回旋（右回旋・左回旋）
a：良い例
b：悪い例（いずれも過伸展）

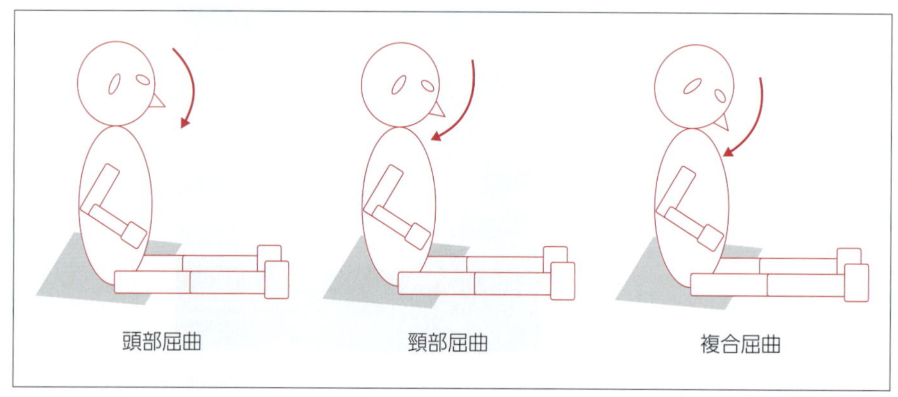


図12　頭部屈曲・頸部屈曲・複合屈曲

①効果
・頭部を回旋することで回旋側の咽頭腔が狭くなり，反対側の咽頭が広がり，広くなった咽頭側に食塊が移送されやすくなる。
・食塊を機能の良好な側の咽頭腔に誘導することで，誤嚥や咽頭残留を軽減させる。
②適応
・咽頭の機能に左右差がある場合が適応となる。
③注意点
・頭部回旋は頸椎の屈曲・伸展と側屈を伴うことに留意する。
・頸椎が伸展していると十分に回旋側の咽頭腔が狭くならないため，左斜め下あるいは右斜め下を向かせるように指示を与え，頭部回旋とともに頸椎屈曲位になるように調整する。
・リクライニング位と頭部回旋を併用するときは注意が必要である（「複合姿勢」にて後述）。

### 3）頭部屈曲・頸部屈曲・複合屈曲（図12）

頸椎のどこを屈曲させるかによって頭部屈曲・頸部屈曲・複合屈曲に分類され，それぞれの姿勢で効果が異なり，適応も変わる。頭部屈曲は第1-2頸椎の屈曲，頸部屈曲は第3-7頸椎の屈曲，複合屈曲は頭部と頸部の両方の屈曲である。

①効果
・頭部屈曲は，頭部を屈曲することで舌根と喉頭蓋が押されて咽頭後壁に近づく。
・頸部屈曲は，前頸部の緊張を緩め，喉頭蓋谷を広げる。
②適応
・頭部屈曲は，舌根後退と咽頭収縮が不十分で喉頭蓋谷に食塊が残留し，嚥下後誤嚥がみられる症例が適応となる。

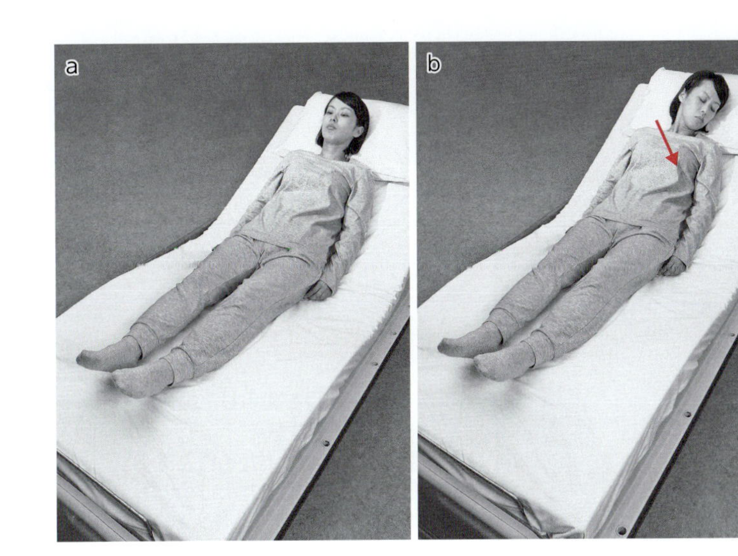


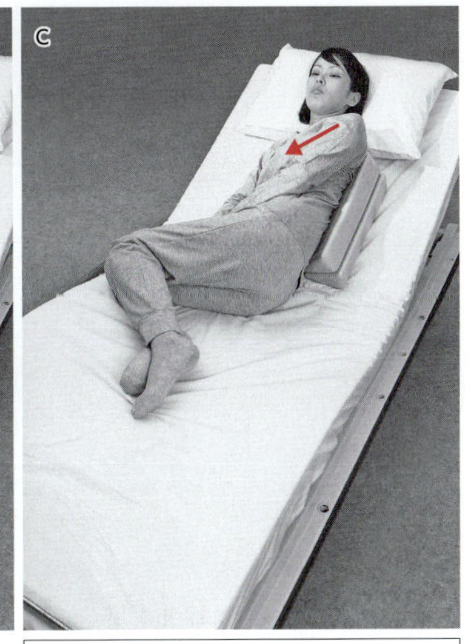


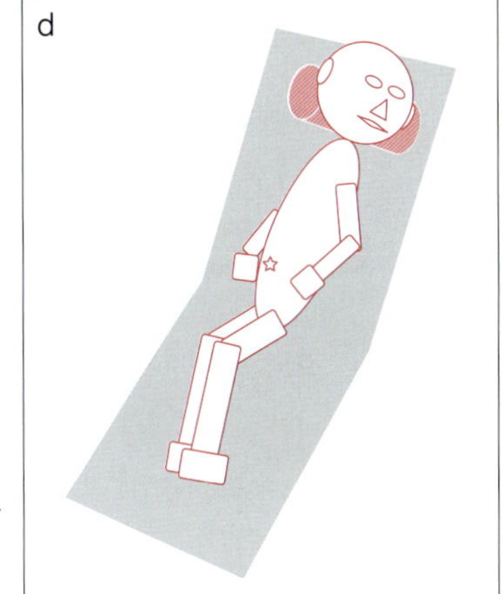


**図13 複合姿勢（リクライニング位で食塊を右に誘導したい場合）**
a：リクライニング位
b：頭部左回旋を追加
c, d：右半側臥位，頭部左回旋を追加
リクライニング位と頭部左回旋では，重力により食塊は回旋側（左）に移送される（b）。
右半側臥位にすることで，右側に食塊を移送できる（c）。

・頸部屈曲は，頸部の緊張が高い例や嚥下反射前に食塊が咽頭へ流入し嚥下前誤嚥がみられる症例が適応となる。

### 4) 複合姿勢（図13）

重力を利用し，さらに空間も操作したい場合，リクライニング位と頭部回旋を組み合わせる必要がある。その場合，本来の目的である回旋側の反対側への食塊の誘導が，リクライニング位での重力により妨げられ，食塊が回旋側に誘導され誤嚥のリスクを高めてしまう。これを避けるために，食塊を誘導したい側が下になるような半側臥位にする必要がある。例えば，リクライニング位で食塊を右咽頭に誘導したいときは体幹を右半側臥位にする。

①効果
・口腔から咽頭は傾斜がつき，食塊を咽頭に送り込みやすくなり，咽頭から食道は緩やかな傾斜となり食塊の移送を緩徐にする。
・回旋側の反対側に食塊を移送させ，食塊を機能の良好な側の咽頭腔に誘導することで，誤嚥や咽頭残留を軽減させる。

②適応
・口腔期の障害を認め，舌による食塊の送り込み能力が低下している症例が適応となる。
・嚥下反射の惹起遅延があり急な食塊の移送に対して嚥下が間に合わない，かつ咽頭，食道入口部の機能に左右差がある症例が適応となる。

③注意点
・この姿勢をベッド上でとるためには，体幹を安定させるため複数の枕，クッション，タオルが必要となる（図14）。

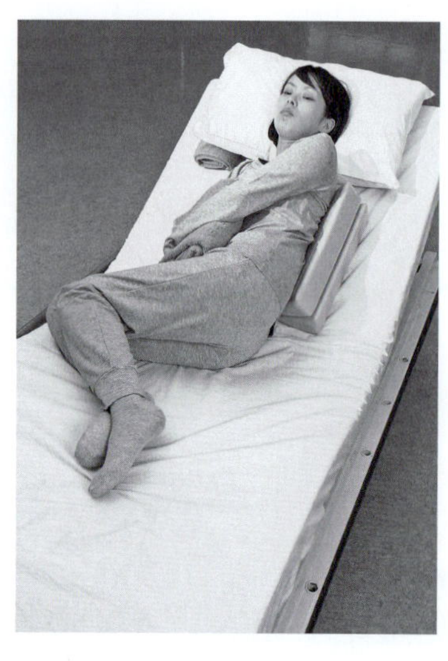

図14 枕，タオルを利用した複合姿勢調整時の注意点
右半側臥位を安定させるために左背部に枕，頭部を安定させるために枕の下（図では患者右側）にタオルを入れる。

・毎回同一の姿勢を作れるように，枕やクッションの形，タオルの枚数などが同一になるようにする。
・姿勢が崩れやすく腰や肩の疼痛，疲労を招きやすいので，適宜調整して安定した姿勢を作る。

臨床のコツ

◆正確に短時間で姿勢調整を行うために市販のSwallow Chair（東名ブレース，愛知）も利用できる（図15）。

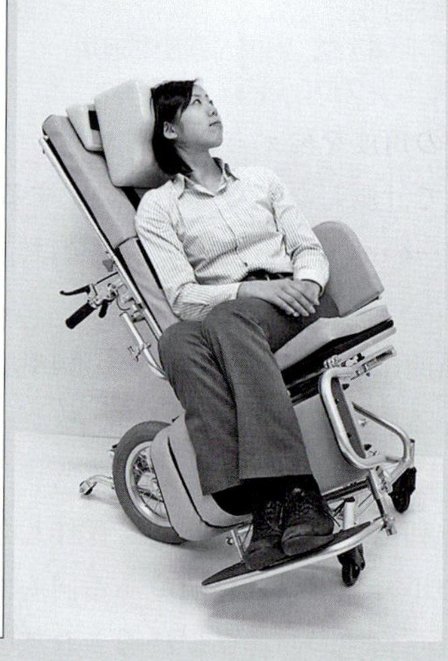

図15 Swallow Chair® II

## 5 手順のポイント

### 1) 挨拶・自己紹介を行い，2つの識別子で患者の確認を行う

・患者とのラポール（信頼関係）形成のため，挨拶，自己紹介を行う。
・患者の取り違えを防止するため，氏名に加え生年月日もしくはIDなど，2つの識別子で確認する。

### 2) 嚥下練習として，頭部挙上練習と嚥下のための姿勢調整を行うことの了承を得る

・頭部挙上練習と姿勢調整の目的を患者に簡潔にわかりやすく説明し，頭部挙上練習と姿勢調整を行うことについて了承を得る。

### 3) 頭部挙上練習を実施するための準備をする

・ベッドを平らにして，布団を畳み，運動の邪魔にならない場所に置く。頭部を支えながら枕を外す。

### 4) 頭部挙上練習の実施目的および強度について説明する

・咽頭残留と誤嚥軽減のために，頭部挙上練習によって舌骨上筋群の筋力増強を図ることを伝える。

・患者のレベルに合わせた適切な強度（持続時間・回数・セット）について説明する。
・休憩はセットごとに必要な量をとる。

### 5）頭部挙上練習の実施における注意点を説明する

・両肩を床面につけたまま，つま先をみるように頭部のみ挙上させることを伝える。患者の頭部を介助により挙上させ，目標到達点（どこまで頭を持ち上げるか）を呈示する。
・肩が上がらないようにする。
・顎を引くように挙上して舌骨上筋群（オトガイ下）に力が入っていることを意識させる。

### 6）頭部挙上練習を実施する

・秒数と回数をカウントする。
・セット間で休憩をとり筋の過度の疲労を避ける。

### 7）頭部挙上練習中に適切なフィードバックを行う

・両肩が上がっていないか確認し，肩が上がっている場合は，肩を床面につけて頭部を挙上するよう指示する。それでも修正できない場合は，両肩を床面におさえるよう介助する。
・頭部挙上の際，オトガイ下に力が入っているかを触診にて確認し，力が入っているかのフィードバックを行う。

### 8）嚥下練習のために姿勢を調整することを伝え，頭部の下に枕を入れる

・通常の座位姿勢では誤嚥のリスクや咽頭残留が多くなるため，咽頭通過速度を遅らせ，咽頭の通過が良好な側に食塊を移送させるための姿勢調整を行うことを説明する。
・誤嚥を防ぎ，通過が良好な側に効率良く食塊を移送させるための姿勢は，リクライニング位，側臥位，頭部回旋の複合姿勢であることを説明する。
・頭頸部が伸展しないように留意しながら枕を頭部の下に入れる。

### 9）ベッドのリクライニング角度を調整する

・ベッドの角度を変える旨を伝え，事前評価で有効と判断されたリクライニング角度にする。
・角度計で計測しながら正確に設定する。リモコンに角度が表示される場合は，それを用いて調整する。
・常に同一のベッドを使用する場合は，毎回計測しなくてもよいようにビニールテープ等を貼り目印として，調整の時間短縮を行う。
・身体がずり落ちないように，下肢側のリクライニング角度を少し上げた後に頭部側のリクライニング角度を調整する。

### 10）半側臥位にさせる

・筒状に丸めたタオルや三角枕を体幹の下に入れながら，安定した半側臥位に調整する。

### 11）頭部を正中に調整する

・頭部が正中を向くように調整し，頸椎屈曲方向に誘導し頸椎伸展させないように注意する。
・回旋側と反対側の枕の下にタオルを入れ，姿勢の安定を図る。

### 12）疼痛や不快感の有無を確認する

# OSCE課題　摂食嚥下練習

対応動画

## 設問

脳梗塞による嚥下障害の患者です。嚥下反射惹起遅延，嚥下筋群の筋力低下により咽頭残留と誤嚥を認めます。摂食状態はEating Status Scale（ESS）4［経口のみ（調整食）］で，現在は嚥下調整食，水分はネクター状のとろみの調整が必要です。この患者に練習プログラムの一つである頭部挙上練習を，試験時間の都合上，挙上位保持5秒を2回と挙上反復を5回実施してください。その後，嚥下の練習のために，リクライニング45°位・右半側臥位・頭部正中の姿勢調整を行ってください。リクライニング45°位はベッド柵に目印をつけてありますので，目印を使用して調整してください。制限時間は5分です。では，始めてください。

注）対応動画では布団を使用していますが，本課題では病棟での練習を想定して，布団を用いず実施してください。

## 準備するもの

ギャッチベッド，枕，三角枕（2個），タオル，ストップウォッチ

## 患者情報

|  |  |
|---|---|
| 疾患・障害 | 左延髄外側症候群・嚥下障害 |
| 年齢・性別 | 70歳・不問 |
| 発症後期間 | 3週間 |
| 肺炎の既往 | なし |
| 意識 | 清明 |
| 見当識 | 問題なし |
| BRS | 上肢：Ⅵ　手指：Ⅵ　下肢：Ⅵ |
| 失調 | わずかにあり（左上肢） |
| RSST（反復唾液嚥下テスト） | 2 |
| MWST（改訂水飲みテスト） | 3：むせる |

|  |  |
|---|---|
| 臨床的重症度分類（DSS） | 3：水分誤嚥（表2） |
| 摂食状態（ESS） | 4：経口のみ（調整食）（表3） |
| 発話明瞭度 | 1：すべてわかる |
| 寝返り | 自立 |
| 起き上がり | 自立 |
| 食事 | FIM 4 |
| 理解 | FIM 7 |
| 表出 | FIM 7 |
| 記憶 | FIM 7 |
| 問題解決 | FIM 7 |

表2　臨床的重症度分類（Dysphagia Severity Scale；DSS）

| 分類 | | 定義 |
|---|---|---|
| 誤嚥なし | 7：正常範囲 | 臨床上問題なし |
| | 6：軽度問題 | 主観的問題を含め，何らかの軽度の問題がある |
| | 5：口腔問題 | 誤嚥はないが，主として口腔期障害により摂食に問題 |
| 誤嚥あり | 4：機会誤嚥 | ときどき誤嚥する。もしくは咽頭残留が著明で臨床上誤嚥が疑われる |
| | 3：水分誤嚥 | 水分は誤嚥するが，工夫した食物は誤嚥しない |
| | 2：食物誤嚥 | あらゆるものを誤嚥し，嚥下できないが呼吸状態は安定 |
| | 1：唾液誤嚥 | 唾液を含めてすべてを誤嚥し，呼吸状態が不良<br>嚥下反射が全く惹起されず，呼吸状態が不良 |

（才藤栄一：平成11年度厚生科学研究費補助金（長寿科学総合研究事業）「摂食・嚥下障害の治療・対応に関する統合的研究」総括研究報告書 摂食・嚥下障害の治療・対応に関する統合的研究．平成11年度厚生科学研究費補助金研究報告書 pp1-17，1999．より）

表3　摂食状態（ESS）

| | |
|---|---|
| 5 | 経口－調整：無 |
| 4 | 経口－調整：要 |
| 3 | 経口＞経管 |
| 2 | 経管＞経口 |
| 1 | 経管 |

### 嚥下の現状

スクリーニング検査にて，RSST 2回，MWST 3点で嚥下障害ありと評価され，嚥下造影検査にて，以下の結果であった。

①所見

・嚥下後に食塊が咽頭内に残留する。

・液体では少量でも誤嚥を認めるが，とろみをつけた水ではコップ飲みでも誤嚥がない。

・食塊は右の咽頭・食道入口部を優位に通過する。

②評価

・残留の原因は，舌骨喉頭挙上が不良であり十分に食道が開かないこと，および咽頭収縮低下により食塊の送り込みが不良なことである。

・誤嚥の原因は，嚥下反射惹起不良により嚥下開始が遅れること，および舌骨喉頭挙上が不十分で喉頭閉鎖が不十分なことである。

③対策

・推奨姿勢：嚥下反射惹起不良により嚥下開始が遅れることに対しては，リクライニング位が有効であり，咽頭残留を防ぎ安全に食物を摂取するためには，頭部左回旋にて食塊を右の咽頭・食道入口部に誘導させることが有効である。リクライニング位でこれを実現するためには，右半側臥位を付加する必要がある。そこで姿勢としてはリクライニング位45°・右半側臥位・頭部正中が推奨された。

・推奨食形態：主食は全粥・副食は調整咀嚼食（汁物とろみ），水分にはとろみが付加されている。

・練習は，舌骨上筋群の筋力増強として頭部挙上練習と舌根後退練習，さらに姿勢調整をして食物を用いた嚥下の練習，supraglottic swallowを用いた嚥下の練習を行っている。

### 経過と目標

発症後3日目にベッドサイドでのリハビリテーションが開始された。発症後1週目に嚥下造影が行われ，リクライニング45°位・体幹右半側臥位・頭部正中で開始食にゼリーを用いた直接練習が開始となった。10日目より昼1食のペースト食が開始，12日目に3食ペースト食が開始された。現在，姿勢と食物形態を調整して経口摂取が安全に可能である。今後2カ月間で調整なしの経口摂取を目指す。頭部挙上練習ではときどき肩が上がってしまったり，十分に頭部を挙上できずに教示が必要である。また直接練習や食事のための姿勢調整は自分では行えず，介助が必要である。

## 課題の目標

**態度**

1．嚥下練習に備えた清潔で安全な身なりができる。
2．患者に嚥下練習と姿勢調整を行う旨を説明し，了承を得ることができる。
3．患者に不快な思いをさせない（話し方，表情，振る舞い）。

**技能**

1．患者の安全に配慮しながら進めることができる。
2．嚥下練習と姿勢調整を実施するための準備を行うことができる。
3．嚥下練習と姿勢調整を適切な手順および方法で実施することができる。
4．適宜，適切なフィードバックを行うことができる。

## 手順

1. 挨拶・自己紹介を行い，2つの識別子で患者の確認を行う。
2. 嚥下練習（頭部挙上練習と姿勢調整）を行う旨を患者に伝え了承を得る。
3. 頭部挙上練習を実施するための準備をする。
   - ・頭部を支えながら枕を外す。
4. 頭部挙上練習の実施目的および強度について説明する。
   - ・舌骨上筋群の筋力増強が目的である旨の説明を行う。
   - ・挙上位保持5秒×2セット，挙上反復5回とし，セット間の計2回，それぞれ10秒間の休憩を入れる旨を説明する。
5. 頭部挙上練習の実施における注意点を説明する。
   - ・両肩を床面につけたまま，つま先をみるように頭部のみ挙上させることを伝える。
   - ・肩が上がらないようにする。しっかりと顎を引く（オトガイ下に力を入れる）。
   - ・患者の頭部を介助下で挙上させ，目標到達点を呈示する。
6. 頭部挙上練習を実施する。
   - ・秒数と回数をカウントする。セット間で休憩（10秒間）をとる。
   - ・5秒保持―10秒休憩―5秒保持―10秒休憩―5回連続，の流れで行う。
7. 頭部挙上練習中に肩が上がっていないか，オトガイ下に力が入っているかのフィードバックを行う。
   - ・両肩が上がっていないか確認し，肩が上がっている場合は，肩を床面につけて頭部を挙上するよう指示する。それでも修正できない場合は，両肩を床面におさえるよう介助する。
   - ・頭部挙上の際，オトガイ下に力が入っているかを触診にて確認し，力が入っているかのフィードバックを行う。
8. 嚥下練習のために姿勢を調整することを伝え，頭部の下に枕を入れる。
   - ・通常の座位姿勢では誤嚥のリスクや咽頭残留が多くなるため，咽頭通過速度を遅らせ，咽頭の通過が良好な側に食塊を移送させるための姿勢調整を行うことを説明する。
   - ・頭頸部が伸展位にならないように留意しながら枕を頭部の下に入れる。
9. ベッドのリクライニング角度を45°に設定する。
   - ・身体がずり落ちないように下肢側のリクライニング角度を少し上げる。
   - ・声かけをしながらリクライニング角度を45°に設定する。
10. 右半側臥位にする。
    - ・丸めたタオルまたは三角枕を左体幹の下に入れて実施する。
11. 頭部が正中になるよう調整する。
    - ・タオルを枕の下右側に入れて実施する。
12. 疼痛や不快感の有無を確認する。
13. 終了を伝える。
14. 適宜，適切なフィードバックを行う。
    - ・適切な内容，タイミング，量でフィードバックを行う。

## 採点基準

採点者は模擬患者に受験者の言動の適否を適宜確認して，以下の項目を採点してください。

### 1．態度

|  |  |
|---|---|
| (1) ①適切な身なりで，②明瞭な挨拶(開始時・終了時)，③自己紹介ができる。 | 2点：①〜③すべてできる<br>1点：①〜③のうち2項目できる<br>0点：1項目できる<br>0点：すべてできない |
| (2) 2つの識別子で患者の確認ができる。 | 2点：2つの識別子で患者の確認ができる<br>1点：1つの識別子で患者の確認ができる<br>0点：確認ができない |
| (3) ①頭部挙上練習および姿勢調整を行う旨を患者に伝え，②了承を得ることができる。 | 2点：①，②どちらもできる<br>1点：①のみできる<br>0点：どちらもできない |
| (4) 課題全般を通して，患者の様子(表情・姿勢・身体機能)や状況に応じた丁寧な対処(①声かけ・②触れ方・③動かし方)ができる。 | 2点：①〜③すべてできる<br>1点：①〜③のうち2項目できる<br>0点：1項目できる<br>0点：すべてできない |

### 2．技能

|  |  |
|---|---|
| (1) 頭部挙上練習を実施するために頭部を支えながら枕を外すことができる。 | 2点：頭部を支えながら枕を外すことができる<br>1点：頭部を支えずに枕を外す<br>0点：枕を外さずに練習を開始する |
| (2) 頭部挙上練習の①目的，②強度(持続時間・回数・セット数)について説明できる。 | 2点：①，②どちらも説明できる<br>1点：①，②のどちらか一方のみ説明できる<br>0点：どちらもできない |
| (3) ①肩が床面から上がらないように実施すること，②頭部を挙上したときに顎を十分に引く(頭部屈曲)ことを説明できる。 | 2点：①，②どちらも説明できる<br>1点：①，②のどちらか一方のみ説明できる<br>0点：どちらもできない |
| (4) ①正しい強度(挙上位保持5秒2セットと挙上反復5回)で実施すること，②セット間に10秒の休憩をとることができる。 | 2点：①，②どちらもできる<br>1点：①，②のどちらか一方のみできる<br>0点：どちらもできない |
| (5) ①両肩が上がっていないかのフィードバック，②オトガイ下に力が入っているかの確認のための触診ができる。 | 2点：①，②どちらもできる<br>1点：①，②のどちらか一方のみできる<br>0点：どちらもできない |
| (6) 嚥下練習のために，①姿勢調整することを伝え，②頭の下に枕を入れることができる。 | 2点：①，②どちらもできる<br>1点：①，②のどちらか一方のみできる<br>0点：どちらもできない |
| (7) ①身体がずり落ちないように下肢側のリクライニング角度を上げ，②頭部側のリクライニング角度を45°に設定することができる。 | 2点：①，②どちらも正しい順序でできる<br>1点：①，②どちらもできるが順序が逆である<br>0点：①，②のどちらか一方のみできる<br>0点：どちらもできない |
| (8) ①右半側臥位にさせ，②枕や丸めたタオルを入れて姿勢を安定させることができる。 | 2点：①，②どちらもできる<br>1点：①，②のどちらか一方のみできる<br>0点：どちらもできない |
| (9) ①頭部を回旋させ正中を向くように調整し，②タオルを入れ頭頸部を安定させることができる。 | 2点：①，②どちらもできる<br>1点：①，②のどちらか一方のみできる<br>0点：どちらもできない |

| | |
|---|---|
| (10) 課題を通して，受験者の視線・身構え，患者との距離を確保することで，常に患者の安全を確保できる。 | 2点：課題を通して，受験者の視線・身構え，患者との距離を確保することで，常に患者の安全を確保できる<br>0点：課題を通して，1回でも受験者の視線・身構え，患者との距離を保つことができず患者の身体に危険を感じる対応である |
| (11) 課題を通して，適宜，患者にフィードバックを行うことができる。 | 2点：内容，タイミング，量が適切である<br>1点：2項目が適切である<br>0点：内容が不適切である<br>0点：フィードバックがない<br>0点：1項目が適切である<br>0点：すべて適切でない |

## OSCE担当者確認事項

### 環境設定

・ベッド柵にリクライニング45°位の目印となるようビニールテープ等を貼っておく。
・ベッド近くに，三角枕2つとタオルおよびストップウォッチを準備する。
・布団は外しておく。
・片方のベッド柵は，足下側の柵立てに片づけておく。

### 模擬患者と採点者

・誘導・補助が不十分，不適切なためそれ以降の採点項目が減点となる場合は，模擬患者，採点者が修正した後に試験を再開する。
・模擬患者，受験者に危険が及ぶ可能性がある場合は，採点者，模擬患者が修正した後に試験を再開する。

### 模擬患者

・課題開始時に患者は平らにしたベッド上に背臥位で待機する。その際，枕に頭部を乗せておく。
・頭部挙上練習では下記の失敗内容を再現できるよう練習する。
・頭部挙上練習では，最初は頭部とともに肩も上げてしまう動作を実施する（p124 図3b参照）。受験者が肩が上がったことを指摘し，頭部のみを挙上するようにフィードバックを行った後は，肩が上がらないように頭部のみを挙上させ，顎も引いた適切な運動を行う。その後の保持，連続動作を通して失敗なく実施する。

### 採点者

・枕を外し忘れたまま練習を開始した場合は，受験者に枕を外して課題を進めるよう促す。

### 参考文献

1) 才藤栄一，植田耕一郎 監：摂食・嚥下リハビリテーション第3版．医歯薬出版，2016.
2) Shaker R, Kern M, Bardan E, et al：Augmentation of deglutitive upper esophageal sphincter opening in the elderly bu exercise. Am J Physiol 272：1518-22, 1997.
3) 加賀谷斉，稲本陽子，岡田澄子，他：誤嚥を少なくする体位・訓練．日医雑誌 138：1759-62, 2009.
4) 太田喜久夫，才藤栄一，松尾浩一郎：体位効果の組み合わせによる注意—頸部回旋がリクライニグ姿勢の食塊の咽頭内通過経路に与える影響について．日摂食嚥下リハ会誌 6：64-7, 2002.
5) 稲本陽子，才藤栄一，柴田斉子，他：嚥下時の姿勢調整における評価訓練用椅子の有用性．Jpn J Compr Rehabil Sci 5：33-9, 2014.
6) 日本摂食嚥下リハビリテーション学会医療検討委員会：訓練法のまとめ（2014版）．日摂食嚥下リハ会誌 18：55-89, 2014.

# レベル4
# 能力低下に対する介入技能

1 能動性を引き出すポジショニング

2 起き上がり

3 起立・着座

4 移乗

5 車椅子駆動

6 歩行

7 食事

8 更衣（上衣）

9 更衣（下衣）

# 1 能動性を引き出すポジショニング

## 1 ポジショニングとは

ポジショニング（positioning）とは，姿勢または体位を調整することを意味する。発症直後や手術後など身体の安静が必要な時期においては，良肢位の保持，拘縮や褥瘡といった二次的障害の予防・軽減がポジショニングの主たる目的となる。しかし，安静を脱し活動する時期においては，単に二次的障害の予防にとどまることなく，患者の能動的な動きを引き出すため，さらには運動機能や精神機能の向上，動作能力の改善を図るために姿勢を整える，という視点が重要となる。そのためには，患者の心理的側面についても理解を深める必要がある（p14「運動・動作と情動との関係性」参照）。患者が適切な姿勢を保つことができない背景を理解し，治療者による受動的な姿勢調整ではなく適切な誘導・補助のもとで患者自身が能動的に姿勢を整える介入をしなければ，ポジショニングを行った直後から患者は徐々に不良姿勢に戻ってしまう。また，1日の中で数時間実施されるリハビリテーションで，適切な筋緊張を維持しながら動作練習を実施しても，それ以外の時間，ベッド上で不良な姿勢をとり続けていれば，リハビリテーションの効果は得られにくい。障害のある患者の多くは，1日のほとんどをベッド上で過ごしているため，動きにつながりやすい姿勢をとることがリハビリテーションの効果を引き出すうえで重要となる。

本項では，片麻痺者を対象とした，余分な力を抜き安楽な姿勢をとりつつ，自身の身体や支持面の変化に気づき，残存能力を十分に発揮できる「能動性を引き出すポジショニング」について解説する。二次的障害の予防・軽減のためのポジショニングについては成書を参照していただきたい。

## 2 マットレスの選択

ベッド上で自由に動くためには，適切な硬さのマットレスが必要となる。しかし，入院患者の臥床に際しては褥瘡を予防する観点から柔らかいエアマットを選択することが多い。「褥瘡を予防する」ことと「自由に動く」ことを両立するのは難しい。図1に示すように，マットレスが硬過ぎると体圧が分散せず，褥瘡が発生するリスクが高まる。柔らか過ぎると身体が沈み込み，拘縮や変形が発生するリスクが高まる。マットレスにはさまざまな種類があるため，患者の能力や身体状況をこまめに評価し，より適切な硬さや機能を有するものを選択する必要がある[1]。

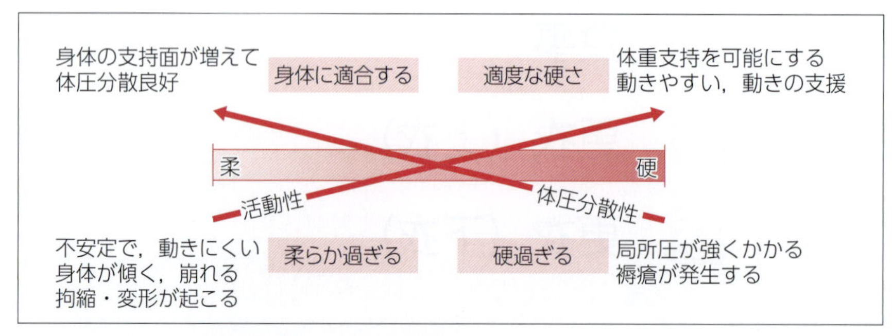


図1 体圧分散性と活動性が身体に与える影響
（近藤龍雄：動きを支援するためのマットレスの選択．リハビリナース 7：17-21, 2014．より一部改変）

# 3 背臥位の特徴

## A 一般的な背臥位の特徴

ベッド上背臥位の姿勢は，安定した楽な姿勢や休む姿勢であるというイメージが強い。また背臥位は，活動性が低下するため力が抜けやすく，脱力しているようにみえる。しかし，ヒトの背面は丸みを帯びているため，身体が転がって一側に傾かないように常に適度な筋緊張を持続することで平衡を保ち，体幹を左右対称に安定させている[2)]。さらに体幹から離れた位置にある重い頭部や上・下肢を動かそうとするときには，腹部の筋緊張を高め胸郭と骨盤を筋で結合させることで，体幹が重りとなって運動が実現する。その腹部の筋の多くは骨に付着しておらず，両側の筋が同時に働くことで十分な筋緊張が得られる。

## B 片麻痺者の背臥位の特徴[3)]

片麻痺者は，左右の筋活動がアンバランスになるため，腹部の筋が適切な筋緊張を維持しにくい。また，麻痺側上下肢の重さにより胸郭や骨盤は麻痺側に回旋しやすくなり，それを防ごうとする目的で背部の筋緊張が高まりやすくなる。動かすことのできる非麻痺側上下肢を外転させたり，ベッド端につかまったりすることもある（図2）。姿勢を保持するため，上部体幹は伸展し，胸郭は引き上がり，頭部をベッド面に押しつけるような頸部伸展位で身体を固定させることが多い。またその結果，顎や肩甲帯が引き上がり，呼吸が浅くなりやすい。呼吸が浅くなると，呼吸補助筋の活動が高まり，さらに胸郭の挙上位が助長されるため，背部と支持面の接触面積は狭まり，安定を求めて過剰に筋緊張を高めてしまう。このような悪循環に陥っている片麻痺者は少なくない。

日常生活で使用される柵のあるベッドでは，身体の左右差が顕著になりやすく非麻痺側上肢でベッド柵を強く引き込む行為がみられる（図3）。これは，麻痺側の感覚障害に加え，伸展位で固定されている体幹からはベッド面の情報や自身の身体状況を捉えることが難しく，加えて，視野は開放されており身体周辺の空間をみることができるが自身の身体はみることができないため，身体と空間との関係を捉えることが難しいことによる。無意識で背臥位姿勢に恐怖を感じ，動かすことができる非麻痺側を使用して，目に入ったベッド柵などの外部環境を頼り安定しようとするが，ベッド柵を引き込むことで安定している場合は，非麻痺側上肢を自由に使用することができない。

また，非麻痺側の上下肢や頭部を持ち上げる際，体幹は腹部の筋緊張を高めることができず，代わりに背部の筋緊張を高めることになる。重心が移動し不安定感を感じると，過剰な安定を求め，ベッドに接触している箇所を強く押しつけてしまい，ますます腹部の筋を使用しにくくなるといった悪循環に陥りやすい。

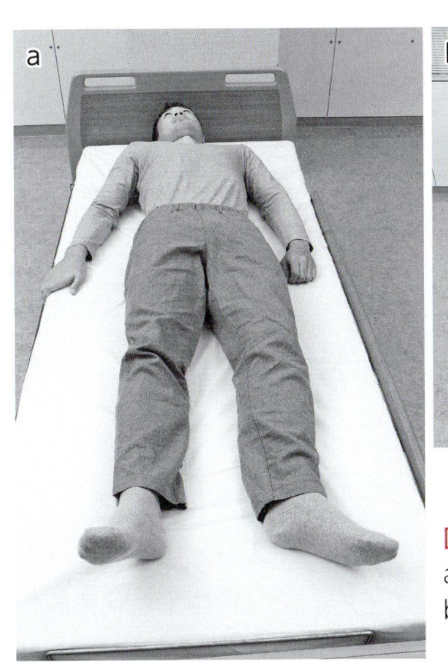


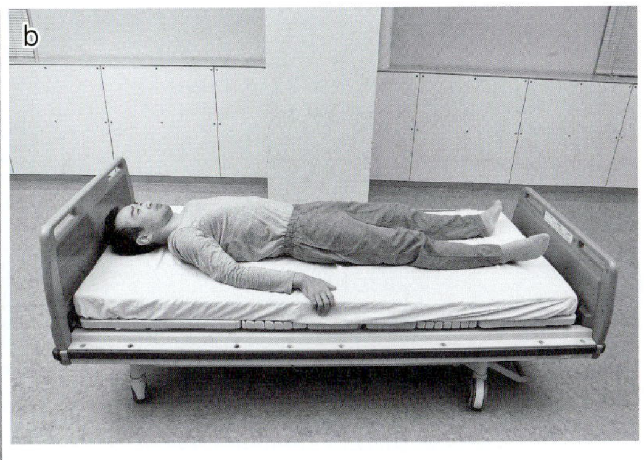


図2 左片麻痺者の安静背臥位姿勢の特徴
a：下肢の重さによって骨盤が麻痺側に回旋している
b：腹部の筋緊張低下のため，胸郭が引き上がり，頭部をベッド面に押しつけるような頸部伸展がみられる

## 4 過剰な筋緊張を抑制するための呼吸

患者は身体と支持面の関係や重力の変化を感じ取れない状態では，安定を求めて，上下肢などの動かしやすいところで身体を固定しようと筋緊張を高め，結果的に活動しにくくなる。また，このような状況で他者に強制的に身体を動かされると，恐怖心を感じ身体的にも心理的にも緊張状態に陥ってしまう。安全かつ自由に動くためには，患者自身が動きを通じて支持面や重力を感じ取ることが重要となる。

上下肢は動かしやすいため感覚や重力を感じとりやすいが，上下肢で姿勢を保持している場合は上下肢から動かすことが困難なため，患者が安心して行える呼吸を用いて胸郭（体幹）を動かすことから始めるとよい。呼吸は，運動麻痺により身体を自由に動かすことができない患者でも能動的に行える運動である。呼吸運動を通じて支持面や重力を感じ取ることで，体幹が安定して上下肢を動かしやすくなる。

背臥位で無意識に安定を求めて過剰に筋緊張を高めている患者の場合，過剰な筋緊張を抑制するためには，まず胸郭が挙上して浅くなっている呼吸に介入するとよい。患者は吸気が優位となり呼気が十分にできていないため，ゆっくりと深い呼気を促し，腹部の筋活動を高めながら息を吐き切ることができるように促す。これにより，過剰に挙上した胸郭アライメントを是正し，腹筋群の賦活による背筋群の過緊張の抑制が可能となり，身体と支持面の接触面積の増加につながる。接触面積が増加し支持面を感じとれるようになれば，安定を求めて過剰に筋緊張を高めてしまう悪循環からの解放につながる。

## 5 手　順

①姿勢を観察し，ポジショニングの必要性を判断する。
②患者が現状をどのように感じているか確認する。
③安定性を高める。
④過剰な筋緊張を抑制する。
⑤支持面に身体を接触させる。
⑥患者が支持面を感じやすいように調整する。
⑦能動性を高めるために患者自身の活動を促す。

対応動画

## 6 片麻痺者に対する能動性を高めるポジショニングの介入例

本項では，片麻痺者に対する，能動性を高めるポジショニングの介入例を示す。

**ベッド上背臥位姿勢の現状**

非麻痺側上肢でベッド柵を強く引き，背臥位姿勢は崩れている（図3）。

**準備するもの**

クッション，タオル

**患者情報**

| 疾患・障害 | 脳梗塞・左片麻痺 |
|---|---|
| 年齢・性別 | 50歳代・男性 |
| 発症後期間 | 2週 |
| 意識レベル | 軽度意識障害 |
| 高次脳機能 | 注意障害 |

| BRS | 上肢：Ⅱ　手指：Ⅱ　下肢：Ⅱ |
|---|---|
| 疼痛 | 左肩関節（他動運動時） |
| 感覚 | 表在感覚，深部感覚：重度鈍麻 |
| 理解 | 可能 |
| 表出 | 可能 |

**動作のポイント**

### 1）ポジショニングの必要性を判断する

・布団を掛けている場合は外し，ポジショニングに使用していないクッションやベッド上にある物（ティッシュ箱や時計など）を片づけ，ベッド上の姿勢を観察する。
・ポジショニングに使用しているクッションやタオルなど，その時点で姿勢を支えているものはそのままにする。

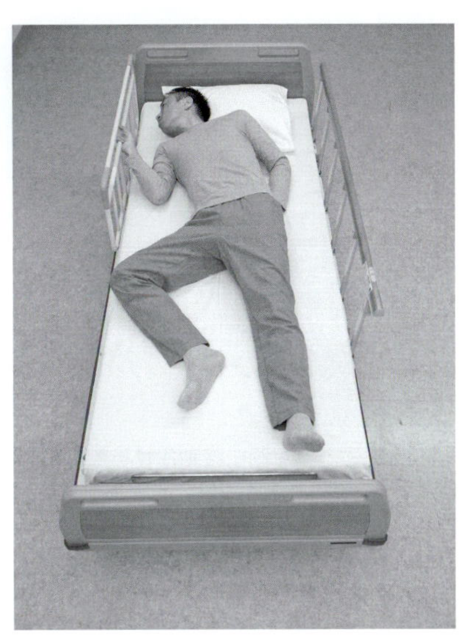

**図3　柵のあるベッド上での左片麻痺者の背臥位姿勢の1例**
非麻痺側上肢で柵を引き込み下肢を外転させることで，身体左右のバランスをとり，安定させようとしている。

**臨床のコツ**

◆リスク管理として，麻痺側上肢が身体の下敷きにならないようにする，ベッド柵に手や足を挟まないようにするなどが挙げられる。
◆適宜，患者に疼痛や不快感などの有無を確認する。
◆ベッドの背もたれが起きている場合には，ポジショニングしやすい角度まで下げる必要がある。円背などにより完全に平らにできないこともあるため，患者の身体状況に合わせて角度を調節する。また，急激に座位から臥位に姿勢変換を行うと不快感を感じる場合もあるため，患者の様子に合わせて徐々に下げるなどの工夫をする。

### 2）患者に現状を尋ね，ポジショニングを行う旨を伝え了承を得る

・患者に姿勢やベッド上の身体の位置，何かしていたのか，現在の姿勢は辛くないかなど現状を尋ねる。
・姿勢や身体の位置を修正し，支持面を感じやすく動きやすい姿勢にすることについて簡潔にわかりやすく説明し，了承を得る。

### 3）安定できる環境を作る

・患者は安定を求めてこの姿勢を保持しているため，突然大きく身体を動かしたり，頼りに握っているベッド柵を外したり，バランスが崩れるような介入をしてはならない。
・突然，背臥位にするのではなく，その前に浮いている部位（図3では麻痺側背部）にクッションやタオルなどを置き，安定できる環境を作り恐怖感を軽減する。

### 4）過剰な筋緊張を抑制して，支持面を拡大する

・支持面を拡大するために，患者が能動的に行うことができる呼吸を利用して過剰な筋緊張を抑制する。
・細く長い呼気を誘導すると，胸郭が引き下がり，腹部の収縮が得られるため，伸展位で固定され突っ張っていた背部の筋緊張が緩み始める。
・頭部を上げ，顎を引いた呼吸を誘導することで，上部胸郭を引き上げていた筋緊張を緩めることができる。
・骨盤を左右対称に揺すり麻痺側で情報を得ることができる支持面を広げることで，非麻痺側上肢でのベッド柵の把持による安定が不要となる。
・安定した姿勢が保持できると，外部環境に頼らなくても姿勢を保持することができるため，非麻痺側上下肢を自由に使用することができるようになる。
・体幹の安定が確認できたら非麻痺側下肢を伸展し，支持面を拡大する。

### 5）支持面に身体を接触させる

・骨盤を左右に揺すり支持面を感じるように促しながら，クッションやタオルを徐々に外す。常に患者に一緒に動いてもらい，ベッド面を感じてもらう。

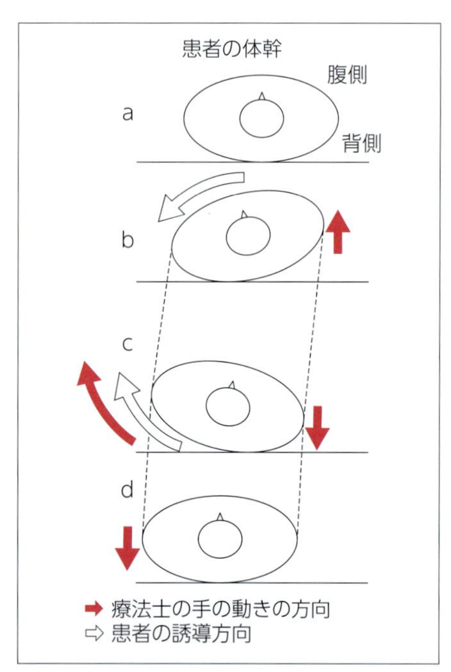


**図4 患者を左側に移動させる際の流れ**
(澤口裕二：基本的動きとその介助 仰向けでの横移動．アウェアネス介助論―気づくことから始める介助論［下巻］接触と動きと介助の実際，pp1332-1343，シーニュ，2011．より作成)

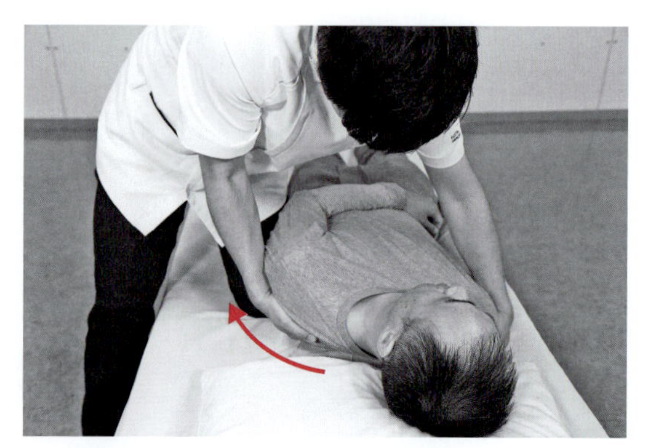

**図5 左側に移動させる際の誘導・補助**
矢印は誘導方向を示す。

・上半身のクッションやタオルを外す際は，麻痺側上肢を非麻痺側上肢で支えてもらう。クッションやタオルを外したら，療法士の手で麻痺側肩甲骨を支えながらゆっくりとベッド面に下ろし，麻痺側上肢をベッド面につける。

・細く長い呼気を促し，ベッド面と背部の接触面積を広くする。

### 6) 患者の身体がベッド中央に位置するように調整する

・患者と一緒に身体の位置を調整する。

・ベッド柵は転落防止のため，一度にすべて外すのではなく，介入するうえで外した方がよい1箇所のみを外し，介入後は速やかに元に戻す。

・移動の際は，身体を完全に浮かせて移動するのではなく，移動方向の身体が浮くように体幹を傾けながら滑らせるようにすると摩擦が軽減して容易に動かせる（図4c，図5）[4]。

**臨床のコツ**

患者が重症で協力が得られにくい，筋緊張が著しく低下している，大柄であるなど介助負担量が大きい場合には，次のような工夫が有効である。

**①横方向に患者を移動させる場合**

◆療法士はできる限り患者の移動方向に位置して，自身に引き寄せるように身体の分節ごとに移動させるとよい。しかし，療法士の位置は，患者の身体状況に加え情動面にも配慮して決定する必要がある。

◆療法士の一方の手の甲に患者の骨盤や体幹を乗せ，もう一方の手で患者を支えながら，療法士の肘を曲げて引き寄せるように移動する方法もある（図6）。この方法は療法士が引き寄せる力を入れやすく，患者の身体はベッド上を滑りやすくなる。

**②上方向に患者を移動させる場合**

◆患者の両膝関節を屈曲させ，療法士の手を患者の遠い方の肩甲骨および骨盤の下に入れる（図7）。患者の頭側の療法士の前腕に患者の頭頸部を乗せ，頸部の伸展を抑制しながら上部胸郭を支えられるようにする（図8）。上部胸郭をわずかに持ち上げ，支持面との接触面を減らした状態で患者の身体をベッド上方へ移動させる（図9）。

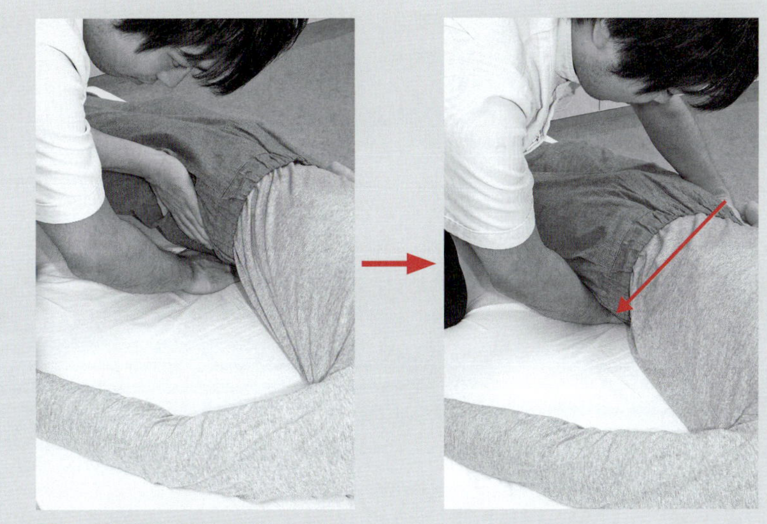

図6 手の甲に患者を乗せる方法

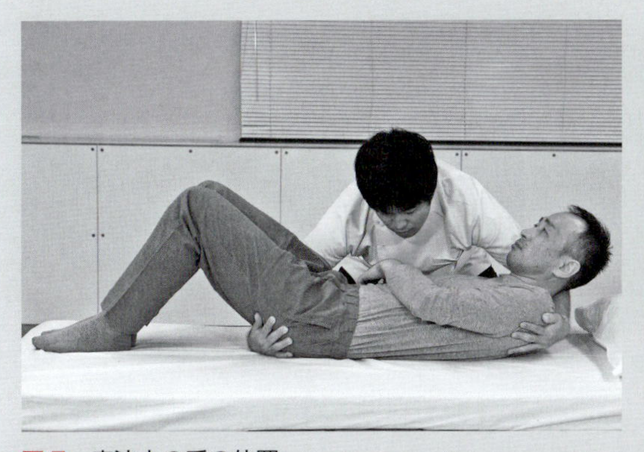

図7 療法士の手の位置

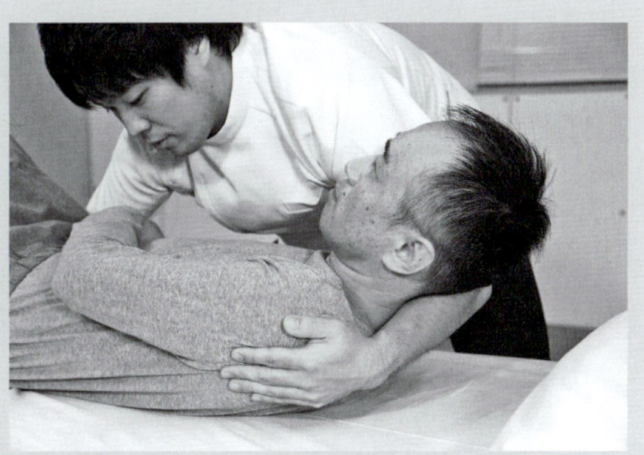

図8 頭頸部および上部胸郭の支持

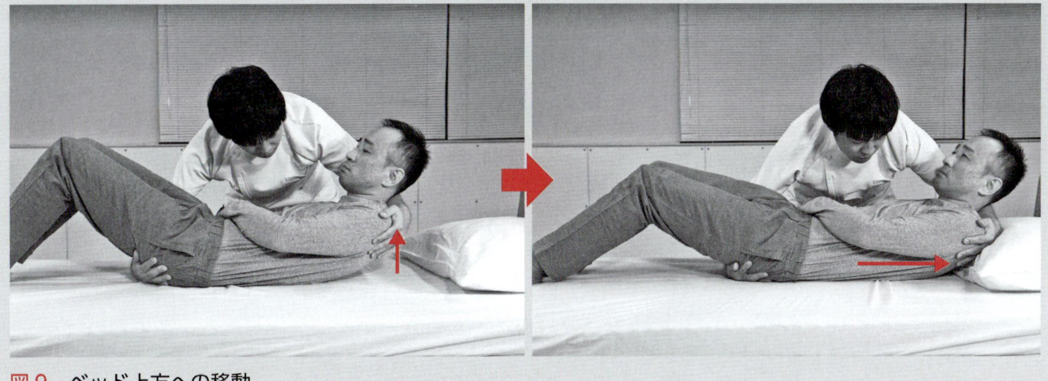

図9 ベッド上方への移動

◆療法士は足幅を広げ，両股関節を外旋し両膝関節を屈曲することで患者と療法士の重心を近づけ，全身の力を使って移動させる（図10）。
◆ベッドの高さが低いと療法士の腰部への負担が強くなるため，ベッドの高さが変更できる場合は力を出しやすい程度に高さを調整する。
◆褥瘡のリスクが高い患者の場合は，スライディングシートを用いると安全に行える。

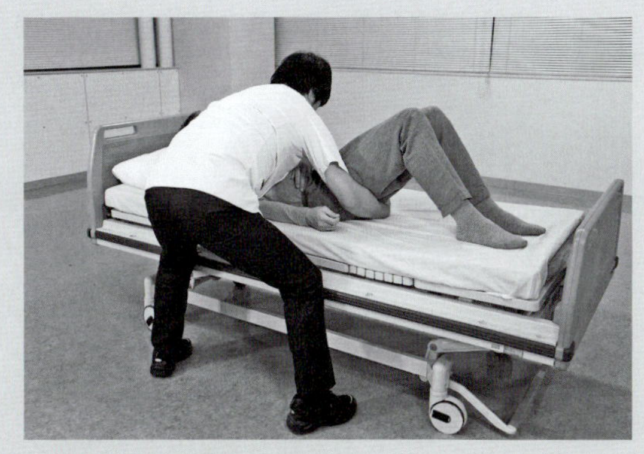

図10 療法士の姿勢

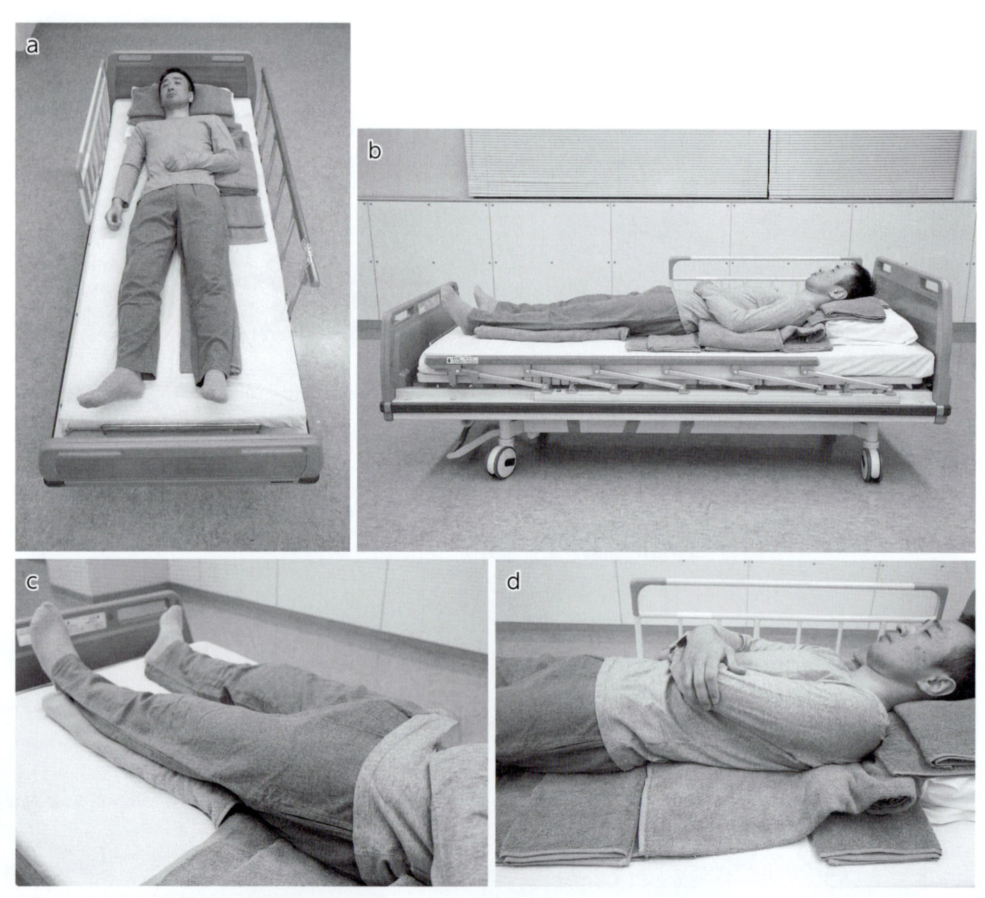


**図11　左片麻痺者の能動性を高めるポジショニングの例**
a, b：左右対称な姿勢
c：下肢の調整
d：肩甲骨・腰部の調整

### 7）能動性を高める活動の準備

- ベッド上で動かずにじっとしていると，麻痺側からの情報が入らず，再び非麻痺側を過剰に使用した姿勢（図3）になりやすい。
- 支持面に接していない部分や力が入って動かせない部分からは，支持面や身体からの情報を得ることができないため，十分に圧が感じられるようにクッションやタオルなどで姿勢を調整する（図11）。

**臨床のコツ**

◆膝関節の屈曲拘縮や円背傾向などにより身体とベッドとの間に隙間があるようであれば，タオルやクッション，体位変換器で隙間を埋めるなど必要に応じた工夫をする。
◆完全側臥位をとらなければならないなどの制約がある場合を除き，大きなクッションや体位変換器は患者の動きを阻害したり滑ってしまうことがあるため，適度な大きさのものを選択する必要がある。高さや大きさを自由に変更することができるタオルは，臨床上用いやすい。
◆タオルやクッションは時間が経過し患者が動くことによりずれが生じるため，適宜修正が必要である。

### 8）能動性を高めるため，患者自身の活動を促す

- 普段から，ベッド上で自ら動いて感覚入力をすることを指導する。
- ベッド上で動くことは，支持面や身体内部からの情報を得られ，安定した姿勢を保つためにも重要である。
- 腕を組んで左右に動かすことで上部体幹を動かしたり，骨盤を左右交互に挙上させ下部体幹を動かしたりする。体幹を動かすことで支持面や身体からの情報を得ることができる。

**臨床のコツ**

◆腕や骨盤の運動以外にも，呼吸運動などを行ってもよい。ただし行う際には，胸郭が引き上がり，顎が突出した努力性呼吸にならないよう注意が必要である。ベッドの背もたれを起こし，頸部を軽度屈曲し，顎を引いた姿勢にするとよい。ベッドの背もたれを起こす際は，背もたれの支点と患者の股関節が同じ位置になるようにしてから行う。体幹が下方に滑り落ちないように先にベッドの下肢側を上げる，枕がずり落ちないようにバスタオルで枕をベッドに固定する（図12a），坐骨が下方に滑り落ちないために坐骨前方に小さく畳んだタオルを置く（図12b），足底部に硬めのクッションを置く（図12c）などの工夫が必要である。背もたれを起こす際や起こした後にも，身体を動かすことで，ずれを解消し圧の分散ができる。

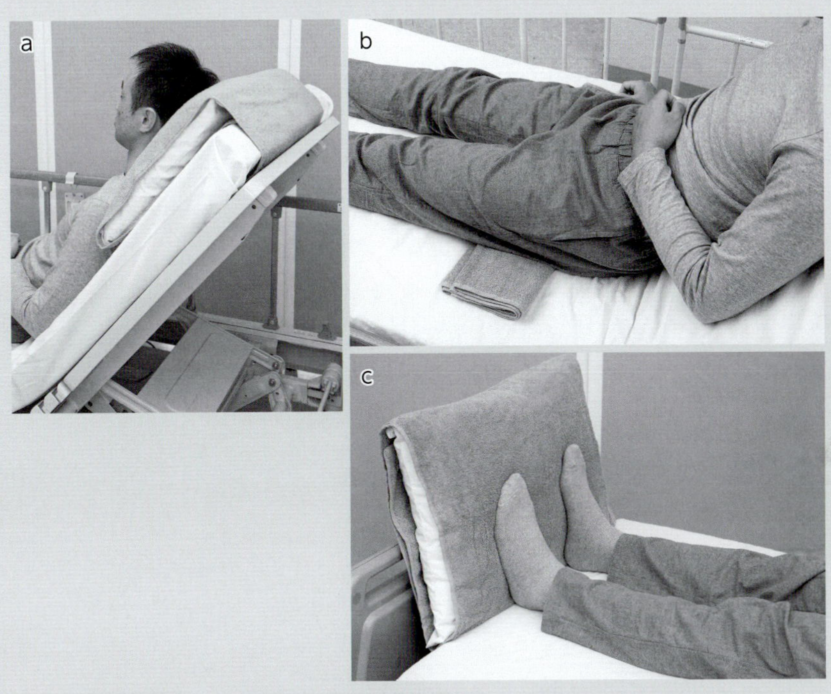


図12　ベッドの背もたれを起こす際の工夫点の例
a：枕の固定方法
b：坐骨の滑り落ちを防ぐためのタオルの使用方法
c：足底部のクッションの使用方法

### 9）患者に疼痛や不快感の有無を確認する

・患者に疼痛や不快感の有無を確認する。
・患者自身は支持面に接していない部分や力が入っている部分をわかっていないこともあるため，確認すると同時に姿勢を評価し，支持面に接していない部分や力が入っている部分には圧をかけながら小さく揺すり，支持面を感じられるようにする。

## 引用文献

1）近藤龍雄：動きを支援するためのマットレスの選択．リハビリナース 7：17-21，メディカ出版，2014．
2）竹中弘行：自立を支援するリハ・ポジショニングの考え方と実践．リハビリナース 2：39-45，メディカ出版，2009．
3）冨田昌夫：運動療法 その基本を考える～重力への適応～．理学療法研究 27：3-9，2010．
4）澤口裕二：基本的動きとその介助 仰向けでの横移動．アウェアネス介助論―気づくことから始める介助論［下巻］接触と動きと介助の実際，pp1332-43，シーニュ，2011．

## 参考文献

1）近藤龍雄：動きを支援するためのマットレスの選択．リハビリナース 7：17-21，メディカ出版，2014．
2）竹中弘行：自立を支援するリハ・ポジショニングの考え方と実践．リハビリナース 2：39-45，メディカ出版，2009．
3）冨田昌夫：運動療法 その基本を考える～重力への適応～．理学療法研究 27：3-9，2010．
4）澤口裕二：基本的動きとその介助 仰向けでの横移動．アウェアネス介助論―気づくことから始める介助論［下巻］接触と動きと介助の実際，シーニュ，2011．

5) 丸山仁司，竹井仁，黒澤和生：動作パターンに隠れているものを探る．考える理学療法 評価から治療手技の選択［中枢神経疾患編］，文光堂，2004.
6) 丸山仁司 編：系統理学療法学 神経障害系理学療法学．医歯薬出版，2005.
7) 伊藤亮子：臥位姿勢におけるポジショニングのためのアセスメント．リハビリナース 7：35-8，メディカ出版，2014.
8) 寺見彰洋，竹中弘行：リハポジショニング ポジショニングで患者さんはもっと能動的になれる 脳卒中の場合．リハビリナース 2：8-15，メディカ出版，2009.
9) 高村浩司：リハポジショニング ポジショニングで患者さんはもっと能動的になれる 重度障害で寝たきりになった病院・在宅者の場合．リハビリナース 2：28-33，メディカ出版，2009.
10) 吉尾雅春 総監修：極める脳卒中リハビリテーション必須スキル．gene，2016.

# 2 起き上がり

## 1 起き上がり動作とは

起き上がり動作とは，臥位から長座位もしくは座位への移動動作である。また，起き上がり動作は，その後の立ち上がり・移乗・歩行につながる動作であり，さまざまなADL，起居動作の基点になる重要な動作である。このような一連の動作が帰結・予後に基づいて一貫して行えるように，早期から腹筋群を活性化させるようなパターンで起き上がることを目的とする。起き上がり動作は背臥位から直接起き上がるパターン，腹臥位になってから起き上がるパターンなど，さまざまな動作パターンがあるが，本項では，片麻痺者の背臥位から座位になる起き上がり動作と，座位から背臥位になる動作を取り上げる。これらの動作は，それぞれ以下の3相から成り立つ。

### A 起き上がり動作

第1相：起き上がり準備

・臥位姿勢，ベッドと身体の位置関係を確認し，起き上がりに適した状態に整える。

第2相：起き上がり

・肩甲帯が後退しないように麻痺側上肢を管理する。

・頭部を非麻痺側肘関節の方向に移動させる。

・非麻痺側肘関節を伸展しながら体幹を起こし，下肢を下ろして座位になる。

第3相：座位保持

・座位姿勢を整え，座位を保持する。

### B 座位から背臥位への動作

第1相：臥位準備

ベッド上で座っている位置，ベッドの広さと枕の位置を確認し，背臥位になるために適した状態に整える。

第2相：座位から背臥位

・麻痺側上肢を大腿の上に移動させる。

・頭部と枕との距離を確認しながら，非麻痺側の肩関節を内旋・外転位にして手をベッドにつく。

・非麻痺側前腕をベッドにつきながら両下肢をベッドに上げて背臥位になる。

第3相：背臥位

・背臥位姿勢を整える。

## 2 手　順

### A 起き上がり動作（図1）

①ベッド上の身体の位置と背臥位姿勢を確認し，起き上がるための空間を確保する。

②麻痺側上肢の位置を確認し，体幹の上に乗せる。

③非麻痺肩関節を外転し，上肢を起き上がる方向へ開く。

④頭頸部を屈曲する。

⑤頭部を非麻痺側肘関節の方向に移動しながら，非麻痺側肩甲帯を前方突出し，胸郭を回転する。その際，非麻痺側股関節は外旋・外転する。

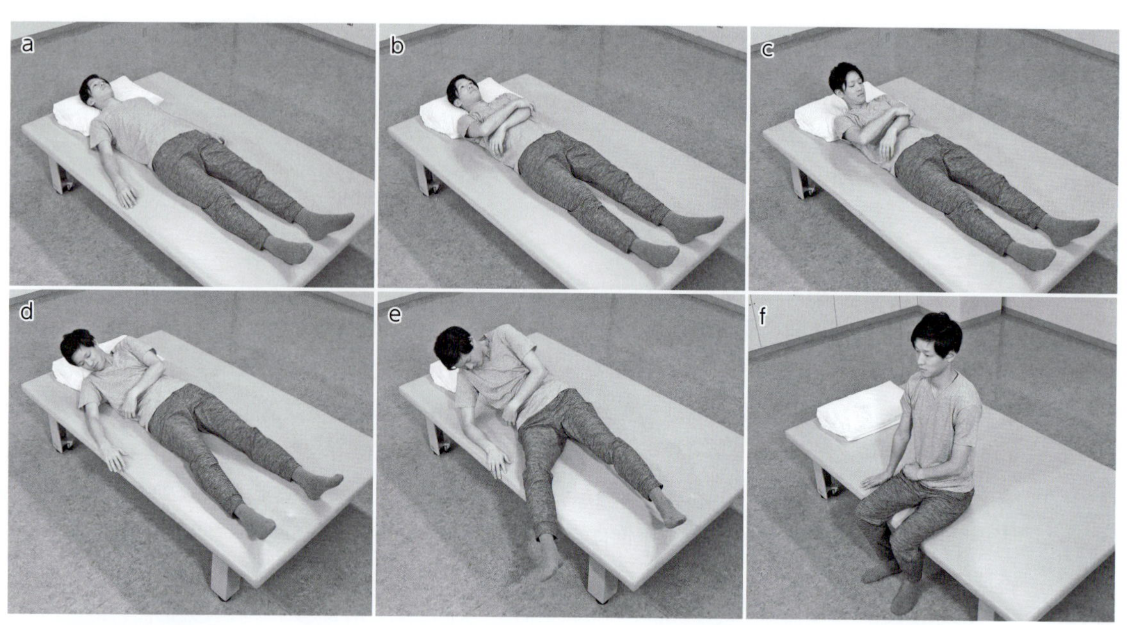

図1　起き上がり動作

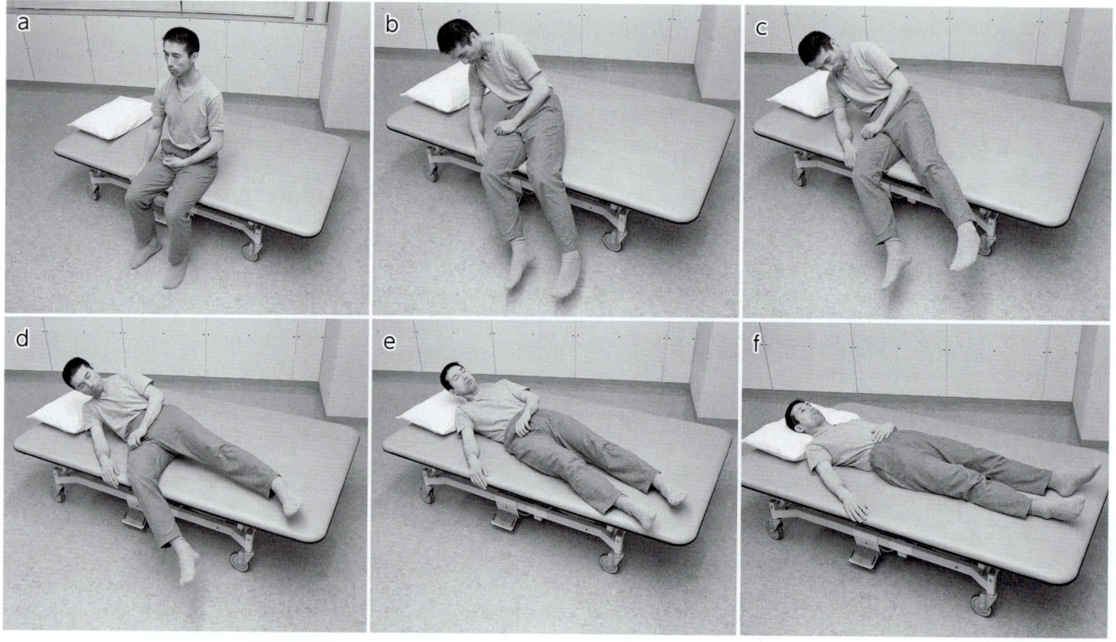

図2　端座位から背臥位への動作

⑥体幹を起こしながら非麻痺側肘関節を伸展し，両下肢をベッドから下ろして座位になる。
⑦座位姿勢を整える。

## B　座位から背臥位への動作（図2）

①枕と身体の位置，ベッドの高さを調整する。
②麻痺側上肢の位置を確認し，大腿の上に乗せる。
③非麻痺側肩関節をわずかに内旋・外転し，手をベッドにつく。
④非麻痺側前腕をベッドにつきながら両下肢をベッドに上げて，枕に向かって頭部を下ろし背臥位になる。
⑤背臥位姿勢を整える。

# 3 動作のポイント

## A 起き上がり動作

起き上がり動作は支持基底面の広い背臥位から，支持基底面が狭くなる座位に姿勢が変化する動作である。臥位から座位になる際は，背部，非麻痺側肩関節，非麻痺側肘関節，非麻痺側股関節，両坐骨へと支持面の変化を意識して行うことが重要である。

### 1) ベッド上の身体の位置と背臥位姿勢の確認，起き上がるための空間確保

・背臥位の状態を確認し，起き上がるための空間(身体からベッド端まで)を確保する。

・ベッド端までの距離は，大腿の長さを目安とする(図3)。

・ベッドの高さは，座位になった際に足底が床につく高さとする。

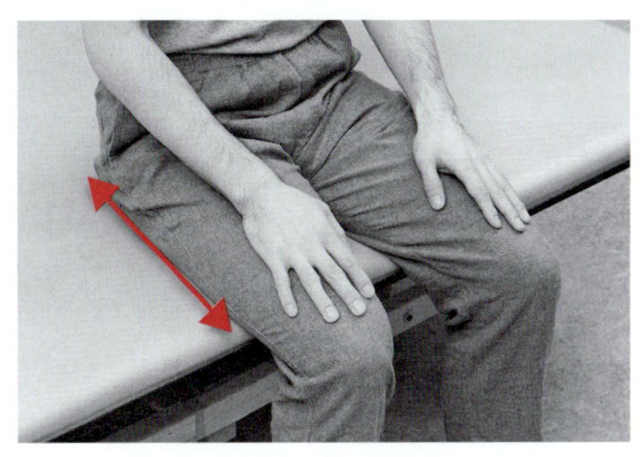

図3 起き上がるための空間の広さの目安

**臨床のコツ**

◆身体からベッド端までの距離が長過ぎても短過ぎてもスムーズな動作の妨げになるので，動作を開始する前の準備段階で，最終肢位を予測して適切な空間を確保する必要がある。

◆起き上がる際にベッド端と身体との距離が長いと，座位になった際に足底が床につかなかったり，下肢をベッドから下ろしにくくなり，下肢を重りとして利用するのが困難になりやすい(図4a)。また，座位になった際，殿部がベッドの奥に位置するため，殿部を前方へ移動し安定した座位を確保する必要がある(図4b)。

◆ベッド端と身体との距離が短い場合は，非麻痺側への胸郭の回旋が不十分となりやすい。また，転落するリスクが高まり不安感を与えてしまう(図5)。

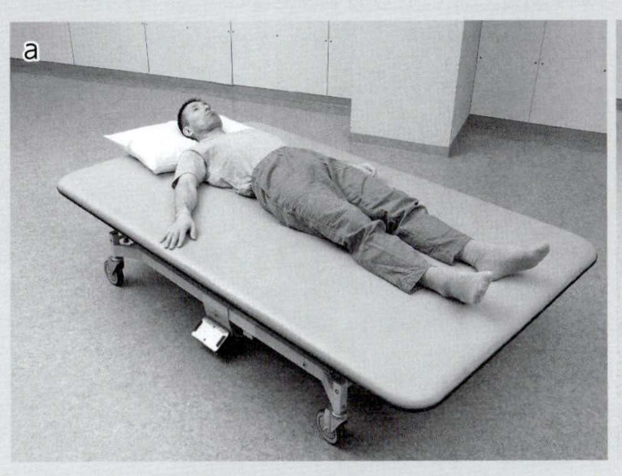


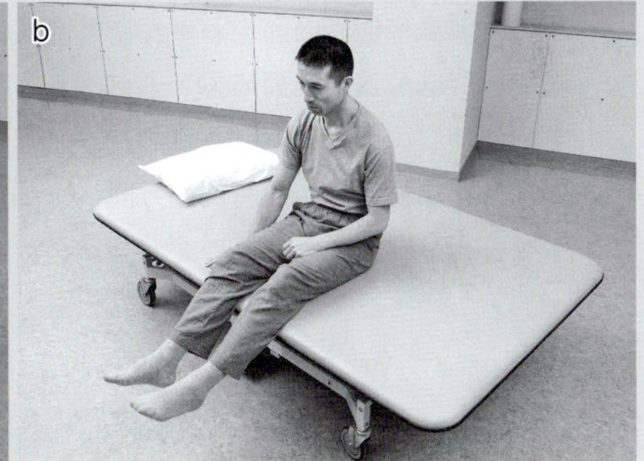


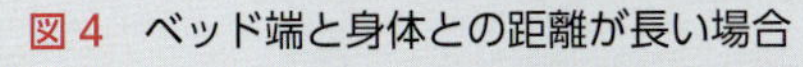

図4 ベッド端と身体との距離が長い場合

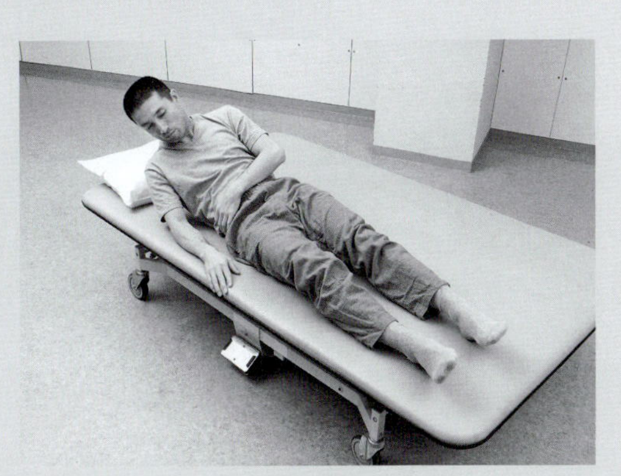

図5 ベッド端と身体との距離が短い場合

### 2) 麻痺側上肢の管理

・寝返るように胸郭を回転しながら頭部を非麻痺側肘関節の方向へ移動する際，動作を妨げる重りとならないように，麻痺側肩関節を軽度内転，肘関節を屈曲して上肢を体幹の上に乗せ，回転方向に移動させておく。これは麻痺側肩関節の保護の面からも重要である。

**臨床のコツ**

◆麻痺側上肢の随意性が低い場合，目視で麻痺側上肢を確認しながら，非麻痺側上肢で補助し体幹に乗せるようにする（図6）。これにより，麻痺側上肢の認知向上につながる。

◆起き上がり動作時に麻痺側上肢が落ちないように非麻痺側上肢を体幹の上に乗せておく。

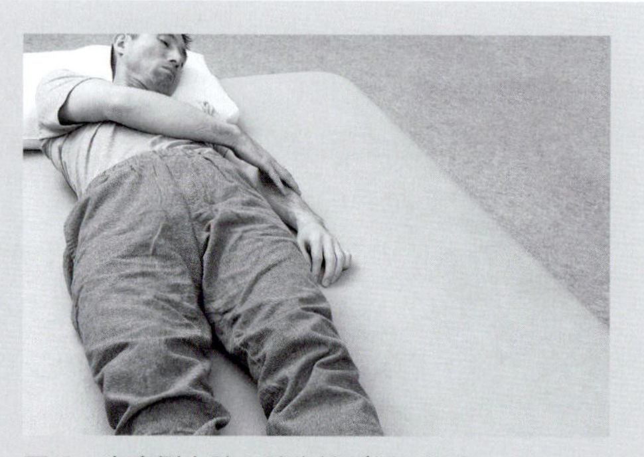

図6　麻痺側上肢の随意性が低い場合

### 3) 非麻痺側上肢の位置

・非麻痺側上肢の位置は原則として患者本人が動作の行いやすい位置でよいが，一般的に肩関節外転30～90°の位置がよい。

**臨床のコツ**

◆腹部が低緊張な場合や体幹が硬く可動域が狭い場合は，肩関節を外転90°以上にして側臥位になる程度まで体幹を回旋した後，非麻痺肩関節を内旋，肘関節を屈曲し前腕をついてから，肘関節を伸展しながら起き上がる。その際，麻痺側の手をベッドにつき肘関節を伸展できると起き上がりやすくなる。

### 4) 頭頸部屈曲から非麻痺側肘関節方向への移動

・頭頸部を屈曲することで体幹前面筋および股関節屈筋群が活性化される。

・非麻痺側方向へ頸部を回旋しながら麻痺側肩関節を前・上方に移動し胸郭を回転する。このタイミングで，非麻痺側股関節をわずかに外旋・外転することにより非麻痺側下肢を重りとして利用することができ，麻痺側肩関節の前・上方への移動を行いやすくする（図7）。

・非麻痺側肩関節は外転（30～90°）・内旋位で，非麻痺側肘関節方向へ移動する。

・頭頸部を屈曲してから肘関節方向へ頭部を移動する際は視線を臍の横あたりに向け，その後動作に合わせて視線を変化させていくと動作が行いやすくなる。

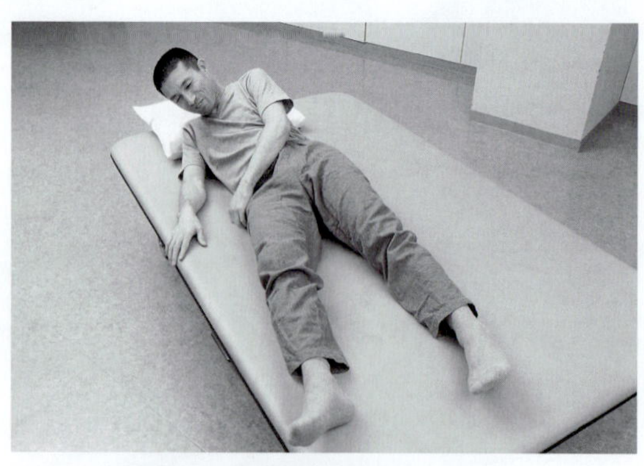

図7　非麻痺側外旋・外転による重りの利用

**臨床のコツ**

◆背臥位であらかじめ下肢を交差させると非麻痺側股関節が内転・伸展位となり，非麻痺側下肢を重りとして利用できなくなる（図8）。

◆背臥位で交差した下肢を両側とも屈曲位にして，両下肢の重さを利用して一度側臥位になり両下肢をベッドから下ろすと，過剰な前方への回転が生じてバランスを崩しやすい。

◆胸郭を回転する際にベッドに過剰に肘を押しつけると，反作用によって体幹を元の位置に戻そうとする回転力が働いてしまうため注意する（図9）。

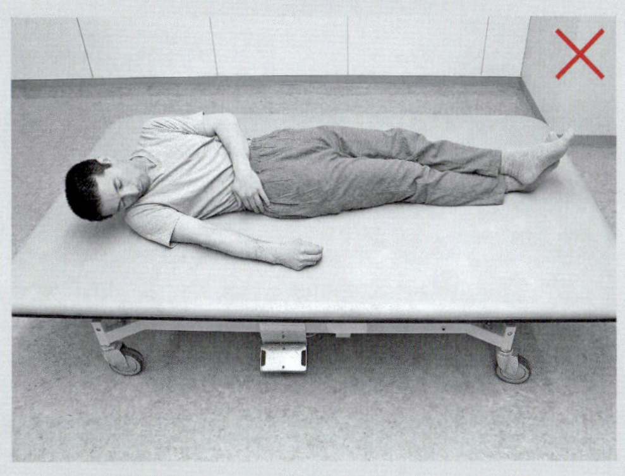

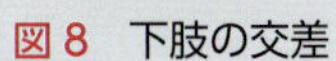

図8 下肢の交差

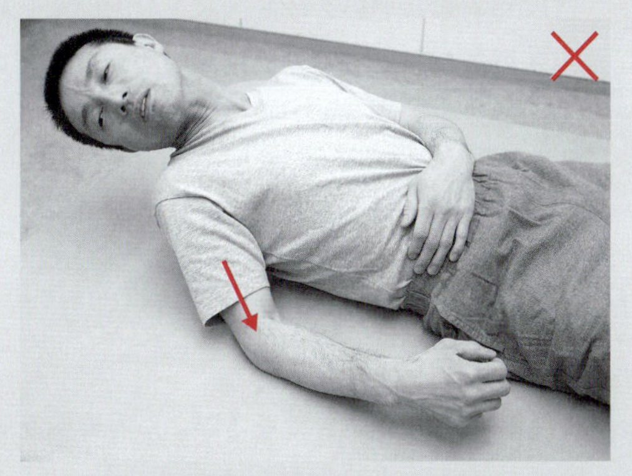

図9 過剰な肘の押しつけ

### 5） 非麻痺側肘関節伸展から座位

・非麻痺側肘関節を伸展しながら体幹を麻痺側坐骨の方向に起こしつつ非麻痺側の殿部を支点に両下肢をベッド端から下ろして座位となる。

・両下肢をベッド端から下ろす運動は，頭頸部を屈曲回旋しながら胸郭を回転して体幹の前面筋および麻痺側股関節屈筋群が活性化されることで麻痺側下肢の平衡反応が活用できる。

**臨床のコツ**

◆下肢の重さを利用した力学的効果を引き出すためには，頭部を持ち上げて起き上がるまでの動作を連続して行う必要があり，途中で止めると筋活動を停止し動作を再開しにくくなるため注意する。

◆両下肢をベッド端から下ろすタイミングで麻痺側下肢が下ろせなければ，必要に応じて非麻痺側下肢を麻痺側下肢の下に差し込んで前方に移動する（図10）。

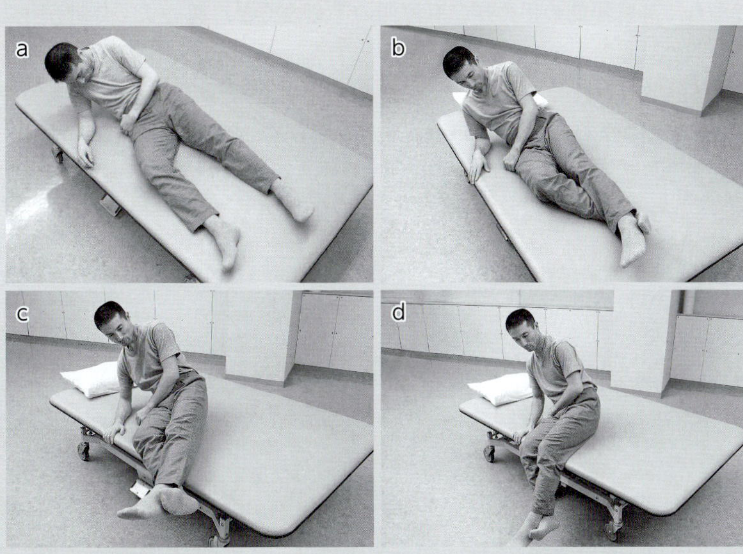


図10 非麻痺側下肢を差し込んだ起き上がり

a：非麻痺側股関節を外旋・外転する

b：麻痺側下肢の下に非麻痺側下肢を差し込む

c：両下肢を交差させたままベッド端へ移動する

d：両下肢を交差させたままベッドから下ろす

### 6) 座位保持

・両下肢の足底接地や骨盤の傾きを修正し，安定した座位姿勢にする。

## B 座位から背臥位への動作

座位から背臥位になる際は，体幹筋を使用しながら，両坐骨，非麻痺側股関節，非麻痺側肘関節，腰部，背部の順番に支持面が広がることを意識して行うことが重要である。

### 1) 座位位置の確認

・現在座っている位置，ベッドの広さと枕の位置を目視にて確認する。
・背臥位になった際に頭部が枕の中央にくることをイメージし，ベッド上での座位位置を決定する。
・ベッドの高さは，座位で足底が床につく高さとする。背臥位になる際に体幹の動きが安定するように座位姿勢を整えておく。

**臨床のコツ**

◆座位の位置を調整しても枕との距離が離れてしまう場合は，枕を適切な位置に移動する。

### 2) 麻痺側上肢の管理

・座位から背臥位になる際に，麻痺側上肢を大腿の上に移動させておく。これは麻痺側肩関節の保護の面からも重要である。

### 3) 非麻痺側の手をベッドにつく

・頭部と枕との距離を確認しながら，非麻痺側の肩関節をわずかに内旋・外転して手をベッドにつく。

### 4) 非麻痺側前腕支持から背臥位

・非麻痺側の手をベッドについた状態で，非麻痺側の肩関節をさらに内旋・外転，肘関節を屈曲しながら前腕をベッドにつく（図11）。
・ゆっくりと肩関節後方に支持面を増やすとともに，非麻痺側殿部を支点に両下肢を上げ，頭頸部を屈曲しながら枕に頭部を下ろし背臥位になる（図12）。
・体幹の上面筋と背面筋を働かせながら，非麻痺側の体幹から徐々にベッドにつく。麻痺側へ支持面が徐々に広がるようにゆっくりと背臥位となることで，勢いよく体幹が後方へ倒れるのを防ぐ。また，平衡反応による体幹・股関節屈筋群の収縮を得て下肢が追従し，ベッド上の適切な位置まで下肢を移動しやすくなる。
・可能であれば非麻痺側の手の横に麻痺側の手をつくと，勢いよく体幹が後方へ倒れるのを防ぐことができる。

### 5) 背臥位姿勢の調整

・頭部と枕の位置の再調整，骨盤の傾き，上下肢の位置の修正を行い，安定した背臥位姿勢に整える。

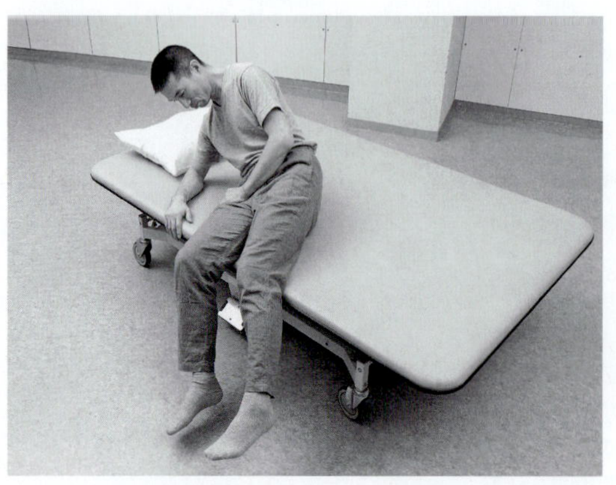

図11 非麻痺側の手のベッドへのつき方

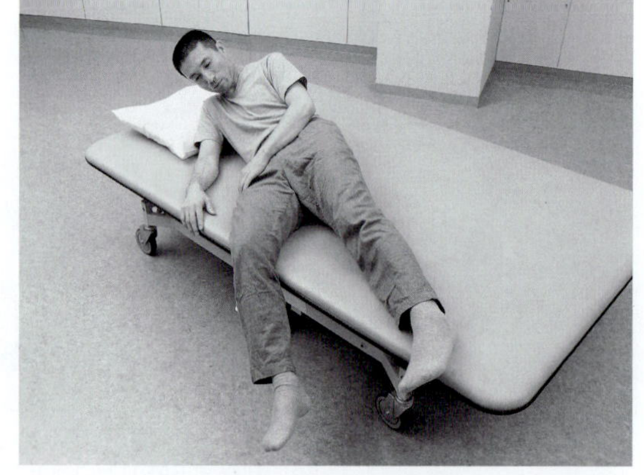

図12 非麻痺側肘関節をついてから背臥位になる動作

臨床のコツ

◆一連の動作は途中で止めないようにする。
◆勢いよく非麻痺側前腕をベッドにつくと，非麻痺側肩関節方向へ倒れ込む危険性があるため注意する。
◆非麻痺側前腕をつく際，非麻痺側肩関節伸展が生じると，麻痺側肩甲帯後退の連合反応が生まれやすいため注意する。

## 4 練習の組み立て方（課題難易度に影響する要素）

### 1) マットレスの硬さ

- マットレスは硬い方が起き上がる際に上肢の支持を利用しやすい。
- 体幹や上肢の力が弱い場合は，硬いマットレスで練習を行うと難度を下げることができる。
- 段階的に目標を設定し，マットレスの硬さを変更しながら練習する。

### 2) リクライニング機能の利用

- 起き上がる際に補助量が多い場合は，ギャッチベッドのリクライニング機能を利用して身体を起こしておくことにより動作を容易にすることができる。早期に病棟での起き上がり動作を自立させたい場合や身体機能の改善が見込めない場合には，リクライニング機能を利用した練習を行うことが有用である。

### 3) 誘導・補助の量

- 患者の能力に応じて誘導・補助の量は適切に調整する。難度の高い類似課題に移行した際には一時的に誘導・補助の量を増やすことがある。

### 4) 練習の組み立て方の一例（図13）

- 起き上がりの自立を目指すが，練習開始段階では実施が困難な症例における練習の組み立て方の一例を示す。

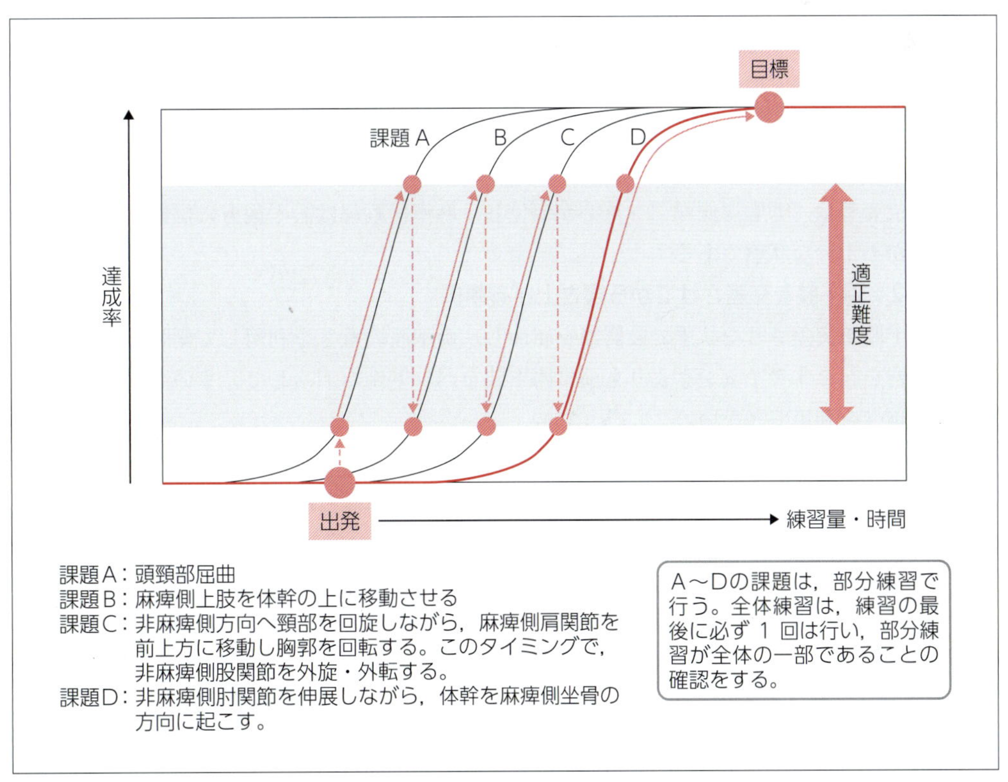


図13　起き上がり練習の組み立て方の一例

# OSCE課題　起き上がり：分析

対応動画

## 設問

脳梗塞左片麻痺の患者です。背臥位から起き上がって座位になる動作を自己流で行っています。この患者の起き上がり動作を観察し，分析結果を採点者に説明してください。今回は患者への説明は省きます。動作は2回までとしてください。採点者への説明は動作終了後に行ってください。なお，リスク管理は採点者に依頼してください。環境や姿勢，動作の修正に関する指示はしないでください。制限時間は5分です。では，始めてください。

注1）採点者は実際には近位監視でのリスク管理を行いませんが，課題を始めてください。
注2）メモを取りながら観察してかまいません。

## 準備するもの

ギャッチベッド，枕，ペン，メモ用紙

注）ペンとメモ用紙は受験者が準備したものを使用することを許可します。

## 患者情報

| 疾患・障害 | 脳梗塞・左片麻痺 |
|---|---|
| 年齢・性別 | 70歳代・不問 |
| 発症後期間 | 2カ月 |
| BRS | 上肢：Ⅱ　手指：Ⅱ　下肢：Ⅱ |
| 病的反射 | 出現 |
| 筋緊張 | 上腕二頭筋，手指屈筋，下肢伸筋：軽度亢進 |

| 疼痛 | 左肩関節 |
|---|---|
| 感覚 | 表在感覚：軽度鈍麻<br>深部感覚：中等度鈍麻 |
| 座位 | 安定 |
| 理解 | 良好 |
| 表出 | 良好 |

### 事例

**事例1：伸展パターンにて起き上がる事例**

- 頭頸部を屈曲する際，下顎を引くことができないため頭部挙上が不十分になる。
- ベッド端を強く引き込みながら体幹を起こす。
- 体幹，下肢の伸展による代償動作が出現する。
- 下肢の重さを効果的に利用できず，全体の動作に円滑さがみられない。
- 座位姿勢は，非麻痺側殿部へ重心が偏位し，麻痺側殿部は若干後方に位置しており，麻痺側の足底接地が不十分な状態である。

**事例2：両下肢を交差させてから起き上がる事例**

- 両下肢を交差させた状態で股関節を屈曲し，両下肢の重さを利用して側臥位になる。
- 体幹を起こすタイミングよりも前に両下肢をベッドから下ろしてしまい，体幹を起こすために両下肢の重さを利用できない。
- 側臥位で非麻痺側上肢が体幹の下にある状態から，非麻痺側上肢の伸展力を利用して起き上がる。
- 座位姿勢は，ベッドに非麻痺側の手をつき，体幹が非麻痺側へ側屈しており，両下肢を交差させたまま麻痺側の足底接地が不十分な状態である。

## 課題の目標

**態度**

1. 動作分析に備えた，清潔かつ安全な身なりができる。
2. 患者に起き上がり動作の観察を行う旨を説明し，了承を得ることができる。
3. 患者に不快な思いをさせない（話し方，表情，振る舞い）。

**技能**

1. 患者の安全に配慮しながら進めることができる。

2. 問題点を含めた起き上がり動作の特徴を説明することができる。
3. わかりやすく簡潔な報告ができる。

## 手順

1. 挨拶・自己紹介を行い，2つの識別子で患者の確認を行う。
2. 起き上がり動作の観察を行う旨を患者に伝え了承を得る。
3. 安全面に配慮する
   - 起き上がり動作では，ベッド上から転落する危険がある。
   - 本課題では採点者にリスク管理を依頼する。
4. ベッドの高さと起き上がるための空間を確認する。
   - 身体からベッド端までの距離について確認する。
5. 開始姿勢（背臥位姿勢）を観察する
6. 動作開始の合図をする
7. 適切な位置で観察する。
   - 矢状面，前額面から適宜視点を変えながら観察する。患者に近づき過ぎて動作を阻害しないよう注意する。
8. 麻痺側上肢の管理について観察する。
   - 麻痺側上肢を体幹に乗せる方法，麻痺側上肢を体幹に乗せた位置を観察する。
9. 頭頸部屈曲から非麻痺側肘関節方向への移動について観察する。
   - 頭部挙上の方法，頭部の移動方向について観察する。
   - 非麻痺側上下肢の運動や位置について観察する。
   - 麻痺側肩関節の状態，非麻痺側肘関節への荷重状態について観察する。
10. 非麻痺側肘関節伸展から座位までの動作について観察する。
    - 体幹を起こす際の非麻痺側上肢の運動を観察する。
    - 体幹を起こす際の両下肢の運動，両下肢をベッドから下ろすタイミングを観察する。
11. 座位姿勢を観察する。
    - 足底接地の状態，骨盤の位置や左右の傾き，上肢支持の状態などの座位姿勢について観察する。
12. 起き上がり動作全体の円滑さについて観察する。
    - 各部の動作を分断せずに一連の動作が行えていたかを観察する。
    - 下肢の重さを利用した動作について観察する。
13. 終了を伝える。
14. 起き上がり動作の特徴について分析結果を述べる。
    - 観察結果に基づき，動作環境の調整や動作練習など，介入が必要となりうる問題点について分析する。

      例：ベッドの高さは問題ないが，ベッド端から身体までの距離が長い。頭頸部屈曲が不十分で，ベッドの端を非麻痺側上肢で強く引っ張る。その際，連合反応により，麻痺側上下肢は屈曲共同パターンが強く出現する。頭部を非麻痺側肘関節方向に移動させないまま，麻痺側上肢でさらに強くベッドの端を引っ張りながら起き上がる。座位姿勢は，両下肢とも足底接地できるが体幹が屈曲位となっている。

## 採点基準

採点者は模擬患者に受験者の言動の適否を適宜確認して，以下の項目を採点してください。

### 1．態度

| | |
|---|---|
| (1) ①適切な身なりで，②明瞭な挨拶（開始時・終了時），③自己紹介ができる。 | 2点：①～③すべてできる<br>1点：①～③のうち2項目できる<br>0点：1項目できる<br>0点：すべてできない |
| (2) 2つの識別子で患者の確認ができる。 | 2点：2つの識別子で患者の確認ができる<br>1点：1つの識別子で患者の確認ができる<br>0点：確認ができない |
| (3) ①起き上がり動作の観察を行う旨を患者に伝え，②了承を得ることができる。 | 2点：①，②どちらもできる<br>1点：①のみできる<br>0点：どちらもできない |
| (4) 課題全般を通して，患者の様子（表情・姿勢・身体機能）や状況に応じた丁寧な対処（①声かけ・②触れ方・③動かし方）ができる。 | 2点：①～③すべてできる<br>1点：①～③のうち2項目できる<br>0点：1項目できる<br>0点：すべてできない |

### 2．技能

| | |
|---|---|
| (1) 患者が動作を始める前に採点者にリスク管理を依頼できる。 | 2点：患者が動作を始める前に採点者にリスク管理を依頼できる<br>1点：患者が動作を始めてから採点者にリスク管理を依頼する<br>0点：リスク管理を採点者に依頼しない |
| (2) 矢状面，前額面を含めた適切な視点から，患者の動作を阻害しない距離で観察できる。 | 2点：矢状面，前額面を含めた適切な視点から，患者の動作を阻害しない距離で観察できる<br>1点：視点を変えて観察できるが，矢状面，前額面のいずれかからの観察ができない<br>0点：矢状面，前額面ともに観察できない<br>0点：1点からのみの観察となる<br>0点：患者との距離が近く，動作を阻害する |
| (3) ①身体からベッド端までの距離，②ベッドの高さについての確認を行うことができる。 | 2点：①，②どちらもできる<br>1点：①，②のどちらか一方のみできる<br>0点：どちらもできない |
| (4) 麻痺側上肢の管理について観察できる。 | 2点：麻痺側上肢の管理について観察できる<br>1点：観察が不十分<br>0点：観察が誤っている<br>0点：観察ができない |
| (5) 背臥位から非麻痺側肘関節への頭部移動時の頸部屈曲方法や方向について観察できる。 | 2点：背臥位から非麻痺側肘関節への頭部移動時の頸部屈曲方法や方向について観察できる<br>1点：観察が不十分<br>0点：観察が誤っている<br>0点：観察ができない |
| (6) 背臥位から非麻痺側肘関節への頭部移動時の非麻痺側下肢の運動や位置について観察できる。 | 2点：背臥位から非麻痺側肘関節への頭部移動時の非麻痺側下肢の運動や位置について観察できる<br>1点：観察が不十分<br>0点：観察が誤っている<br>0点：観察ができない |
| (7) 背臥位から非麻痺側肘関節への頭部移動時の非麻痺側上肢の運動や位置について観察できる。 | 2点：背臥位から非麻痺側肘関節への頭部移動時の非麻痺側上肢の運動や位置について観察できる<br>1点：観察が不十分<br>0点：観察が誤っている<br>0点：観察ができない |

| | |
|---|---|
| (8) 背臥位から非麻痺側肘関節方向への頭部移動時の麻痺側肩関節の状態について観察できる。 | 2点：背臥位から非麻痺側肘関節への頭部移動時の麻痺側肩関節の状態について観察できる<br>1点：観察が不十分<br>0点：観察が誤っている<br>0点：観察ができない |
| (9) 非麻痺側肘関節伸展から座位までの非麻痺側上肢の運動について観察できる。 | 2点：非麻痺側肘関節伸展から座位までの非麻痺側上肢の運動について観察できる<br>1点：観察が不十分<br>0点：観察が誤っている<br>0点：観察ができない |
| (10) 非麻痺側肘関節伸展から座位までの両下肢の運動，下肢を下ろすタイミングについて観察できる。 | 2点：非麻痺側肘関節伸展から座位までの両下肢の運動，下肢を下ろすタイミングについて観察できる<br>1点：観察が不十分<br>0点：観察が誤っている<br>0点：観察ができない |
| (11) 終了姿勢（座位姿勢）について観察できる。 | 2点：終了姿勢（座位姿勢）について観察できる<br>1点：観察が不十分<br>0点：観察が誤っている<br>0点：観察ができない |
| (12) 起き上がり動作全体の円滑さについて観察できる。 | 2点：起き上がり動作全体の円滑さについて観察できる<br>1点：観察が不十分<br>0点：観察が誤っている<br>0点：観察ができない |
| (13) 起き上がり動作について分析できる。 | 2点：起き上がり動作について分析できる<br>1点：分析が不十分<br>0点：分析が誤っている<br>0点：分析ができない |

## OSCE担当者確認事項

### 環境設定

・ベッドの高さは，座位時に足底接地できる程度とする。

### 模擬患者と採点者

・事例1，2より提示する事例を決める。
・受験者が3回以上の動作反復を求めた際は2回までであることを説明し，分析結果を採点者に述べるように促す。

### 模擬患者

・受験者の分析時間（1分30秒間）を確保するため，3分30秒以内で動作が終わるようにする。
・最大2回の反復動作を求められるため，動作の再現性を担保できるよう練習しておく。
・課題開始時に患者はベッドの中央で，背臥位にて待機する。

### 採点者

・リスク管理を依頼された場合，近位監視しているものとし，実際には採点のみ実施する。

# OSCE課題 起き上がり：介入

対応動画

## 設問

脳梗塞左片麻痺の患者です。起き上がりの動作パターンが定着しておらず，動作の際，誘導・補助が必要です。頸部・体幹の屈曲が不十分で，麻痺側上肢を体幹に乗せることなく非麻痺側の手でベッド端を引き込んで起き上がろうとしますが，麻痺側上肢が後方に残り起き上がることができません。この患者に対して適切な誘導・補助を行いながら起き上がり練習を行ってください。制限時間は5分です。では，始めてください。

## 準備するもの

治療用ベッド，枕

## 患者情報

|  |  |
|---|---|
| 疾患・障害 | 脳梗塞・左片麻痺 |
| 年齢・性別 | 70歳代・不問 |
| 発症後期間 | 8週 |
| BRS | 上肢：Ⅱ　手指：Ⅱ　下肢：Ⅲ |
| 腱反射 | 2+ |
| 病的反射 | 出現 |
| 筋緊張 | 上腕二頭筋，手指屈筋，下肢伸筋：軽度亢進 |

|  |  |
|---|---|
| 疼痛 | 左肩関節 |
| 感覚 | 表在感覚，深部感覚：重度鈍麻 |
| 座位 | 監視（大きな重心移動では転倒の可能性あり） |
| 立位 | 監視（大きな重心移動では転倒の可能性あり），荷重は非麻痺側優位 |
| 理解 | 良好 |
| 表出 | 良好 |

### 起き上がり動作の現状

頭頸部を屈曲する際，下顎を突き出すため頭頸部の屈曲が不十分になる。麻痺側上肢に全く意識が向かず体幹に上肢を乗せないまま動作を行う。非麻痺側の手でベッド端を強く引き込みながら起き上がろうとするが，麻痺側上肢が後方に残ってしまい体幹の回旋が不十分になり，体幹が後方に引き戻される。

### 経過と目標

発症後5日目にベッドサイドでのリハビリテーションが開始された。発症後2週目より，バイタルサインが安定したため起き上がり練習が開始された。開始時は，頭頸部を屈曲しながら体幹を起こすことができず，ベッドのリクライニング機能を利用しながら起き上がる練習を行っていた。発症後4週目より，リハビリテーション室での練習に移行となった。起き上がり動作練習は，平らで硬い治療用ベッドで実施し，主に頭頸部屈曲と頭部を非麻痺側肘関節方向に移動させる練習を中心に行ってきたが，なかなか動作が定着しない状態である。現在も，練習は平らで硬い治療用ベッドで実施している。動作の特徴は前述の通りである。今後3週間で治療用ベッドでの安定した起き上がり動作の獲得を目指す。

## 課題の目標

**態度**

1. 動作練習の介入に備えた，清潔かつ安全な身なりができる。
2. 患者に起き上がり動作練習を行う旨を説明し，了承を得ることができる。
3. 患者に不快な思いをさせない（話し方，表情，振る舞い）。

**技能**

1. 患者の安全に配慮しながら進めることができる。
2. 起き上がり動作の特徴，問題箇所に気づき，説明することができる。
3. 適宜誘導・補助を行い起き上がり動作練習が実施できる。
4. 適宜，適切なフィードバックを行うことができる。

## 手順

1．挨拶・自己紹介を行い，2つの識別子で患者の確認を行う。
2．起き上がり動作練習を行う旨を患者に伝え了承を得る。
3．ベッドの高さと起き上がるための空間を調整する。
・身体からベッド端までの距離を目視にて確認し，適切な位置に身体を移動させる。身体とベッド端との距離は，座位になった際の大腿の長さを目安にする。
・ベッドの高さは，座位になった際に足底が床につく程度にする。

**臨床のコツ**

◆療法士と患者の体格差がある場合，療法士が誘導しやすい高さに調整しておく。ただし患者の動作を阻害しない高さにすることが重要である。また療法士の高さに合わせた場合は，座位になった際に高さを調整する。

4．背臥位姿勢を調整する。
5．頭頸部屈曲運動を数回行う（図14）。
・頭頸部を屈曲しにくい患者には，頭頸部を屈曲する際に胸郭を引き下げる誘導・補助を行う。頭部が屈曲する患者には，下顎を引きながら行うよう指示する。
6．麻痺側上肢を視覚にて認識させ，非麻痺側上肢で補助して体幹の上に乗せる。
・背臥位から半側臥位になる際に，麻痺側上肢が動作を妨げる重りとならないように，麻痺側肩関節軽度内転，肘関節屈曲にして上肢を体幹の上に乗せ，回転方向に移動させておく。また，起き上がり動作時に麻痺側上肢が落ちないように非麻痺側前腕を体幹の上に乗せておく。
7．非麻痺側上肢をベッドにつく
・肩関節外転30〜90°を目安に，非麻痺側上肢をベッドにつく。
・麻痺側前腕が体幹の上から落ちてしまう場合は，頭頸部を屈曲し胸郭を回転し始めるまでは非麻痺側の手で麻痺側肘関節を支えておくとよい。
8．頭頸部を屈曲しながら，非麻痺側肘関節の方向への頭部移動運動を数回行う（図15）。
・頭頸部を屈曲し，胸郭を起き上がる方向に回転しながら，非麻痺側肘関節の方向に頭部を移動させる。その際，非麻痺側股関節は外旋・外転して，麻痺側肩関節を前・上方に移動させる。
・麻痺側の肩甲帯が後退し胸郭が回転できない場合，麻痺側肩関節に軽く手を添えて，非麻痺側肘関節の方向に頭部が移動するように誘導・補助する。

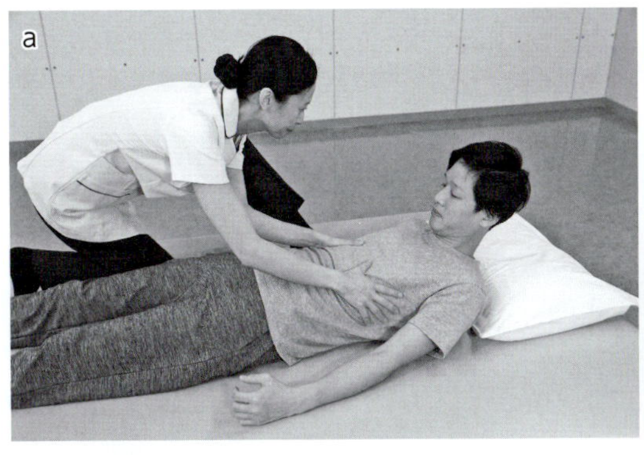

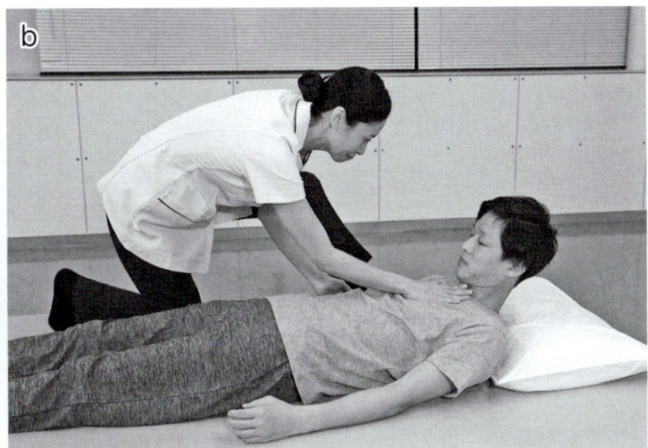


図14　頭部挙上の誘導・補助
a：下部胸郭の引き下げ
b：上部胸郭の引き下げ

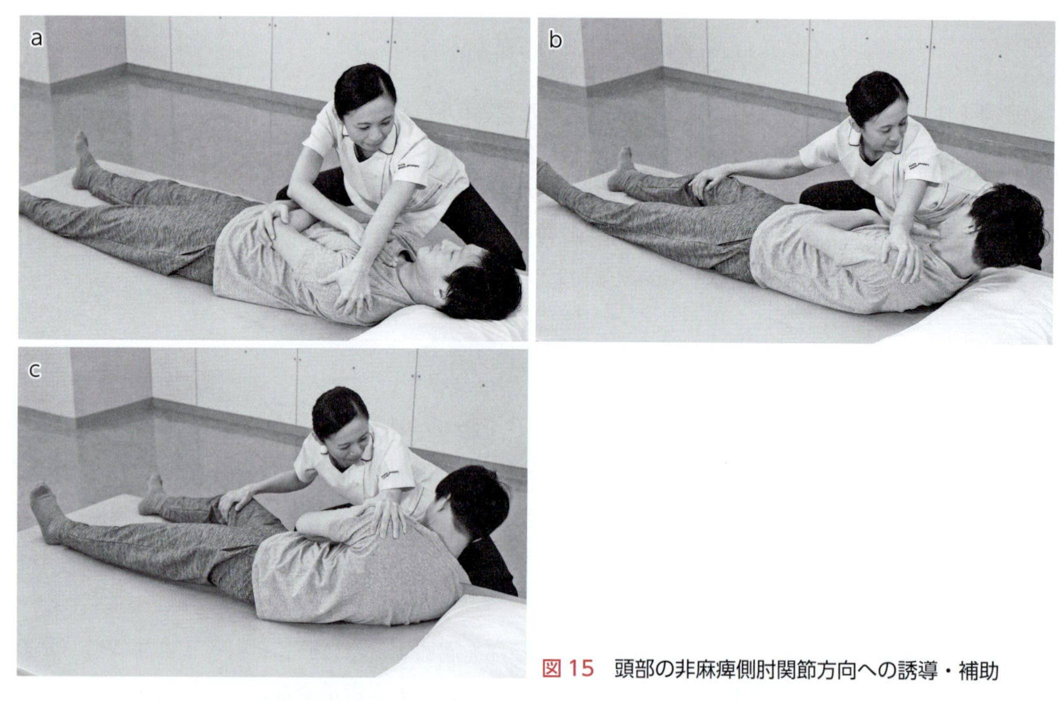


図 15　頭部の非麻痺側肘関節方向への誘導・補助

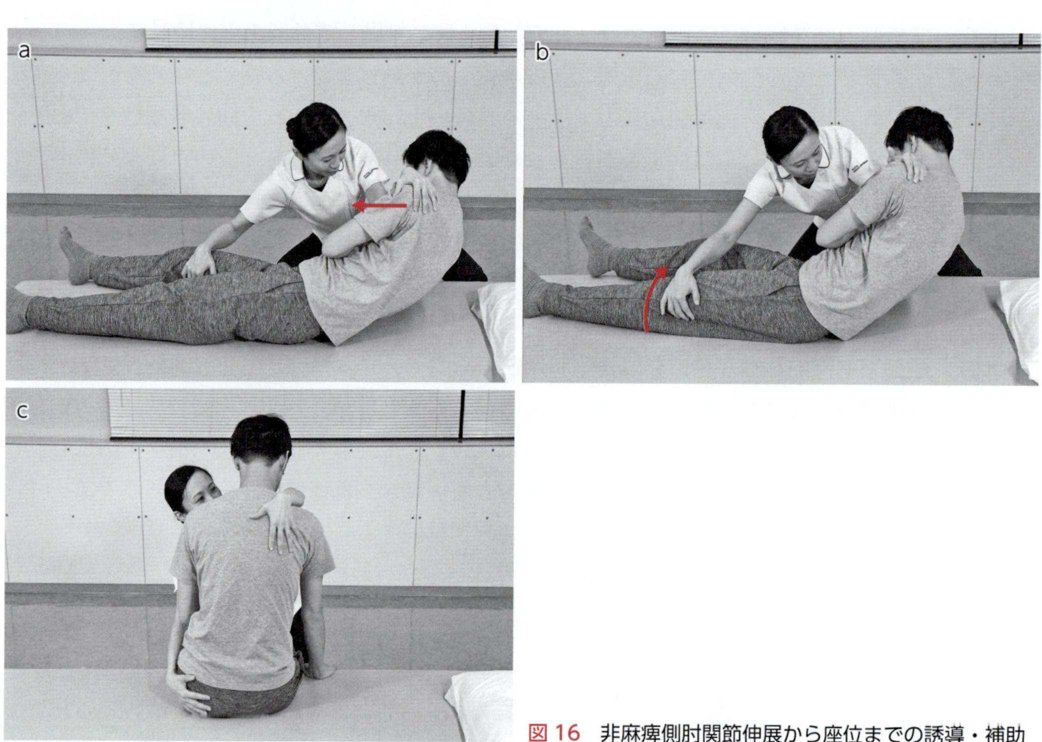


図 16　非麻痺側肘関節伸展から座位までの誘導・補助

**臨床のコツ**

◆患者に視線を臍の横あたりに向けるよう指示すると誘導しやすい。

◆非麻痺側肘関節の方向に頭部を移動させる動作を定着させる場合は，その部分を繰り返し練習する。頭部を肘関節の方向に移動させた状態から背臥位に戻す場合は，ゆっくり動作を行うように誘導・補助する。

9．非麻痺側肘関節伸展から座位までの動作を誘導・補助する（図16）。

・体幹を起こす動作が行いにくい場合は，麻痺側肩関節を麻痺側坐骨の方向に誘導・補助し重心を殿部に移動させる。その際，誘導のタイミングが遅くなると股関節が過度に屈曲位になり体幹が前傾位になる。その状態を防ぐため，非麻痺側肘関節の方向に頭部が移動したらすぐに麻痺側の

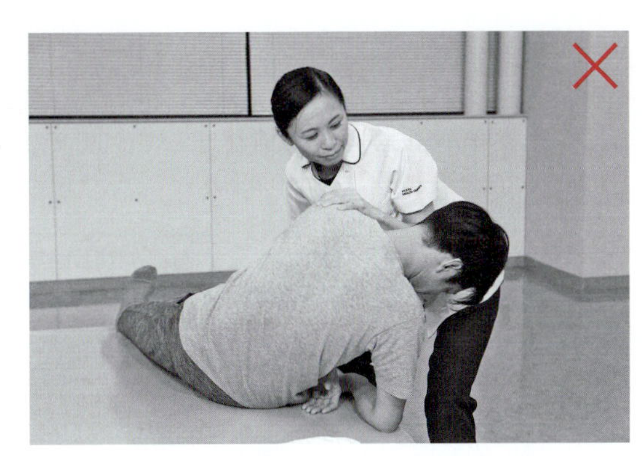

図17 非麻痺側肘関節方向に頭部を移動させ過ぎた例

坐骨に向かって重心を移動させるように誘導・補助する(図17)。

・麻痺側肩関節が前・上方に移動し上面筋が収縮するタイミングで，少し浮いた麻痺側下肢を前方に移動して，非麻痺側の下肢とともにベッド端から下ろして座位となる。麻痺側下肢を患者自身でベッドから下ろすことができない場合は，麻痺側下肢を誘導・補助してベッド端に下ろす。

**臨床のコツ**

◆下肢の重さを利用した力学的効果を引き出すために，頭頸部を屈曲してから起き上がるまでの動作を連続して行うようにする。

◆一連の動作が途中で止まるようであれば，止まったところから動作を再開するのではなく頭頸部を屈曲する動作から開始する。

◆動作を途中で止めないように意識するあまり素早く誘導してしまうと，補助量が過剰となり患者自身の筋活動を十分に引き出せないため注意する。

10. 座位姿勢を調整する。
    ・座位が不良姿勢になっていないか確認し，必要に応じて誘導・補助する。座位姿勢を修正する際は，上肢の支持や頭部・体幹の立ち直りの能力に応じて，療法士の誘導・補助の量を調整し，両側の坐骨支持および足底接地を促す。
11. 終了を伝える。
12. 安全面に配慮する。
    ・課題全般を通して患者の姿勢に気を配り，常に安全に配慮する。
13. 適宜，適切なフィードバックを行う。
    ・適切な内容，タイミング，量でフィードバックを行う。

## 採点基準

採点者は模擬患者に受験者の言動の適否を適宜確認して，以下の項目を採点してください。

### 1．態度

|  |  |
|---|---|
| (1) ①適切な身なりで，②明瞭な挨拶（開始時・終了時），③自己紹介ができる。 | 2点：①～③すべてできる<br>1点：①～③のうち2項目できる<br>0点：1項目できる<br>0点：すべてできない |
| (2) 2つの識別子で患者の確認ができる。 | 2点：2つの識別子で患者の確認ができる<br>1点：1つの識別子で患者の確認ができる<br>0点：確認ができない |
| (3) ①起き上がり動作の練習を行う旨を患者に伝え，②了承を得ることができる。 | 2点：①，②どちらもできる<br>1点：①のみできる<br>0点：どちらもできない |
| (4) 課題全般を通して，患者の様子（表情・姿勢・身体機能）や状況に応じた丁寧な対処（①声かけ・②触れ方・③動かし方）ができる。 | 2点：①～③すべてできる<br>1点：①～③のうち2項目できる<br>0点：1項目できる<br>0点：すべてできない |

### 2．技能

|  |  |
|---|---|
| (1) ①身体からベッド端までの距離，②ベッドの高さを適切に調整することができる。 | 2点：①，②どちらもできる<br>1点：①，②のどちらか一方のみできる<br>0点：どちらもできない |
| (2) 麻痺側上肢を適切に誘導・補助できる。 | 2点：適切に誘導・補助できる<br>1点：誘導・補助が過剰，もしくは不足している<br>0点：全介助にて行う<br>0点：誤った誘導・補助を行う<br>0点：誘導・補助を行わない |
| (3) 頭頸部屈曲運動を適切に誘導・補助できる。 | 2点：適切に誘導・補助できる<br>1点：誘導・補助が過剰，もしくは不足している<br>0点：全介助にて行う<br>0点：誤った誘導・補助を行う<br>0点：誘導・補助を行わない |
| (4) 麻痺側上肢の管理を適切に誘導・補助できる。 | 2点：適切に誘導・補助できる<br>1点：誘導・補助が過剰，もしくは不足している<br>0点：全介助にて行う<br>0点：誤った誘導・補助を行う<br>0点：誘導・補助を行わない |
| (5) 頭頸部の動きに合わせて非麻痺側股関節の外旋・外転を適切に誘導・補助できる。 | 2点：適切に誘導・補助できる<br>1点：誘導・補助が過剰，もしくは不足している<br>0点：全介助にて行う<br>0点：誤った誘導・補助を行う<br>0点：誘導・補助を行わない |
| (6) 背臥位から非麻痺側肘関節方向への頭部移動までの動作を適切に誘導・補助できる。 | 2点：適切に誘導・補助できる<br>1点：誘導・補助が過剰，もしくは不足している<br>0点：全介助にて行う<br>0点：誤った誘導・補助を行う<br>0点：誘導・補助を行わない |
| (7) 非麻痺側肘関節を伸展し座位になるまでの動作を適切に誘導・補助できる。 | 2点：適切に誘導・補助できる<br>1点：誘導・補助が過剰，もしくは不足している<br>0点：全介助にて行う<br>0点：誤った誘導・補助を行う<br>0点：誘導・補助を行わない |

| | |
|---|---|
| (8) 終了姿勢（座位姿勢）を確保できる。 | 2点：安定した座位姿勢を確保できる<br>1点：転倒や転落のリスクはないが，姿勢修正が不十分<br>0点：転倒や転落のリスクがある<br>0点：安定した座位姿勢を確保しない |
| (9) 課題を通して，受験者の視線・身構え，患者との距離を確保することで，常に患者の安全を確保できる。 | 2点：課題を通して，受験者の視線・身構え，患者との距離を確保することで，常に患者の安全を確保できる<br>0点：課題を通して，1回でも受験者の視線・身構え，患者との距離を保つことができず患者の身体に危険を感じる対応である |
| (10) 課題を通して，適宜，患者にフィードバックを行うことができる。 | 2点：内容，タイミング，量が適切である<br>1点：2項目が適切である<br>0点：内容が不適切である<br>0点：フィードバックがない<br>0点：1項目が適切である<br>0点：すべて適切でない |

## OSCE担当者確認事項

### 環境設定

・ベッドの高さは，座位時に足底が浮く程度にする。

### 模擬患者と採点者

・誘導・補助が不十分，不適切なためそれ以降の採点項目が減点となる場合は，模擬患者，採点者が修正した後に試験を再開する。
・模擬患者，受験者に危険が及ぶ可能性がある場合は，採点者，模擬患者が修正した後に試験を再開する。

### 模擬患者

・課題開始時は，麻痺側に寄った状態の背臥位にて待機する（図18）。
・起き上がり動作はp158患者情報「起き上がり動作の現状」と対応動画参照。

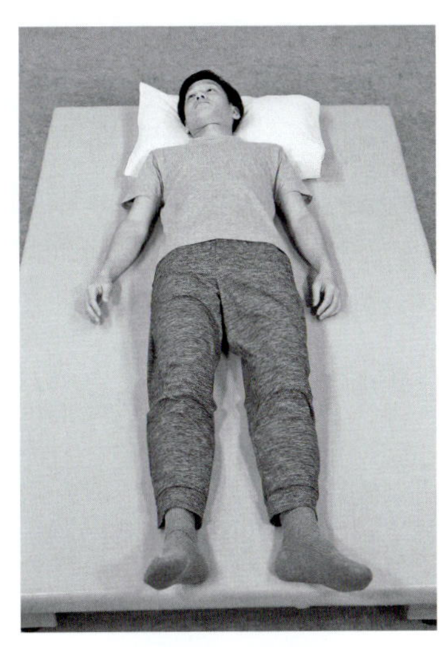

図18　模擬患者の開始姿勢

### 参考文献


1) 高橋正明 編：標準理学療法学 専門分野 臨床動作分析．医学書院，2001.
2) 工藤亮，他：病室環境の知覚的側面を考慮した成人片麻痺者へのアプローチ．OTジャーナル 37：604-8，2003.
3) 中村隆一，齋藤宏，長崎浩：基礎運動学 第6版．医歯薬出版，2003.
4) 才藤栄一 監：PT・OTのためのOSCE 臨床力が身につく実践テキスト．金原出版，2011.
5) Davis PM 著，冨田昌夫 監訳，額谷一夫 訳：ステップス・トゥ・フォロー 改訂第2版．丸善出版，2005.

# 3 起立・着座

## 1 起立・着座動作とは

起立・着座動作とは，座位から立位，立位から座位へと姿勢を変換する動作である。起立・着座動作は環境等によって開始もしくは終了姿勢が端座位，長座位，正座，胡座となり，動作に冗長性を有する。

生活場面において「立ち上がる」「座る」という動作そのものが目的になることは少なく，立位で各種の動作を行ったり歩いたりするために立ち上がり，座位で種々の活動を行ったり立位から臥位へと姿勢を変化させる過程として座る。起立・着座動作の自立度は生活・活動範囲の拡大に関与する。

本項では端座位からの起立と端座位になるまでの着座動作について取り扱い，起立・着座動作をそれぞれ3相に分けて捉える。

### A 起立動作（図1）

第1相：起立準備

・殿部位置，足部位置など座位姿勢を整える。

第2相：起立

・重心の前方移動期：股関節を回転中心とした屈曲運動により頭部と体幹を前方に移動し重心を前方に移動させる。膝部は足関節の背屈運動を伴いながらわずかに前方に移動し，殿部が座面から離れる。

・重心の上方移動期：股関節から膝関節に回転中心が移行し，膝関節・股関節を協調的に伸展し，重心を上方へ移動する。体幹は前傾位から直立位に戻り，立位姿勢となる。

第3相：立位保持

・立位姿勢を整え，立位を保持する。

### B 着座動作（図2）

第1相：着座準備

・座面との距離を調整し，足幅など立位姿勢を整える。

第2相：着座

・重心の下方移動期：股関節の屈曲運動を伴いながら膝関節を屈曲して，重心を下方に移動する。

・重心の後方移動期：体幹を起こして重心を足部から殿部に移動する。

第3相：座位保持

・座位姿勢を整え，座位を保持する。

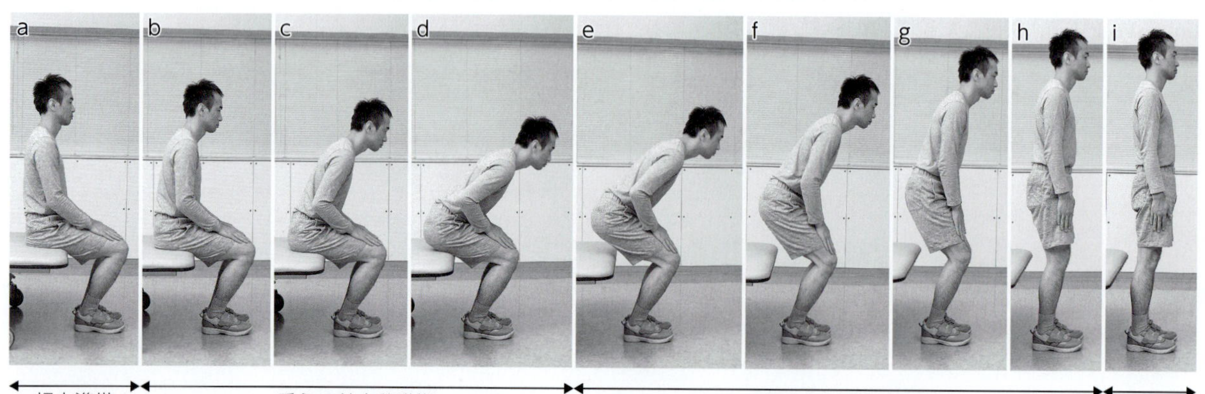


図1　起立動作

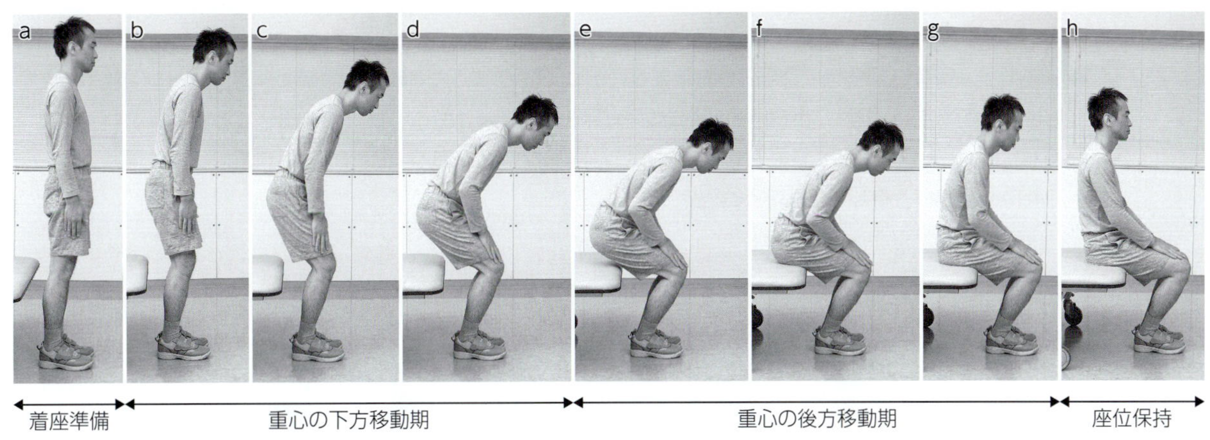


図2　着座動作

## 2 手　順

### A 起立動作

①座位姿勢を整える。
②安全な範囲で浅めに座る。
③足部の位置を膝より手前で両坐骨結節幅にする。
④骨盤を直立位にする。
⑤視線を2～3m前下方に向ける。
⑥股関節を屈曲して重心を前方に移動する。
⑦足部に重心が移動したら，膝関節，股関節を伸展して重心を上方に移動する。
⑧立位姿勢を整える。

### B 着座動作

①座面との距離や座面の高さ・形状などを確認し調整する。
②立位姿勢を整える。
③足幅を両坐骨結節幅にする。
④頸部・体幹，股関節・膝関節を屈曲，足関節を背屈して重心を下方に移動する。
⑤重心の下方移動伴って視線を足元に移す。
⑥大腿後面に座面が触れたら体幹を起こして殿部に重心を移動する。
⑦座位姿勢を整える。

## 3 動作のポイント

### A 起立動作

#### 1）殿部の位置

・安全な範囲で浅めに座る（目安は大腿骨の近位1/3）。浅過ぎると前方へ滑り落ちやすく不安定となる。深過ぎると殿部と足部との距離が長くなるため，前方への重心移動が困難な症例では立ち上がりにくさにつながる。
・左右の殿部は同じ深さにする。一方の殿部が後方に位置していると重心が後方に偏位するため，前方への重心移動が困難な症例では立ち上がりにくさにつながる。

**臨床のコツ**

◆脳卒中片麻痺者で，股関節周囲筋の筋緊張が低下しており座位にて麻痺側股関節が外転・外旋位になってしまう症例（図3a）では，麻痺側股関節を非麻痺側股関節よりもわずかに前に出しておくと下肢が安定する（ただし，足底を接地し骨盤を立てておくことが前提条件である：図3b）。起立時に膝の位置が安定して麻痺側下肢に荷重しやすくなる。

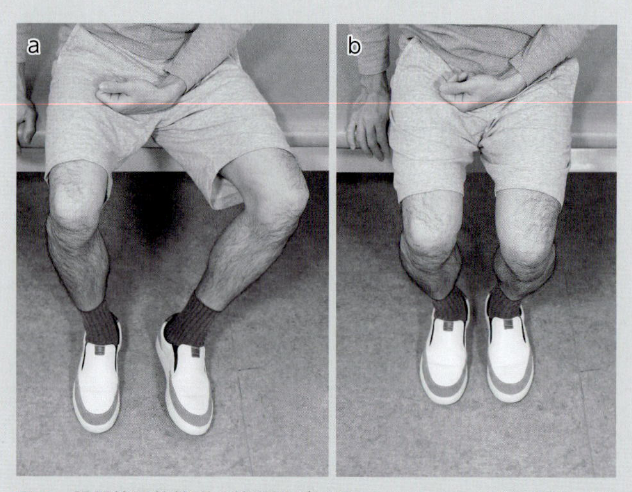

図3　股関節回旋筋群の筋緊張が低下しているケース（麻痺側：左）
a：骨盤が後傾していると麻痺側股関節が外転・外旋しやすくなる
b：骨盤を立てて麻痺側股関節を非麻痺側股関節よりもわずかに前に出しておくと下肢が安定する

### 2）足部の位置

・足幅（両第2中足骨間の距離）は両坐骨結節間の距離とする（図4a）。両側の大腿が平行になるのを目安にすると調整しやすい。起立動作時に重心が左右に偏位しても，この足幅であれば，大きな左右偏位とならずにすむ。

・足幅が広いと支持基底面は広がり，重心を支持基底面内に落としやすくなり安定するが，重心が左右に偏位しやすくなる（図4b）。足幅が狭いと重心を支持基底面内にとどめることが難しくなり，動作が不安定になることがある（図4c）。

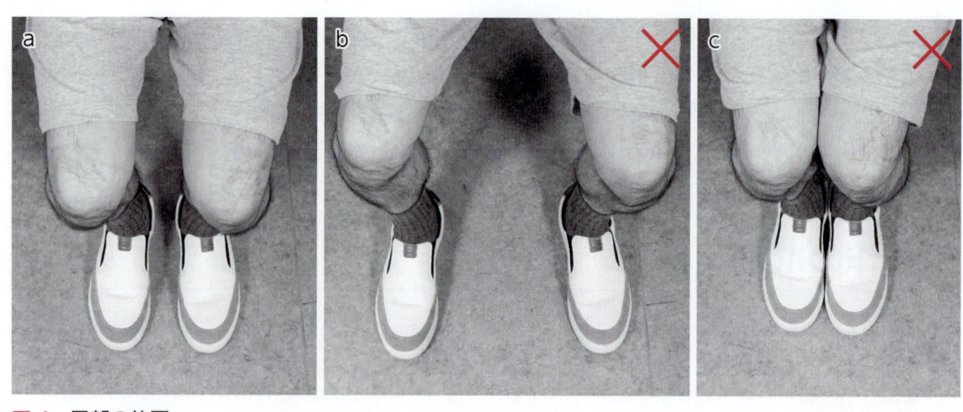

図4　足部の位置
a：起立動作に適した足幅（両坐骨結節間の距離）
b：足幅が広過ぎる
c：足幅が狭過ぎる

臨床のコツ

◆非障害側に重心が偏位しやすい脳卒中片麻痺者や人工股関節置換術後などの一側下肢運動器疾患患者の場合，足幅が広過ぎると起立・着座動作時や立位保持時に障害側下肢へ荷重しにくくなる。また，短下肢装具を装着している場合，足幅が広過ぎると装具側足底外側が浮き上がり，足底全面接地が困難になることがある（図5）。

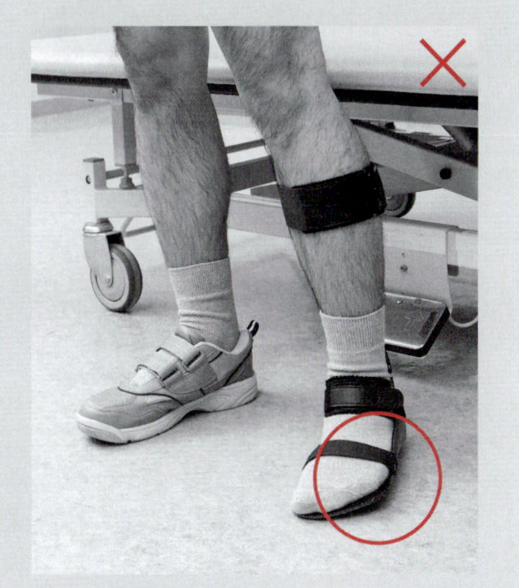

図5 足幅が広過ぎることによる足底接地不良

・踵が浮かない程度に足部を引き寄せる（図6a）。足部を引き寄せ過ぎると，起立時に下腿が座面の縁に接触してしまうことがある（図6b）。足部の引き寄せが不足していると，足部までの重心移動距離が増し，起立しにくくなる（図6c）。また，足部が膝関節よりも過度に前方にあると，平衡反応によって骨盤が後傾し体幹が屈曲しやすい。

### 3) 骨盤の状態

・骨盤を直立位にする（図7a）。
・骨盤が後傾していると重心が後方に偏位し，足部までの重心の前方移動距離が長くなる（図7b）。

臨床のコツ

◆骨盤を直立位にしようと頸部や上部胸郭にて努力性に体幹を伸展させると，重心の前方移動期に股関節の屈曲運動を阻害し，重心の前方移動が不十分となる（図7c）。背中を伸ばすことを強調した際にも同様の反応がみられることがあり，教示の仕方には注意が必要である。

### 4) 視線の方向

・重心の前方移動期は，2～3m前下方に視線を向ける（図8a）。足元に視線を向けると骨盤が後傾し，重心が後方へ偏位してしまい（図8b），結果，足部までの重心の前方移動距離が長くなる。また，視線が前方もしくは前上方を向いていると，頸部や体幹上部が過度に伸展し股関節の屈曲運動を阻害し，

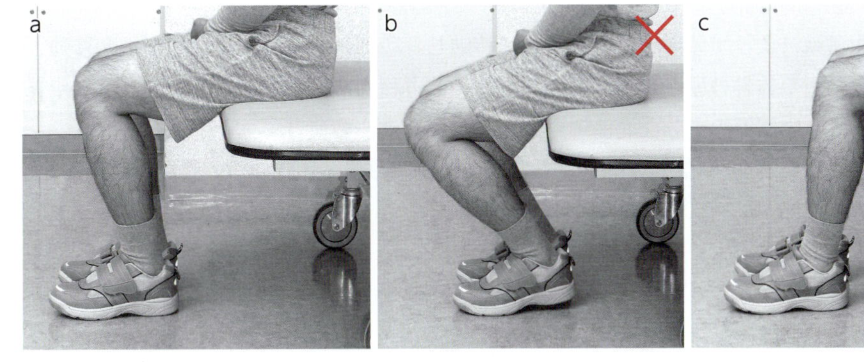


図6 足部の前後位置
a：起立動作に適した足部位置（膝よりも少し手前）
b：足部を手前に引き寄せ過ぎて踵が浮いている
c：足部の引き寄せが不足している

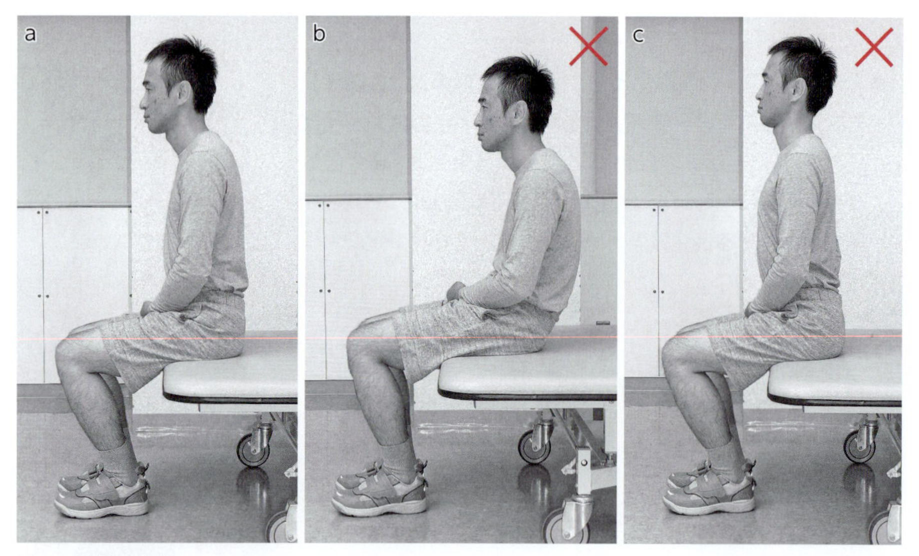


図7　骨盤の状態
a：起立動作に適した骨盤の状態（骨盤直立位）
b：骨盤が後傾している
c：骨盤が前傾し過度に脊柱が伸展している

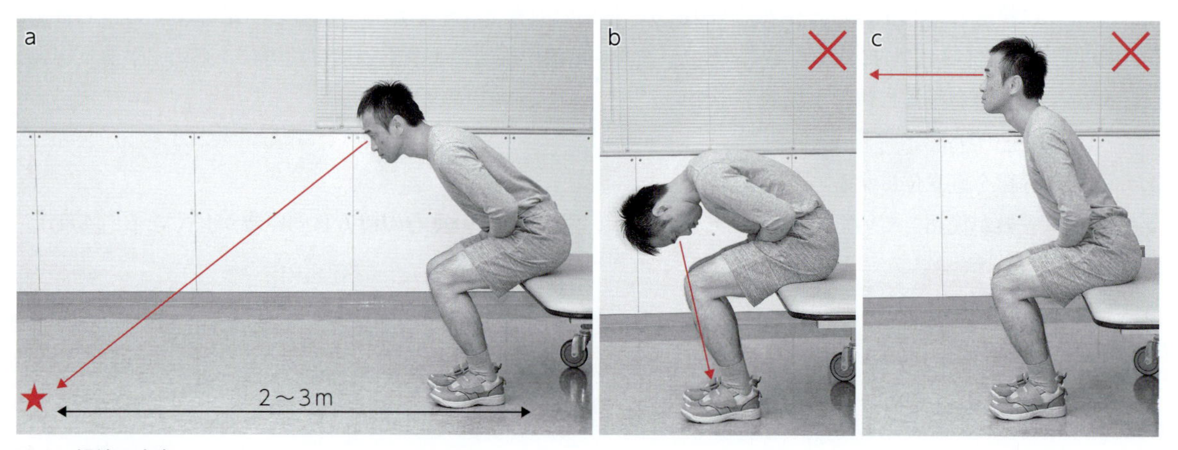


図8　視線の方向
a：起立動作に適した視線（2〜3 m 前下方に向ける）
b：足下に視線を向けたため骨盤が後傾している
c：視線が前方もしくは前上方にあると頸部や体幹上部が過度に伸展し，股関節の十分な屈曲運動が阻害される

重心を十分に前方へ移動できなくなる（図8c）。

## 5）重心の前方移動

・股関節の屈曲運動によって頭部と体幹を前方に移動し，殿部にあった重心を足部へと移動させる。その際，骨盤の後傾や体幹の屈曲が生じると，重心の前方移動が阻害される。また，頸部や脊柱の過度な伸展が生じると股関節の十分な屈曲運動が阻害され，重心の前方移動が困難となる。
・左右対称性を保ちながら，頭部と体幹を前方に移動する。頭部・体幹の前方移動が一側に偏位すると，偏位側と対側の膝部が外側に向きやすくなり，荷重しにくくなる。

臨床のコツ

◆重心の前方移動が不十分な症例や不安感の強い症例などでは，前方に台を設置し手をつくことで，重心の前方移動が円滑に行えるようになることがある。この場合，上肢で突っ張ってしまうと重心の前方移動を阻害することがあるため注意が必要である（図9a）。また，前方の台についた上肢に体重を乗せてしまい，重心の前方移動が過大となる可能性もあるため注意が必要である（図9b）。

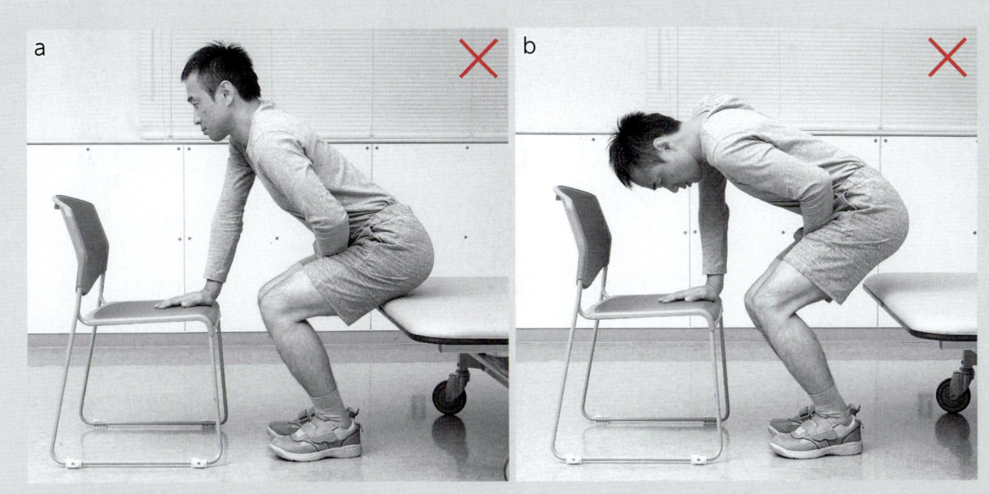


図9　前方の台を使用した際の注意点
a：上肢で突っ張ってしまい重心の前方移動を阻害する
b：重心の前方移動が大き過ぎる

### 6）重心の前方移動に伴う膝部の前方移動

・足部に重心を乗せるため，重心前方移動期に足関節の背屈運動を伴いながら，膝部をわずかに前方に移動させる（図10）。

### 7）重心の前方移動に伴う上肢による殿部の押し出し（push off）

・離殿に難渋する場合や努力性となる場合，殿部を前方に押し出すように座面の縁を上肢で押して補うとよい（図11a）。座面の縁に触れているため，前方への重心移動のスピードや距離を上肢で調整，探索することが可能となる。また，重心移動時に不安を感じた場合などに，上肢を頼りに殿部を座面に戻すことも可能である。

・座面に手をついて殿部を座面から持ち上げる（push up）と，重心が後方に残りやすく起立動作が不安定となることがあり，注意が必要である（図11b）。

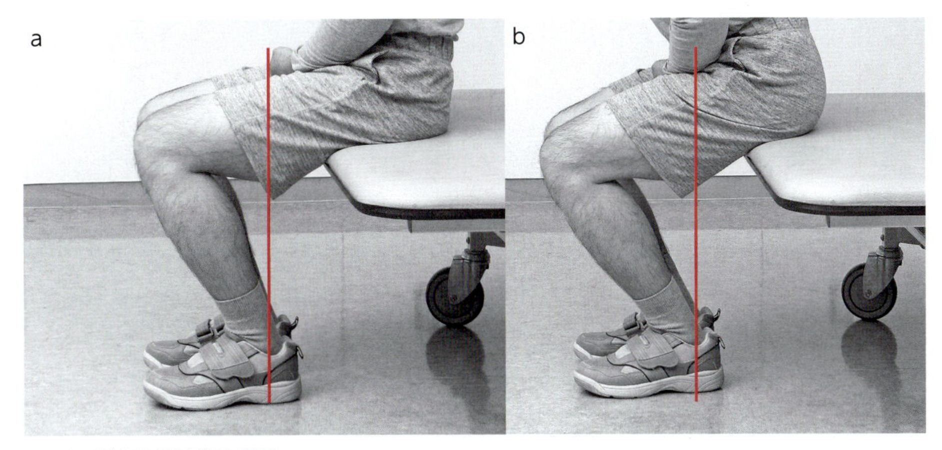


図10　膝部と足関節の運動
a：重心の前方移動前の状態
b：重心の前方移動に伴い足関節が背屈し膝部が前方に移動している状態

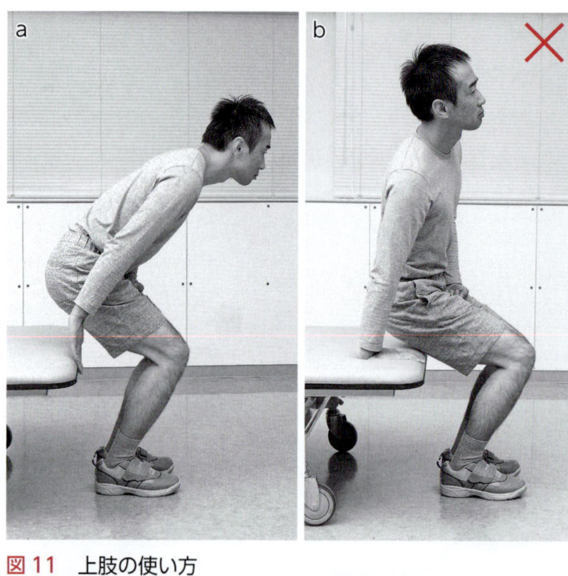


図11　上肢の使い方
a：殿部の押し出し
b：殿部の押し上げ

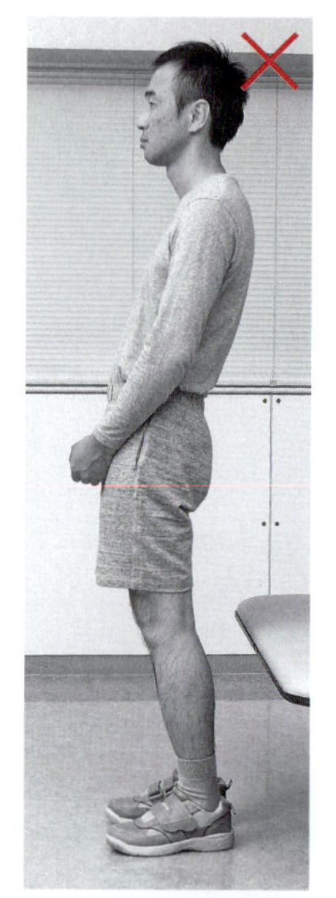

図12　スウェイバック

**臨床のコツ**

◆脳卒中片麻痺者では，起立動作時に非麻痺側上肢で手すりなどを引き込むことによって麻痺側の筋緊張が亢進し（肩甲帯の後退，下肢伸展パターンの出現など），麻痺側下肢に体重が乗りにくくなることがある。手すりを引き込まず，手すりに近づくように前方へ重心を移動するとよい。

#### 8）重心の前方移動から上方移動への切り替え

・重心が踵（外果前方）に移り離殿した後，膝関節・股関節を同時に伸展して上方への重心移動を開始する。離殿直後に足関節底屈運動を伴う膝関節伸展が生じると重心が足部より後方に移動し，尻もちをつくなどのバランス不良が生じやすい。

#### 9）立位保持

・足幅は両坐骨結節間の距離とする。
・足圧中心を踵（外果前方）に落とす。
・左右対称となるように骨盤，体幹を直立位に保つ。

**臨床のコツ**

◆後方重心での立位保持や股関節を過伸展させたスウェイバックの姿勢（図12），同時収縮による膝関節軽度屈曲位姿勢は，脳卒中片麻痺者の姿勢戦略として臨床上よく観察される。これらの姿勢は，立位から歩き出す際など，重心位置を変化させる際に大きな慣性が働き不安定性を引き起こすため注意が必要である。

## B　着座動作

#### 1）開始肢位

・座面との距離を適切にとる（図13a）。距離が長過ぎると殿部を後下方に下ろさなければならず，尻もちをつくリスクが高まる（図13b）。短過ぎると着座動作時に座面と下腿が接触する可能性がある。座面に下腿が触れることで，座面に寄りかかり，後方重心を助長してしまう（図13c）。
・立位における足幅は両坐骨結節間の距離とする。足幅が狭過ぎると不安定となる。広過ぎると，着座動作時に一側下肢に重心が偏位した場合，対側下肢に荷重されず，場合によっては足部が浮いてしまう。

#### 2）重心の下方移動

・支持基底面内に重心を保ちながら頸部，体幹，股関節と膝関節を屈曲，足関節を背屈して重心を下方

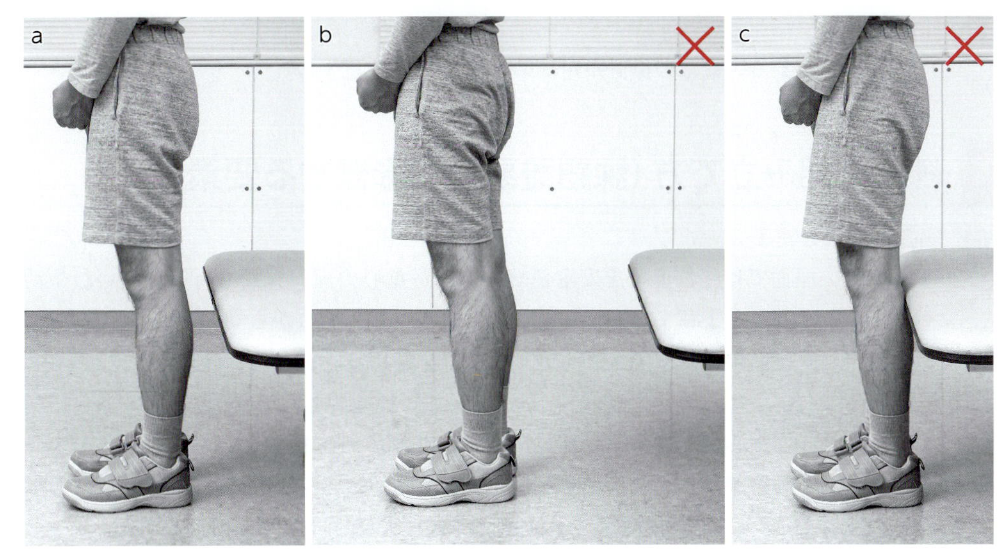


図 13 座面との距離
a：適切な距離，b：距離が長過ぎる，c：距離が短過ぎる

へ移動する。膝関節の屈曲が乏しいまま殿部が後方に移動すると，重心が急激に後方に移動して尻もちをつくリスクが高まる。

・着座時に殿部に衝撃を受けないようにスピードをコントロールする。

**臨床のコツ**

◆下肢と体幹で殿部を下ろすスピードをコントロールできず速くなってしまう場合は，座面の縁に手で触れて上肢でコントロールするとよい。

### 3) 視線移動

・重心の下方移動に伴い，視線を下げて足元に移す。視線を足元に向けるタイミングが早いと殿部が後方に移動しやすくなり重心が急激に後方に移動してしまう。視線を前方に向けたまま，もしくは視線を下げるタイミングが遅いと重心を下方に移動しにくくなる。

### 4) 重心の後方移動

・座面に大腿後面が触れた後，体幹を起こして殿部に重心を移動する。

・大腿近位1/3～1/2程度が座面に乗るのを目安に殿部を座面に下ろす。

**臨床のコツ**

◆着座動作は，移動先が背面にあり視覚情報が得られにくいため，恐怖感を伴いやすい。このため座面に座り損ねないように殿部をなるべく後方に下ろそうとする心理が働きやすい。重心の後下方移動期に手で座面の縁に触れて座面の位置，距離を確認しながら手の位置を目安に殿部を下ろすとよい（図14）。このとき，手を座面後方につくと重心を大きく後方に誘導してしまい，バランスを崩す要因となるため注意する。

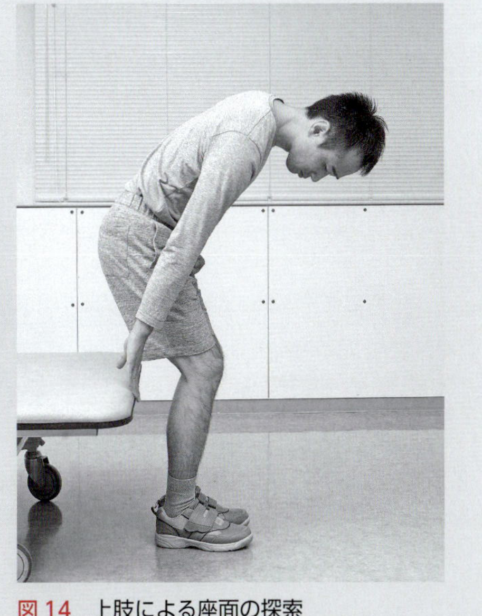

図 14 上肢による座面の探索

### 5）座位保持

・座位姿勢を整える。殿部の位置や足部の位置などを確認する。

## 4 練習の組み立て方（課題難易度に影響する要素）

### 1）座面の形状と硬さ

・平らで硬い座面では座位姿勢を安定させやすく，重心の前方移動も行いやすい。生活場面では椅子，ベッド，トイレとさまざまな形状・硬さの座面に座り，そこから立ち上がる必要がある。段階的に目標を設定し，座面の形状や硬さを変更して練習を進める。

### 2）座面の高さ

・座面高が低いと重心の上下移動距離が長くなり，起立・着座動作の難易度が上がる。座面高が高いと重心の上下移動距離が短くなるため，起立・着座動作は容易となる。高い座面高で練習を行う場合は殿部の位置を十分に前方に移動し，骨盤が後傾しない配慮が必要である。

・起立練習を実施する際は，足底が十分に接地でき，下腿長と同程度かやや高い座面高にて動作分析を行い，必要に応じて高めの座面から練習を開始することで，練習課題の難易度を調整できる。また，生活環境を聴取し，必要に応じて低い座面での起立・着座動作練習へと展開することで，活動範囲の拡大，社会活動参加の促進を目指す。

### 3）支持台の使用

・起立相の重心の上方移動期において，股関節・膝関節伸展が困難な症例やバランスを保てない症例では，支持台の使用によって課題の難度を下げることができる。重心の前方移動期から支持台を利用すると重心の前方移動を阻害しやすいため，離殿後，重心が上方移動へ移行するタイミングで使用するとよい。支持台を前方もしくは前側方に置くと体幹が前傾しやすくなるため注意が必要である（図15a）。支持台は側方に設置し，手の位置を体幹のやや前側方からやや後側方の範囲で調整すると体幹直立位を保ちやすい（図15b）。また，支持台を使用する場合は，寄りかかって体幹が側屈しないように注意が必要である。

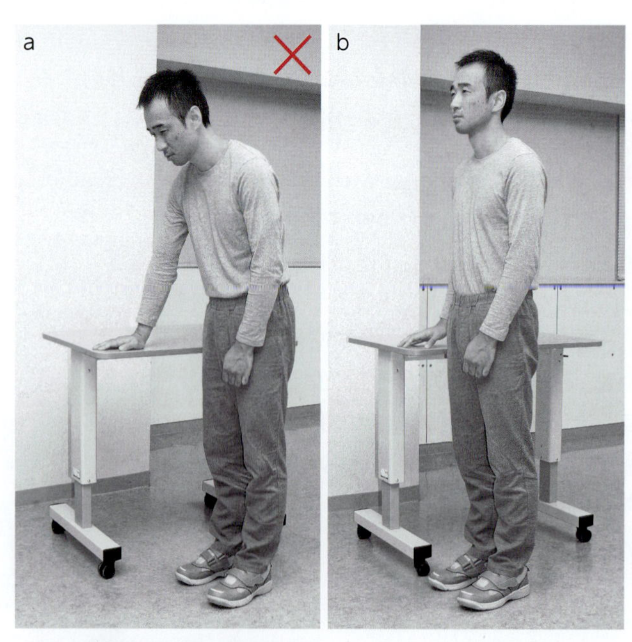


図15　支持台の位置と手のつき方
a：不適切な例
b：適切な例

臨床のコツ

◆重心の前方移動が不十分であるが両上肢が使用できる場合には，座面の縁を一側の手で押し出し，もう一側の手で支持台を利用するとよい。

### 4) 誘導・補助の量

・患者の能力に応じて誘導・補助の量は適切に調整する。難度の高い類似課題に移行した際には，一時的に誘導・補助の量を増やすことがある。

### 5) 練習の組み立て方の一例（図16）

・下腿長と同程度の座面高の便座からの起立・着座自立を目指すが，練習開始段階では実施が困難な症例における練習の組み立て方の一例を示す。

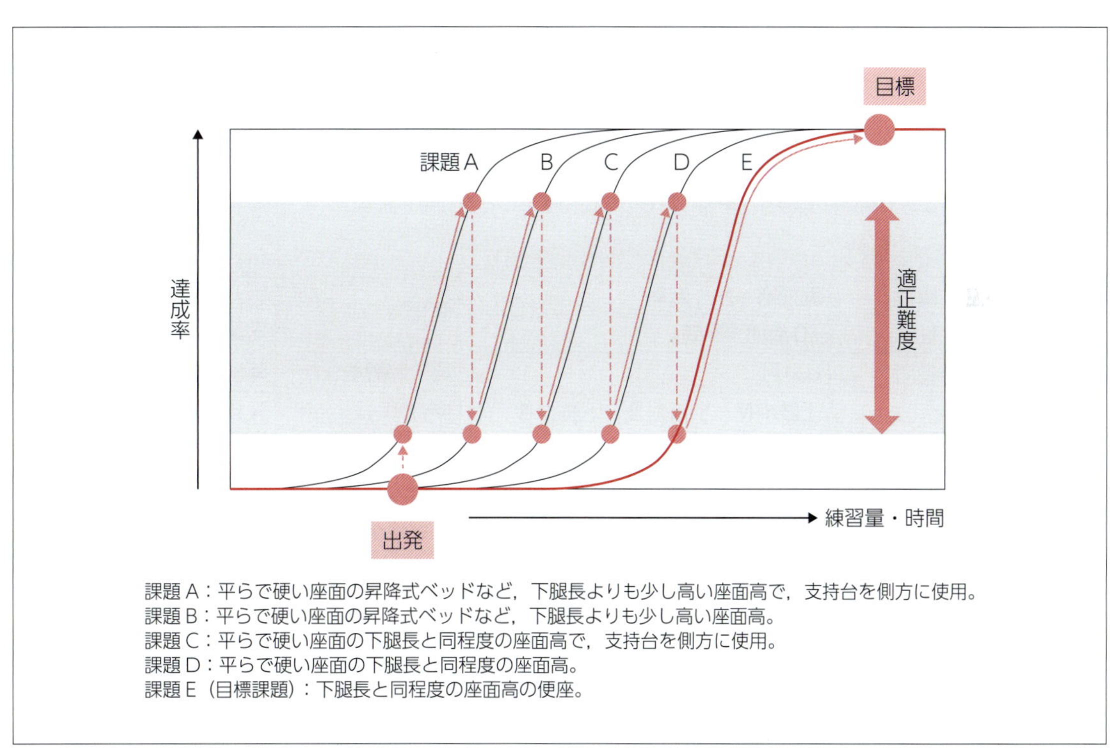


課題A：平らで硬い座面の昇降式ベッドなど，下腿長よりも少し高い座面高で，支持台を側方に使用。
課題B：平らで硬い座面の昇降式ベッドなど，下腿長よりも少し高い座面高。
課題C：平らで硬い座面の下腿長と同程度の座面高で，支持台を側方に使用。
課題D：平らで硬い座面の下腿長と同程度の座面高。
課題E（目標課題）：下腿長と同程度の座面高の便座。

図16　起立・着座動作練習の組み立て方の一例

対応動画

# OSCE課題　起立・着座：分析

## 設問

脳梗塞左片麻痺の患者です。ベッドからの起立・着座動作を自己流で行っています。この患者の起立・着座動作を観察し，分析結果を採点者に説明してください。今回は患者への説明は省きます。動作は3回までとしてください。採点者への説明は動作終了後に行ってください。なお，リスク管理は採点者に依頼してください。環境や姿勢，動作の修正に関する指示はしないでください。制限時間は5分です。では，始めてください。

注1) 採点者は実際には近位監視でのリスク管理を行いませんが，課題を始めてください。
注2) メモを取りながら観察してかまいません。

## 準備するもの

昇降式ベッド（事例1，2で使用），ギャッチベッド（L字柵：事例3で使用），ズボン（丈が膝よりも上のもの），ペン，メモ用紙

注) ペンとメモ用紙は受験者が準備したものを使用することを許可します。

## 患者情報

|  |  |
|---|---|
| 疾患・障害 | 脳梗塞・左片麻痺 |
| 年齢・性別 | 70歳代・不問 |
| 発症後期間 | 6カ月 |
| BRS | 上肢：Ⅳ　手指：Ⅲ　下肢：Ⅲ |
| 腱反射 | 2＋ |
| 筋緊張 | 上腕二頭筋，手指屈筋群，下腿三頭筋：軽度亢進 |
| ROM | 制限なし |
| 疼痛 | なし |

|  |  |
|---|---|
| 感覚 | 表在感覚：軽度鈍麻<br>深部感覚：中等度鈍麻 |
| 高次脳機能 | 障害なし |
| 座位 | 保持可能 |
| 立位 | 保持可能 |
| 歩行 | FIM 5（屋内修正自立） |
| 起居移乗動作 | 可能 |
| 理解 | 良好 |
| 表出 | 良好 |

### 事例

**事例1：非麻痺側優位で股関節を大きく屈曲し，体幹を過度に前傾させて反動で立ち上がる事例**

- 手すり等を使用せずに，下腿長と同程度の座面高から起立・着座動作が可能である。
- 座位では，頭部・体幹ともに非麻痺側へ偏位している。深く座り，両下肢は肩幅程度に開いている。
- 起立時の重心は非麻痺側へ大きく偏位し，頭部・体幹の右側への倒れ込みによって立ち上がる。
- 起立時に，上肢では屈曲筋群，下肢では伸展筋群の筋緊張が亢進する。
- 立位では，下肢への荷重は非麻痺側優位であり，かつ後方に重心がある。
- 着座動作は，股関節を大きく屈曲して殿部を過度に後方へ移動し，落下させるように殿部を座面に下ろす。着座直前で下肢が浮いてしまう。

**事例2：重心の前方移動を十分に行わず，非麻痺側上肢にて殿部を押し上げて立ち上がる事例**

- 手すり等を使用せずに，下腿長と同程度の座面高から起立・着座動作が可能である。
- 座位では，骨盤は軽度後傾しており，殿部の外側の座面に非麻痺側の手をついている。下肢の引き込みは不十分で，足幅は肩幅程度に開いている。
- 重心の前方移動は不十分で，非麻痺側上肢で殿部を押し上げて立ち上がる。
- 立位では，下肢への荷重は非麻痺側優位であり，かつ後方に重心がある。
- 着座動作は，股関節を大きく屈曲して殿部を過度に後方へ移動し，落下させるように殿部を座面に下ろす。着座直前で下肢が浮いてしまう。

**事例3：上肢の引き込み動作にて立ち上がる事例**

・手すりがあれば，下腿長と同程度の座面高から起立・着座動作が可能である。
・座位では，骨盤が後傾し，深く座っている。下肢の引き込みは不十分で（膝90°屈曲位程度），足幅は肩幅程度に開いている。
・上肢で手すりを引き込んで立ち上がる。
・立位では，下肢への荷重は非麻痺側優位であり，かつ後方に重心がある。
・着座動作では，上肢の引き込み動作にて殿部の落下スピードをコントロールしながら深く座る。

### 課題の目標

態度

1．動作分析に備えた，清潔かつ安全な身なりができる。
2．患者にベッドからの起立動作の観察を行う旨を説明し，了承を得ることができる。
3．患者に不快な思いをさせない（話し方，表情，振る舞い）。

技能

1．患者の安全に配慮しながら進めることができる。
2．問題点を含めた起立・着座動作の特徴を説明することができる。
3．わかりやすく簡潔な報告ができる。

## 手 順

1．挨拶・自己紹介を行い，2つの識別子で患者を確認する。
2．起立・着座動作の観察を行う旨を患者に伝え了承を得る。
3．安全面に配慮する。
　・起立・着座動作では，座面からのずり落ち，離殿時の前方への膝の崩れや離殿直後の尻もち，股関節・膝関節伸展不足による膝折れ，着座時の尻もちなどの危険がある。
　・本課題では採点者にリスク管理を依頼する。
4．起立動作の動作環境を確認する。
　・座面の形状と硬さ，座面高を確認する。
　・手すり等の支持物の使用の有無を確認する。
5．起立動作の開始姿勢（座位姿勢）を観察する。
　・殿部・足部の位置，骨盤の状態を確認する。
6．起立動作開始の合図をする。
7．適切な位置で観察する。
　・矢状面，前額面から適宜視点を変えながら観察する。患者に近づき過ぎて動作を阻害しないように注意する。
8．起立動作時の重心の前方移動を観察する。
　・骨盤の状態，股関節の屈曲運動，膝部の前方移動，視線の方向を確認する。
9．起立動作時の重心の上方移動を観察する。
　・重心の位置，左右に均等に荷重されているか，股関節・膝関節の伸展運動を確認する。
10．立位姿勢を確認する。
11．着座動作の動作環境を確認する。
　・手すり等の支持物の使用の有無を確認する。
12．着座動作の開始姿勢（立位姿勢）を観察する。
　・座面までの距離，足部の位置，左右に均等に荷重されているかを確認する。
13．着座動作開始の合図をする。

14. 着座動作時の重心の下方移動を観察する。
   - 着座動作時の頸部，体幹，股関節，膝関節，足関節の運動を確認する。
   - 視線の移動のタイミングや向きを確認する。
   - 殿部を下ろすスピードを確認する。
15. 着座動作時の重心の後方移動を観察する。
   - 殿部を下ろす位置を確認する。
   - 体幹を起こすタイミングを確認する。
16. 着座後の座位姿勢を観察する。
17. 終了を伝える。
18. 動作環境面も含めた起立・着座動作の特徴について分析結果を述べる。
   - 観察結果に基づき，動作環境の調整や動作練習など，介入が必要となりうる問題点について分析する。

例：起立時の重心は非麻痺側へ大きく偏位し，頭部・体幹の右側への倒れ込みによって立ち上がっていた。これは左右非対称の開始姿勢を整えなかったことによるものと考える。また，骨盤が後傾し，足部が膝よりも前方に位置していたため，重心の前方移動距離が増え，頭部と体幹による反動が必要になったためだと推察する。重心の上方移動時に，麻痺側下肢の伸展筋群の筋緊張が亢進して，麻痺側下肢に十分に荷重できておらず安定性を損ねていた。反動を用いたことと，左右非対称性の姿勢であったことにより努力性の筋活動が必要となったため，麻痺側下肢の筋緊張亢進が亢進したと考える。

立位では平衡反応を活用して静的に安定しているため，姿勢を変える際にわずかな外力によっても転倒する危険性が高い。

着座動作は頭部・体幹，股関節，膝関節，足関節の協調した屈曲動作が行えていないため，殿部は重力による回転モーメントの影響を受けて急激に落下してしまった。

## 採点基準

採点者は模擬患者に受験者の言動の適否を適宜確認して，以下の項目を採点してください。

### 1．態度

|  |  |
|---|---|
| (1) ①適切な身なりで，②明瞭な挨拶（開始時・終了時），③自己紹介ができる。 | 2点：①〜③すべてできる<br>1点：①〜③のうち2項目できる<br>0点：1項目できる<br>0点：すべてできない |
| (2) 2つの識別子で患者の確認ができる。 | 2点：2つの識別子で患者の確認ができる<br>1点：1つの識別子で患者の確認ができる<br>0点：確認ができない |
| (3) ①起立・着座動作の観察を行う旨を患者に伝え，②了承を得ることができる。 | 2点：①，②どちらもできる<br>1点：①のみできる<br>0点：どちらもできない |
| (4) 課題全般を通して，患者の様子（表情・姿勢・身体機能）や状況に応じた丁寧な対処（①声かけ・②触れ方・③動かし方）ができる。 | 2点：①〜③すべてできる<br>1点：①〜③のうち2項目できる<br>0点：1項目できる<br>0点：すべてできない |

### 2．技能

|  |  |
|---|---|
| (1) 患者が動作を始める前に，採点者にリスク管理を依頼できる。 | 2点：患者が動作を始める前に，採点者にリスク管理を依頼できる<br>1点：患者が動作を始めてから，採点者にリスク管理を依頼する<br>0点：リスク管理を採点者に依頼しない |

| | |
|---|---|
| (2) ①手すりの使用の有無，座面（②形状，③硬さ，④高さ）について観察できる。 | 2点：①～④すべて観察できる<br>1点：①～④のうち2～3項目観察できる<br>0点：1項目観察できる<br>0点：すべて観察できない |
| (3) 矢状面，前額面を含めた適切な視点から，患者の動作を阻害しない距離で観察できる。 | 2点：矢状面，前額面を含めた適切な視点から，患者の動作を阻害しない距離で観察できる<br>1点：視点を変えて観察できるが，矢状面，前額面のいずれかからの観察ができない<br>0点：矢状面，前額面ともに観察できない<br>0点：1点からのみの観察となる<br>0点：患者との距離が近く，動作を阻害する |
| (4) 起立動作の開始姿勢（座位姿勢）について観察できる。 | 2点：起立動作の開始姿勢について観察できる<br>1点：観察が不十分<br>0点：観察が誤っている<br>0点：観察ができない |
| (5) 起立動作時の重心の前方移動について観察できる。 | 2点：起立動作時の重心の前方移動について観察できる<br>1点：観察が不十分<br>0点：観察が誤っている<br>0点：観察ができない |
| (6) 起立動作時の重心の上方移動について観察できる。 | 2点：起立動作時の重心の上方移動について観察できる<br>1点：観察が不十分<br>0点：観察が誤っている<br>0点：観察ができない |
| (7) 起立動作終了時・着座動作開始時の姿勢として，立位姿勢について観察できる。 | 2点：立位姿勢について観察できる<br>1点：観察が不十分<br>0点：観察が誤っている<br>0点：観察ができない |
| (8) 着座動作時の重心の下方移動について観察できる。 | 2点：着座動作時の重心の下方移動について観察できる<br>1点：観察が不十分<br>0点：観察が誤っている<br>0点：観察ができない |
| (9) 着座動作時の重心の後方移動について観察できる。 | 2点：着座動作時の重心の後方移動について観察できる<br>1点：観察が不十分<br>0点：観察が誤っている<br>0点：観察ができない |
| (10) 終了姿勢（座位姿勢）について観察できる。 | 2点：終了姿勢（座位姿勢）について観察できる<br>1点：観察が不十分<br>0点：観察が誤っている<br>0点：観察ができない |
| (11) 起立・着座動作について分析できる。 | 2点：分析できる<br>1点：分析できるが不十分<br>0点：分析が誤っている<br>0点：分析ができない |

## OSCE担当者確認事項

### 環境設定

・ベッドの高さは模擬患者の下腿長と同等とする。

### 模擬患者と採点者

・事例1～3より提示する事例を決める。
・受験者が4回以上の動作反復を求めた際は3回までであることを説明し，分析結果を採点者に述べるように促す。

### 模擬患者

・受験者の分析時間（1分30秒間）を確保するため，3分30秒以内で動作が終わるようにする。
・最大3回の反復動作を求められるため，動作の再現性を担保できるよう練習しておく。
・膝関節の運動を観察しやすいズボン（丈が膝よりも上のもの）を着用する。下肢の関節運動と骨盤周囲の動きが確認しやすいように，上衣の裾をズボンの中に入れておく。
・課題開始時，昇降式ベッド上に端座位で待機する。
・1回の起立・着座動作はそれぞれ5秒程度で終了できる速度で実施する。

### 採点者

・リスク管理を依頼された場合，近位監視しているものとし，実際には採点のみ実施する。

対応動画

# OSCE課題　起立・着座：介入

## 設問

脳梗塞左片麻痺の患者です。動作手順が定着しておらず，起立・着座動作には誘導・補助が必要です。ベッドからの起立動作では開始姿勢を整えることなく動作を開始しようとし，離殿が困難です。着座動作では不安感が強く，後方に尻もちをついてしまいます。この患者に対して適切な誘導・補助を行いながら，起立・着座動作練習を行ってください。制限時間は5分です。では，始めてください。

## 準備するもの

昇降式ベッド，ズボン（丈が膝よりも上のもの）

## 患者情報

| 疾患・障害 | 脳梗塞・左片麻痺 |
|---|---|
| 年齢・性別 | 70歳代・不問 |
| 発症後期間 | 3週 |
| BRS | 上肢：Ⅱ　手指：Ⅱ　下肢：Ⅲ |
| 腱反射 | 2+ |
| 筋緊張 | 股関節周囲筋：弛緩<br>上腕二頭筋，手指屈筋群，下腿三頭筋：軽度亢進 |
| ROM | 制限なし |

| 疼痛 | なし |
|---|---|
| 感覚 | 表在感覚：軽度鈍麻<br>深部感覚：中等度鈍麻 |
| 高次脳機能 | 障害なし |
| 座位 | 監視（大きな重心移動で座位姿勢が崩れることあり）<br>骨盤後傾位となりやすい |
| 立位 | 監視（大きな重心移動で転倒の可能性あり） |
| 理解 | 良好 |
| 表出 | 良好 |

### 起立・着座動作の現状

起立動作に適した開始姿勢を整えることなく動作を開始する。殿部と足部との位置関係が悪く重心の前方移動距離が長くなり，非麻痺側優位で股関節と体幹を大きく屈曲させ反動を利用して立ち上がろうとするが，重心を足部へと十分に移動できず，殿部が後方に引き戻される。

着座動作の初期には，不安感から膝関節の屈曲運動が小さく，股関節の屈曲と体幹の前傾にて殿部を後方に運び，殿部が急速に落下し尻もち様の着座となる。着座直前には麻痺側の足部が浮き上がる。起立・着座動作において非麻痺側上肢で座面に触れることはない。

### 経過と目標

発症後2日目にベッドサイドでのリハビリテーションが開始された。発症後7日目から車椅子乗車が許可され，起立・着座練習，立位練習，車椅子への移乗練習が開始された。血圧の不安定と持久性の低下によって積極的な起立・着座練習は困難であった。また座面が柔らかい病室のベッドでの起立練習では中等度の介助が必要であった。血圧が安定し，発症後15日目にリハビリテーション室に移行となり，同時に歩行練習も開始された。起立・着座練習は，平らで硬い座面を確保できる昇降式ベッドにて座面を高くし，支持台を側方に配置して行われた。翌日からは支持台がなくても股関節・膝関節を伸展し重心を上方へ移動することが可能となり，立位保持も監視にて可能となった。現在では持久性も向上し積極的な歩行練習も可能となっている。起立・着座練習は下腿長と同程度の座面高に昇降式ベッドを調整して実施している。今後2週間で，現在の練習環境での起立・着座動作の自立を目指す。

## 課題の目標

**態度**

1. 動作練習の介入に備えた，清潔かつ安全な身なりができる。
2. 患者に起立・着座動作練習を行う旨を説明し，了承を得ることができる。
3. 患者に不快な思いをさせない（話し方，表情，振る舞い）。

技能

1．患者の安全に配慮しながら進めることができる。
2．起立・着座動作の特徴，問題箇所に気づき，説明することができる。
3．適宜誘導・補助を行い起立・着座練習が実施できる。
4．適宜，適切なフィードバックを行うことができる。

## 手順

1．挨拶・自己紹介を行い，2つの識別子で患者を確認する。
2．起立・着座練習を行う旨を患者に伝え了承を得る。
3．座位姿勢を調整する。
　・重心の偏位があれば修正する。
　・麻痺側上下肢の位置に問題があれば修正する。

**臨床のコツ**

◆図17は，平衡反応でバランスを保っている例である。前額面では，右側に偏位した体幹・右上肢と，股関節外転・外旋位で左側方に偏位した左下肢で平衡を保っている。矢状面では，骨盤が後傾して腰帯部が後方にあるため，頭部を前方に出して平衡を保っている。また，後方に偏位した頭部・体幹・右上肢と前方に偏位した両下肢で平衡を保っている。

◆平衡反応でバランスを保っている場合，上下肢の位置を他者が変更するとバランスが保ちにくくなる。上下肢を動かす前に体幹の傾きなどを修正して重心位置を整える。

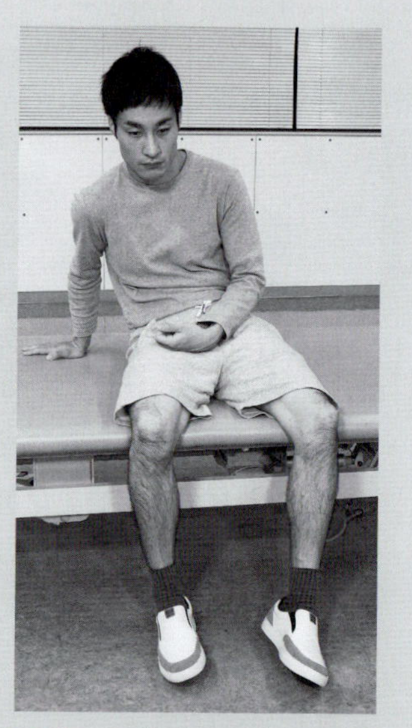

図17　平衡反応でバランスを保っている例

4．起立動作に適した座面の高さに調整する。
　・下腿長と同程度の高さになるよう，昇降式ベッドの高さを調整する。
5．起立動作に適した殿部の位置に調整する。
　・重心の前方移動を行いやすいよう浅めに座る。麻痺側殿部が後方に残らないように留意する。股関節周囲筋の筋緊張が低下しており外転・外旋位をとりやすい場合は，麻痺側股関節を非麻痺側股関節よりもわずかに前に出しておくとよい。
　・殿部の位置を修正する際は，骨盤を直立位にしておくと摩擦が減少し修正しやすい。一側の坐骨結節に重心を移動し，体幹を立ち直らせると対側の殿部の前方移動が円滑に行える（図18）。
6．起立動作に適した足部の位置に調整する。
　・足幅は両座骨結節間の距離とする。
　・踵が浮かない程度に足部を引き寄せる。

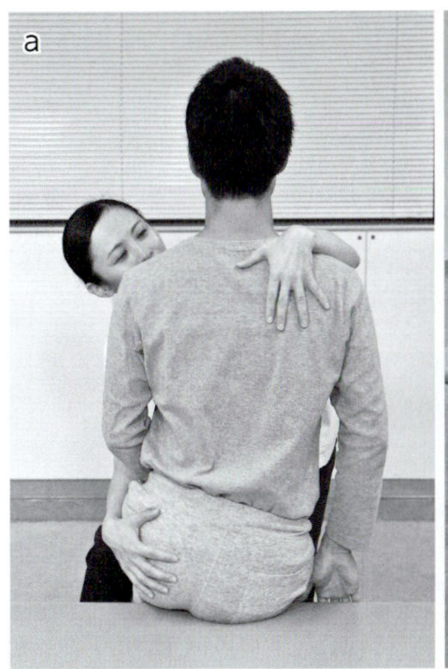

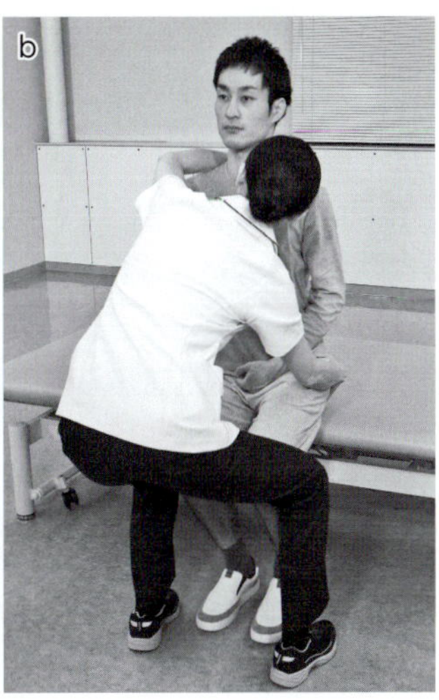


図 18 殿部の前方移動の誘導・補助

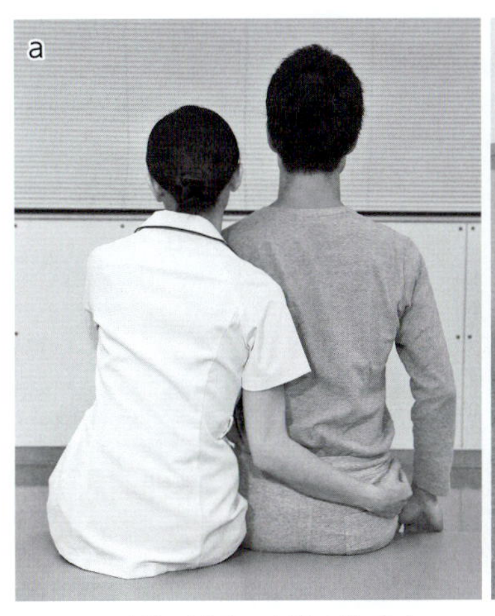

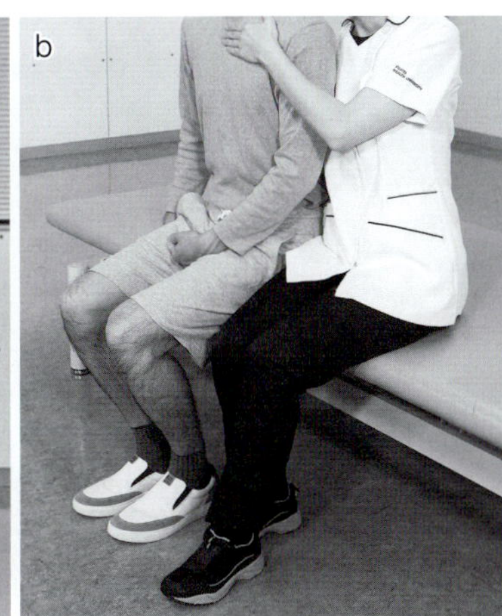

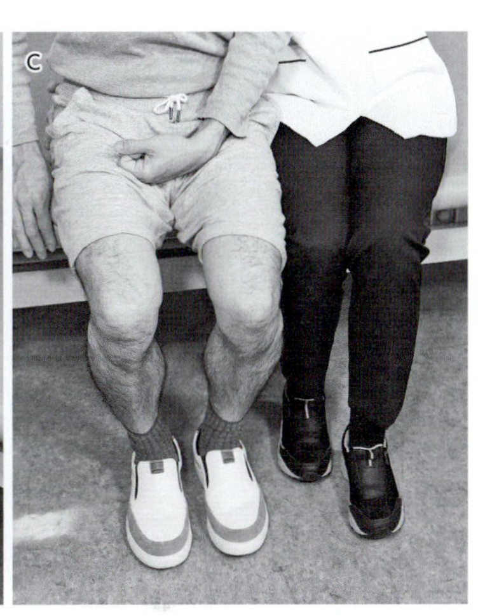


図 19 誘導・補助の方法と注意点
a：患者の仙骨部に療法士の前腕部をあてる
b：患者と療法士の体側を広い面で接触させる
c：適切な療法士の足幅と位置

7．骨盤を直立位にする。

・療法士は患者の麻痺側に座り，療法士の骨盤と手で患者の骨盤を十分に固定する（図19a）。お互いの体側を広い面で接触させ，かつ，療法士の前腕部を患者の仙骨部にあてることで療法士の動きを患者に効率良く伝達できる（図19ab）。このとき，療法士の患者側殿部が患者の殿部よりもやや後方に位置するように座ると患者に接触しやすい。患者を誘導・補助する際は，療法士も患者とともに動き，その動きを患者に伝えるようにする。
・骨盤を直立位にするにあたり，頸部や上部体幹を伸展させてしまうと，股関節の屈曲が阻害されるため注意が必要である。
・療法士の足幅は狭くしておき，足部を前後に配置しておく（図19c）。狭い支持面でも安定しやすく，患者を前後方向に誘導・補助しやすくなる。

**臨床のコツ**

◆患者との間に空間が生じると，誘導・補助の際に療法士の方へと引き寄せてしまい患者の動作が阻害される可能性が高くなる（図20a）。

◆常に患者が良姿勢を保てるように誘導・補助することはもちろん，患者の動作を阻害しないように留意する必要がある。療法士が患者の下肢に注意を向けたときなどに療法士の体幹が前屈し，患者の麻痺側体幹を屈曲させたり，回旋させたりと不良姿勢を誘発するリスクが高くなる（図20b）。

◆療法士の足幅が広いと療法士の重心移動が大きくなり，療法士側に過度に誘導する可能性が高くなる（図20c）。

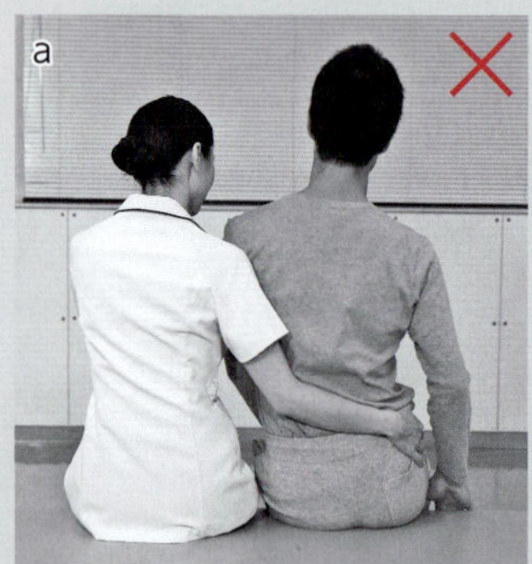


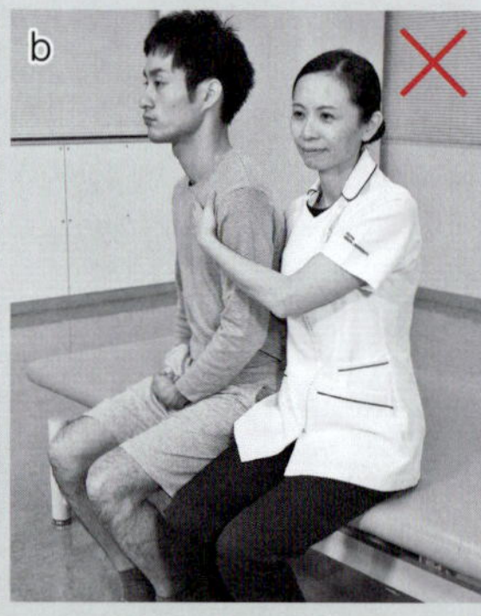


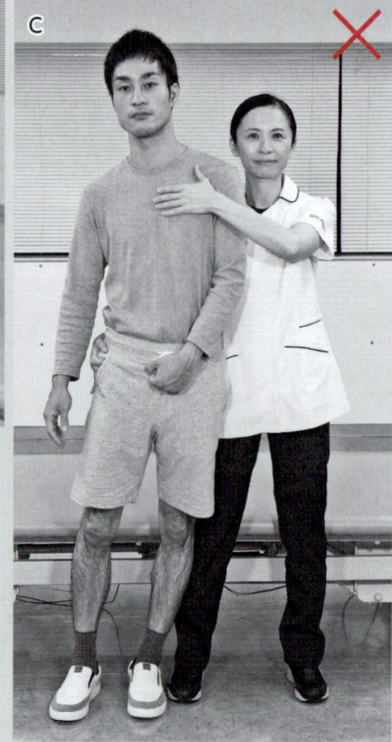


図20　誤った誘導・補助
a：患者との間に空間が生じている例
b：療法士の体幹で患者の体幹を回旋させてしまっている例
c：療法士の足幅が広いことにより患者が不安定になっている例

8．起立動作に適した視線の方向に調整する。
- 離殿までは2〜3m前下方に視線を向けるように教示する。

9．股関節を屈曲し，重心を前方に移動する。
- 骨盤が後傾しないように誘導・補助する。股関節の屈曲に伴い体幹を前傾するように誘導・補助する。このとき，頭部・体幹が一側に偏位しないように留意する。麻痺側膝関節が前方に移動できない場合は患者の膝部を誘導する（図21）。
- 離殿が困難な場合は，非麻痺側上肢にて座面の縁を用いて殿部を押し出すように教示する。

10．膝関節・股関節を伸展し，重心を上方へと移動する。
- 離殿し，足部に重心が移動したら，膝関節と股関節の伸展運動へと運動が切り替わる。必要に応じて運動が切り替わるタイミングを伝える。脛骨前面近位部に療法士の手掌をあてて，運動が切り替わるタイミングの伝達や，膝関節の伸展の誘導・補助を行う（図22）。
- 膝関節の伸展運動が始まったら療法士は患者の下肢から速やかに手を離し，必要に応じて胸骨に手をあてて，療法士の伸展運動で患者の体幹の伸展を誘導・補助する。いつまでも脛骨部から膝関節の伸展を誘導・補助していると，療法士の体幹で患者の体幹をおさえつけてしまい，動作を阻害してしまうので注意が必要である。

11．立位姿勢を調整する。
- 不良姿勢（左右非対称，スウェイバック，体幹屈曲位）になっていないか確認し，必要に応じて修正する。
- 立位姿勢を保持する際は，膝折れに備えて療法士の患者側の股関節を患者の股関節後方に移動して接触させておく（図23）。

図 21 膝部の前方移動の誘導

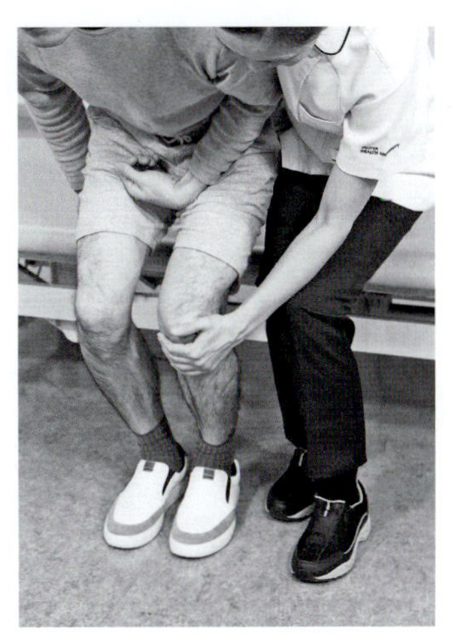
図 22 膝関節伸展の誘導・補助

図 23 立位の誘導・補助

12. 座面との距離（足部の位置，座面高）を確認する。
    - 患者とともに座面までの距離を確認し，必要に応じて修正する。
13. 重心を下方に移動する。
    - 股関節・膝関節を屈曲して重心位置を下方に移動するよう誘導・補助する。
    - 重心の下方移動に伴い，視線を足元へと移動するように指示する。
    - 恐怖感を伴う場合や殿部を下ろす位置がわからない場合は，非麻痺側の手で座面の縁を探索して，上肢で殿部を下ろす位置とスピードをコントロールするよう指示する。
14. 重心を後下方へ移動して殿部を座面に下ろす。
    - 大腿後面が座面に触れたら体幹を起こして殿部に重心を移動する。
    - 殿部が過度に後方へ移動しないよう，座面の端から大腿近位1/3〜1/2程度の位置を目安に殿部を下ろす。
15. 座位姿勢を調整する。
16. 終了を伝える。
17. 安全面に配慮する。
    - 課題全般を通して患者の姿勢に気を配り，常に安全に配慮する。
18. 適宜，適切なフィードバックを行う。
    - 適切な内容，タイミング，量でフィードバックを行う。

## 採点基準

採点者は模擬患者に受験者の言動の適否を適宜確認して，以下の項目を採点してください。

### 1．態度

|  |  |
|---|---|
| (1) ①適切な身なりで，②明瞭な挨拶（開始時・終了時），③自己紹介ができる。 | 2点：①～③すべてできる<br>1点：①～③のうち2項目できる<br>0点：1項目できる<br>0点：すべてできない |
| (2) 2つの識別子で患者の確認ができる。 | 2点：2つの識別子で患者の確認ができる<br>1点：1つの識別子で患者の確認ができる<br>0点：確認ができない |
| (3) ①起立・着座動作の練習を行う旨を患者に伝え，②了承を得ることができる。 | 2点：①，②どちらもできる<br>1点：①のみできる<br>0点：どちらもできない |
| (4) 課題全般を通して，患者の様子（表情・姿勢・身体機能）や状況に応じた丁寧な対処（①声かけ・②触れ方・③動かし方）ができる。 | 2点：①～③すべてできる<br>1点：①～③のうち2項目できる<br>0点：1項目できる<br>0点：すべてできない |

### 2．技能

|  |  |
|---|---|
| (1) 麻痺側の上下肢を整えた後に座面高を練習に適した高さに調整できる。 | 2点：麻痺側の上下肢を整えた後に座面高を練習に適した高さに調整できる<br>1点：麻痺側上下肢を整えることなく座面高を調整する<br>0点：座面高を調整するが不適切 |
| (2) 起立前に，適切な方法で適切な位置に殿部を移動できる。 | 2点：起立前に，適切な方法で適切な位置に殿部を移動できる<br>1点：殿部の移動方法が不適切であるが，適切な位置に殿部を移動できる<br>0点：殿部の位置が不適切 |
| (3) 起立前に，足部の①左右幅，②前後位置を適切に調整できる。 | 2点：①，②どちらも適切に調整できる<br>1点：①，②のどちらか一方のみ適切に調整できる<br>0点：どちらもできない |
| (4) 骨盤を直立位にできる。 | 2点：骨盤を直立位にできる<br>0点：骨盤を直立位にできない |
| (5) 起立練習に適した視線の向きを適切に指示できる。 | 2点：起立練習に適した視線の向きを適切に指示できる<br>1点：指示がわかりにくい<br>0点：指示が誤っている<br>0点：指示をしない |
| (6) 起立時の重心の前方移動を適切に誘導・補助できる。 | 2点：適切に誘導・補助できる<br>1点：誘導・補助が過剰，もしくは不足している<br>0点：全介助にて行う<br>0点：誤った誘導・補助を行う<br>0点：誘導・補助を行わない |
| (7) 起立時の重心の上方移動を適切に誘導・補助できる。 | 2点：適切に誘導・補助できる<br>1点：誘導・補助が過剰，もしくは不足している<br>0点：全介助にて行う<br>0点：誤った誘導・補助を行う<br>0点：誘導・補助を行わない |
| (8) 立位姿勢を確認し，必要に応じて調整できる。 | 2点：立位姿勢を確認し，必要に応じて調整できる<br>1点：転倒のリスクはないが，姿勢調整が不十分<br>0点：調整するが転倒のリスクがある<br>0点：立位姿勢を確認・調整しない |
| (9) 着座前に，患者とともに座面までの距離を確認し，必要に応じて修正できる。 | 2点：着座前に患者とともに座面までの距離を確認し，必要に応じて修正できる<br>1点：療法士のみで確認する<br>0点：転倒リスクが高い距離で着座動作を実施しようとする<br>0点：座面との距離を確認しない |

| | |
|---|---|
| (10) 着座練習に適した視線の移動を適切に指示できる。 | 2点：着座姿勢に適した視線の移動を適切に指示できる<br>1点：指示がわかりにくい<br>0点：指示が誤っている<br>0点：指示をしない |
| (11) 着座時の重心の下方移動を適切に誘導・補助できる。 | 2点：適切に誘導・補助できる<br>1点：誘導・補助が過剰，もしくは不足している<br>0点：全介助にて行う<br>0点：誤った誘導・補助を行う<br>0点：誘導・補助を行わない |
| (12) 着座時の重心の後方移動を適切に誘導・補助できる。 | 2点：適切に誘導・補助できる<br>1点：誘導・補助が過剰，もしくは不足している<br>0点：全介助にて行う<br>0点：誤った誘導・補助を行う<br>0点：誘導・補助を行わない |
| (13) 終了姿勢（座位姿勢）を確保できる。 | 2点：安定した座位姿勢を確保できる<br>1点：転倒や転落のリスクはないが，姿勢修正が不十分<br>0点：転倒や転落のリスクがある<br>0点：安定した座位姿勢を確保しない |
| (14) 課題を通して，受験者の視線・身構え，患者との距離を確保することで，常に患者の安全を確保できる。 | 2点：課題を通して，受験者の視線・身構え，患者との距離を確保することで，常に患者の安全を確保できる<br>0点：課題を通して，1回でも受験者の視線・身構え，患者との距離を保つことができず患者の身体に危険を感じる対応である |
| (15) 課題を通して，適宜，患者にフィードバックを行うことができる。 | 2点：内容，タイミング，量が適切である<br>1点：2項目が適切である<br>0点：内容が不適切である<br>0点：フィードバックがない<br>0点：1項目が適切である<br>0点：すべて適切でない |

## OSCE担当者確認事項

### 環境設定

・昇降式ベッドの高さは，図17（p180）の姿勢をとった模擬患者の足底がわずかに接地する程度とする。受験者が昇降式ベッドの高さを変更したら，次の受験者が入室するまでに調整する。

### 模擬患者と採点者

・誘導・補助が不十分，不適切なためそれ以降の採点項目が減点となる場合は，模擬患者，採点者が修正した後に試験を再開する。
・模擬患者，受験者に危険が及ぶ可能性がある場合は，採点者，模擬患者が修正した後に試験を再開する。

### 模擬患者

・ズボン（丈が膝よりも上のもの）を着用し（もしくは長ズボンの裾をまくり，膝関節を露出しておく），上衣の裾をズボンの中に入れておく。
・課題開始時，昇降式ベッド上に端座位で待機する。座位姿勢は図17（p180）参照。
・起立・着座動作はp179患者情報「起立・着座動作の現状」と対応動画参照。
・起立前に殿部の位置を前方に移動するように指示された場合は，非麻痺側優位で前方移動し，麻痺側殿部が後方に残るよう動作を行う。

## 参考文献

1) 山本澄子，石井慎一郎，江原義弘：基礎バイオメカニクス．医歯薬出版，2010.
2) 江原義弘，山本澄子：ボディダイナミクス入門 立ち上がり動作の分析．医歯薬出版，2001.
3) 中村隆一 他 編：基礎運動学 第6版．医歯薬出版，2003.
4) 才藤栄一 監：PT・OTのためのOSCE 臨床力が身に付く実践テキスト．金原出版，2011.

# 4 移 乗

## 1 移乗とは

移乗とは現在座っている場所から他の場所へ乗り移る動作のことであり，車椅子を移動手段として利用している人においては，車椅子 ↔ ベッド，車椅子 ↔ 便座，車椅子 ↔ 車など，さまざまな場面で行われる動作である。移乗方法の代表的なものとしては，起立してからステップを踏んで殿部を移乗先へ向ける方法，起立せずピボットターンで殿部を移乗先へ向ける方法がある。

ピボットターンによる移乗は，起立してからのステップによる移乗方法に比べ，移乗時の上下の重心位置を少なくできる。また，ステップを踏まないため，一側下肢のみで体重を支持することがなく，転倒のリスクが比較的少ない移乗方法である。ピボットターンによる移乗方法は移乗する先との距離を適切に調整することなど，動作を実行するまでの準備事項がそれ以外の方法に比べ多い。そのため，身体機能や能力の改善に伴い多様な移乗方法を獲得することは，活動範囲を拡大するために重要である。

片麻痺者にとって，車椅子 ↔ ベッド間の移乗は麻痺側回りよりも非麻痺側回りの方が容易である。車椅子を用いた生活を考えた際，常に非麻痺側回りで移乗を行うためには移乗する度に車椅子を非麻痺側へと移動しなければならず，患者自身で車椅子を移動させることは困難である。また，住宅環境によっては車椅子を移動させる十分なスペースが取れない場合もあり現実的ではない。このため，非麻痺側回り，麻痺側回りの2つの方法で移乗動作を獲得することが求められる。

本項では，車椅子 ↔ ベッド間の移乗動作について，ピボットターンで殿部を移乗先へ向ける方法で，車椅子からベッドへは非麻痺側回り，ベッドから車椅子へは麻痺側回りの2パターンに分けて解説する。非麻痺側回り，麻痺側回りともにそれぞれ①移乗準備，②移乗，③座位保持の3相に分けて捉える。

### A 非麻痺側回り（車椅子からベッド）（図1）

第1相：移乗準備

・ベッドに対する車椅子の位置の調整，ベッドの高さの調整，フットサポート・アームサポートの準備，殿部・足部の位置の調整，非麻痺側の手を置く位置の調整，座位姿勢の調整を行う。

第2相：移乗動作

・重心の前方移動期：ベッドに非麻痺側の手をついて体幹を前傾した姿勢から頭部と体幹を前方へ移動させ，重心を両足部の上（割合としては，非麻痺側下肢寄りに比重をおく）に移動し離殿する。

・殿部の移動期（回転）：非麻痺側の下肢に体重を乗せ，手をつき直すことなく，殿部をベッド上の手掌に近づけながらゆっくりと回し，ベッドに着座する。

第3相：座位安定

・着座後，端座位姿勢を整え，座位を保持する。

### B 麻痺側回り（ベッドから車椅子）（図2）

第1相：移乗準備

・ベッドに対する車椅子の位置の調整，ベッドの高さの調整，フットサポート・アームサポートの準備，殿部・足部の位置の調整，非麻痺側の手を置く位置の調整，座位姿勢の調整を行う。

第2相：移乗動作

・重心の前方移動期：ベッドに非麻痺側の手をついた姿勢から，体幹の前傾により頭部と体幹を前方へ移動させ，非麻痺側手掌部をベッドにつき，体重を両足部の上（割合としては，非麻痺側下肢寄りに比重をおく）に移動し離殿する。

・殿部の移動期（回転）：非麻痺側の下肢に体重を乗せ，手をつき直すことなく，殿部をゆっくりと回し，

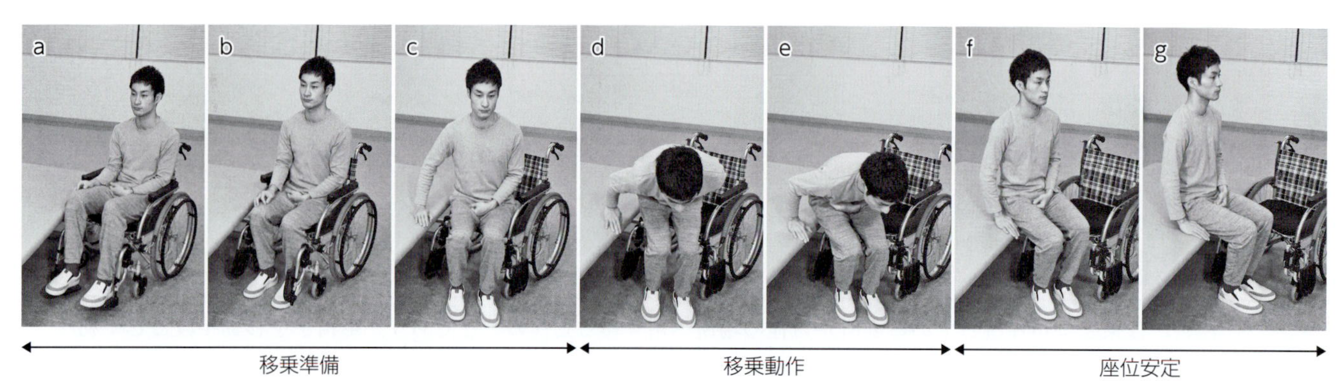


図1　左片麻痺者の非麻痺側回りの移乗（車椅子からベッド）

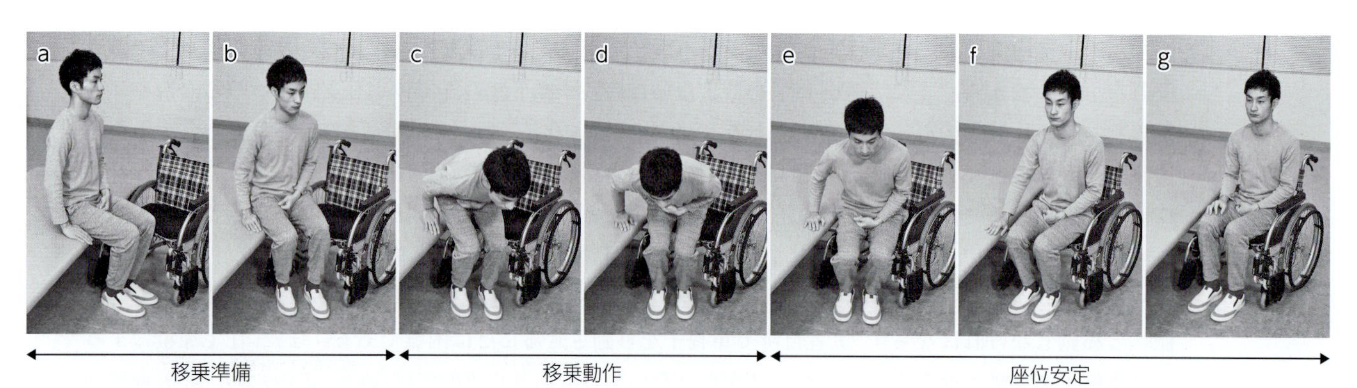


図2　左片麻痺者の麻痺側回りの移乗（ベッドから車椅子）

車椅子の座面前方に着座する。

第3相：座位安定

・着座後，車椅子座位姿勢を整え，座位を保持する。

## 2 手　順

### A 非麻痺側回り（車椅子からベッド）

①車椅子を適切な位置に設置し停車する。
②環境の準備（フットサポートの操作，ベッドの高さ調整等）を行う。
③殿部の位置を整える。
④足部の位置を整える。
⑤非麻痺側の手掌をベッド上につき体幹を非麻痺側に立ち直らせる。
⑥股関節を屈曲して重心を前方へ移動し，離殿する。
⑦殿部を回転し，ベッドに着座する。
⑧端座位姿勢を整える。

### B 麻痺側回り（ベッドから車椅子）

①殿部と足部の位置を整える。
②車椅子を適切な位置に設置し停車する。
③環境の準備（フットサポートの操作，ベッドの高さ調整等）を行う。
④殿部の位置を整える。
⑤足部の位置を整える。
⑥非麻痺側手掌をベッド上につき体幹を非麻痺側に立ち直らせる。

⑦股関節を屈曲して重心を前方へ移動し，離殿する。
⑧殿部を回転し，車椅子に着座する。
⑨車椅子座位姿勢を整える。

## 3 動作のポイント

車椅子 ↔ ベッド間の移乗では移乗先がベッドもしくは車椅子になる。車椅子に比べベッドは空間に広がりがあるため，座り損ねないように殿部を過度に後方へ運ぶとともに勢いよくベッドへと身体を移動することが可能となり，かえって後方や側方への不安定性を招く可能性が高い。特に麻痺側回りで車椅子からベッドへ移乗する際には，支持性に乏しい麻痺側方向へと動かなければならないため上述した不安定な状況が生じやすい（図3）。

本項では車椅子からベッドは非麻痺側回り，ベッドから車椅子は麻痺側回りの移乗方法について解説する。

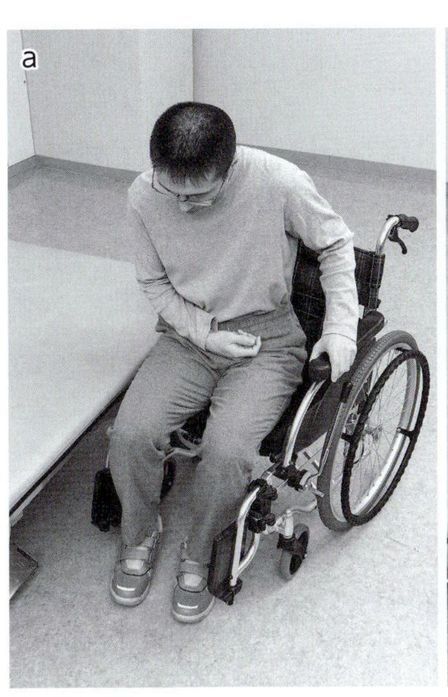
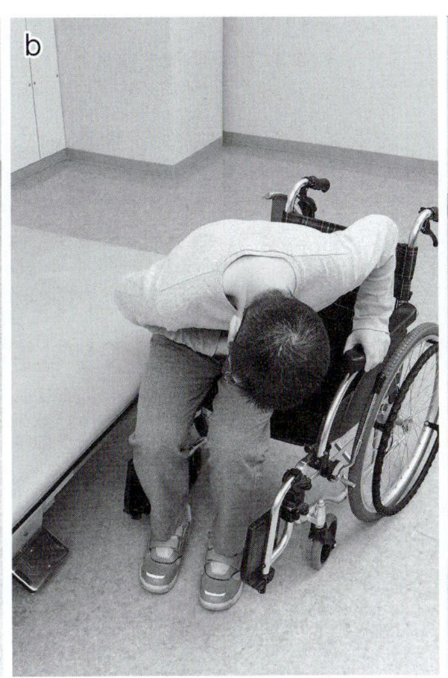
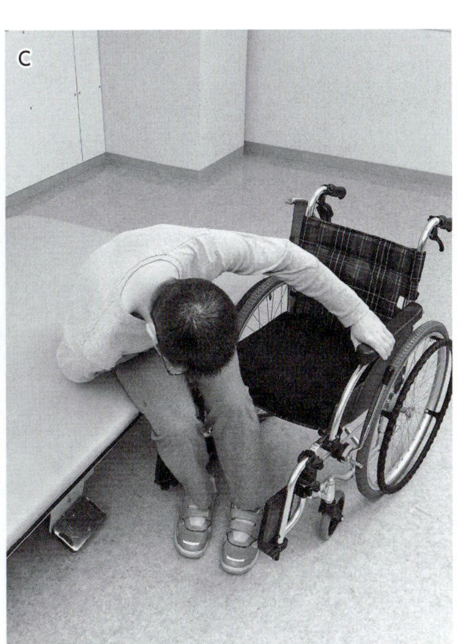

図3 不安定な移乗方法例（右片麻痺の場合）
a：移乗準備
b：移乗動作
c：移乗動作後座位

### A 非麻痺側回り（車椅子からベッド）

#### 1） 車椅子とベッドとの位置関係

・車椅子を停車する位置は，移乗した後に安全かつ次の動作を行うのに適した位置に着座できるよう調整する。殿部の移動距離が最短になる位置に，車椅子のブレーキを確認したうえで確実に停車する。その際，車椅子とベッドの角度は10〜15°程度を目安とする（図4a）。
・車椅子とベッドの高さを揃える（図5）。高さを揃えることで，移乗時に殿部の水平移動が可能となる。ベッドが高過ぎると上方への重心移動距離が長くなり，難度が高くなる。また，着座後に転落などの危険が生じる。ベッドが低過ぎると，着座スピードの調整が難しく，落下するように着座し転倒の危険が生じる。

**臨床のコツ**

◆ベッドと車椅子との間が空いている，ベッドと車椅子のなす角度が大きいと殿部を回転する際の移動距離が長くなり，ステップを踏むなどして転倒の危険が生じる。
◆車椅子のハンドリムやフレームをベッドに接触させ，移乗動作中に車椅子が動かないようにする。

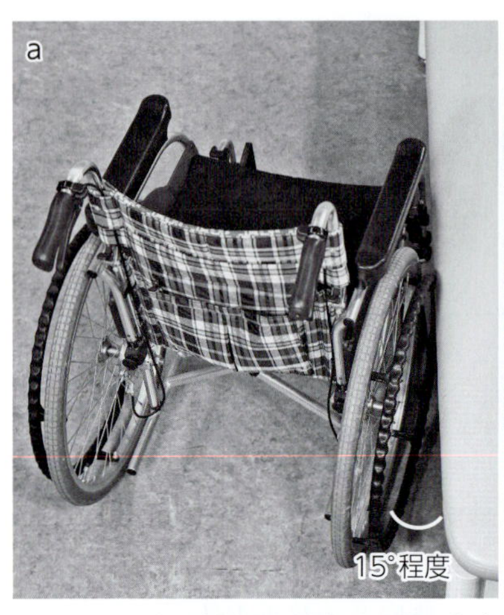


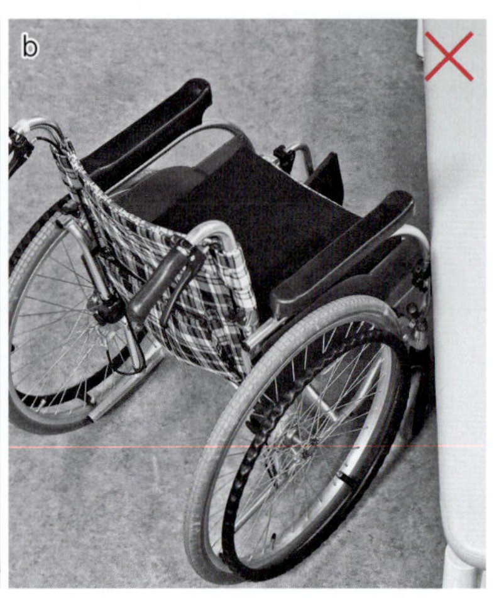


図4　ベッドに車椅子を停車する際の角度
a：角度が適切な例
b：角度が不適切な例

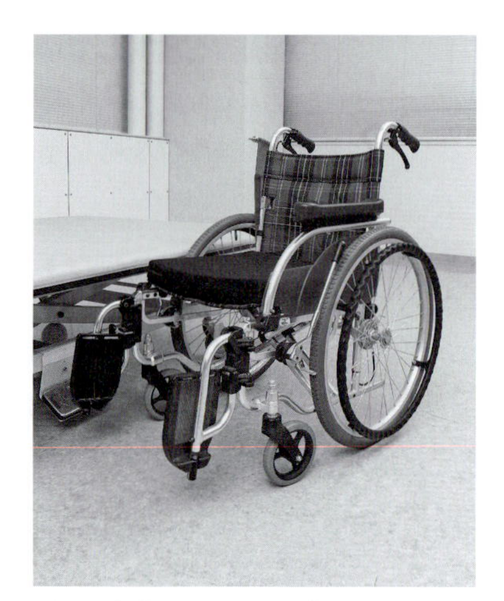

図5　車椅子とベッドの高さ

### 2）環境の準備

・両側下肢をフットサポートから下ろして，フットサポートを跳ね上げる。フットサポートを十分に上げていないと，移乗時に下腿がフットサポートにぶつかり，怪我や転倒の危険が生じる。
・フット・レッグサポートは必要に応じて外す，もしくは開いておく。ベッドの形状によってはベッドとフットサポートが干渉し，車椅子を十分にベッドに近づけることができない。
・アームサポートは必要に応じて跳ね上げる，もしくは外す。これにより，移乗時に殿部の水平移動が容易となる。

**臨床のコツ**

◆重度の感覚障害，注意障害，身体失認などを呈している患者は，麻痺側下肢をフットサポートから下ろし忘れることがあるので注意する。フットサポートに麻痺側下肢が接触した状態で移乗動作を行うと外傷等につながる恐れがあるため注意が必要である。また，下肢をフットサポートに乗せたまま移乗動作を行うと転倒の危険が生じる。

### 3）殿部の位置

・殿部をベッドに近づけ，かつベッドの方向に向ける。あらかじめ殿部をベッドへ向けておくことで，移乗動作時の殿部の回転角度を小さくすることができ，殿部の移動距離は短くなる（図6）。
・殿部を車椅子座面の前方（目安としては大腿部の1/3～1/2）に移動する。浅く座ることで，殿部と足部との距離が短くなり，前方への重心移動が行いやすくなる。
・殿部を前方へ移動させる際は，骨盤を直立位に保ち，体幹を立ち直らせながら骨盤の回旋運動を利用し，いざり動作を行いながら殿部を左右交互に移動させる。
・殿部の側方移動の際は，踵が浮き上がらない程度に膝関節軸よりわずかに後方に引いて両足をつき，非麻痺側下肢へ荷重した状態でピボットターンを利用し殿部を移動方向へ向ける。側方移動を繰り返し行う場合は，適宜足部の位置調整を行う。
・殿部の位置を微調整する際は，いざり動作を利用して行う。
・非麻痺側坐骨が座面に乗っていることを確認する。車椅子座面前縁に大転子がくることを目安とする。

**臨床のコツ**

◆車椅子の背もたれに背部を押しつけて殿部を前方に移動すると体幹機能は賦活されにくい。骨盤の回旋運動は体幹機能の賦活につながる。

### 4）足部の位置

・足幅は両坐骨結節幅とする。骨盤は直立位で，両側の大腿が平行になるのを目安に両膝が開かないよ

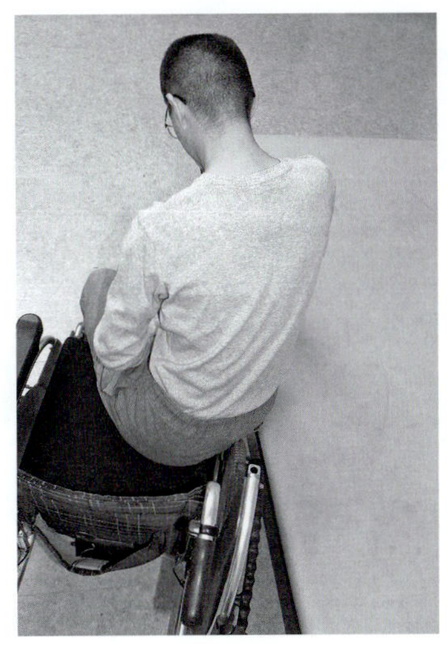

図6　車椅子上での殿部の位置

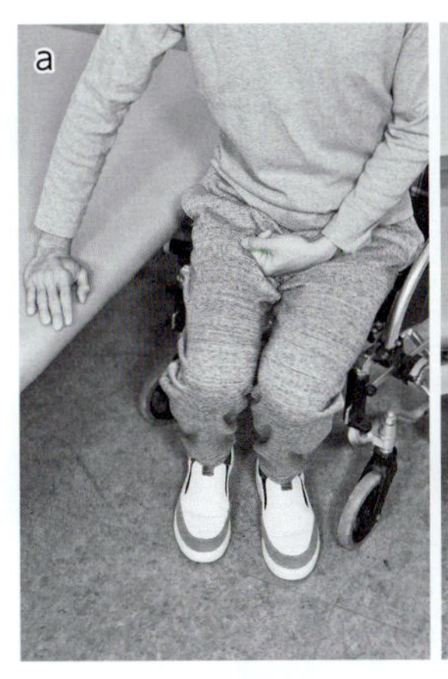


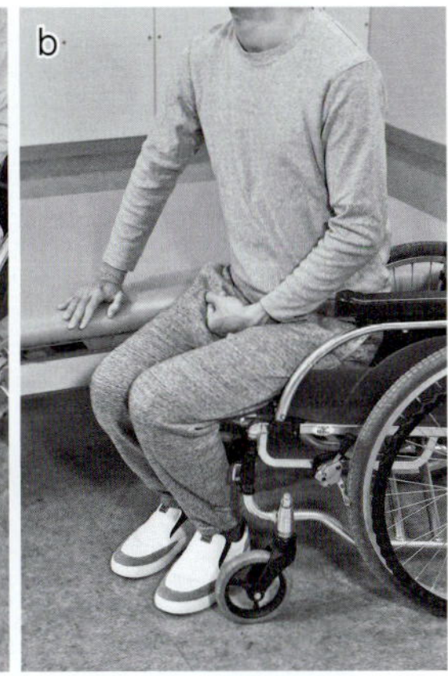


図7　足部の位置
a：正面からみた図
b：側面からみた図

うにすることで，移乗時に麻痺側下肢にも適度な荷重を誘導できる。

・足部は大腿と平行，またはつま先がわずかにベッドと反対側に向くようにする（図7）。あらかじめ足部の向きを変えておくと，離殿後，足部の向きを変えずに殿部を回転することができる。
・足部は踵が浮き上がらない程度に膝関節軸よりわずかに後方に位置することで，体幹の前傾によって重心を足部の上に移動させることができ，離殿が行いやすくなる。

**臨床のコツ**

◆足幅が広いと（肩幅など），非麻痺側優位で動作をした際，麻痺側下肢の筋緊張が亢進し足底が床面より離れ，接地が不十分となる。
◆非麻痺側足部を膝関節軸より前方に出すと，体幹の前傾によって重心を足部の上に移動させるのが難しく，離殿しにくくなる。また，麻痺側足部を膝より後方に引き過ぎると麻痺側下肢の支持性が得られにくく，姿勢が麻痺側に崩れやすくなる。

### 5）非麻痺側上肢の位置と体幹の姿勢反応

・非麻痺側上肢は移乗するための補助として，手をベッド上に殿部の幅分のスペースを空けた位置につく（図8）。
・非麻痺側の手の向きは足部と同じ手関節軽度橈屈位であることが望ましい（図8）。手関節橈尺屈中間位では離殿から着座までの間で手の向きを変えるためにつき直す必要があり，患者の動作能力が低い場合には転倒の危険性が生じる（図9）。患者の動作能力に応じて手の向きを適宜変更することが必要となる。
・非麻痺側の手をやや前方につくことで体幹が前傾する。その際，重心はわずかに非麻痺側寄りとなり，体幹の麻痺側方向への立ち直りが求められる。
・片麻痺者は非麻痺側の手をベッド上につく際，体幹が前方や麻痺側へ崩れやすい。また，肘関節が伸展した状態でベッドに手をつくと，上肢で突っ張りやすく，重心の前方移動を行いにくいため注意が必要である（図9）。

**臨床のコツ**

◆体幹を立ち直らせずに非麻痺側へ傾けてしまうと，その後の重心の前方移動と離殿時に，非麻痺側へ傾いた体幹の質量と釣り合いをとるために麻痺側下肢が外転しやすく，麻痺側下肢に荷重しにくくなる。

### 6）前方への重心移動と離殿

・骨盤を直立位に保ちながら股関節を屈曲して重心を前方に移動し，非麻痺側足部の内側に荷重して離殿する。非麻痺側の手掌への過度な荷重は避ける。このとき，股関節の屈曲運動に伴って肘関節は屈

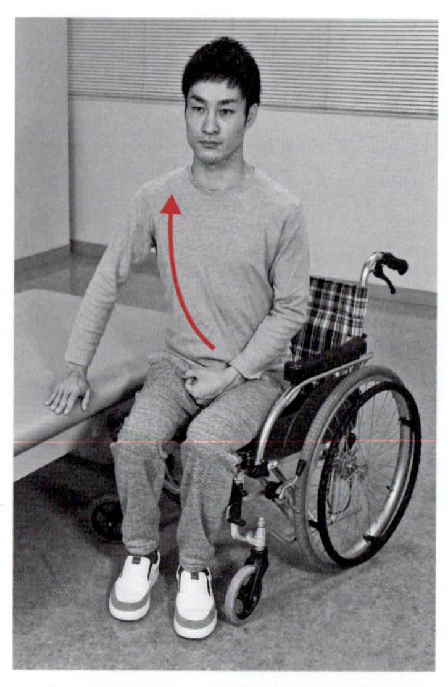

図8　非麻痺側上肢の位置と体幹の姿勢反応

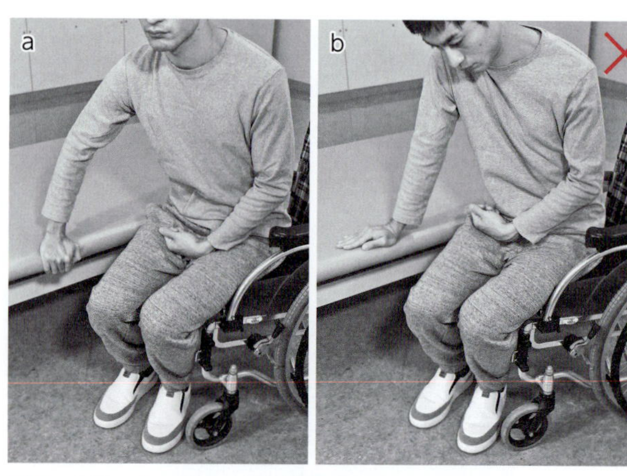


図9　上肢の突っ張りと体幹の側屈

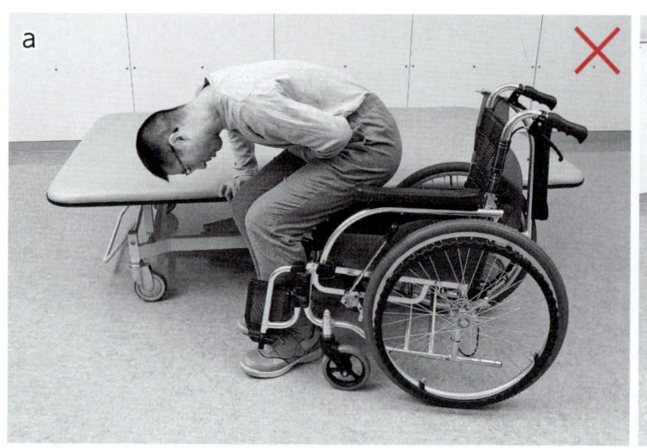


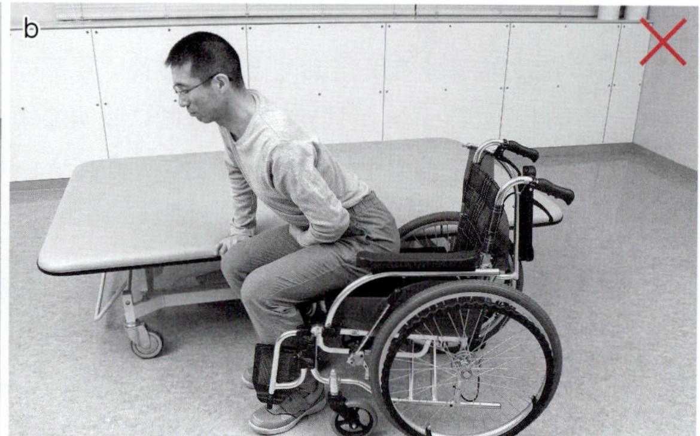


図10　前方への重心移動と離殿
a：骨盤後傾位，体幹過屈曲位からの離殿
b：骨盤前傾，腰椎前弯位での離殿

曲する。骨盤が過度に後傾または前傾した状態では離殿が困難になる（図10）。

・足部に重心が移動し，殿部が座面から浮き出したタイミングで下肢の屈曲運動から伸展運動に切り替えると離殿が円滑に行える。

**臨床のコツ**

◆非麻痺側の手掌をベッド上につく動作から重心の前方移動，離殿，殿部の回転，着座は，一連の動作として行われるものである。非麻痺側の手をベッド上についた後に運動が止まってしまう症例では，体幹軽度前傾位（骨盤直立位から股関節の屈曲）からさらに股関節を屈曲させる動作は行いにくい場合がある。このようなときは非麻痺側の手をベッド上についた状態のまま，一連の動作としての推進力を獲得するために，わずかに骨盤を後傾すると股関節の屈曲運動が行いやすくなる。症例により，部分練習で実施する場合と全体練習で実施する場合を適宜検討する必要がある。

◆下肢の運動への切り替えのタイミングが早いと，後方に殿部が引き戻され離殿が困難となる。また，タイミングが遅いと前方へ転落する危険性が生じる。

◆重心の前方移動や離殿が困難な症例では，ベッド端に非麻痺側手指をかけて，非麻痺側上肢による引き込みを行う代償動作がみられる。このような症例には，非麻痺側肘関節の屈曲運動を促して重心の前方移動を練習する必要がある。また，ベッド端に非麻痺側手指をかけられない構造のベッドを選択するなど，練習環境を工夫する。

### 7) 殿部の回転と着座

・両下肢で体重を支持して，非麻痺側下肢を軸に（外側に乗り過ぎず，足部が浮かない）ピボットターンで殿部をベッド方向へと回転させる。この際，体幹は伸展・回旋運動を行う。

・着座動作は，股関節の屈曲運動に伴う体幹の前傾と膝関節の屈曲運動によって重心を後下方へと移動させる。

・適切な着座位置をとるためには，身体と座面の距離を適切にとることが大切である。ベッド上についた非麻痺側の手の位置を目安に調整する。転落するのを避けようとして着座位置が深くなるように殿部を回転すると，殿部の移動距離が長くなるとともに回転スピードも増し，着座の際の衝撃が大きくなってしまう。一方，着座位置が浅いと前方に滑り落ちてしまう危険性がある。

**臨床のコツ**

◆ピボットターンによる殿部の回旋運動が出現しにくい症例では，移乗先に視線が固定されている場合がある。移乗先に固定された視線を前方へ誘導し，移乗先への殿部の回転を教示することで，頸部体幹の回旋運動が促される場合もある。

### 8) 座位姿勢の調整

・殿部や足部の位置を整え，骨盤の傾きを修正し，左右対称な安定した座位姿勢にする。

**臨床のコツ**

◆日常生活における移乗動作は，移乗することだけが目的ではなく，移乗後に動作を行うことも目的となる。移乗後に行う動作に適した殿部や足部の位置に調節する。

## B 麻痺側回り（ベッドから車椅子）

### 1) 殿部と足部の位置

・殿部と足部の位置を調整する。

・殿部を前方へ移動させる際は，骨盤を直立位に保ち，体幹を立ち直らせながら骨盤の回旋運動を利用し，いざり動作を行いながら殿部を左右交互に移動させる。

・ベッドのマットレスが柔らかいと，浅く座った際に転落する危険が生じるため注意する。

### 2) 環境の準備

・車椅子のフットサポートが跳ね上げてあるかを確認する。フットサポートが十分に跳ね上がっていないと，移乗時に下腿がフットサポートにぶつかり，怪我や転倒の危険が生じる。

・ベッドの形状によってはフットサポートと干渉し，車椅子を十分にベッドに近づけることができない。その際はフット・レッグサポートを外す，もしくは開いておくとベッドに近づけやすくなる。

・アームサポートは必要に応じて跳ね上げる，もしくは外す。これにより，ベッドと車椅子間を水平移動しやすくなる。

・ベッドの高さ調整ができる場合は，移乗先の高さが座っている座面と平行，もしくはやや低くなるように調整する。

### 3) ベッドと車椅子との位置関係

・座っている位置から車椅子までの距離，ベッドと車椅子の角度を調整する。

・移乗動作時にステップを踏まずにすむよう，麻痺側の身体近くに車椅子が停車されていることが望ましい。

・車椅子を設置する際，フットサポートが足部に干渉する危険性がある場合は，足部の位置を調整した後に車椅子を近づけて停車する。

・移乗動作中に車椅子が動かないようブレーキをかけ確実に停車しているかを確認したうえで，殿部の移動距離が最短となるように設置しているかを確認する。その際，車椅子とベッドの角度は10～15°程度を目安とする（図4）。

・車椅子とベッドの高さを揃える。高さを揃えることで，移乗時に殿部の水平移動が可能となる。

**臨床のコツ**

◆ベッド上端座位での活動のみを考えれば，麻痺側の身体近くに車椅子を停車しておくことは有用である。しかし，ベッド上で臥床することを考慮すると，身体に近い位置に車椅子を停車すると，起き上がり動作やベッド上臥位になる動作の際に車椅子と下肢が干渉する可能性がある。自立度の高い移乗動作獲得のためには，移乗動作とその他の想定される動作を勘案して，車椅子の停車位置を決定する。身体から離れて車椅子を停車しなければならない場合でも，最短距離となり，わずかないざり動作ですむ位置に車椅子を停車する。

◆ベッドが高過ぎると，車椅子への着座スピードの調整が難しく，落下するように着座し転落の危険が生じる。ベッドが低過ぎると上方への重心移動距離が長くなり，難度が高くなる。

◆ベッドと車椅子の角度が大きいと殿部の回転角度や移動距離が大きくなるため，ステップを踏むなどして転倒の危険が生じる。

**臨床のコツ**

◆ベッド上座位の状態で患者自身がブレーキをかける際は，車椅子の近くで車椅子と向き合うように座るとブレーキにリーチしやすい。

### 4）殿部の位置

・殿部を側方移動して車椅子に近づけ，かつ車椅子の方向に向ける。あらかじめ殿部を車椅子へ向けておくことで，移乗動作時の殿部の回転角度を小さくすることができ，殿部の移動距離は短くなる（図11）。

・殿部の側方移動時は，踵が浮き上がらない程度に膝関節軸よりわずかに後方に両足を引き，非麻痺側下肢へ荷重した状態でピボットターンを利用し殿部を移動方向へ向ける。側方移動を繰り返し行う場合は，適宜足部の位置調整を行う。

・殿部を移動方向に向けた後の殿部位置の微調整はいざり動作を利用して行う。

・麻痺側殿部がベッド端から落ちないよう，麻痺側の坐骨がベッド上に乗っていることを確認する。

### 5）足部の位置（図12）

・骨盤直立位とし，両大腿は平行で両膝が開かないようにする。

・非麻痺側足部は身体の正中で膝関節より少し後方へ引いた位置，麻痺側足部は膝関節よりやや外側で膝関節が屈曲90°程度となる位置とする。

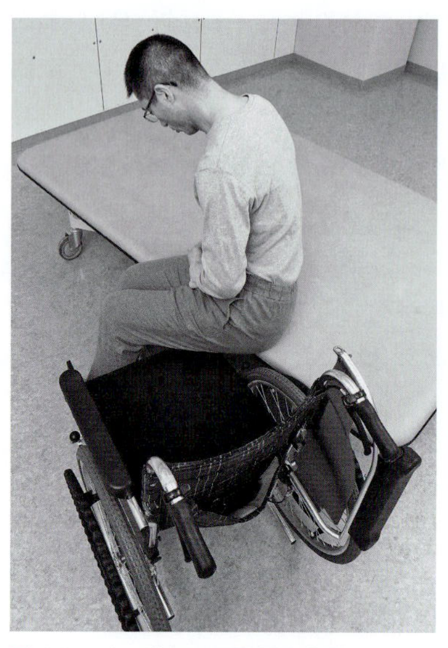

図11　ベッド上での殿部の位置

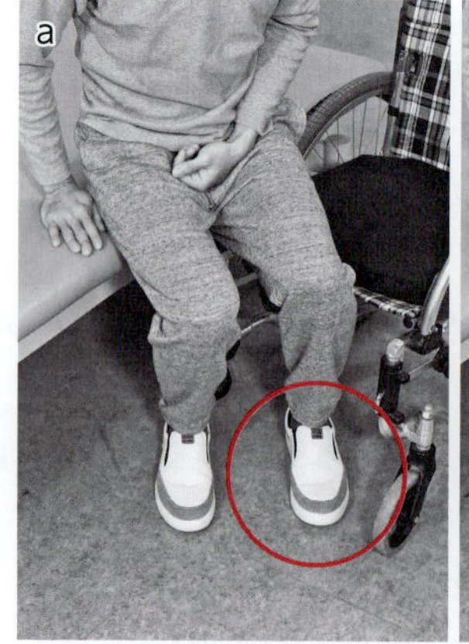


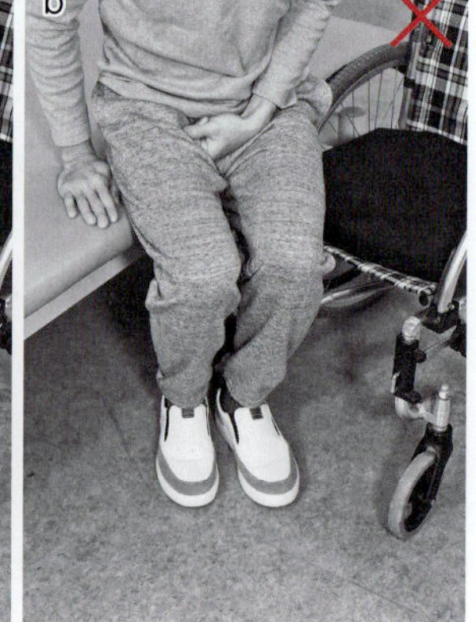


図12　足部の位置
a：正しい位置
b：誤った位置

・足幅の目安は両坐骨結節幅とする。
・足部は大腿と平行，またはつま先をベッドと平行になるように向けることで，殿部を回転する際に足部の向きを変える必要がなくなり，殿部の移動が行いやすくなる。

**臨床のコツ**

◆非麻痺側足部が身体の正中，麻痺側足部がやや外側に位置していない場合，殿部を移乗する際に麻痺側方向にバランスが崩れる可能性があるため，殿部の移動距離を鑑みて足部の位置を検討する（図13）。

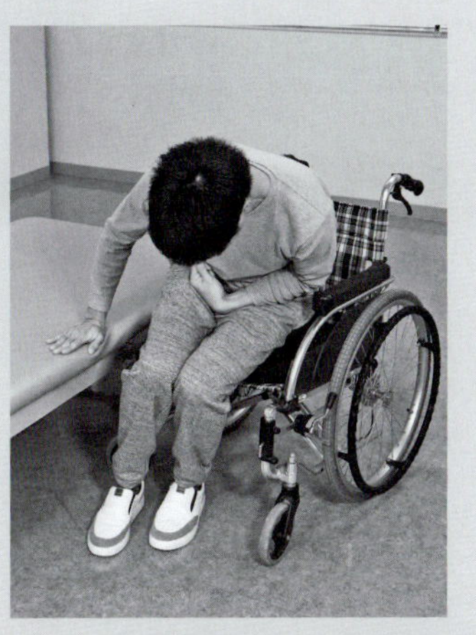

図13　足部位置不良による失敗例

### 6）非麻痺側上肢の位置と体幹の姿勢反応

・補助として非麻痺側の手を，ベッド上の非麻痺側股関節の真横に大腿部と平行になるようにつく。骨盤と体幹は直立位にする。

**臨床のコツ**

◆非麻痺側の手は，肩関節内外旋中間位，肘関節軽度屈曲，手関節橈尺屈中間位となるようにつくとよい。患者の動作能力に応じて手の向きを適宜変更することが必要となる。
◆離殿時，手に荷重が乗り過ぎてしまうと麻痺側下肢への荷重が不十分となりやすいため，手に対する荷重は最小限とすることが望ましい。

### 7）重心の前方移動と離殿

・骨盤を直立位に保ちながら股関節を屈曲して重心を前方に移動し，非麻痺側足部の内側に荷重して離殿する。このとき，股関節の屈曲運動に伴って非麻痺側の肘関節は屈曲する。
・足部に重心が移動し，殿部が座面から浮き出したタイミングで下肢の屈曲運動から伸展運動に切り替えると離殿が円滑に行える。
・非麻痺側上肢は重心の前方移動（push off）の補助，また回転時の支持基底面の拡大による安定性確保のために使用する。

### 8）殿部の回転と着座

・両下肢で体重を支持して，非麻痺側下肢を軸にピボットターンで殿部を車椅子方向へと回転させる（図14）。この際，体幹は伸展・回旋運動を行う。
・着座動作は，股関節の屈曲運動に伴う体幹の前傾と膝関節の屈曲運動によって重心を後下方へと移動させる。
・殿部を回転し過ぎると麻痺側下肢への荷重が多くなり，麻痺側下肢の膝折れや麻痺側への姿勢の崩れ，転倒の危険が生じる（図15）。
・着座位置は，前方にずり落ちない範囲で浅めにするとよい。転落するのを避けようとして着座位置が深くなるように殿部を回転すると，殿部の移動距離が長くなるとともに回転スピードも増し，着座の際の衝撃が大きくなってしまう。一方，着座位置が浅いと前方に滑り落ちてしまう危険性がある。
・回転量の増加や深過ぎる位置への着座により，麻痺側殿部をアームサポートにぶつける，重心が後方へ移動するため着座の際の衝撃が大きくなってしまうといった危険が生じやすい。

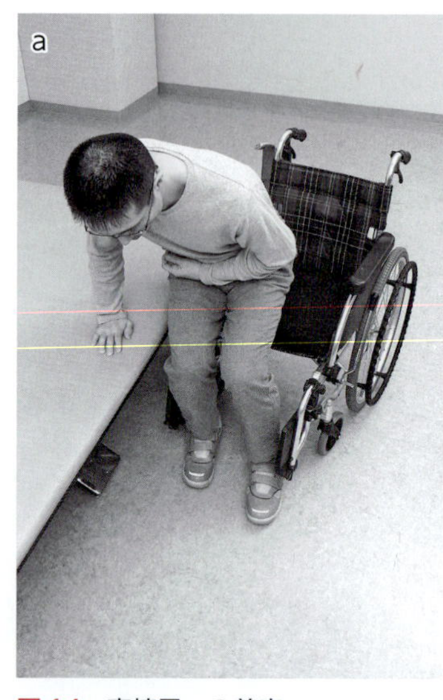


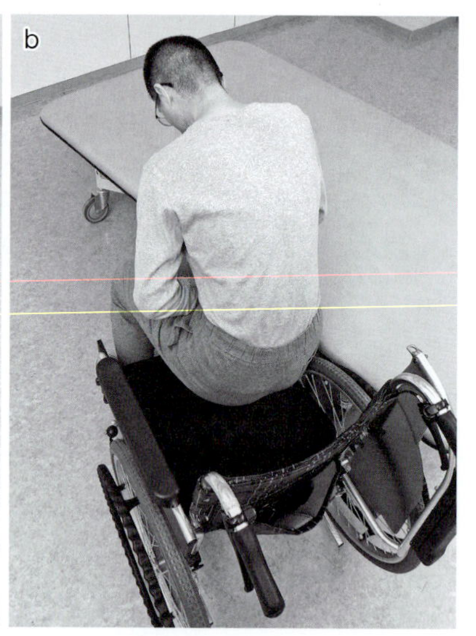


図 14　車椅子への着座
車椅子座面前方へ，ゆっくりと着座する。

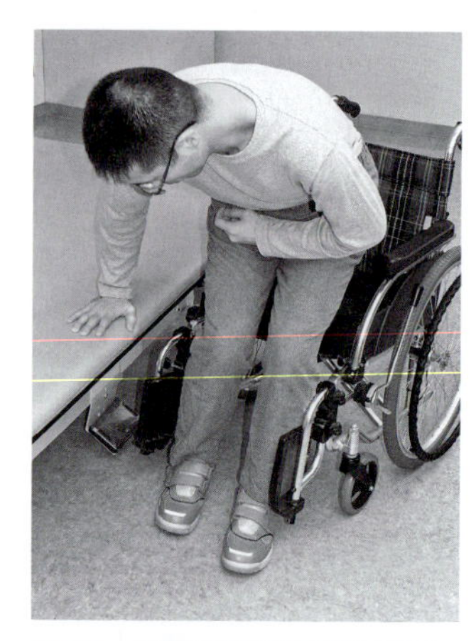

図 15　殿部の回転量が多い場合

**臨床のコツ**

◆麻痺側回りの移乗では，移乗時に着座する車椅子の位置を視覚的に確認できないため，殿部の位置を把握しにくい症例では，殿部を回転する際に殿部が軽くアームサポートに触れるようにすると，車椅子との位置関係が把握しやすく，殿部の移動がしやすくなる。ただし，アームサポートにもたれるようにして殿部を回転すると，アームサポートの支持がなくなった際に後方へ転倒する危険が生じる。

◆足部の向きをベッドと平行にすることで，回転する際に足部の向きを変える必要がなくなる。一方，ベッドと直角に近い向きにすると，起立や離殿は行いやすいが，回転の際にステップを踏む必要が生じる。対象者の動作能力を鑑みて，足部の位置や動作手順を柔軟に設定する必要がある。

### 9)　車椅子座位姿勢の調整

・車椅子座面後方へ，殿部を移動し深く座る。
・フットサポートに下肢を乗せる際に骨盤は後傾するため，安定した座位で行うようにする。
・アームサポート，フットサポートを跳ね上げている，もしくはフット・レッグサポートを外している場合は，アームサポートを元に戻してからフット・レッグサポートを元に戻し，フットサポートに下肢を乗せる。

## 4　練習の組み立て方（課題難易度に影響する要素）

### 1)　座面の形状と材質

・平面で比較的硬い座面の場合，姿勢が変化しても座面は変化せず，床反力もわかりやすく姿勢調整が行いやすい。そのため初期は，座面の硬い椅子などを利用するとよい。
・標準型車椅子で用いられるスリングシートはハンモック状になっているため，重心を移動する度に座面が変化して姿勢調整が難しくなる。必ずシーティングを行う必要がある。
・柔らかく摩擦抵抗が大きい座面では，殿部の位置を少し変える・整えるなどの移動が難しい。
・ベッドのマットレスが柔らかいと，端に座った際にずり落ちる危険が生じるので注意する。

### 2)　座面高（車椅子・ベッド）

・車椅子では駆動を考慮した高さ，ベッドでは足部が床面についた状態で下腿長と同程度または下腿長より少し高い程度の高さとする。いずれも，座面が高いと離殿は行いやすくなるが，高くし過ぎると視線の位置が高くなり，前方への転落の恐怖心が生じ，非麻痺側下肢で後方へ押すことが多くなる。また，低くし過ぎると離殿が行いにくくなる。

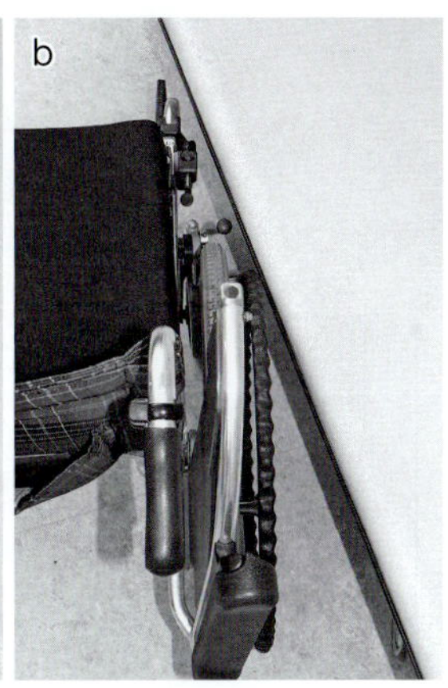


図16　椅子の種類によるベッドとの距離の違い
a：肘かけのない椅子
b：車椅子

### 3）座面の高低差

・高い位置から低い位置への移乗は行いやすい。反対に，低い位置から高い位置への移乗は難度が高い。
・高低差の調整が可能な環境であれば，調整することで移乗動作の難易度の調整が行えるが，移乗先の高さが低過ぎると，着座スピードが調整できず着座後に転倒の危険が生じる。

### 4）車椅子のアームサポートの有無

・側方へ殿部を移動する際，動線上に移動を妨げるものがあると，それを避けるために殿部を高く持ち上げたり，必要以上に殿部を前方に出すなどの動作が必要になり難度が上がる。肘かけなどのないタイプの椅子を利用すると難度を下げることができる。移乗の際に障害となるアームサポートは，取り外しできるものが有用である。

### 5）殿部の移動距離

・ベッドと車椅子との空間が狭いほど，殿部を移動させる距離は短くなる。肘かけのない椅子を使用した場合，車椅子よりさらに移動距離は短くなる（図16）。
・ベッドと車椅子との角度が大きくなるほど，殿部を移動させる距離が長くなる。
・最も難度が低い車椅子の位置は，殿部を回転させ移動する距離が最小となる位置であり，車椅子の形状により異なる。

### 6）系列スキルと分離スキル

・移乗動作では，ブレーキ操作などの安全確保の準備，殿部の位置調整，移乗動作，座位の修正など一連の流れ（系列スキル）をすべて行えるようにする必要がある。しかし練習初期では，分離スキルである離殿，殿部の回転・着座に多くの誘導と補助が必要となってくる。そのため練習初期では離殿，殿部の回転・着座の練習を中心に行い，その後，全体の流れとしての系列スキルの練習を行うことが多い。

**臨床のコツ**

◆足部と手の位置は変えずに非麻痺側回りと麻痺側回りの移乗動作を反復して練習することで，離殿のタイミング，体重の移動方向などの学習を促す。
◆より学習効果を上げるため，療法士が適切な誘導・補助を行い，繰り返し同じタイミングでの離殿，同じ場所への着座を行えるようにする。

### 7）練習の組み立て方の一例（図17）

標準型車椅子とベッド間（車椅子からベッドは非麻痺側回り，ベッドから車椅子は麻痺側回り）での移乗自立を目指すが，練習開始段階では実施が困難な症例における練習の組み立て方の一例を示す。

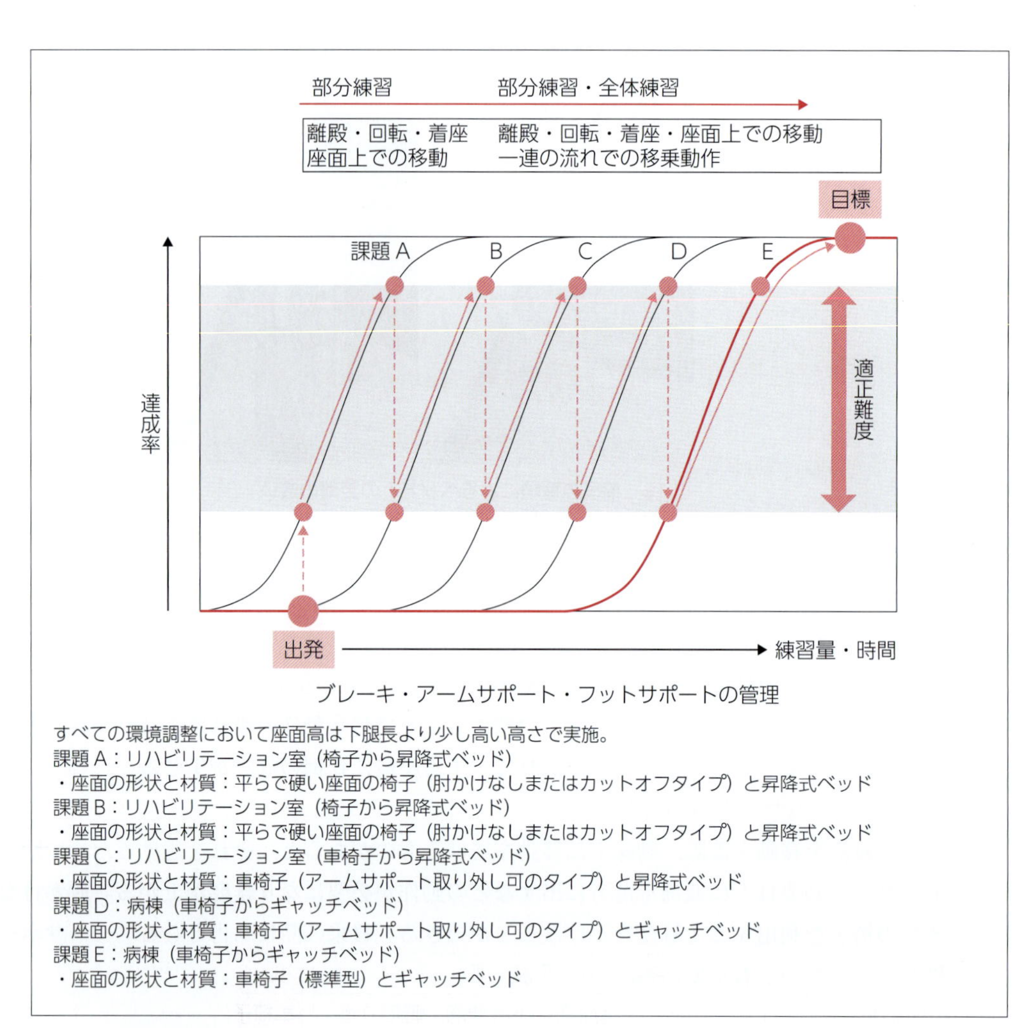


図 17 移乗練習の組み立て方の一例（非麻痺側回り，麻痺側回り）

対応動画

# OSCE課題　移乗（車椅子からベッド，非麻痺側回り）：分析

## 設問

脳梗塞左片麻痺の患者です。リハビリテーション室での移乗動作は近位監視および口頭での修正が必要なレベルです。動作方法は定着しておらず，修正をしなければ自己流で実施します。この患者の移乗動作を観察し，分析結果を採点者に説明してください。今回は患者への説明は省きます。動作は2回までとしてください。採点者への説明は動作分析後に行ってください。なお，リスク管理は採点者に依頼し，環境や姿勢・動作の修正に関する口頭指示はしないでください。制限時間は5分です。では，始めてください。

注1）非麻痺側回りのみ分析してください。
注2）採点者は実際には近位監視でのリスク管理を行いませんが，課題を始めてください。
注3）メモを取りながら観察してかまいません。

## 準備するもの

車椅子，昇降式ベッド，ペン，メモ用紙

注）ペンとメモ用紙は受験者が準備したものを使用することを許可します。

## 患者情報

| 疾患・障害 | 脳梗塞・左片麻痺 |
|---|---|
| 年齢・性別 | 50歳代・不問 |
| 発症後期間 | 3週間 |
| BRS | 上肢：Ⅲ　手指：Ⅲ　下肢：Ⅲ |
| 筋緊張 | 上腕二頭筋，手指屈筋，下肢伸筋：軽度亢進 |
| 感覚 | 表在感覚，深部感覚：軽度鈍麻 |
| ROM | 制限なし |

| 座位 | 安定 |
|---|---|
| 立位 | 監視レベル |
| 立ち上がり | 監視レベル |
| 移乗 | FIM 5 |
| 車椅子駆動 | FIM 5 |
| 理解 | 良好 |
| 表出 | 良好 |

### 事例

**事例1：体幹を過度に屈曲し，上肢による引き込みで殿部を浮かし移乗する事例**

・標準型車椅子を使用する。アームサポートやレッグサポートの取り外しはできない。
・車椅子の座面高は，下腿長程度の高さである。
・車椅子はベッドとほぼ平行となるように停車し，車椅子とベッドとの間にわずかに距離が空いている。
・上肢で引き込みながら重心を前方に移動させ離殿し，そのまま回転して着座する。
・離殿時，両側足部とも後方に引き込んでいる。

**事例2：一度立ち上がってから倒れ込むようにして手をつき，移乗する事例**

・標準型車椅子を使用する。アームサポートやレッグサポートの取り外しはできない。
・車椅子をベッド脇に停車する際の角度は30°程度である。
・アームサポートを利用して上肢のプッシュアップにより立ち上がり，立位での重心は後方にある。
・重心を前方に移動して，倒れ込むようにして手をベッドにつく。
・非麻痺側下肢は一歩ステップを踏み出して，殿部を回転し，非麻痺側へ倒れ込むように着座する。

## 課題の目標

態度

1．動作分析に備えた，清潔かつ安全な身なりができる。
2．患者に移乗動作の観察を行う旨を説明し，了承を得ることができる。
3．患者に不快な思いをさせない（話し方，表情，振る舞い）。

技能

1．患者の安全に配慮しながら進めることができる。
2．問題点を含めた移乗動作の特徴を説明することができる。
3．わかりやすく簡潔な報告ができる。

## 手順

1．挨拶・自己紹介を行い，2つの識別子で患者の確認を行う。
2．移乗動作の観察を行う旨を患者に伝え了承を得る。
3．安全面に配慮する。
・移乗動作では，離殿時の前方への膝折れ，離殿直後の尻もちや麻痺側前方への転倒，股関節・膝関節の伸展運動が不十分，または勢いよく伸展してしまうことなどによる，転倒・転落の危険がある。
・本課題では採点者にリスク管理を依頼する。
4．動作開始の合図をする。
5．適切な位置で観察する。
・矢状面，前額面から適宜視点を変えながら観察する。患者に近づき過ぎて患者の動作を阻害しないよう注意する。
6．車椅子とベッドとの位置関係を観察する。
・ベッドに対して車椅子を停車する位置を確認する。
・車椅子とベッドとの距離，座面の高低差を確認する。
7．環境の準備状況を観察する。
・車椅子の両側のブレーキがかかっているか確認する。
・両側下肢をフットサポートから下ろし，フットサポートを十分に跳ね上げているか確認する。
8．殿部の位置を観察する。
・殿部を前方へ移動し，安全な範囲で浅めに座ることができるか確認する。このときの殿部の移動方法を確認する。
・殿部の向きを確認する。
9．足部の位置を観察する。
・足幅，足部の前後位置，足部の向きを確認する。
10．非麻痺側上肢の使用状況と体幹の姿勢反応を観察する。
・非麻痺側上肢の使用の有無を確認する。
・非麻痺側上肢を使用している場合，手をつく位置，つき方と体幹の姿勢反応を確認する。
11．重心移動と離殿を観察する。
・重心の移動方向，上肢・体幹・下肢の運動を確認する。
12．殿部の回転と着座を観察する。
・非麻痺側上肢と両下肢の運動を確認する。
・殿部の回転から着座までの速度，回転方向，着座位置を確認する。
13．移乗動作後の座位姿勢を観察する。
・座位姿勢を確認する。
14．終了を伝える。
15．移乗動作の特徴について分析結果を述べる。
・観察結果に基づき，動作環境の調整や動作練習など，介入が必要となりうる問題点について分析する。

例：ベッドに移乗する際に車椅子停車位置がベッドから遠く，移乗の際に殿部の移動距離が長くなっており，対象者の動作能力を考慮すると車椅子停車位置をベッドに近づける必要があった。移乗動作の際には前足部の向きがベッドと平行であり，動作中にステップ動作を行う必要がある状態であったため，つま先をベッドと反対側に向ける必要があった。非麻痺側上肢はベッドの縁を把持しており，起立動作時の巻き込みが助長され重心の前方移動を阻害していた。ベッドに移乗したあとの姿勢は左右非対称であり，麻痺側殿部が非麻痺側殿部位置と比べ前方に出ており，療法士がその場から離れた場合にベッドからの転落の危険も考えられた。

## 採点基準

採点者は模擬患者に受験者の言動の適否を適宜確認して，以下の項目を採点してください。

### 1．態度

| | |
|---|---|
| (1) ①適切な身なりで，②明瞭な挨拶（開始時・終了時），③自己紹介ができる。 | 2点：①～③すべてできる<br>1点：①～③のうち2項目できる<br>0点：1項目できる<br>0点：すべてできない |
| (2) 2つの識別子で患者の確認ができる。 | 2点：2つの識別子で患者の確認ができる<br>1点：1つの識別子で患者の確認ができる<br>0点：確認ができない |
| (3) ①移乗動作の観察を行う旨を患者に伝え，②了承を得ることができる。 | 2点：①，②どちらもできる<br>1点：①のみできる<br>0点：どちらもできない |
| (4) 課題全般を通して，患者の様子（表情・姿勢・身体機能）や状況に応じた丁寧な対処（①声かけ・②触れ方・③動かし方）ができる。 | 2点：①～③すべてできる<br>1点：①～③のうち2項目できる<br>0点：1項目できる<br>0点：すべてできない |

### 2．技能

| | |
|---|---|
| (1) 患者が動作を始める前に採点者にリスク管理を依頼できる。 | 2点：患者が動作を始める前に採点者にリスク管理を依頼できる<br>1点：患者が動作を始めてから採点者にリスク管理を依頼する<br>0点：リスク管理を採点者に依頼しない |
| (2) 矢状面，前額面を含めた適切な視点から，患者の動作を阻害しない距離で観察できる。 | 2点：矢状面，前額面を含めた適切な視点から，患者の動作を阻害しない距離で観察できる<br>1点：視点を変えて観察できるが，矢状面，前額面のいずれかからの観察ができない<br>0点：矢状面，前額面ともに観察できない<br>0点：1点からのみの観察となる<br>0点：患者との距離が近く，動作を阻害する |
| (3) ①車椅子の停車位置，車椅子とベッドとの②角度，③距離，④位置関係について観察できる。 | 2点：①～④すべて観察できる<br>1点：①～④のうち2～3項目観察できる<br>0点：1項目観察できる<br>0点：すべて観察できない |
| (4) 車椅子の①ブレーキ操作，②フットサポート操作について観察できる。 | 2点：①，②どちらも観察できる<br>1点：①，②のどちらか一方のみ観察できる<br>0点：どちらも観察できない |
| (5) 殿部の①前方移動，②移動方法，③位置について観察できる。 | 2点：①～③すべて観察できる<br>1点：①～③のうち2項目観察できる<br>0点：1項目観察できる<br>0点：すべて観察できない |
| (6) ①足幅，②足部の前後位置，③足部の向きについて観察できる。 | 2点：①～③すべて観察できる<br>1点：①～③のうち2項目観察できる<br>0点：1項目観察できる<br>0点：すべて観察できない |

| | |
|---|---|
| (7) ①非麻痺側上肢の使用の有無，②手をつく位置，③つき方，④体幹の左右対称性，姿勢反応について観察できる。 | 2点：①～④すべて観察できる<br>1点：①～④のうち2～3項目観察できる<br>0点：1項目観察できる<br>0点：すべて観察できない |
| (8) ①重心の移動方向，②上肢，③体幹，④下肢の運動について観察できる。 | 2点：①～④すべて観察できる<br>1点：①～④のうち2～3項目観察できる<br>0点：1項目観察できる<br>0点：すべて観察できない |
| (9) 殿部の回転から着座までの，①非麻痺側上肢，②両下肢の運動を観察できる。 | 2点：①，②どちらも観察できる<br>1点：①，②のどちらか一方のみ観察できる<br>0点：どちらも観察できない |
| (10) 殿部の回転から着座までの，①速度，②回転方向，③着座位置を観察できる。 | 2点：①～③すべて観察できる<br>1点：①～③のうち2項目観察できる<br>0点：1項目観察できる<br>0点：すべて観察できない |
| (11) 終了姿勢（座位姿勢）について観察できる。 | 2点：終了姿勢（座位姿勢）について観察できる<br>1点：観察が不十分<br>0点：観察が誤っている<br>0点：観察ができない |
| (12) 移乗動作について適切に分析できる。 | 2点：移乗動作について分析できる<br>1点：分析が不十分<br>0点：分析が誤っている<br>0点：分析ができない |

## OSCE担当者確認事項

### 環境設定

・ベッドの高さ，車椅子のブレーキ，フットサポートの跳ね上げについて，以下の設定からどれか1つを選択する。
　①ベッドの高さが車椅子座面より明らかに高い位置である
　②麻痺側のフットサポートを十分に跳ね上げない
・課題開始時，ベッドから2～3m程度離れた場所に車椅子を停車する。そのまま直進すれば非麻痺側がベッドに接し，ベッドに対して適切な角度に停車できる向きとする。

### 模擬患者と採点者

・事例1，2より提示する事例を決める。
・受験者が3回以上の反復動作を求めた際は2 回までであることを説明し，分析結果を採点者に述べるように促す。

### 模擬患者

・受験者の分析時間（1分30秒間）を確保するため，3分30秒以内で動作が終わるようにする。
・最大2回の反復動作を求められるため，動作の再現性を担保できるよう練習しておく。
・上衣の裾はズボンの中に入れておく。
・移乗動作は，1回30～40秒程度で実施する。

### 採点者

・リスク管理を依頼された場合，近位監視しているものとし，実際には採点のみ実施する。

対応動画

# OSCE課題　移乗（車椅子からベッド，非麻痺側回り）：介入

## 設問

脳梗塞左片麻痺の患者です。現在，リハビリテーション室で車椅子からベッドへの移乗練習をピボットターンの方法で行っています。非麻痺側優位で前方への重心移動が不十分で，離殿のタイミングが早くなってしまいます。この患者に対して適切な誘導と補助を行いながら，非麻痺側回りの移乗動作練習を行ってください。制限時間は5分です。では，始めてください。

## 準備するもの

昇降式ベッド，標準型車椅子（アームサポートの跳ね上げ，もしくは取り外しが可能なタイプ）

## 患者情報

|  |  |
|---|---|
| 疾患・障害 | 脳梗塞・左片麻痺 |
| 年齢・性別 | 60歳代・不問 |
| 発症後期間 | 2週 |
| BRS | 上肢：Ⅲ　手指：Ⅲ　下肢：Ⅲ（膝の伸展運動不十分） |
| 筋緊張 | 上腕二頭筋，手指屈筋，下肢伸筋：軽度亢進 |
| 疼痛 | 左肩関節 |
| 感覚 | 表在感覚，深部感覚：軽度鈍麻 |

|  |  |
|---|---|
| 座位 | 静的座位は安定（麻痺側に重心が移動すると転倒の可能性あり） |
| 立位 | 麻痺側下肢に過度に荷重すると膝折れが生じる |
| 立ち上がり | 適切な方向へ誘導すれば軽介助で可能 |
| 車椅子駆動 | ゆっくりだが直線の駆動は可能，方向転換などの微調整は困難 |
| 理解 | 良好 |
| 表出 | 良好 |

### 移乗動作の現状

車椅子とベッドとの位置関係はまだ十分調整できておらず，移乗準備の不十分な点がある。車椅子座位で殿部を前方へ移動する際，非麻痺側優位で殿部を移動し，左殿部の前方への移動は不十分である。移乗動作では，手をつく位置が前外側で，前方への重心移動が不十分である。足部に体重が乗る前に下肢の伸展運動が生じ離殿が困難である。

### 経過と目標

発症後2日目にベッドサイドでのリハビリテーションが開始された。発症後7日目からリハビリテーション室へ移行し，起立練習，移乗練習，ADL練習が開始された。練習初期では，車椅子からベッドへの移乗において，体幹前傾時に麻痺側へ傾き足部に体重が乗る前に下肢の伸展運動が生じたため，体幹前傾方向と離殿のタイミング，殿部の引き上げ，殿部の回転に誘導・補助が必要であった。

そのため，非麻痺側を使用したピボットターンでの移乗練習を，肘かけのない椅子と昇降式ベッド間で行った。麻痺側の膝折れを防ぎ，体幹前傾方向，離殿のタイミング，殿部の回転（体重移動）の練習を中心に，非麻痺側回りで実施した。椅子および昇降ベッドの高さは下腿長と同等もしくは少し高い程度となるように調整した。1週間で非麻痺側回りでは麻痺側へ傾くことは減少し，誘導・補助によりタイミング良く離殿することが可能となった。現在は，車椅子からベッドへの移乗練習に切り替えた。今後3週間で，ピボットターンでの車椅子からギャッチベッドへの移乗動作自立を目指す。

## 課題の目標

**態度**

1．動作練習の介入に備えた，清潔かつ安全な身なりができる。
2．患者に移乗動作練習を行う旨を説明し，了承を得ることができる。
3．患者に不快な思いをさせない（話し方，表情，振る舞い）。

**技能**

1．患者の安全に配慮しながら進めることができる。
2．移乗動作の特徴，問題箇所に気づき，説明することができる。

3．適宜誘導・補助を行い移乗動作練習が実施できる。
4．適宜，適切なフィードバックを行うことができる。

## 手順

1．挨拶・自己紹介を行い，2つの識別子で患者の確認を行う。
2．移乗動作練習を行う旨を患者に伝え了承を得る。
3．車椅子を適切な位置に設置する。
・ベッドに対して殿部の移動が最短距離となる位置に車椅子を停車し，ブレーキをかける。
4．フットサポートの操作とベッドの高さの調整を行う。
・足部をフットサポートから下ろし，足底が床に接地したことを確認し，必要に応じて誘導・補助する。
・フットサポート，アームサポートを跳ね上げたことを確認する。
・ベッドの高さが車椅子の座面高と同じ，もしくはやや低くなるように調整する。

**臨床のコツ**
◆療法士が介入するにあたり，フット・レッグサポートが邪魔になる場合は必要に応じて取り外すとよい。

5．移乗動作に適した殿部の位置に調整する。
・殿部を前方に移動するよう誘導・補助する（図18）。
・殿部をベッドの方向に向けるよう誘導・補助する。
・車椅子が動く場合，療法士の下肢とベッドで車椅子を挟み固定する。キャスタや駆動輪の前方に療法士の足部を楔のように置くと，より確実に固定できる（図19）。
6．移乗動作に適した足部の位置に調整する。
・足幅は両坐骨結節幅で膝関節よりわずかに後方へ引き，足部は大腿と平行，またはつま先がわずかにベッドと反対側に向くよう誘導・補助する。
7．非麻痺側手をベッド上につき体幹を立ち直らせる。
・非麻痺側上肢は移乗するための補助として，手を殿部の幅と同程度離れた位置につくよう誘導・補助する。

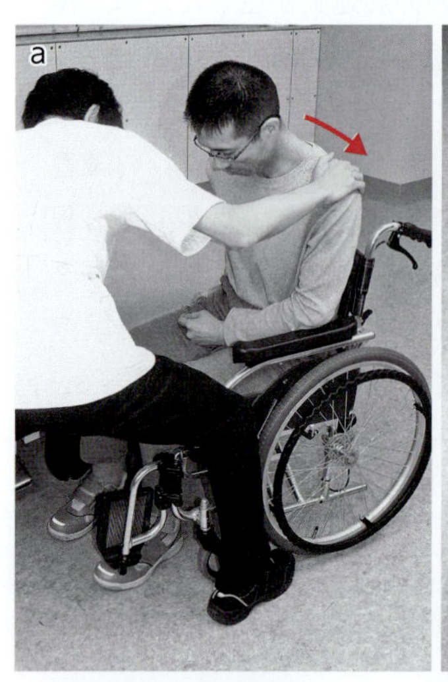

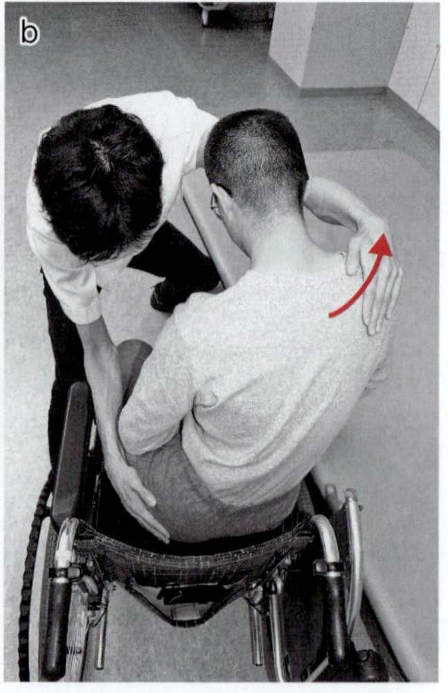

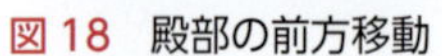
図18　殿部の前方移動
a：麻痺側への重心移動を促し，非麻痺側の殿部を自身で前方へ移動させる
b：非麻痺側への重心移動を促し，麻痺側の殿部を前方へ移動させる

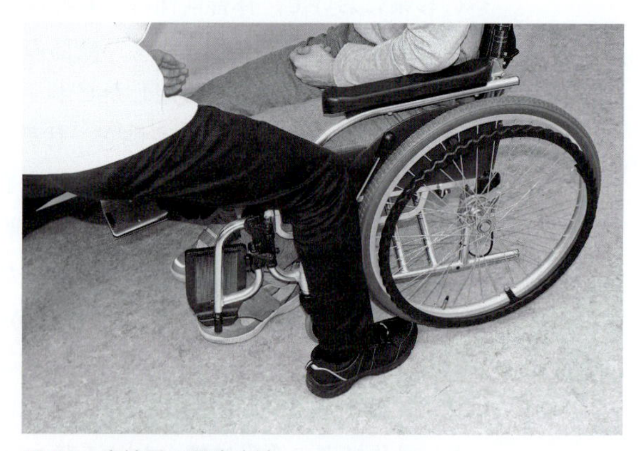
図19　車椅子の固定方法

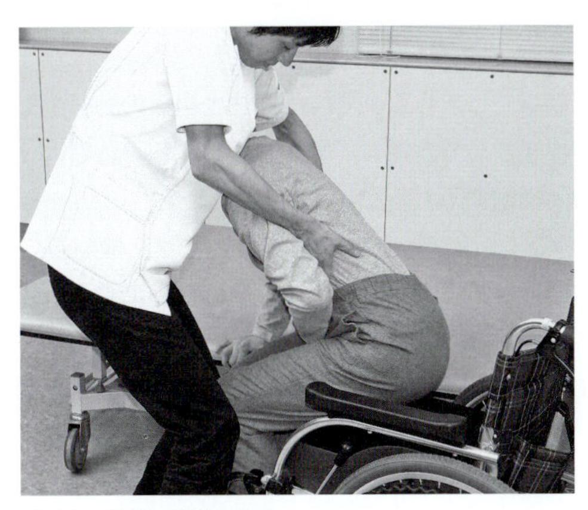

図 20　体幹の把持方法
前腕から手掌全体で支持する。

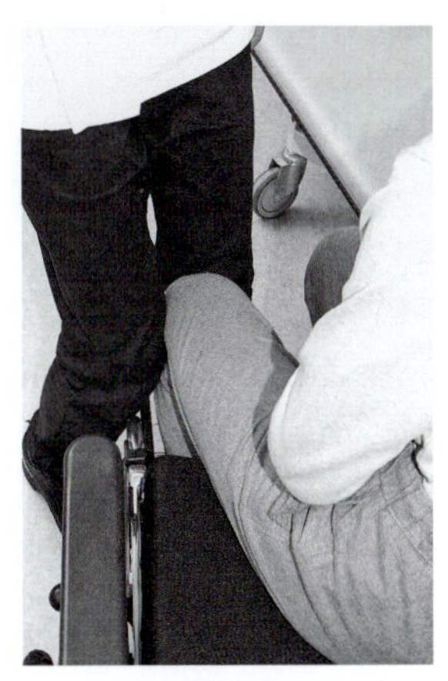

図 22　麻痺側膝関節の支持方法

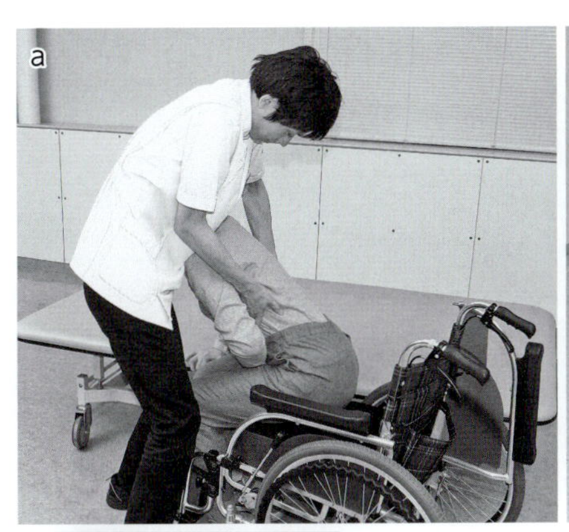


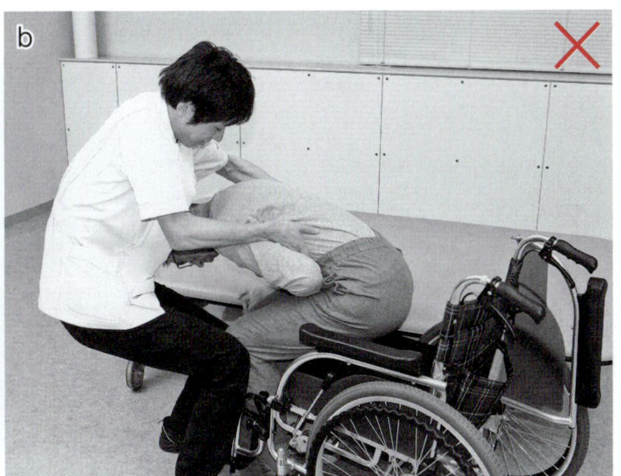


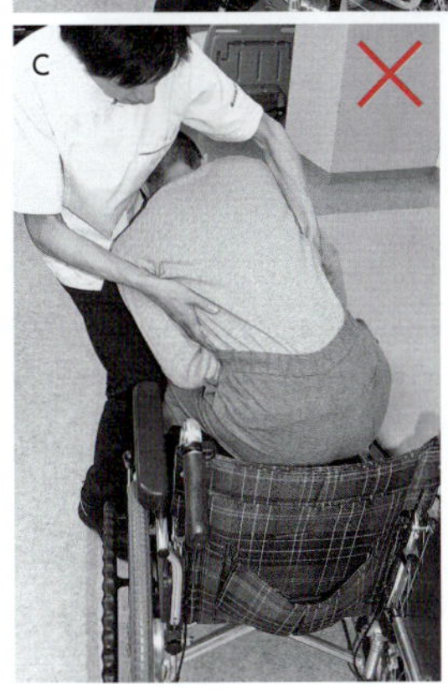


図 21　前方への誘導・補助
a：正しい方法（後方へ水平に体重移動して患者の体幹前傾を促す）
b：誤った方法（後下方へ体重移動するため患者の体幹は屈曲位となる）
c：麻痺側への誘導（患者の麻痺側へ誘導すると姿勢が崩れる）

- 非麻痺側の手をベッドにつく際は，足部と手の向きが同じになるよう誘導・補助する。
- 非麻痺側の手をやや前方につくことで重心はわずかに非麻痺側寄りとなるため，体幹は軽度前傾（骨盤直立位から股関節の屈曲）かつ立ち直りを生み出すよう誘導・補助する。

8．重心を前方へ移動し離殿する。

- 療法士は前腕から手掌全体で胸郭を支持し（図20），重心を前方へ移動し，非麻痺側足部内側に荷重するよう誘導・補助する。
- 離殿しにくい場合は，骨盤や体幹の動きを引き出すよう誘導・補助する（図21）。
- 膝折れに備えて，療法士の両膝で前方と側方より軽く触れ支持する（図22）。

**臨床のコツ**

◆体幹の動的な安定が不十分で座位が崩れてしまう事例では，療法士自身の胸郭または腹部で患者の麻痺側肩を支持，さらに両前腕で患者の胸部を挟んで支持し，両手で腹部を包み込むように把持したうえで，骨盤や体幹の動きを引き出すよう誘導・補助する（図23）。
◆離殿の前に図24のように体幹を支持して，前方への体重移動に合わせて骨盤直立を伴う体幹の伸展を促し，患者の能動性の向上を図るとよい。これにより，前方への重心移動による下肢への荷重が行いやすくなる。
◆離殿時には患者の体幹を図25のように支持し，患者の肩で療法士の体幹を押すように声かけし，患者自身の能動的な重心移動を促す。

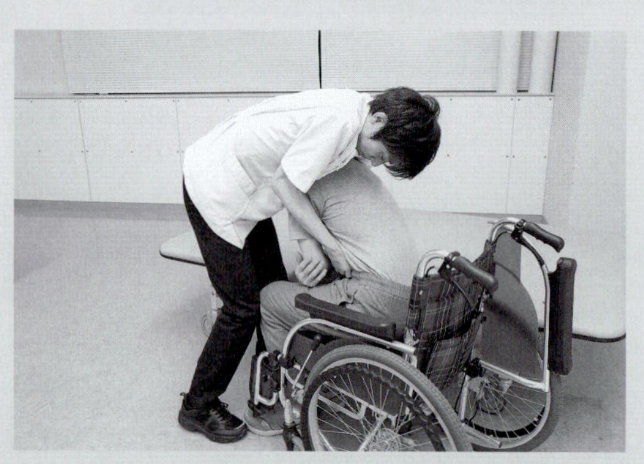

図23　体幹の動的な安定が不十分な患者の場合

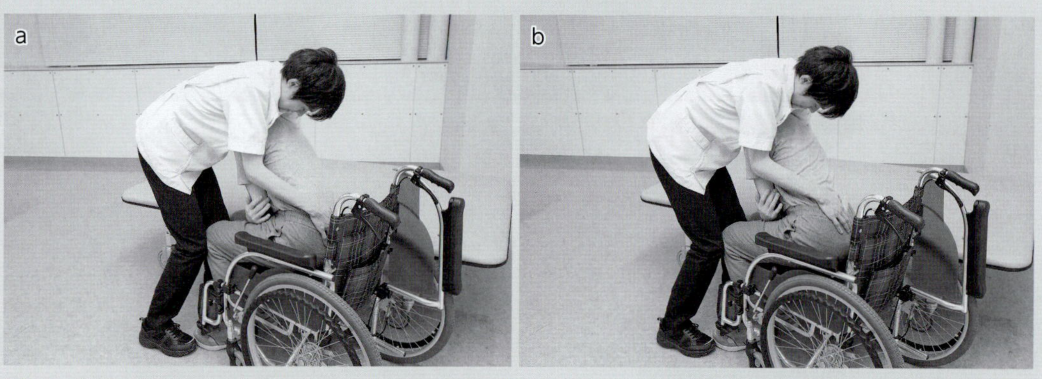


図24　体幹の伸展を促す方法
胸郭・腹部で患者の麻痺側肩を支え，手で患者の腹部と腰部を支持し（a），前方への重心移動に合わせて体幹の伸展を促して患者の能動性の向上を図る（b）。

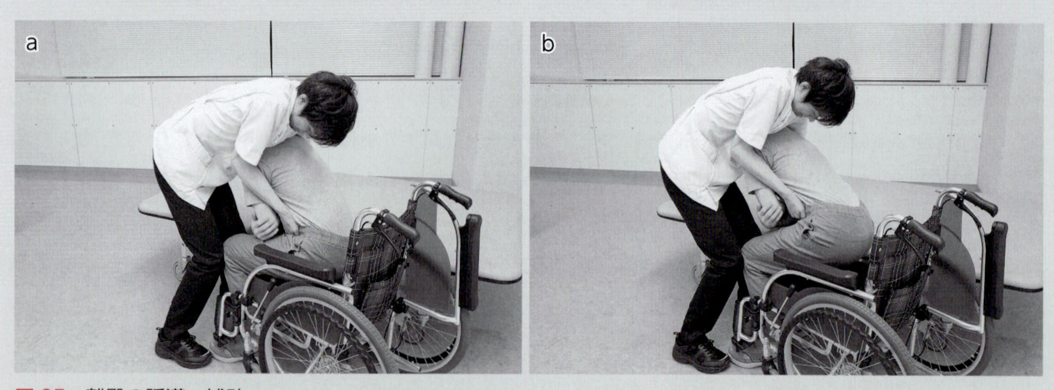


図25　離殿の誘導・補助
体幹の伸展を促しながら前方への重心移動を誘導・補助し，離殿を促す。

9．殿部を回転し，着座する。

・両下肢と非麻痺側上肢で体重を支持させ，非麻痺側下肢を軸に殿部の回転を誘導・補助する。

・殿部の回転速度を調整し，適切な位置に着座するよう誘導・補助する。

10．座位姿勢を調整する。

11．終了を伝える。

12．安全面に配慮する。

・課題全般を通して患者の姿勢に気を配り，常に安全に配慮する。

13．適宜，適切なフィードバックを行う。

・適切な内容，タイミング，量でフィードバックを行う。

## 採点基準

採点者は模擬患者に受験者の言動の適否を適宜確認して，以下の項目を採点してください。

### 1．態度

|  |  |
|---|---|
| (1) ①適切な身なりで，②明瞭な挨拶（開始時・終了時），③自己紹介ができる。 | 2点：①〜③すべてできる<br>1点：①〜③のうち2項目できる<br>0点：1項目できる<br>0点：すべてできない |
| (2) 2つの識別子で患者の確認ができる。 | 2点：2つの識別子で患者の確認ができる<br>1点：1つの識別子で患者の確認ができる<br>0点：確認ができない |
| (3) ①移乗動作の練習を行う旨を患者に伝え，②了承を得ることができる。 | 2点：①，②どちらもできる<br>1点：①のみできる<br>0点：どちらもできない |
| (4) 課題全般を通して，患者の様子（表情・姿勢・身体機能）や状況に応じた丁寧な対処（①声かけ・②触れ方・③動かし方）ができる。 | 2点：①〜③すべてできる<br>1点：①〜③のうち2項目できる<br>0点：1項目できる<br>0点：すべてできない |

### 2．技能

|  |  |
|---|---|
| (1) ①ベッドに対して殿部の移動が最短距離となる位置に車椅子を停止し，②ブレーキをかけることができる。 | 2点：①，②どちらもできる<br>1点：①，②のどちらか一方のみできる<br>0点：どちらもできない |
| (2) ①ベッドの高さを調節し，②フットサポートから足部を下ろし，③アームサポートを跳ね上げ（または外し），④足底を接地するよう調整できる。 | 2点：①〜④すべてできる<br>1点：①〜④のうち2〜3項目できる<br>0点：1項目できる<br>0点：すべてできない |
| (3) ①殿部を前方に移動させ，殿部の回転角度が小さくなる適切な②位置，③向きに調整できる。 | 2点：①〜③すべてできる<br>1点：①〜③のうち2項目できる<br>0点：1項目できる<br>0点：すべてできない |
| (4) 足部の①幅，②前後左右の位置，③向きを適切に調整できる。 | 2点：①〜③すべてできる<br>1点：①〜③のうち2項目できる<br>0点：1項目できる<br>0点：すべてできない |

| | |
|---|---|
| (5) 非麻痺側の手の①位置，②向きを適切に調整できる。 | 2点：①，②どちらもできる<br>1点：①，②のどちらか一方のみできる<br>0点：どちらもできない |
| (6) 骨盤・体幹の状態および重心位置を適切に誘導・補助できる。 | 2点：適切に誘導・補助できる<br>1点：誘導・補助が過剰，もしくは不足している<br>0点：全介助にて行う<br>0点：誤った誘導・補助を行う<br>0点：誘導・補助を行わない |
| (7) 重心の前方移動と離殿を適切に誘導・補助できる。 | 2点：適切に誘導・補助できる<br>1点：誘導・補助が過剰，もしくは不足している<br>0点：全介助にて行う<br>0点：誤った誘導・補助を行う<br>0点：誘導・補助を行わない |
| (8) 殿部の回転を適切に誘導・補助できる。 | 2点：適切に誘導・補助できる<br>1点：誘導・補助が過剰，もしくは不足している<br>0点：全介助にて行う<br>0点：誤った誘導・補助を行う<br>0点：誘導・補助を行わない |
| (9) 着座を適切に誘導・補助できる。 | 2点：適切に誘導・補助できる<br>1点：誘導・補助が過剰，もしくは不足している<br>0点：全介助にて行う<br>0点：誤った誘導・補助を行う<br>0点：誘導・補助を行わない |
| (10) 終了姿勢（座位姿勢）を確保できる。 | 2点：安定した座位姿勢を確保できる<br>1点：転倒や転落のリスクはないが，姿勢修正が不十分<br>0点：転倒や転落のリスクがある<br>0点：安定した座位姿勢を確保しない |
| (11) 課題を通して，受験者の視線・身構え，患者との距離を確保することで，常に患者の安全を確保できる。 | 2点：課題を通して，受験者の視線・身構え，患者との距離を確保することで，常に患者の安全を確保できる<br>0点：課題を通して，1回でも受験者の視線・身構え，患者との距離を保つことができず患者の身体に危険を感じる対応である |
| (12) 課題を通して，適宜，患者にフィードバックを行うことができる。 | 2点：内容，タイミング，量が適切である<br>1点：2項目が適切である<br>0点：内容が不適切である<br>0点：フィードバックがない<br>0点：1項目が適切である<br>0点：すべて適切でない |

## OSCE担当者確認事項

### 環境設定

・昇降式ベッドの高さは車椅子の座面と高低差が出るように設定する。受験者がベッドの高さを変更したら，次の受験者が入室するまでに調整する。

・車椅子は模擬患者に適合したものを使用し，座面高は下腿長と同程度または下腿長よりやや高い程度の高さとする。

### 模擬患者と採点者

・誘導・補助が不十分，不適切なためそれ以降の採点項目が減点となる場合は，模擬患者，採点者が修正した後に試験を再開する。

・模擬患者，受験者に危険が及ぶ可能性がある場合は，採点者，模擬患者が修正した後に試験を再開する。

**模擬患者**

- 上衣の裾をズボンの中に入れておく。
- 課題開始時，ベッド近くに車椅子を配置し，車椅子座位で待機する。車椅子座位姿勢は図26参照。
- 車椅子駆動動作は拙劣な設定のため，自走を促された場合は介助を依頼する。
- 移乗動作はp203患者情報「移乗動作の現状」と対応動画参照。
- 麻痺側足部の位置調整が不十分となるようにする。

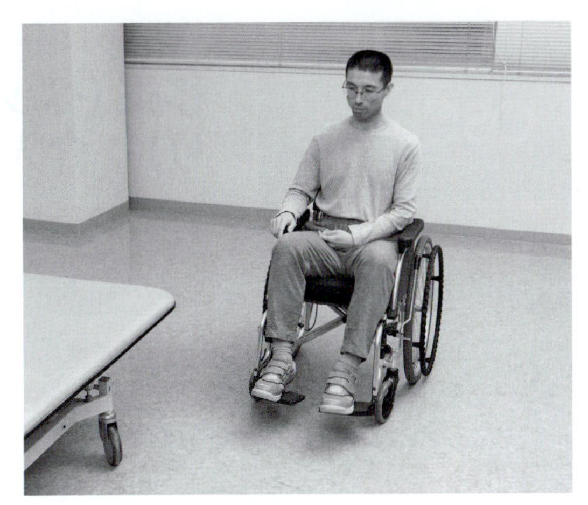

図26 模擬患者の開始姿勢

# OSCE課題 移乗（ベッドから車椅子，麻痺側回り）：介入

対応動画

## 設問

脳梗塞左片麻痺の患者です。現在，リハビリテーション室でベッドから車椅子への移乗練習をピボットターンの方法で行っています。離殿の際，麻痺側へ体重を乗せ過ぎてしまうことがあります。この患者に対して適切な誘導・補助を行いながら，麻痺側回りの移乗動作練習を行ってください。制限時間は5分です。では，始めてください。

## 準備するもの

昇降式ベッド，標準型車椅子（アームサポートの跳ね上げ，もしくは取り外しが可能なタイプ）

## 患者情報

|  |  |
|---|---|
| 疾患・障害 | 脳梗塞・左片麻痺 |
| 年齢・性別 | 60歳代・不問 |
| 発症後期間 | 3週 |
| BRS | 上肢：Ⅲ　手指：Ⅲ　下肢：Ⅲ（膝の伸展運動不十分） |
| 筋緊張 | 上腕二頭筋，手指屈筋，下肢伸筋：軽度亢進 |
| 疼痛 | 左肩関節 |
| 感覚 | 表在感覚，深部感覚：軽度鈍麻 |

|  |  |
|---|---|
| 座位 | 静的座位は安定（麻痺側に重心が移動すると転倒の可能性あり） |
| 立位 | 麻痺側下肢に過度に荷重すると膝の伸展運動が不十分 |
| 立ち上がり | 適切に誘導すれば軽介助で可能 |
| 車椅子駆動 | ゆっくりだが駆動は可能，方向転換などの微調整は困難 |
| 理解 | 良好 |
| 表出 | 良好 |

### 移乗動作の現状

ベッド上端座位で，車椅子を自身に近づけ車椅子のブレーキをかける移乗準備は介助を要している。殿部と足部の位置を調整する移乗準備および前方への重心移動が不十分な状態で離殿し，殿部の回転は麻痺側へ崩れながら行ってしまう。

### 経過と目標

発症後2日目にベッドサイドでのリハビリテーションが開始され，発症後7日目からリハビリテーション室へ移行し，起立練習，移乗練習，ADL練習が開始された。練習初期では，車椅子からベッドへの移乗において，体幹前傾時に麻痺側へ傾き足部に体重が乗る前に下肢の伸展運動が生じたため，体幹前傾と離殿のタイミング，殿部の引き上げ，殿部の回転に誘導・補助が必要であった。

そのため，非麻痺側を使用したピボットターンでの移乗練習を，肘かけのない椅子と昇降式ベッド間で行った。麻痺側の膝折れを防ぎ，体幹前傾，離殿のタイミング，殿部の回転（体重移動）の練習を中心に，非麻痺側回りで実施した。椅子の高さは下腿長と同等もしくはやや高い程度となるよう調整した。1週間で非麻痺側回りでは麻痺側へ傾くことは減少し，誘導・補助によりタイミング良く離殿することが可能となった。その後，車椅子（アームサポートの取り外しが可能なタイプ）からベッドへの移乗練習に切り替え，麻痺側回りの移乗練習も導入した。動作の特徴は「移乗動作の現状」を参照のこと。今後3週間で，ピボットターンでのギャッチベッドから車椅子への移乗動作自立を目指す。

## 課題の目標

**態度**

1．動作練習の介入に備えた，清潔かつ安全な身なりができる。
2．患者に移乗動作練習を行う旨を説明し，了承を得ることができる。
3．患者に不快な思いをさせない（話し方，表情，振る舞い）。

**技能**

1．患者の安全に配慮しながら進めることができる。
2．移乗動作の特徴，問題箇所に気づき，説明することができる。

3．適宜誘導・補助を行い移乗動作練習を実施できる。
4．適宜，適切なフィードバックを行うことができる。

## 手 順

1．挨拶・自己紹介を行い，2つの識別子で患者の確認を行う。
2．移乗動作練習を行う旨を患者に伝え了承を得る。
3．殿部と足部の位置を調整する。
4．フットサポートの操作とベッドの高さの調節を行う。
　・フットサポート，アームサポートを跳ね上げた（もしくは取り外した）ことを確認し，必要に応じて誘導・補助する。
　・レッグサポートが取り外せるタイプは取り外す。
　・ベッドの高さが車椅子の座面高と同じ，もしくはやや低くなるように調整する。
5．車椅子を適切な位置に設置する。
　・できるだけ身体に近づけて車椅子を停車する。
　・殿部の移動が最短距離となる位置に車椅子を停車し，ブレーキをかける。
　・車椅子を移動した際に下肢が干渉しないよう位置を調整する。
6．移乗動作に適した殿部の位置に調整する。
　・殿部を車椅子へ近づけるよう誘導・補助する（図27）。
　・療法士の両膝を利用して，患者の膝関節を前方と側方より支持する（図28）。
7．移乗動作に適した足部の位置に調整する。
　・足幅は両坐骨結節幅で，足部が膝関節よりわずかに後方へ引くよう誘導・補助する。
　・足部は大腿と平行，またはベッドと平行に向くよう誘導・補助する。

**臨床のコツ**

◆離殿の誘導・補助を行うために療法士の足をフットサポートと患者の下肢の間に位置させる際にも，患者の足部の位置と向きの確認が必要である。

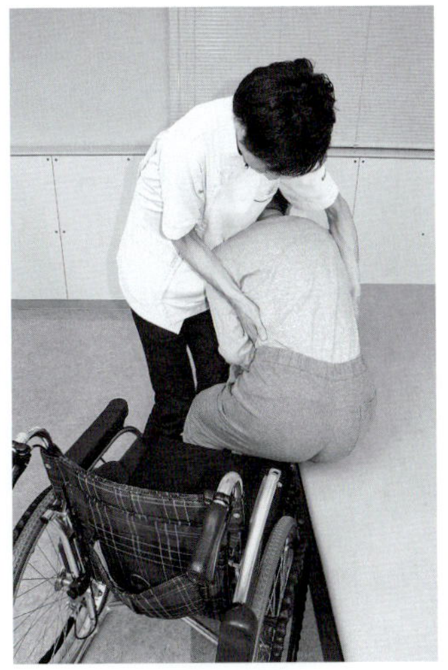

図27　殿部位置の調整

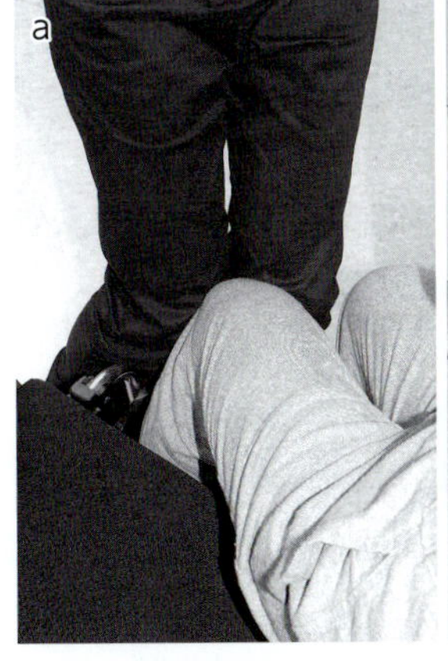


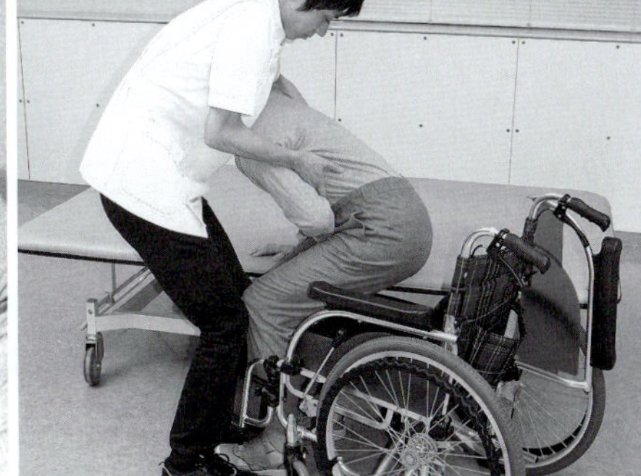


図28　麻痺側膝関節の支持方法
a：後方よりみた図
b：側方よりみた図

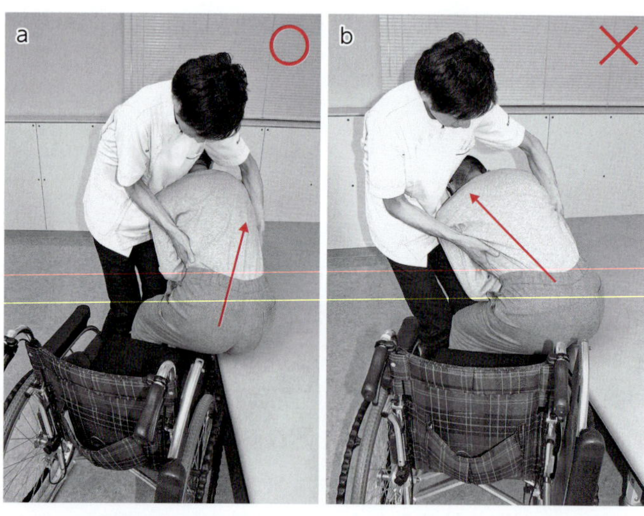


図 29 重心移動方向
a：非麻痺側への誘導
b：麻痺側への誘導

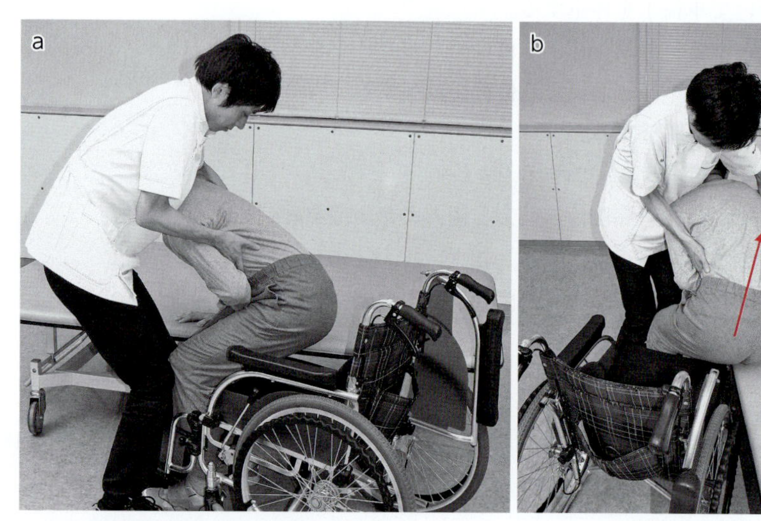


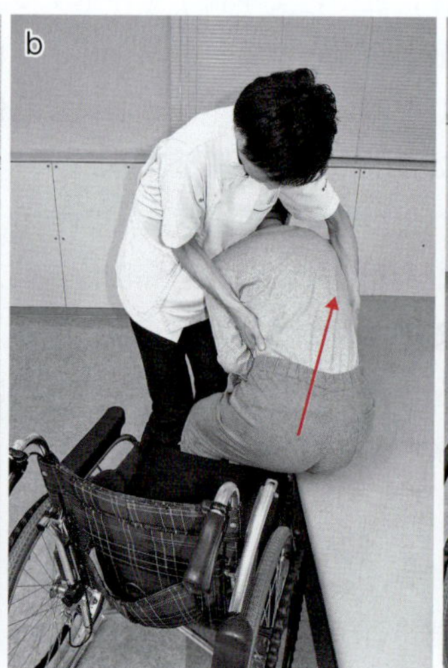


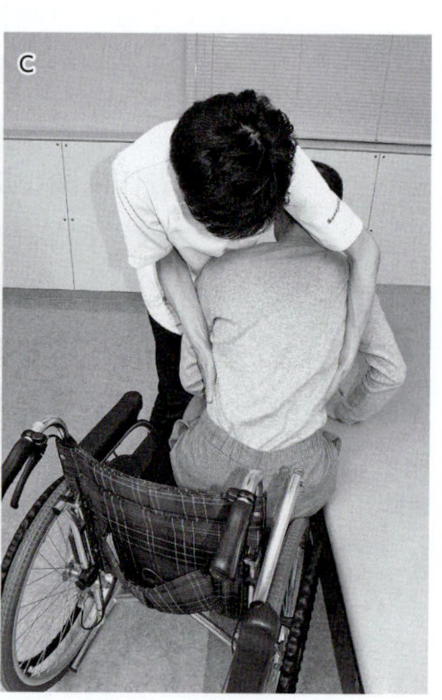


図 30 離殿，殿部の回転，着座
a：離殿
b：殿部の回転
c：着座

8．非麻痺側手をベッド上につき体幹を立ち直らせる。

・非麻痺側の手を肩関節内外旋中間位，肘関節軽度屈曲位，前腕回内位の向きでベッドにつくよう誘導・補助する。

・非麻痺側の手掌をベッド上の非麻痺側股関節の真横につき，骨盤と体幹を直立位に，体幹は非麻痺側を立ち直らせるよう誘導・補助する。

9．重心を前方へ移動し離殿する。

・療法士は前腕から手掌全体で患者の胸郭を両側より支持し（図20），重心を前方へ移動し，非麻痺側足部内側に荷重するよう誘導・補助する（図29）。

・膝折れに備えて，療法士の両膝を利用して前方と側方より軽く触れ支持する（図28）。

10．殿部を回転し，着座する（図30）。

・両下肢で体重を支持させ，非麻痺側下肢を軸に殿部の回転を誘導・補助する。

・殿部の回転速度に注意し，適切な位置に着座するよう誘導・補助する。

11．車椅子座位姿勢を調整する。

・骨盤直立位にし，殿部を左右交互に移動させながら深く座るよう誘導・補助する。いざり動作が

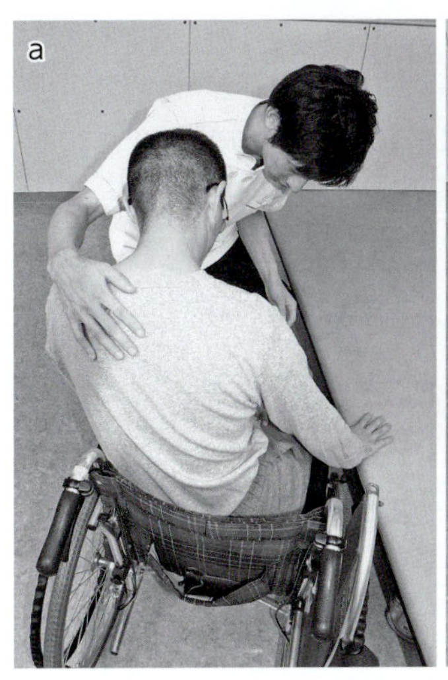

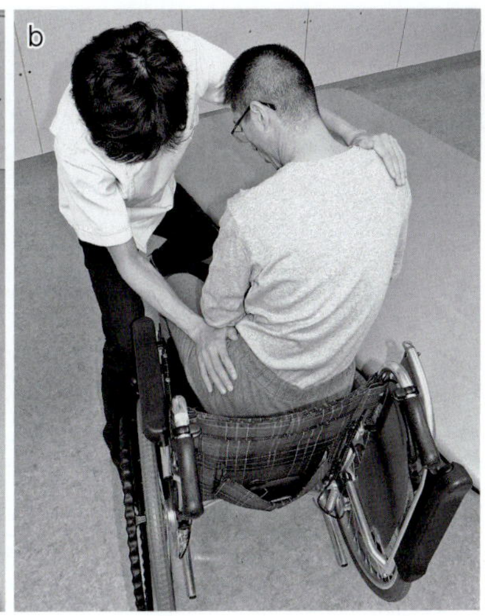


図31　車椅子上での座位姿勢の修正
a：左右交互に重心移動しいざり動作で殿部の位置を修正する
b：いざり動作が難しい場合は，前方より上前腸骨棘付近を手掌面で触れ，後方へ誘導・補助する

難しい場合は，前方より上前腸骨棘付近を手掌面で触れ，後方へ誘導・補助する（図31）。

・アームサポートを元に戻す。

・フットサポートに下肢を乗せるよう指示する。

12. 終了を伝える。

13. 安全面に配慮する。

・課題全般を通して患者の姿勢に気を配り，常に安全に配慮する。

14. 適宜，適切なフィードバックを行う。

・適切な内容，タイミング，量でフィードバックを行う。

## 採点基準

採点者は模擬患者に受験者の言動の適否を適宜確認して，以下の項目を採点してください。

1．態度

|  |  |
|---|---|
| (1) ①適切な身なりで，②明瞭な挨拶（開始時・終了時），③自己紹介ができる。 | 2点：①〜③すべてできる<br>1点：①〜③のうち2項目できる<br>0点：1項目できる<br>0点：すべてできない |
| (2) 2つの識別子で患者の確認ができる。 | 2点：2つの識別子で患者の確認ができる<br>1点：1つの識別子で患者の確認ができる<br>0点：確認ができない |
| (3) ①移乗動作の練習を行う旨を患者に伝え，②了承を得ることができる。 | 2点：①，②どちらもできる<br>1点：①，②のどちらか一方のみできる<br>0点：どちらもできない |
| (4) 課題全般を通して，患者の様子（表情・姿勢・身体機能）や状況に応じた丁寧な対処（①声かけ・②触れ方・③動かし方）ができる。 | 2点：①〜③すべてできる<br>1点：①〜③のうち2項目できる<br>0点：1項目できる<br>0点：すべてできない |

## 2．技能

|  |  |
|---|---|
| (1) ①殿部の位置，②足部の位置を適切に調整できる。 | 2点：①，②どちらもできる<br>1点：①，②のどちらか一方のみできる<br>0点：どちらもできない |
| (2) ①ベッドに対して殿部の移動が最短距離となる位置に車椅子を停止し，②ブレーキをかけることができる。 | 2点：①，②どちらもできる<br>1点：①，②のどちらか一方のみできる<br>0点：どちらもできない |
| (3) ①ベッドの高さを調節し，②フットサポートから足部を下ろし，③アームサポートを跳ね上げ（または外し），④足底を接地するよう調整できる。 | 2点：①～④すべてできる<br>1点：①～④のうち2～3項目できる<br>0点：1項目できる<br>0点：すべてできない |
| (4) ①殿部を前方に移動させ，殿部の回転角度が小さくなる適切な②位置，③向きに調整できる。 | 2点：①～③すべてできる<br>1点：①～③のうち2項目できる<br>0点：1項目できる<br>0点：すべてできない |
| (5) 足部の①幅，②前後左右の位置，③向きを適切に調整できる。 | 2点：①～③すべてできる<br>1点：①～③のうち2項目できる<br>0点：1項目できる<br>0点：すべてできない |
| (6) 非麻痺側の手の①位置，②向きを適切に調整できる。 | 2点：①，②どちらもできる<br>1点：①，②のどちらか一方のみできる<br>0点：どちらもできない |
| (7) 骨盤・体幹の状態および重心位置を適切に誘導・補助できる。 | 2点：適切に誘導・補助できる<br>1点：誘導・補助が過剰，もしくは不足している<br>0点：全介助にて行う<br>0点：誤った誘導・補助を行う<br>0点：誘導・補助を行わない |
| (8) 重心の前方移動と離殿を適切に誘導・補助できる。 | 2点：適切に誘導・補助できる<br>1点：誘導・補助が過剰，もしくは不足している<br>0点：全介助にて行う<br>0点：誤った誘導・補助を行う<br>0点：誘導・補助を行わない |
| (9) 殿部の回転を適切に誘導・補助できる。 | 2点：適切に誘導・補助できる<br>1点：誘導・補助が過剰，もしくは不足している<br>0点：全介助にて行う<br>0点：誤った誘導・補助を行う<br>0点：誘導・補助を行わない |
| (10) 着座を適切に誘導・補助できる。 | 2点：適切に誘導・補助できる<br>1点：誘導・補助が過剰，もしくは不足している<br>0点：全介助にて行う<br>0点：誤った誘導・補助を行う<br>0点：誘導・補助を行わない |
| (11) 終了姿勢（座位姿勢）を確保できる。 | 2点：安定した座位姿勢（骨盤の位置，深い着座位置，アームサポートの装着，下肢の位置）を確保できる<br>1点：転倒や転落のリスクはないが，姿勢修正が不十分<br>0点：転倒や転落のリスクがある<br>0点：安定した座位姿勢を確保しない |
| (12) 課題を通して，受験者の視線・身構え，患者との距離を確保することで，常に患者の安全を確保できる。 | 2点：課題を通して，受験者の視線・身構え，患者との距離を確保することで，常に患者の安全を確保できる<br>0点：課題を通して，1回でも受験者の視線・身構え，患者との距離を保つことができず患者の身体に危険を感じる対応である |
| (13) 課題を通して，適宜，患者にフィードバックを行うことができる。 | 2点：内容，タイミング，量が適切である<br>1点：2項目が適切である<br>0点：内容が不適切である<br>0点：フィードバックがない<br>0点：1項目が適切である<br>0点：すべて適切でない |

## OSCE担当者確認事項

### 環境設定

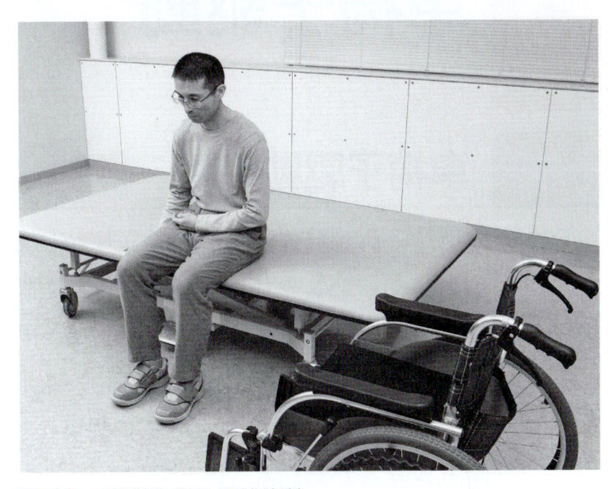

図32　模擬患者の開始姿勢

- ベッドの高さは車椅子の座面より低くしておく。受験者がベッドの高さを変更したら，次の受験者が入室するまでに調整する。
- 車椅子は模擬患者に適合したものを使用し，座面高は下腿長と同程度または下腿長よりやや高い程度の高さとする。フットサポートとアームサポートは下ろしておく。
- 課題開始時，ベッド上に座位で待機する。座位姿勢は図32参照。

### 模擬患者と採点者

- 誘導・補助が不十分，不適切なためそれ以降の採点項目が減点となる場合は，模擬患者，採点者が修正した後に試験を再開する。
- 模擬患者，受験者に危険が及ぶ可能性がある場合は，採点者，模擬患者が修正した後に試験を再開する。

### 模擬患者

- 上衣の裾をズボンの中に入れておく。
- 移乗動作はp210患者情報「移乗動作の現状」と対応動画参照。
- 麻痺側足部の位置調整が不十分となるようにする。

### 参考文献

1) 才藤栄一 監：PT・OTのためのOSCE 臨床力が身につく実践テキスト. p162-178, 金原出版, 2011.
2) 杉優子, 冨田昌夫, 澤　俊二：移乗動作. リハビリナース 1：34-44, 2008.
3) 冨田昌夫, 杉優子, 杉山智久：場面別トランスファーのワザ. リハビリナース 3：57-62, 2010.
4) 冨田昌夫：クラインフォーゲルバッハの運動学. J Clin Phys Ther 3：1-9, 2000.
5) 大河内由紀：移乗の基本動作 ベッド⇔車椅子移乗. リハビリナース 9：554-62, 2016.

# 5 車椅子駆動

## 1 車椅子駆動とは

車椅子駆動動作とは，車椅子座位にて車椅子を操作して移動する動作である。

歩行や移乗等の基本動作に比べ，車椅子駆動練習はあまり積極的に取り組まれていない。リハビリテーションでは退院後の生活を見据えて動作練習を行うが，入院中の病棟における生活へのアプローチも忘れてはならない課題の一つである。入院生活にて車椅子で移動する患者にとって，排泄およびそれに伴うトイレへの車椅子移動を早期に自立したいとの希望は多い。また，入院中の活動性および下肢筋力を向上させるためにも，歩行練習を行いながら車椅子駆動練習を早期に開始することが重要になる。また，自由な移動が可能になることは，入院中のストレスを軽減することにつながると考えられる。

本項では，片麻痺者の片手片足駆動を解説する。片手片足駆動をする際の車椅子の調整については後述する。片麻痺者の片手片足駆動は，以下の3相から成り立つ。

第1相：車椅子駆動準備

・車椅子のフットサポートから非麻痺側下肢を床に下ろし，非麻痺側のフットサポートを跳ね上げる。

・車椅子座位姿勢（骨盤の状態，殿部の位置，下肢の位置等）を整える。

第2相：駆動

・押し出し期（あるいは推進期）

初期接触：足底全面を床につけ，手はハンドリムを握る。

推進：足部で床を捉え，膝関節を屈曲しながらハンドリムを握った手を前方へ押し，車椅子が前進する。

・回復期

股関節を屈曲して足部を持ち上げ，下肢を進行方向に向けながら前方へ出し足底から床につける。手はハンドリムから離れ，次の駆動を開始するため，ハンドリムの高い位置に手を戻す。

第3相：車椅子駆動後の座位保持

・車椅子のブレーキをかけ，座位姿勢を整え，座位を保持する。

## 2 手順（片麻痺者の片手片足駆動）

①車椅子のブレーキがかかっていることを確認する。

②非麻痺側下肢をフットサポートから床に下ろし，非麻痺側のフットサポートを跳ね上げる。

③骨盤を直立位にする。

④殿部の位置を調整する。

⑤下肢の位置を調整する。

⑥ブレーキを外す。

⑦非麻痺側下肢で舵取りをしながら，非麻痺側上肢でハンドリムを操作する。

⑧車椅子を停めブレーキをかける。

⑨座位姿勢を整える。

# 3 動作のポイント

## A 駆動に適した車椅子座位姿勢

### 1) 骨盤の状態

・骨盤を直立位にし，股関節を屈曲しながら体幹を前傾する。

**臨床のコツ**

◆体幹筋群や麻痺側の股関節周囲筋群が十分に働いておらず，骨盤や体幹を直立位に保持することが難しい症例では，体幹前傾位で駆動することが難しく，骨盤後傾位で体幹をバックサポートに押しつけながら駆動する傾向にある（図1）。骨盤後傾位で膝を屈曲しようとすると，ハムストリングスは坐骨を前方へ引き出し，股関節を伸展させ，骨盤をより後傾させる方向に働く。坐骨が前方に移動することによって，膝屈曲の効率が低下する。この場合，ラップボードを使用し，下肢へ荷重させるようにするとよい。体幹をバックサポートから起こして，ラップボード上に両前腕を乗せて体幹を支持した前傾姿勢をとり，下肢駆動を習得させる（図2）。

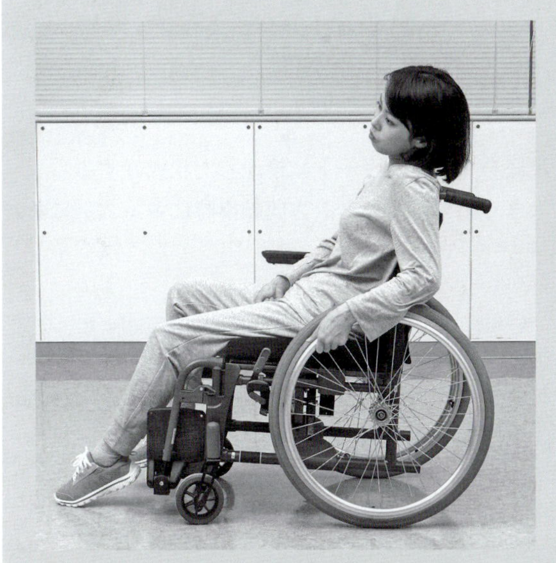

図1 バックサポートに体幹を押しつけた駆動

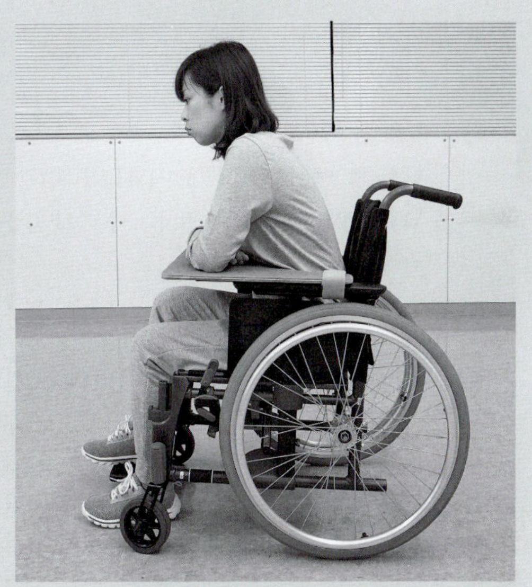

図2 ラップボードを利用した場合の車椅子座位姿勢

### 2) 殿部の位置

・足底が全面接地する位置まで殿部を前方へ移動する。

・膝窩がシート前端にあたってしまう場合は，膝窩とシート前端の隙間が30～40 mmになるように殿部を前方へ移動する。膝窩がシート前端にあたっている状態で下肢駆動を行うと，その状態を避けようとして殿部を前方に滑らせ，骨盤が後傾し，体幹をバックサポートに押しつけた姿勢での車椅子駆動となりやすい。

・殿部は左右対称の位置にする。左右の殿部の位置が異なると，車椅子の向きと身体の向きとにずれが生じ，進みたい方向に駆動するために上下肢の過剰な力を必要とする。

**臨床のコツ**

◆骨盤の状態と殿部の位置を修正する場合は，フットサポートから下肢を床に下ろし，両足が足底接地した状態で行う。

◆体幹とバックサポートの間に隙間がある場合は，クッションやタオル等を使用して調整する。体幹機能が安定してきたら，クッション等を外す。

◆シートがたわんでいると，シートの中心や片側に下肢が寄りやすくなり，体幹の歪みが生じる。シートのたわみがある場合は，クッションやタオルを使用してたわみを補正する（図3）。シートの上に板やバスマット等の硬い物を敷いて水平にする場合は，不快感や疼痛が生じやすくなるため，クッションで調整する。

◆座面の角度は水平を目安に調整する。一般的な車椅子の後座高は，前座高に比べ20〜40 mm程度低くなっている。車椅子駆動時に骨盤が後傾しやすい場合は，差高分をタオルやクッションで調整し，座面の角度を水平にすると下肢駆動の効率性が向上する（図3）。

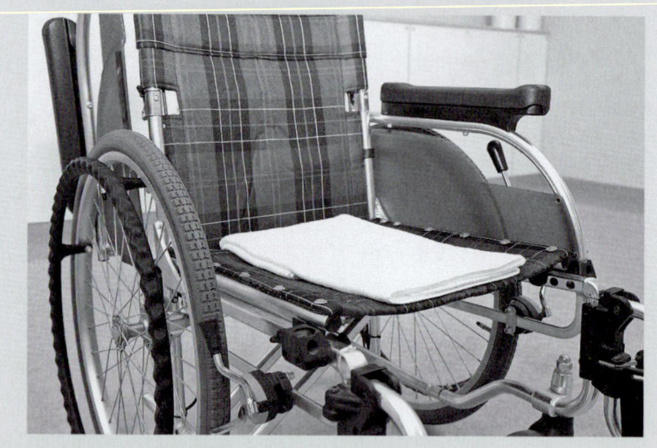

図3 シートの調整

### 3) 麻痺側下肢の位置

・麻痺側下肢は，股関節内外旋中間位で，足底をフットサポートに接地した状態にする。

・麻痺側踵部がフットサポートの後方から大きく出てしまうと，方向転換時にキャスタにあたるため注意する。

**臨床のコツ**

◆麻痺側大腿部が座面から浮かないようにフットサポートの高さを調整する。フットサポートと床との距離は，段差にぶつからないよう最低50 mmは確保する。フットサポートが高いと大腿部の支持面が狭くなり，坐骨部周辺に圧力が集中しやすくなる。また，麻痺側股関節が外旋・外転位となりやすい。フットサポートの高さが低いと，段差や障害物にあたり足部の打撲や転落が生じるリスクがある。

◆麻痺側足部が内反尖足している場合，可能な範囲で足底を接地させ，足部がずり落ちないようにフットサポート上での足部の位置を工夫し，高さを調整する。

## B 片手片足駆動

### 1) 下肢駆動

①膝関節を屈曲しながら足部を後方へ引くことにより，車椅子が前進する。この際に体幹を前傾することで，摩擦力が高まり推進力を得られやすくなる。

②膝関節を伸展しながら足部を進行方向に向け，足部を振り出し床に接地する。この際，体幹を元の位置に戻す。

③上記①，②を繰り返す。

・足部で床を捉え，膝関節を屈伸させて車椅子を前後に動かす。

・下肢による駆動操作が上手く行えない場合は，足底全体もしくは前足部を用いて（図4，5）前後・左右，あらゆる方向に車椅子を動かし，車椅子の向きがどのように変わるか，どの方向に進行するかを確認する。

・体幹の動きに協調しながら下肢を動かす。

・車椅子が滑らかに前進するための下肢駆動は，R（転がり抵抗に打ち勝つ力）とF（摩擦を作り出す力）が協調して働く必要がある（図6）。Rは車椅子を前に進める力で床面と平行に働き，その向きは車椅子の進行方向の反対向き（後方）である。Fの方向は垂直である[1]。

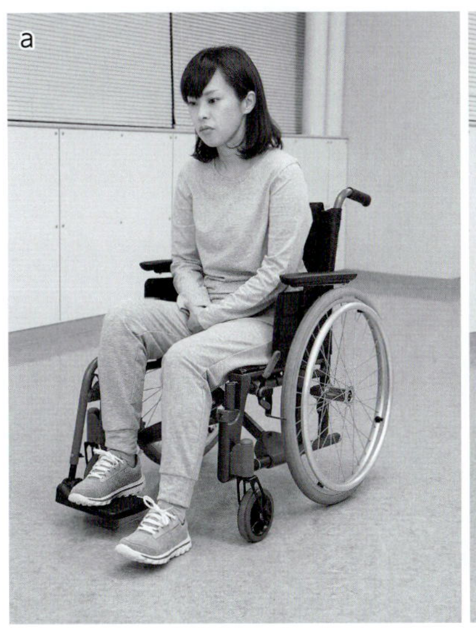


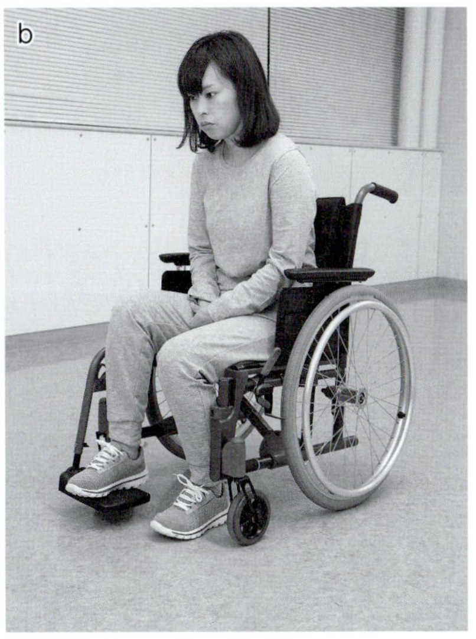


図 4　足底全体での駆動
a：初期接触
b：推進

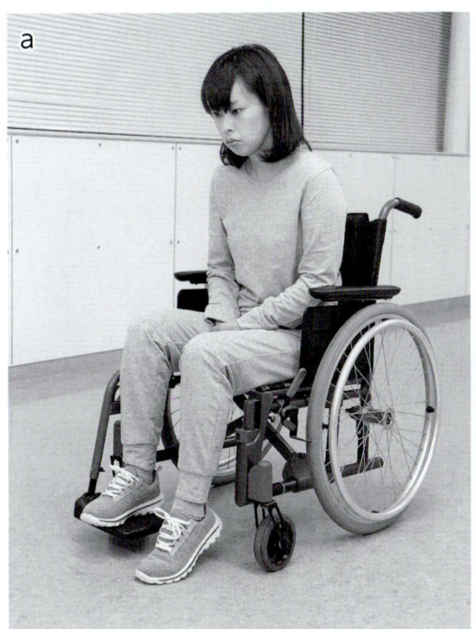


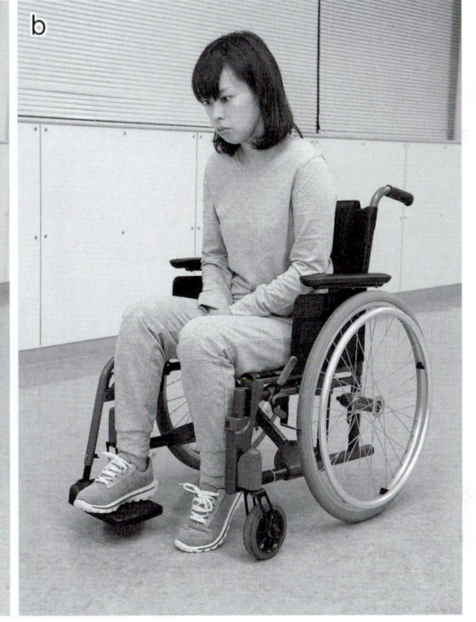


図 5　前足部での駆動
a：初期接触
b：推進

**臨床のコツ**

◆下肢への荷重感覚が得られない場合は，足底を床に全面接地させ，足部に荷重する感覚を入力する。足部を床上で滑らせてしまう場合には，足底で床を叩くと感覚が得られやすい。

◆前足部での駆動は小回りが効き，足部を後方に引きやすい。また，車椅子が体格より大きい場合は足底全体を床につけようとすると姿勢が崩れやすいため，前足部で駆動するとよい。

◆足底接地できる車椅子を使用すると，フットサポートの上に乗せた側の大腿が座面から浮くことがある。その場合は，フットサポートを下げるなど大腿が浮かないような工夫が必要となる。

◆下肢駆動の際，1回の下肢操作で大きな推進力を得ようとする場合，足部を大きく前へ出そうとする場合，体幹が後方へ崩れることにより足部が大きく前へ出てしまう場合は，踵部から床に接地する操作ではなく，前足部での操作を検討するとよい。

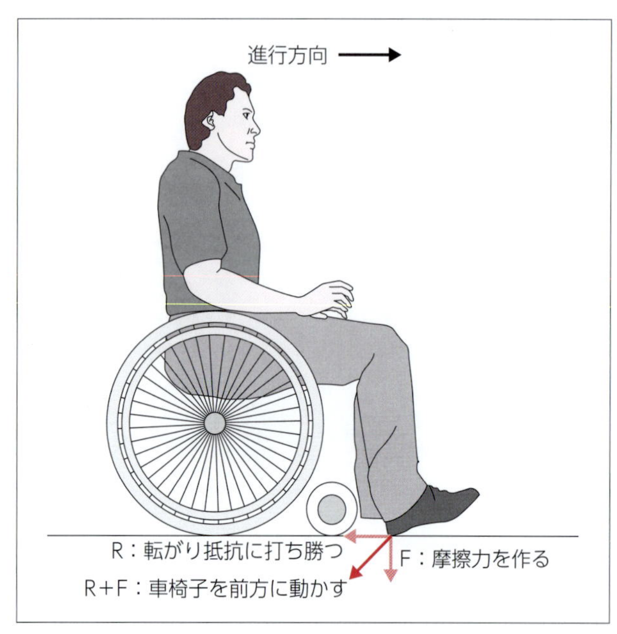


**図6　下肢駆動の原理**（踵部から足部を床に押しつけて車椅子を前方に進める際の力学）
F（摩擦を作り出す力）の方向は，床に垂直。
R（転がり抵抗に打ち勝つ力）は，車椅子を前に進める力で床面と平行に働き，その向きは車椅子の進行方向の反対向き（後方）。
F+R（合力＝床に加えられる圧の方向）は，どのくらい強く足部を後方に動かしたか（水平方向の力）によって決定。
（ベンクト・エングストローム（桂律也，山野香 訳）：車いすのためのエルゴノミック・シーティング. p218，ラックヘルスケア，2003. より改変）

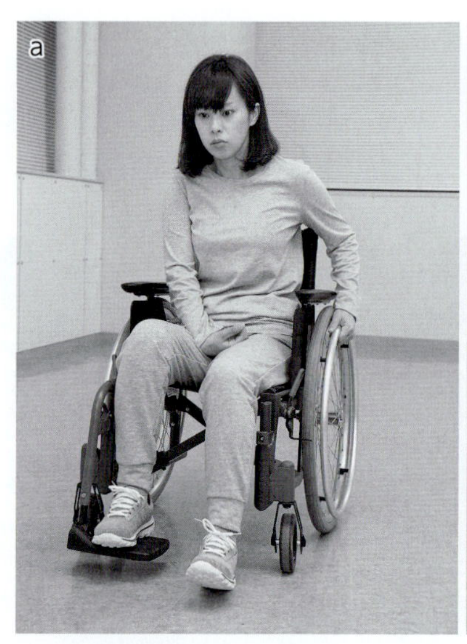


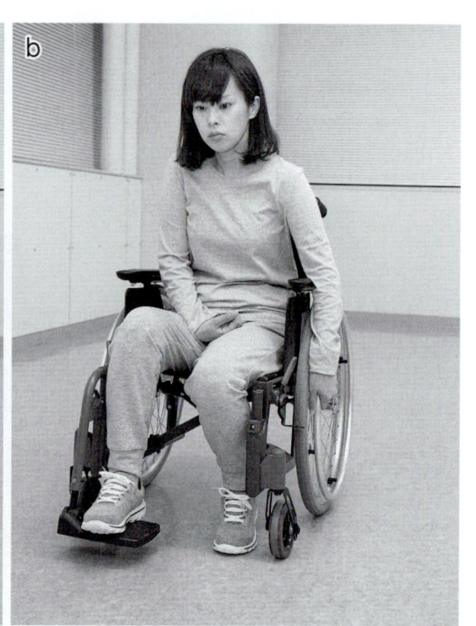


**図7　上下肢駆動**
a：初期接触，b：推進

### 2）上肢駆動

①体幹を前傾して足部を後方へ引くタイミングで，肩関節を屈曲，肘関節を伸展しながら，ハンドリムを握った手を前下方へ移動させる。

②足部を進行方向に振り出すタイミングでハンドリムから手を離し，肩関節を伸展，肘関節を屈曲しながら上肢を体幹の後方へ引き上げ，ハンドリムのより高い部分を握る。この際，肩甲帯の動きに連動しながら体幹を元に戻す。

③上記①，②を繰り返す。

### 3）上下肢の協調した駆動（図7）

・推進力を発揮する場合や，駆動時のスピードを制御する場合に，上下肢の協調した駆動を行う。
・駆動開始時や段差を乗り越える際は強い推進力が必要となるため，下肢の動きに協調して上肢を動かすことにより，推進力を得やすくする。
・駆動スピードが速過ぎる場合，ハンドリムを握る力を調整することでスピードを制御する。
・非麻痺側上肢のみで車椅子を操作すると，車椅子は麻痺側へ曲がりやすい。直進，方向転換をするためには片側上肢のみの操作では困難であり，下肢の動きが必要となる。

**臨床のコツ**

◆身体機能や認知機能により，進行方向を制御するための下肢駆動の方法は異なる。前足部のみ床につけた小さな動きによる駆動では，下肢に協調した上肢の動きも小さくなる場合が多い。
◆アームサポートが高いとハンドリムに手が届きにくく，上肢の操作性が低下する。また，低いアームサポートで前腕を支持すると体幹の前傾や側屈が生じやすくなる。アームサポートの高さは，座位肘頭高よりも10〜20 mm程度高くするとよい。
◆ラップボードを使用する場合，上肢駆動の操作性を考慮し，ラップボードの横幅を両アームサポート幅程度とするとよい。
◆スロープを昇る際は，大きな推進力を必要とする。下肢のみの駆動では車椅子が後方へ滑るため，体幹・骨盤をより前傾させながら上下肢を動かすことで大きな推進力を発揮しやすくする。

### 4) 車椅子を停め，ブレーキをかけ座位姿勢を整える

・骨盤の状態，殿部の位置，足部の状態を確認する。

## 4 練習の組み立て方（課題難易度に影響する要素）

### 1) 駆動方法

・上肢と下肢を協調させながら車椅子駆動を行うことは難しい。また，車椅子の構造上，片手片足にて車椅子を操作しようとすると麻痺側へ曲がりやすく，直進することは難度が高い。片手片足駆動は下肢駆動練習から開始すると難度を下げることができる。下肢駆動を習得後に上下肢による片手片足駆動練習へと進める。

### 2) 操作性

・下肢へ荷重感覚を入力しながら足部を動かすことで，車椅子がどのように動くかの学習（探索段階），進みたい方向へ車椅子を移動するための下肢操作の学習（進行方向の習得），道幅に合わせた駆動（正確性），目的地へ効率良く移動し適切な場所に車椅子を停める動作（ベッドやトイレ等へのアプローチ，効率性・微調整）の順に練習を進める。

### 3) 練習の組み立て方の一例（図8）

・屋内での車椅子片手片足駆動（室内での方向転換やベッド等へのアプローチを含む）自立を目指すが，練習開始段階では実施が困難な症例における練習の組み立て方の一例を示す。

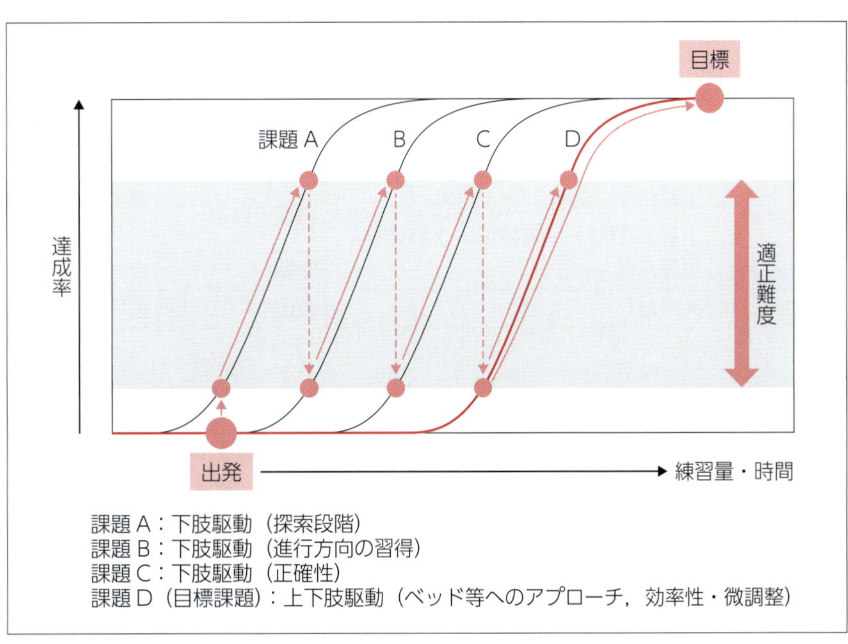


図8 車椅子駆動練習の組み立て方の一例

対応動画

# OSCE課題　車椅子駆動：分析

## 設問

脳梗塞右片麻痺の患者です。本日より車椅子駆動練習を開始予定です。操作性を確認するため，設定した走行路を駆動してもらいます。この患者の車椅子駆動動作を観察し，分析結果を採点者に説明してください。今回は患者への説明は省きます。採点者への説明は動作終了後に行ってください。なお，リスク管理は採点者に依頼してください。環境や姿勢，動作の修正に関する指示はしないでください。制限時間は5分です。では，始めてください。

注1) 課題では，終了時に非麻痺側下肢をフットサポートに乗せないこととします。
注2) 採点者は実際には近位監視でのリスク管理を行いませんが，課題を始めてください。
注3) メモを取りながら観察してかまいません。

## 準備するもの

車椅子，プラットホーム等(複数)，ホワイトボード，ペン，メモ用紙

注) ペンとメモ用紙は受験者が準備したものを使用することを許可します。

## 設定コース

車椅子走行路は右カーブ，左カーブ，直進を設ける。

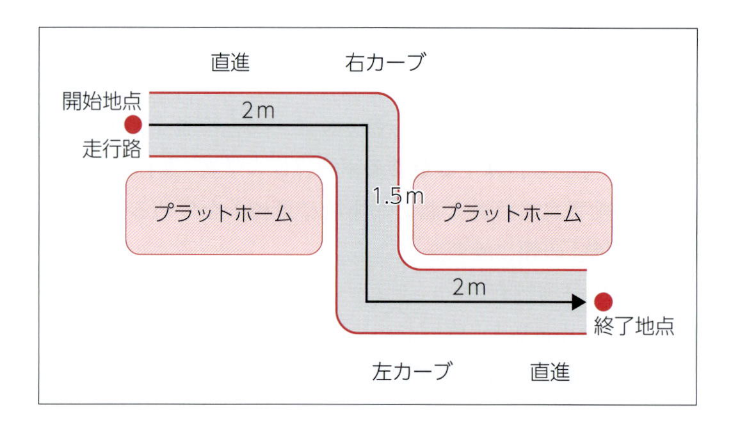


## 患者情報

| 疾患・障害 | 脳梗塞・右片麻痺 |
|---|---|
| 年齢・性別 | 70歳代・不問 |
| 発症後期間 | 1カ月 |
| BRS | 上肢：Ⅱ　手指：Ⅱ　下肢：Ⅲ |
| 筋緊張 | 上腕二頭筋，手指屈筋，下肢伸筋：軽度亢進 |
| ROM | 制限なし |

| 疼痛 | 右肩関節 |
|---|---|
| 感覚 | 表在感覚：軽度鈍麻<br>深部感覚：中等度鈍麻 |
| 車椅子座位 | 座位保持は可能であるが，駆動時にバランスを崩す |
| 理解 | 良好 |
| 表出 | 良好 |

### 事例

**上肢を小刻みに動かし，前足部のみを床につけて下肢で駆動する事例**

・車椅子駆動時は，上肢を小刻みに動かし，上肢と下肢の協調性が低い。直進やカーブの際に上部体幹をバックサポートに押しつけて駆動するため，徐々に骨盤が前方に滑る。また，カーブの際は何度も切り返しを行い，上下肢の動作が拙劣となる。

## 課題の目標

**態度**

1．動作分析に備えた，清潔かつ安全な身なりができる。
2．患者に車椅子駆動動作の観察を行う旨を説明し，了承を得ることができる。
3．患者に不快な思いをさせない（話し方，表情，振る舞い）。

**技能**

1．患者の安全に配慮しながら進めることができる。
2．問題点を含めた車椅子駆動動作の特徴を説明することができる。
3．わかりやすく簡潔な報告ができる。

## 手順

1．挨拶・自己紹介を行い，2つの識別子で患者の確認を行う。
2．車椅子駆動動作の観察を行う旨を患者に伝え了承を得る。
3．安全面に配慮する。
　・車椅子駆動動作では，座面からの転落等の危険がある。動作の観察において常に安全に配慮し，リスク回避に努める必要がある。
　・本課題では採点者にリスク管理を依頼する。
4．車椅子のブレーキがかかっていることを確認する。
5．フットサポートから非麻痺側下肢を下ろし，非麻痺側のフットサポートを跳ね上げたことを確認する。
6．開始姿勢（車椅子座位姿勢）を観察する。
　・体幹と骨盤の状態，殿部と下肢の位置を確認する。
7．車椅子と患者の体型との適合状況を確認する。
　・本課題では，車椅子座位姿勢からシートの高さ・幅，フットサポートの高さについて確認する。
　・その他の確認すべき事項（シートのたわみ，座面の奥行き・角度，バックサポートの張り・高さ，アームサポートの高さ）については，患者に適した車椅子で，必要な調整がされているものとする。
8．車椅子駆動前に，車椅子走行路に障害物がないかを確認し，コースを説明する。
9．動作開始の合図をする。
10．適切な位置で観察する。
　・矢状面，前額面から適宜視点を変えながら観察する。患者に近づき過ぎて動作を阻害しないよう注意する。
11．車椅子のブレーキを外したかを観察する。
12．車椅子駆動を観察する。
　①下肢駆動を観察する
　・足部での床の捉え方について確認する。
　・下肢での進行方向の制御について確認する。
　②上肢駆動を観察する
　・ハンドリムを握る手の位置・移動範囲について確認する。
　・上肢での操作性やスピード制御について確認する。
　③体幹・下肢・上肢の協調性を観察する
13．駆動中の座位姿勢を観察する。
　・体幹と骨盤の状態，下肢の位置を確認する。

14. 駆動終了後，車椅子のブレーキがかけているかを観察する。
15. 終了時の車椅子座位姿勢を観察する。
16. 終了を伝える。
17. 車椅子駆動動作の特徴，車椅子と患者の体型との適合状況について分析結果を述べる。
    ・観察結果に基づき，動作環境の調整や動作練習など，介入が必要となりうる問題点について分析する。

    例：骨盤や体幹を直立位に保持することが難しいため，常にバックサポートにもたれた状態となっており，上下肢の動きと協調した体幹の動きがみられなかった。そのため，手を十分に前下方へ移動できず推進力を得ることが難しく，車椅子を駆動するのに時間を要した。

## 採点基準

採点者は模擬患者に受験者の言動の適否を適宜確認して，以下の項目を採点してください。

### 1．態度

|  |  |
|---|---|
| (1) ①適切な身なりで，②明瞭な挨拶（開始時・終了時），③自己紹介ができる。 | 2点：①～③すべてできる<br>1点：①～③のうち2項目できる<br>0点：1項目できる<br>0点：すべてできない |
| (2) 2つの識別子で患者の確認ができる。 | 2点：2つの識別子で患者の確認ができる<br>1点：1つの識別子で患者の確認ができる<br>0点：確認ができない |
| (3) ①車椅子駆動動作の観察を行う旨を患者に伝え，②了承を得ることができる。 | 2点：①，②どちらもできる<br>1点：①のみできる<br>0点：どちらもできない |
| (4) 課題全般を通して，患者の様子（表情・姿勢・身体機能）や状況に応じた丁寧な対処（①声かけ・②触れ方・③動かし方）ができる。 | 2点：①～③すべてできる<br>1点：①～③のうち2項目できる<br>0点：1項目できる<br>0点：すべてできない |

### 2．技能

|  |  |
|---|---|
| (1) 患者が動作を始める前に採点者にリスク管理を依頼できる。 | 2点：患者が動作を始める前に採点者にリスク管理を依頼できる<br>1点：患者が動作を始めてから採点者にリスク管理を依頼する<br>0点：リスク管理を採点者に依頼しない |
| (2) 矢状面，前額面を含めた適切な視点から，患者の動作を阻害しない距離で観察できる。 | 2点：矢状面，前額面を含めた適切な視点から，患者の動作を阻害しない距離で観察できる<br>1点：視点を変えて観察できるが，矢状面，前額面のいずれかからの観察ができない<br>0点：矢状面，前額面ともに観察できない<br>0点：1点からのみの観察となる<br>0点：患者との距離が近く，動作を阻害する |
| (3) 開始姿勢について観察できる。 | 2点：開始姿勢について観察できる<br>1点：観察が不十分<br>0点：観察が誤っている<br>0点：観察ができない |
| (4) 車椅子と患者の体型との適合状況について観察できる。 | 2点：車椅子のシートの高さと幅，フットサポートの高さについて確認できる<br>1点：観察が不十分<br>0点：観察が誤っている<br>0点：観察ができない |

| | |
|---|---|
| (5) 車椅子駆動前に，①車椅子走行路に障害物がないかを確認し，②コースを説明できる。 | 2点：①，②どちらもできる<br>1点：①，②のどちらか一方のみできる<br>0点：どちらもできない |
| (6) 下肢駆動について観察できる。 | 2点：下肢駆動について観察できる<br>1点：観察が不十分<br>0点：観察が誤っている<br>0点：観察ができない |
| (7) 上肢駆動について観察できる。 | 2点：上肢駆動について観察できる<br>1点：観察が不十分<br>0点：観察が誤っている<br>0点：観察ができない |
| (8) 体幹・下肢・上肢の協調性について観察できる。 | 2点：体幹・下肢・上肢の協調性について観察できる<br>1点：観察が不十分<br>0点：観察が誤っている<br>0点：観察ができない |
| (9) 駆動中の座位姿勢について観察できる。 | 2点：駆動中の座位姿勢について観察できる<br>1点：観察が不十分<br>0点：観察が誤っている<br>0点：観察ができない |
| (10) 終了姿勢について観察できる。 | 2点：終了姿勢について観察できる<br>1点：観察が不十分<br>0点：観察が誤っている<br>0点：観察ができない |
| (11) 車椅子駆動動作について適切に分析できる。 | 2点：車椅子駆動動作について分析できる<br>1点：分析が不十分<br>0点：分析が誤っている<br>0点：分析ができない |

## OSCE担当者確認事項

### 環境設定

・設定コースをホワイトボード等で提示する。

### 模擬患者と採点者

### 模擬患者

・受験者の分析時間（1分30秒間）を確保するため，3分30秒以内で動作が終わるようにする。
・課題開始時は体型に適合した車椅子に座位で待機する。
・開始時の車椅子座位姿勢は，両下肢をフットサポートに乗せ，麻痺側股関節が外旋し，足部が内反位で接地させる。
・車椅子のブレーキ，フットサポートの操作は適切に行う。
・体幹をバックサポートに押しつけ，徐々に骨盤が前方に滑るよう姿勢を変化させる。
・足部を前足部接地で滑らせながら上下肢を小刻みに動かし，進行方向を修正しながら前進する。
・車椅子駆動は設定コース内のみとし，コースを大きく外れないように駆動する。
・駆動終了時に非麻痺側下肢をフットサポートに乗せない。

### 採点者

・受験者が設定コースを過ぎても車椅子駆動を求めた場合は，駆動を止めるよう受験者に指示する。

# OSCE課題 車椅子駆動：介入

対応動画

## 設問

脳梗塞右片麻痺の患者です。体型に適合した車椅子を使用し，体幹をバックサポートで支持した状態で下肢駆動による車椅子駆動練習をしています。この患者に対して適切な誘導・補助を行いながら，車椅子駆動練習を10m程度行ってください。制限時間は5分です。では，始めてください。

## 準備するもの

車椅子

## 患者情報

| 疾患・障害 | 脳梗塞・右片麻痺 |
|---|---|
| 年齢・性別 | 60歳代・不問 |
| 発症後期間 | 5週 |
| BRS | 上肢：Ⅱ 手指：Ⅱ 下肢：Ⅱ |
| 筋緊張 | 上腕二頭筋，手指屈筋，下肢伸筋：軽度亢進 |
| 感覚 | 表在感覚：軽度鈍麻<br>深部感覚：中等度鈍麻 |

| ROM | 制限なし |
|---|---|
| 座位 | 安定（大きな重心移動ではバランスを崩す可能性あり） |
| 移乗 | FIM 3 |
| 理解 | 良好 |
| 表出 | 良好 |

### 車椅子駆動動作の現状

体幹をバックサポートから離すことは可能であるが，車椅子駆動時は，体幹をバックサポートで支持した状態で，非麻痺側上下肢にて駆動する。非麻痺側下肢は前足部のみを床につけて動かし，非麻痺側上肢は動かす範囲が小さい。徐々に非麻痺側に体幹が側屈しながら，上部体幹をバックサポートに押しつける傾向にある。直進しようとしても斜め方向に進んでしまい，修正ができない。現在は，下肢での駆動を練習している。

### 経過と目標

発症後3日目にベッドサイドでのリハビリテーションが開始された。全身状態が不良であったため関節可動域練習とギャッチアップ座位練習を実施し，発症後15日目にリハビリテーション室へ移行した。発症後30日目で椅子座位が監視レベルとなり車椅子駆動練習が開始された。ラップボードで体幹を支持した前傾姿勢での下肢駆動から開始し，現在は体幹機能の向上に伴いラップボードを外して下肢駆動を実施している。今後は，上下肢による片手片足駆動やベッド・トイレ等へのアプローチ練習に移行し，今後1カ月間で病棟内での車椅子移動の自立を目指す。また退院後は，自宅内歩行の修正自立，屋外では玄関から駐車場までの監視レベルでの歩行，長距離は車椅子での移動を目指す。

## 課題の目標

**態度**

1. 動作練習の介入に備えた，清潔かつ安全な身なりができる。
2. 患者に車椅子駆動動作練習を行う旨を説明し，了承を得ることができる。
3. 患者に不快な思いをさせない（話し方，表情，振る舞い）。

**技能**

1. 患者の安全に配慮しながら進めることができる。
2. 車椅子駆動動作の特徴，問題箇所に気づき，説明することができる。
3. 適宜誘導と補助を行い，車椅子駆動練習が実施できる。
4. 適宜，適切なフィードバックを行うことができる。

## 手 順

1．挨拶・自己紹介を行い，2つの識別子で患者の確認を行う。
2．車椅子駆動動作練習を行う旨を患者に伝え了承を得る。
3．車椅子のブレーキがかかっていることを確認する。
4．開始時の車椅子座位姿勢を調整する。
　・体幹，麻痺側上肢と両下肢の位置，足部の状態に問題があれば修正する。
5．フットサポートから非麻痺側下肢を下ろし，非麻痺側のフットサポートを跳ね上げる。
　・フット・レッグサポートを外せる場合は外す。
6．骨盤の状態を調整する。
　・骨盤を直立位にする。
7．殿部の位置を調整する。
　・非麻痺側足底が接地しない場合は，全面接地できる位置まで殿部を前方に移動させる。その際，体幹が回旋しないように注意する。
8．車椅子駆動前に車椅子走行路に障害物がないかを確認し，コースを説明する。
9．車椅子のブレーキを外す。
10．足部を左右に出して車椅子を左右に動かす動作を誘導・補助する。
11．非麻痺側下肢での駆動を誘導・補助する。
　・下肢駆動時に足部へ荷重できない場合は，大腿骨遠位部（膝上）と足部（足背から足関節が支点となる位置）に療法士の手掌を置き，足部を床に押しつけ車椅子が前後するよう誘導・補助する（図9）。
　・足部で床を捉えられるようになってきたら，大腿骨遠位部（膝上）のみに療法士の手掌をあて，足部を床へ押しつけ，膝関節を屈曲しながら進行方向をコントロールするよう誘導・補助を行い，車椅子を前進させる（図10）。
　・膝と足部を進行方向に向けるよう誘導・補助する。
　・体幹は，上部体幹をバックサポートに押しつけるのではなく，骨盤直立位で腰部をバックサポートで支持するように誘導・補助する。
　・膝関節屈曲時には体幹前傾，膝関節伸展時には体幹を正中に戻すよう，下肢と体幹の協調した動

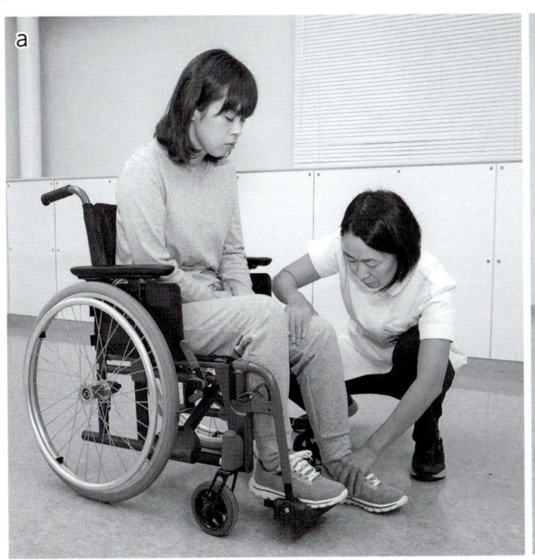


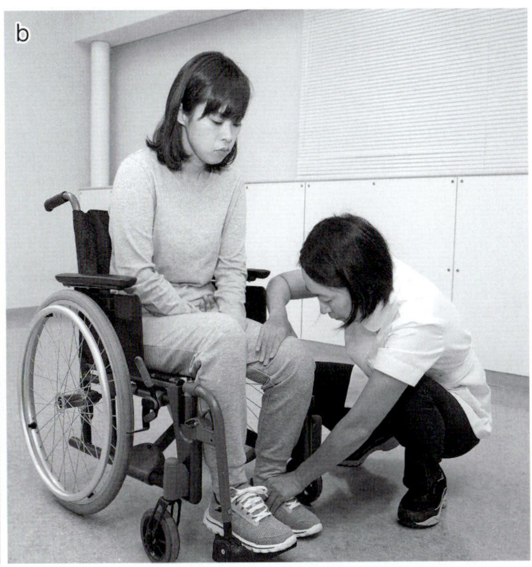


図9　下肢駆動の誘導・補助（膝・足部）
a：初期接触
b：推進

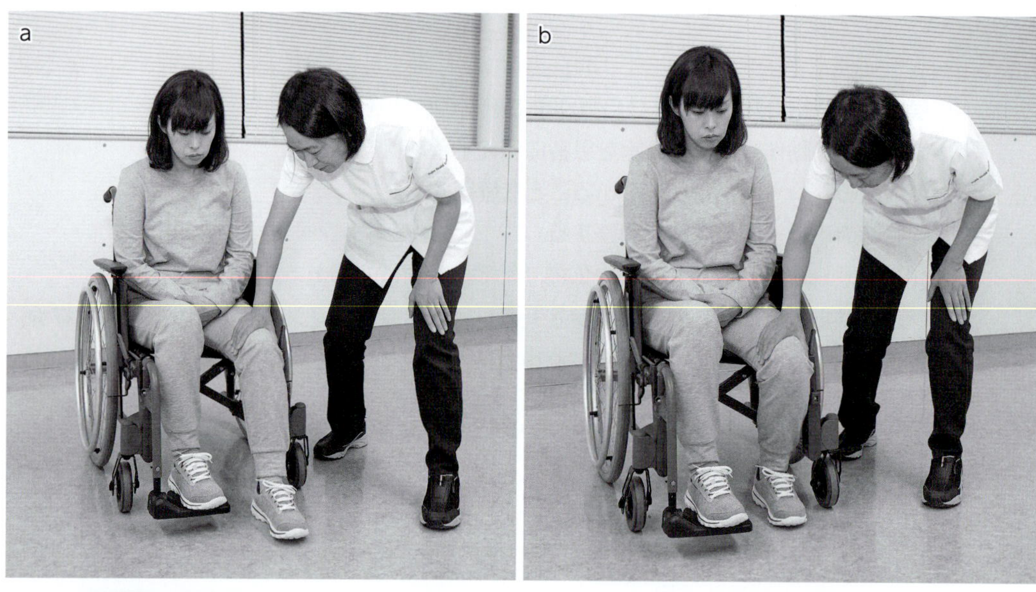


図10 下肢駆動の補助（膝）
a：初期接触
b：推進

きを誘導・補助する。

・直進，非麻痺側方向へのカーブ，麻痺側方向へのカーブの順に練習する。

12. **駆動中，姿勢が崩れた場合は適宜修正する。**

・姿勢が崩れた際は，一度動作を止めて姿勢を修正するよう誘導・補助する。

13. **駆動終了後，ブレーキをかける。**

・ブレーキをかけ忘れた場合は，ブレーキをかけるよう誘導・補助する。

14. **車椅子座位姿勢を整える。**
15. **患者に終了を伝える。**
16. **安全面に配慮する。**

・課題全般を通して姿勢に気を配り，常に安全に配慮する。

17. **適宜，適切なフィードバックを行う。**

・適切な内容，タイミング，量でフィードバックを行う。

## 採点基準

採点者は模擬患者に受験者の言動の適否を適宜確認して，以下の項目を採点してください。

### 1．態度

|  |  |
|---|---|
| (1) ①適切な身なりで，②明瞭な挨拶(開始時・終了時)，③自己紹介ができる。 | 2点：①～③すべてできる<br>1点：①～③のうち2項目できる<br>0点：1項目できる<br>0点：すべてできない |
| (2) 2つの識別子で患者の確認ができる。 | 2点：2つの識別子で患者の確認ができる<br>1点：1つの識別子で患者の確認ができる<br>0点：確認ができない |
| (3) ①車椅子駆動動作の練習を行う旨を患者に伝え，②了承を得ることができる。 | 2点：①，②どちらもできる<br>1点：①のみできる<br>0点：どちらもできない |
| (4) 課題全般を通して，患者の様子(表情・姿勢・身体機能)や状況に応じた丁寧な対処(①声かけ・②触れ方・③動かし方)ができる。 | 2点：①～③すべてできる<br>1点：①～③のうち2項目できる<br>0点：1項目できる<br>0点：すべてできない |

### 2．技能

|  |  |
|---|---|
| (1) ①駆動開始前，②終了後の座位姿勢を確認する前に，ブレーキをかけることができる。 | 2点：①，②どちらもできる<br>1点：①，②のどちらか一方のみできる<br>0点：どちらもできない |
| (2) 駆動開始前に，①体幹の位置を調整し，②殿部の位置を確認できる。 | 2点：①，②どちらもできる<br>1点：①，②のどちらか一方のみできる<br>0点：どちらもできない |
| (3) 駆動開始前に，麻痺側下肢の位置を適切に調整できる。 | 2点：駆動開始前に麻痺側下肢の位置を調整できる<br>1点：駆動開始後に麻痺側下肢の位置を調整できる<br>0点：誤った調整を行う<br>0点：調整を行わない |
| (4) 駆動開始前に，①車椅子走行路に障害物がないかを確認し，②コースを説明できる。 | 2点：①，②どちらもできる<br>1点：①，②のどちらか一方のみできる<br>0点：どちらもできない |
| (5) ①膝関節を屈伸して車椅子を前後に動かすこと，②左右に足部を出して車椅子を左右に動かすことを適切に誘導・補助できる。 | 2点：①，②どちらもできる<br>1点：①，②のどちらか一方のみできる<br>0点：どちらもできない |
| (6) 直進時，下肢を適切に誘導・補助できる。 | 2点：非麻痺側下肢で進行方向をコントロールできるよう適切に誘導・補助できる<br>1点：誘導・補助ができるが，不十分<br>0点：誘導・補助ができない |
| (7) 右カーブ時，下肢を適切に誘導・補助できる。 | 2点：非麻痺側下肢で進行方向をコントロールできるよう適切に誘導・補助できる<br>1点：誘導・補助ができるが，不十分<br>0点：誘導・補助ができない |
| (8) 左カーブ時，下肢を適切に誘導・補助できる。 | 2点：非麻痺側下肢で進行方向をコントロールできるよう適切に誘導・補助できる<br>1点：誘導・補助ができるが，不十分<br>0点：誘導・補助ができない |
| (9) 直進，右カーブ，左カーブの順に行うことができる。 | 2点：直進，右カーブ，左カーブの順に行うことができる<br>0点：順序に誤りがある |
| (10) 駆動中，姿勢の崩れを適切に修正できる。 | 2点：姿勢の崩れを適切に修正できる<br>1点：修正するが不十分<br>0点：修正をしない |

| | |
|---|---|
| (11) 終了姿勢（車椅子座位姿勢）を確保できる。 | 2点：安定した座位姿勢を確保できる<br>1点：転倒や転落のリスクはないが，姿勢修正が不十分<br>0点：転倒や転落のリスクがある<br>0点：安定した座位姿勢を確保しない |
| (12) 課題を通して，受験者の視線・身構え，患者との距離を確保することで，常に患者の安全を確保できる。 | 2点：課題を通して，受験者の視線・身構え，患者との距離を確保することで，常に患者の安全を確保できる<br>0点：課題を通して，1回でも受験者の視線・身構え，患者との距離を保つことができず患者の身体に危険を感じる対応である |
| (13) 課題を通して，適宜，患者にフィードバックを行うことができる。 | 2点：内容，タイミング，量が適切である<br>1点：2項目が適切である<br>0点：内容が不適切である<br>0点：フィードバックがない<br>0点：1項目が適切である<br>0点：すべて適切でない |

## OSCE担当者確認事項

### 模擬患者と採点者

・誘導・補助が不十分，不適切なためそれ以降の採点項目が減点となる場合は，模擬患者，採点者が修正した後に試験を再開する。

・模擬患者，受験者に危険が及ぶ可能性がある場合は，採点者，模擬患者が修正した後に試験を再開する。

### 模擬患者

・課題開始時は体型に適合した車椅子に座位で待機する。

・車椅子座位姿勢は図11参照。

・駆動中，体幹をバックサポートに押しつけ，徐々に骨盤が前方に滑るように姿勢を変化させる。

・姿勢の修正は，指示された通り速やかに行うことができる。

・直進時，足部で床を捉えることができず，床の上で滑らせてしまう動作を入れる。

・非麻痺側下肢の操作性は低く，小刻みとなるようにする。

・車椅子駆動はp226患者情報「車椅子駆動動作の現状」と対応動画参照。

・ブレーキとフットサポートの操作は可能である。

・指示されれば，開始時と終了時に車椅子座位姿勢の修正，麻痺側足部の位置調整ができる。

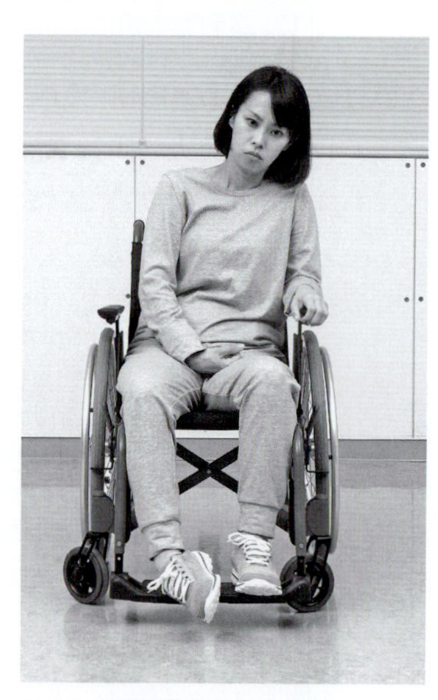

図11　模擬患者の開始姿勢

### 引用文献

1) ベンクト・エングストローム（桂律也，山野香 訳）：車いすのためのエルゴノミック・シーティング．p218，ラックヘルスケア，2003.

### 参考文献

1) ベンクト・エングストローム（桂律也，山野香 訳）：車いすのためのエルゴノミック・シーティング．ラックヘルスケア，2003.
2) 日本リハビリテーション工学協会 訳：車いすSIG 講習会テキスト．
3) 福井圀彦，藤田勉，宮坂元麿 編著：脳卒中最前線 急性期の診断からリハビリテーションまで 第4版．医歯薬出版，2009.
4) 日本整形外科学会，日本リハビリテーション医学会 監：義肢装具のチェックポイント 第8版．医学書院，2014.

# 6 歩 行

## 1 歩行とは

歩行とは，ヒトの移動手段の一つであり，2本の下肢の交互運動によって体重心を前方へ運ぶ動作である。すなわち，ロコモーターと呼ばれる下肢と骨盤の運動を用いて，パッセンジャーと呼ばれるhead arm trunk（HAT）を前方へ運ぶ移動手段であり，開始と終了が定義できない自動化された連続運動（連続スキル）[1]である。歩行周期として各期に分けられており，健常成人の歩行では，各期の割合はほぼ一定である。一方，障害者の歩行には，健常成人の歩行とは異なるさまざまな歩行様式が存在する。例えば脳卒中片麻痺者の3動作歩行は，杖・麻痺側下肢・非麻痺側下肢の順で行われる。この歩行様式では，杖や下肢を振り出した後に休止時間が生じ，運動が途切れる場合が多い。そのような歩行は，連続スキルである本来の歩行とは異なり，系列スキル（開始と終了のはっきりした複数の分離スキルを連結したもの）に属する立位での移動といえる。

リハビリテーションにおける歩行練習は，起立，歩行，着座の一連の動作を通して行うことが多いため，それを手順として示す。

### 1）歩行周期

・一般に一側下肢の接地から同側の下肢が再び接地するまでを意味する。
・足部が床面に接している立脚期と足部が床面から離れている遊脚期に分かれ，さらに立脚期は反対側の足部も接地している両脚支持期と片側のみ接地している単脚支持期に分けられる。単脚支持期は反対側の遊脚期に相当する。
・健常成人の歩行では，立脚期60%，遊脚期40%，両脚支持期が立脚期の最初と最後に10%ずつの合計20%となっている（図1）[2]。
・歩行分析の際には，立脚期，遊脚期をさらに細分化する。
・歩行周期は機能的に8つのパターン（相）に分けられる[3]。

①立脚期

・初期接地：観察足部が床に接地する瞬間
・荷重応答期：初期接地～反対側の足部が床から離れる瞬間までの期間

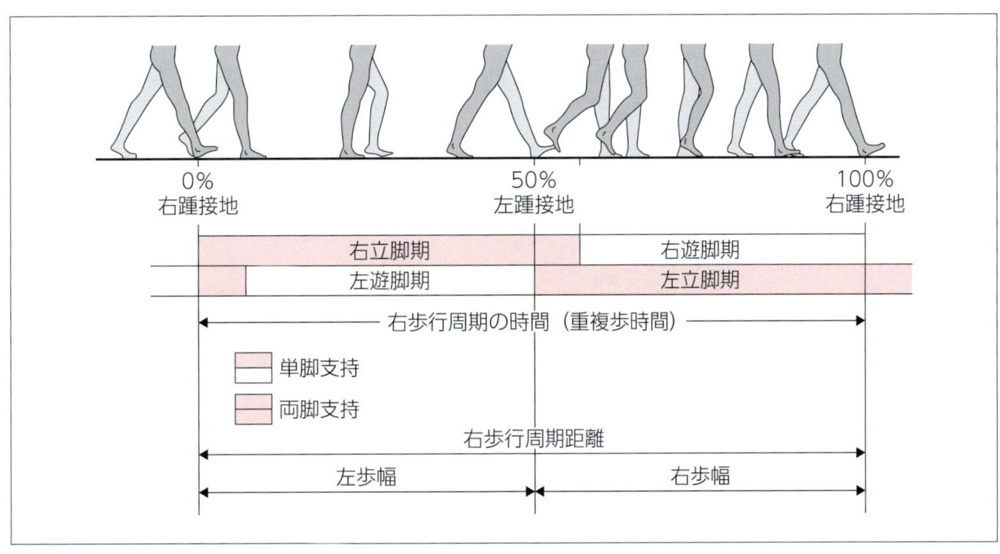


図1　歩行周期
（Murray MP：Gait as a total pattern of movement. Am J Phys Med 46：290-333, 1967. より改変）

・立脚中期：反対側の足部が床から離れた瞬間～観察足部の踵が床から離れる瞬間までの期間
・立脚終期：観察足部の踵が床から離れた瞬間～反対側の足部の初期接地までの期間
・前遊脚期：反対側の足部の初期接地～観察足部が床から離れるまでの期間

②遊脚期

・遊脚初期：観察足部が床から離れた瞬間～両側足部が矢状面上で交差する瞬間までの期間
・遊脚中期：両側足部が矢状面上で交差した瞬間～観察下腿が床に垂直になる瞬間までの期間
・遊脚終期：観察下腿が床に垂直になった瞬間～観察足部の初期接地までの期間

### 2）時間因子

・時間因子とは，歩行の時間的要素を指す。
・実時間因子：実際の時間で表示
・相対時間因子：1歩行周期に対する割合を百分率で表示
・重複歩時間：1歩行周期に要する時間
・歩行率（ケイデンス）：単位時間あたりの歩数

### 3）距離因子（図2）

・距離因子とは，歩行の位置的要素を指す。
・重複歩距離：踵接地位置から次の同側の踵接地位置までの距離（図2a）
・歩幅：一側の踵接地位置から反対側の踵接地位置までの距離（図2b）
・歩隔：歩行時の両踵間の幅（図2c）

### 4）歩行様式

①3動作歩行と2動作歩行（図3）[4)]

一側に杖を使用する場合，杖を出すタイミングによって，3動作歩行と2動作歩行に分けられる。

・3動作歩行（図3a）：杖→麻痺側下肢→非麻痺側下肢の順で行われる。
・2動作歩行（図3b）：杖と麻痺側下肢→非麻痺側下肢の順で行われる。

②前型，揃い型，後型（図4）[4)]

麻痺側足部に対する非麻痺側足部の接地位置により，3つの型に分けられる。

・前型（図4a）：非麻痺側足部が麻痺側足部より前方に接地
・揃い型（図4b）：非麻痺側足部の前後位置が麻痺側足部と揃う状態で接地
・後型（図4c）：非麻痺側足部が麻痺側足部より後方に接地

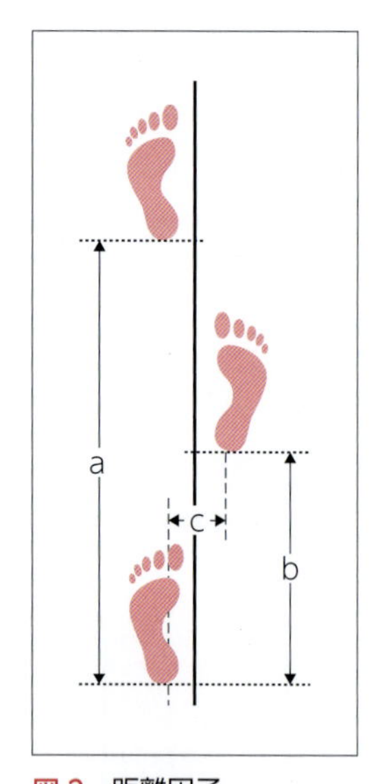


図2　距離因子
a：重複歩距離
b：歩幅
c：歩隔

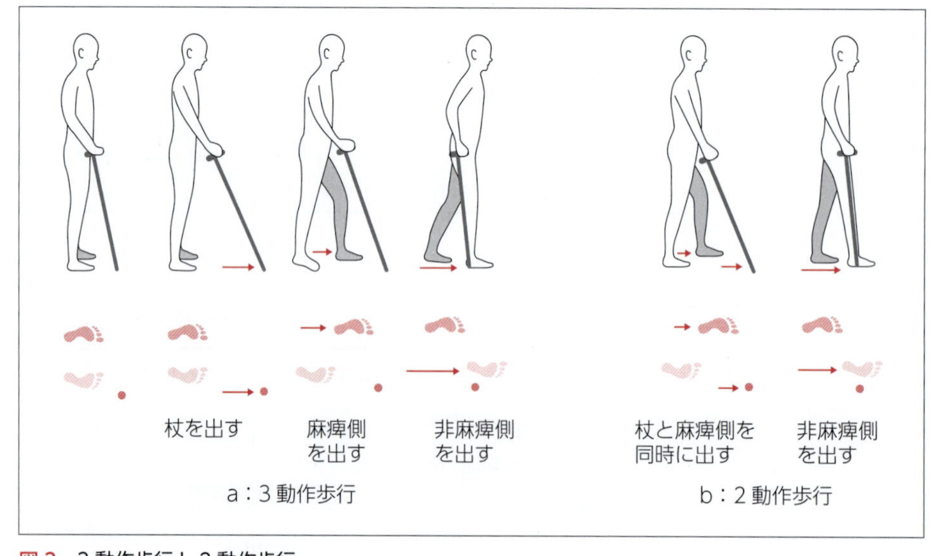


図3　3動作歩行と2動作歩行
（才藤栄一 監：PT・OTのためのOSCE 臨床力が身につく実践テキスト．p215，金原出版，2011．より改変）

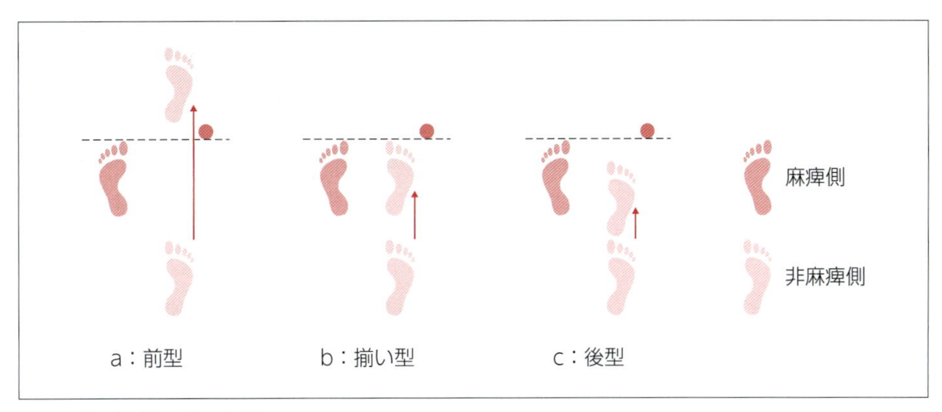


図4　前型，揃い型，後型
(才藤栄一 監：PT・OTのためのOSCE 臨床力が身につく実践テキスト．p215，金原出版，2011．より改変)

## 2 手順（片麻痺者の杖歩行）

①杖を把持し，起立する。
②立位を保持する。
③目標地点を確認する。
④杖および下肢を振り出す順序を確認する。
・2動作歩行の場合：非麻痺側下肢 → 杖と麻痺側下肢
・3動作歩行の場合：非麻痺側下肢 → 杖 → 麻痺側下肢

**臨床のコツ**

◆歩行開始時には非麻痺側から振り出すことを推奨する。非麻痺側から振り出すことで，麻痺側下肢への荷重を促せるほか，次の麻痺側の振り出しが身体の後方からとなるため，骨盤後傾などの代償運動による努力性の振り出しとなりにくくなる。ただし，麻痺側股関節・膝関節の屈曲機能が低い場合，非麻痺側の歩幅が大きいと麻痺側下肢の振り出しが困難となり，姿勢が崩れやすくなるため注意する必要がある。

⑤視線を前方に向ける。
⑥非麻痺側下肢を振り出す。
⑦杖および麻痺側下肢を振り出す。
・2動作歩行の場合：麻痺側下肢と同時に杖を前方に接地する。
・3動作歩行の場合：杖を前方に接地した後，麻痺側下肢を振り出す。
⑧上記の⑥，⑦を繰り返して前進する。
⑨着座する。

## 3 動作のポイント

### 1）起立・立位保持（p164起立動作参照）

・足幅は両坐骨結節幅とし，起立時から麻痺側への荷重を促す。
・杖は起立後につく。
・立位時は体幹直立位，股関節・膝関節が屈曲・伸展中間位とする。
・立位時の左右の重心移動は，足幅（両坐骨結節幅）の範囲内に収める。足幅以上に大きな重心移動は必要ない。重心移動の幅が大き過ぎるとバランスを崩しやすい。

**臨床のコツ**

◆起立動作時に杖で支持すると，杖への荷重が増大し，麻痺側への荷重が促されにくくなる。

### 2）視線の向き

・視線を足下に向けながら歩行すると，体幹の前傾を助長してしまう。

・正面を向いて歩行することが望ましいが，歩行に対して恐怖心や不安感が強い場合，無理に正面を向かせると，かえってそれらの感情を増強し筋緊張の亢進を助長することがある。

・正面を向いたときに，下肢が視界に入らないことへの不安を訴える患者には，数m先の床をみながら歩行するよう指示する。

### 3）歩隔

・歩隔が広いと，歩行中に求められる左右の重心移動距離が長くなるため，左右の重心移動が円滑に行えない患者では歩行が拙劣となる。

・一方，歩隔が狭いと支持基底面の幅が狭くなり，側方の安定性が低下する。

**臨床のコツ**

◆非麻痺側に杖をつく片麻痺者の場合，歩隔が広いと，非麻痺側下肢を振り出す際の麻痺側への重心移動が不十分となり，杖への荷重量が過度に大きくなりやすい（図5）。そのため，歩隔を調整し，麻痺側への重心移動を促すとよい。

◆運動失調により身体の動揺を認める患者においては，立位姿勢を保持するため，歩隔が広くなる場合がある。このような場合，無理に矯正するとバランスを崩すため，ある程度の歩隔拡大は許容しながら練習を行う。

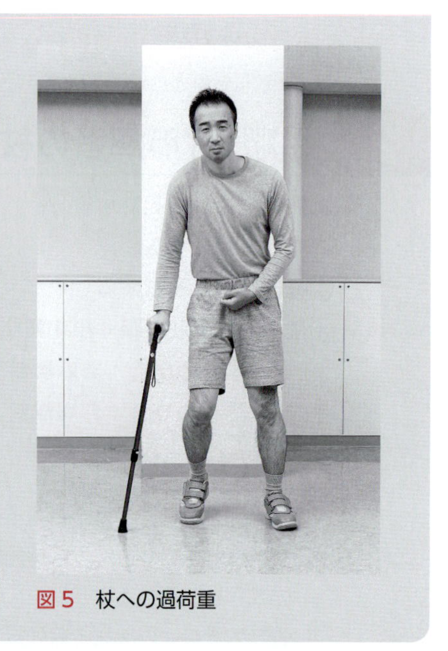

図5　杖への過荷重

### 4）体幹の安定

・安定した歩行を実現するには，体幹の過剰な傾きや動揺を防ぐことが必要である。

・体幹機能自体に問題がなくても，麻痺側下肢振り出しのための代償動作として体幹が反対側に傾斜することがある。

### 5）重心移動

・歩行時には前，左右，上下の重心移動が必要となる。

・歩行は，前方に振り出した足部の上に重心を移動させることを左右交互に連続して行い，身体を前方に移動させるものである。

・骨盤後退や体幹後傾が生じると前方への重心移動が不十分となり，歩行速度の低下や，後方へバランスを崩す要因になる。

・立脚側への重心移動が不十分になると，遊脚側が振り出しにくくなる。

・下肢の支持性低下や荷重への恐怖心によって麻痺側への重心移動が不十分になると，麻痺側の単脚支持時間や非麻痺側の歩幅の短縮が生じやすくなる。

・一方，麻痺側への重心の偏位などにより非麻痺側への重心移動が不十分になると，麻痺側の離地困難や足の引っかかりを生じる（図6）。

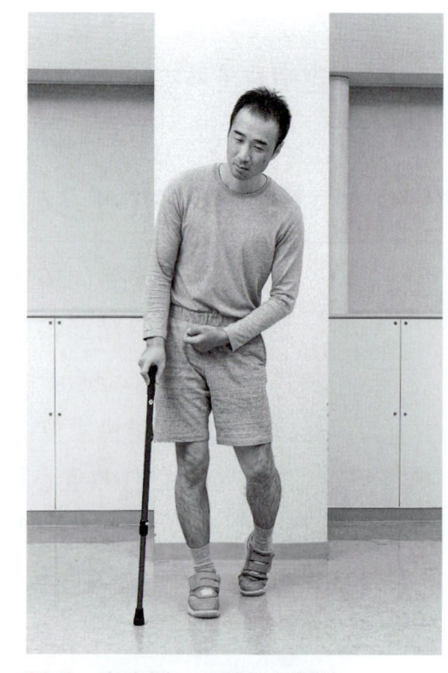

図6　麻痺側への重心の偏位

臨床のコツ

◆下肢の振り出しが困難な場合，下肢自体の機能評価と合わせて，反対側への重心移動能力を評価することで，問題点が明らかになり効率的に介入することができる。

### 6) 杖の接地位置（杖を使用する場合）

・非麻痺側上肢で杖を把持し，麻痺側の立脚時に支持することで麻痺側下肢の支持性や立位バランスを補助する働きがある。杖の接地位置や荷重量によって，補助する機能や補助の程度は変化する。

・杖は，麻痺側下肢と同時に振り出す場合，麻痺側足部のやや前方で，非麻痺側足部の振り出しを邪魔しない位置に接地すると補助として機能しやすい。

・杖の接地位置が前方過ぎると，体幹が過剰に前傾する。また，外側に離れ過ぎると体幹が非麻痺側に傾き，麻痺側下肢の分回しを助長する。反対に内側過ぎると非麻痺側への重心移動を阻害する。

### 7) 歩行のリズム

・連続スキルとしての歩行の獲得を目指す際には，一定のリズムで歩行練習を行うことが重要である。

・杖を用いた3動作歩行は，運動が途切れやすく，一定のリズムで歩くことが難しい。

・トレッドミル歩行は，一定の速度で流れるベルトの上で一定の位置を維持しながらの歩行となるため，2動作歩行のリズムとなりやすい。この特徴を応用し，3動作歩行から2動作歩行への移行を促す際にも使用される。

## 4 練習の組み立て方（課題難易度に影響する要素）

### 1) 下肢装具による自由度調整

・下肢装具により関節を固定あるいは運動方向を制限することにより，下肢における運動の自由度を減じ，運動の難易度を下げることができる。

・短下肢装具は足関節および足部の運動の自由度調整に，長下肢装具は足関節と足部に加え膝関節の運動の自由度調整に役立つ。

### 2) 補助具の選択

・杖などの補助具を使用することにより，主に下肢の支持性や立位バランスの低下を補うことができる。

・四点杖など杖自体の支持基底面が広いものほど，杖への荷重がしやすく，補助として機能しやすい。

・複数の支持点をもつ杖は，すべての点が接地していないとかえって不安定となるため，歩行速度や振り出し幅が大きい場合は扱いにくくなることがある。

・杖を使用することで操作手順が増し，患者自身が制御する身体部位が増えるため，歩行の難度が増す場合もある。

・昇降式のベッドやテーブルを支持台として用いると，手をつき直すことを意識させず，下肢の支持性や立位バランスの補助に加え，重心移動や進行方向の目安として利用できる。支持台を利用する際は，端をつかんで引っ張ったり，強く押しつけたりすることのないよう注意が必要である。

### 3) 歩行速度

・歩行速度が大きいほど下肢の運動は大きくなり，また素早い運動の切り替えを求められるため，一般的に動作の難度は高くなる。

・健常者が快適歩行速度より速度を下げて歩行する際などと同様に，速度が遅い方が難度が高くなることもある。

・簡便に歩行速度を算出する方法として，ストップウォッチで計測した10 m歩行時間の計測*がある。

*10 m歩行時間・歩数の計測

歩行時間計測の開始と終了は，身体の一部が0 mラインと10 mラインに接するか，その上を通過した時点とする。歩数については，足部接地が0 mライン上または越えたステップを1歩目とし，足部接地が10 mライン上または越えたステップまで計数し，1を引いた数とする[1]。10 m歩行路の前後には予備区間と停止区間を設け，歩行速度を安定させて計測する（図7）[3]。歩行時間・歩数の計測は2〜3回行い，その平均値を算出する。

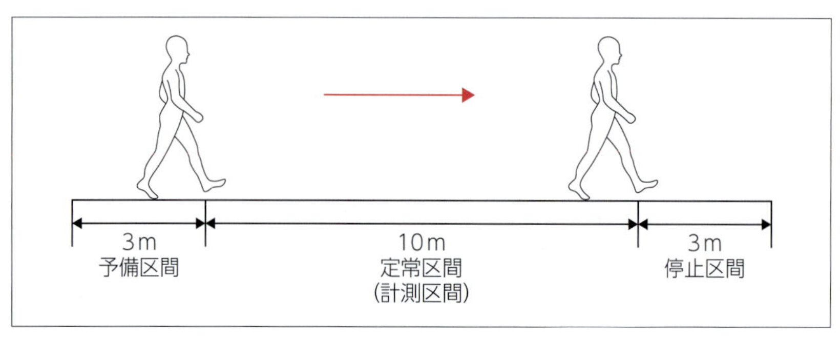


図7　歩行路の設定
(臨床歩行分析研究会 監：臨床歩行計測入門．p26，医歯薬出版，2008. より改変)

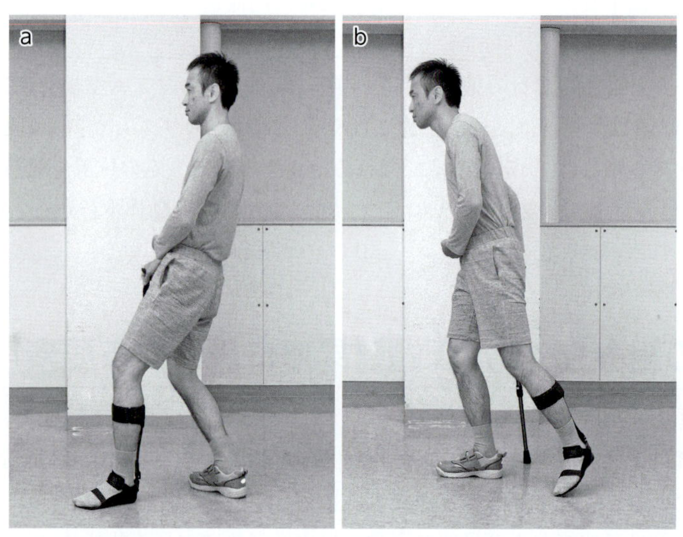


図8　歩幅が大きい場合
a：麻痺側の歩幅が大きいと，麻痺側立脚期に前上方への重心移動距離が長くなる。
b：非麻痺側の歩幅が大きいと，麻痺側の振り出しの難度が増す。

### 4）歩幅

- 麻痺側の歩幅が広いほど，接地した際の重心から足部までの距離が長くなり，かつ重心位置が低くなるため，麻痺側の立脚期に求められる前上方への重心移動距離は長くなる（図8a）。
- 非麻痺側の歩幅が広いほど，麻痺側下肢を後方から振り出すことになるため，麻痺側股関節・膝関節の屈曲機能が低い場合や長下肢装具などの使用によって膝関節の屈曲が制限されている場合には，振り出しの難度が増す（図8b）。
- 重心移動能力，同側下肢の支持性，対側下肢の遊脚機能を考慮して歩幅を調整する必要がある。

### 5）歩行様式

- 杖歩行の場合，一時的に片脚での支持を求められる2動作歩行よりも，常時2点で支持する3動作歩行の方が難易度は低くなる場合がある。
- 3動作歩行は連続性に欠けることが多く，2動作歩行に比べ歩行速度が向上しにくい。効率の良い移動，という観点からは，2動作歩行を獲得することが望ましい。
- 練習により運動学習を進めるうえでは，2動作歩行の獲得を最終的な目標とする場合，早期より2動作歩行のリズムで練習するのが効率的である。
- 2動作歩行の練習が難し過ぎる場合は，装具や補助具，誘導・補助の量を調整して難度を下げる。
- 機能障害が重度の患者では，2動作歩行の獲得が困難な場合もあるため，最終的な目標を設定する際には注意が必要である。

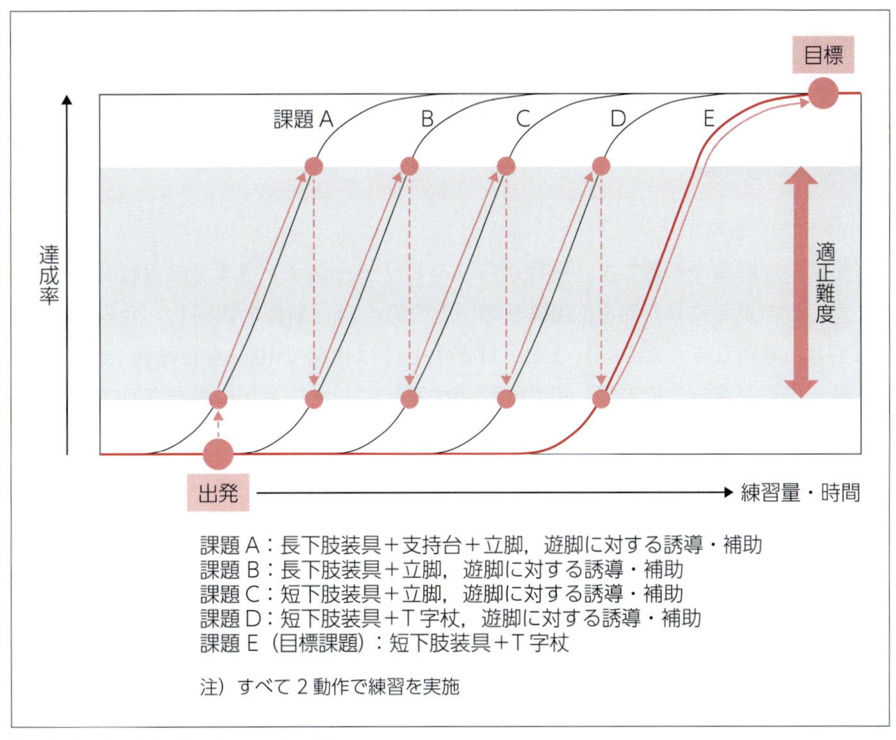


図 9　歩行練習の組み立て方の一例

### 6）安全確保

・歩行練習の際，転倒防止用の体幹ベルトや天井につながれた安全懸架装置を用いて患者の安全を確保することで，以下の効果が期待できる。

①転倒に対する恐怖を軽減し，歩行練習の難易度を下げる。

②療法士の徒手による安全確保のための介助を最小限にし，患者自身がバランスをとることを促す。

### 7）誘導・補助の量

・患者の能力に応じて誘導・補助の量は適切に調整する。難度の高い類似課題に移行した際には一時的に誘導・補助の量を増やすことがある。

### 8）練習の組み立て方の一例（図 9）

・T 字杖と短下肢装具を用いた2動作前型歩行自立を目指すが，練習開始段階では実施が困難な症例における練習の組み立て方の一例を示す。

**臨床のコツ**

◆異常歩行とその解釈（機能障害と代償動作）

歩行中に観察される異常パターンには，膝折れのように機能障害を直接反映するものと，骨盤挙上や分回しのように機能障害を代償するために生じるものが存在する。機能障害の代償として生じている場合には，単に代償動作を抑制することで歩行が成立しなくなる場合がある。機能回復が見込める場合は，機能回復と代償動作の抑制を目指す。機能回復が見込めない場合は，補助具の使用と代償動作を許容する。

**臨床のコツ**

◆10 m 歩行時間・歩数の計測によって，歩行速度と歩幅について平均値が求められる。算出可能な歩幅は左右の平均値であり，左右を区別して算出することはできない。左右の歩幅をそれぞれ正確に算出したい場合には，機器による計測が必要となる。

対応動画

# OSCE課題　歩行：分析

## 設問

脳梗塞左片麻痺の患者です。病棟からリハビリテーション室までの歩行をT字杖にて自己流で行っています。この患者に歩行路を1往復させ，その際の歩行動作を観察し，介入ポイントを含めた分析結果を採点者に説明してください。また，往路もしくは復路で10m歩行時間（小数点第1位まで）・歩数を1回計測してください。その際，患者が使用する杖の長さは適切に調整されているものとします。

今回は患者への説明は省きます。採点者への説明は患者を着座させた後に行ってください。なお，リスク管理は採点者に依頼してください。環境や姿勢，動作の修正に関する指示はしないでください。制限時間は5分です。では，始めてください。

注1）採点者は実際には近位監視でのリスク管理は行いませんが，課題を始めてください。
注2）メモを取りながら観察してかまいません。

## 準備するもの

ズボン（丈が膝よりも上のもの），椅子（2脚），10m歩行路，T字杖，ストップウォッチ（2個。うち1個は操作音を消せるもの），ペン，メモ用紙

注）ペンとメモ用紙は受験者が準備したものを使用することを許可します。

## 患者情報

| 疾患・障害 | 脳梗塞・左片麻痺 |
|---|---|
| 年齢・性別 | 70歳代・不問 |
| 発症後期間 | 2カ月 |
| BRS | 上肢：Ⅱ　下肢：Ⅲ　手指：Ⅱ |
| 病的反射 | 出現 |
| 筋緊張 | 上腕二頭筋，手指屈筋，下肢伸筋：軽度亢進 |
| 疼痛 | 左肩関節 |

| 感覚 | 表在感覚：軽度鈍麻<br>深部感覚：中等度鈍麻 |
|---|---|
| ROM | 制限なし |
| 座位 | 安定 |
| 立位 | 安定 |
| 立ち上がり | 可能 |
| 理解 | 良好 |
| 表出 | 良好 |

### 事例

**事例1：急激な膝関節の伸展，骨盤後退**（図10）

- 歩行様式は，T字杖，装具非使用による2動作揃い型である。
- 歩行の特徴は，麻痺側立脚期に麻痺側骨盤の後退，股関節屈曲および体幹前傾を伴った急激な膝関節の伸展を認める。

**事例2：骨盤挙上，分回し**（図11）

- 歩行様式は，T字杖，装具非使用による2動作前型歩行である。
- 歩行の特徴は，麻痺側遊脚期に膝関節が屈曲不十分であるため，非麻痺側への体幹傾斜を伴う麻痺側分回しによる振り出しを行っている。

## 課題の目標

**態度**

1．動作分析に備えた，清潔かつ安全な身なりができる。
2．患者に歩行の観察を行う旨を説明し，了承を得ることができる。
3．患者に不快な思いをさせない（話し方，表情，振る舞い）。

**技能**

1．患者の安全に配慮しながら進めることができる。

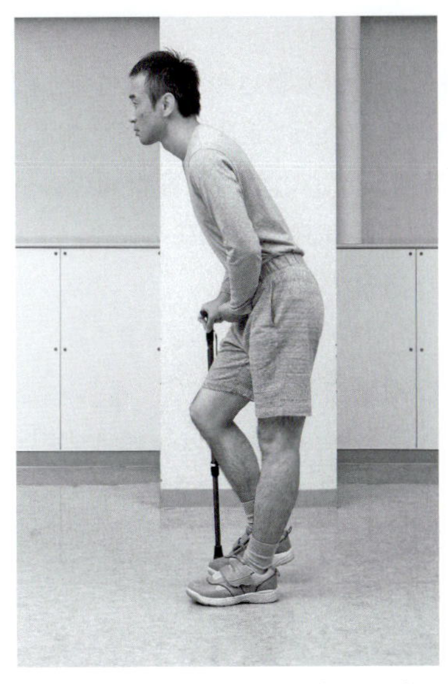

図10 事例1（骨盤後退，急激な膝関節の伸展）

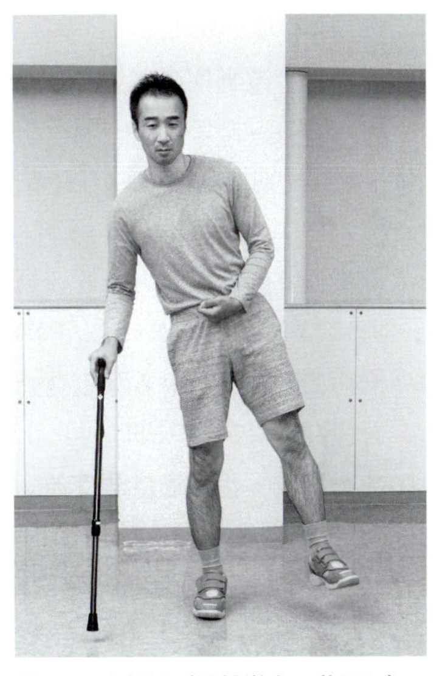

図11 事例2（骨盤挙上，分回し）

2．問題点を含めた歩行動作の特徴を説明することができる。

3．わかりやすく簡潔な報告ができる。

## 手順

1．挨拶・自己紹介を行い，2つの識別子で患者の確認を行う。

2．歩行の観察を行う旨を患者に伝え了承を得る。

3．歩行路を確保し，目標地点を患者に伝える。

・歩行開始前に歩行路の状況を確認し，障害物などがあれば移動させておく。10m歩行を計測するために必要な距離を確保する。歩行後に着座するための椅子をあらかじめ準備しておく。歩行路を確保した後，目標地点を患者に伝える。

4．安全面に配慮する。

・本課題では採点者にリスク管理を依頼する。

5．起立を促し，立位保持姿勢を観察する。

・起立動作はp164参照。

・歩行前に立位保持姿勢を観察し，特徴を把握する。

6．動作開始の合図をする。

7．適切な位置で観察する。

・矢状面，前額面から適宜視点を変えながら観察する。患者に近づき過ぎて動作を阻害しないよう注意する。

8．歩行を観察する。

・歩行路を1往復させ，下記の順序を参考にして観察する。

【歩行の観察・分析の順序：全体を捉えたうえで細部に目を向ける】

①補助具，装具の使用状況を確認する。

例：T字杖，短下肢装具

②歩行様式を確認する。

例：2動作前型歩行

③歩行の自立度を確認する。

例：見守りレベル

④立脚期，遊脚期の割合，歩幅を観察し，その大きさや左右差を把握する。

例：麻痺側単脚支持期が短縮しており，非麻痺側の歩幅が麻痺側に比べ小さい。

⑤1歩行周期を通してみられる姿勢の特徴，重心の偏位を観察する。

例：体幹が常時非麻痺側に傾斜しており，重心が非麻痺側に偏位している。

⑥麻痺側立脚期にみられる運動の特徴を観察する。

例：麻痺側股関節屈曲および体幹前傾を伴った急激な膝関節の伸展を認める。

⑦麻痺側遊脚期にみられる運動の特徴を観察する。

例：麻痺側膝関節の屈曲が不十分で，麻痺側の骨盤挙上と分回しによる振り出しを行っている。

9．10 m歩行時間・歩数を計測する。

・往路もしくは復路で，10 m歩行時間・歩数を1回計測する。

10．歩行後，患者の着座を促し，座位姿勢を観察する。

・着座を指示し，安定した座位姿勢になったことを確認する。

11．終了を伝える。

12．歩行動作の特徴について分析結果を述べる。

注）麻痺側立脚期・遊脚期については観察された特徴を列挙するだけでなく，連動して生じる運動や関連のある特徴についてはつながりを考え，整理したうえで説明する。

例：患者はT字杖と短下肢装具を使用し，2動作前型で歩行している。補助・誘導は必要なく見守りレベルである。麻痺側単脚支持期が短縮しており，非麻痺側の歩幅が麻痺側に比べて小さい。歩行中は体幹が常時非麻痺側に傾斜しており，重心が非麻痺側に偏倚している。

麻痺側立脚期では，麻痺側股関節の屈曲および体幹前傾を伴った急激な膝関節の伸展を認める。下腿三頭筋などの筋緊張亢進の影響で下腿の前傾が妨げられ，急激な膝の伸展を生じているものと思われる。麻痺側遊脚期では麻痺側股関節・膝関節の屈曲が不十分で，麻痺側の骨盤挙上と分回しによる振り出しを行なっている。特に膝関節の屈曲が不十分で下肢を短縮できないため，トゥクリアランスを確保するために骨盤挙上などの代償運動を用いていると解釈できる。

## 採点基準

採点者は模擬患者に受験者の言動の適否を適宜確認して，以下の項目を採点してください。

### 1．態度

|  |  |
|---|---|
| (1) ①適切な身なりで，②明瞭な挨拶（開始時・終了時），③自己紹介ができる。 | 2点：①～③すべてできる<br>1点：①～③のうち2項目できる<br>0点：1項目できる<br>0点：すべてできない |
| (2) 2つの識別子で患者の確認ができる。 | 2点：2つの識別子で患者の確認ができる<br>1点：1つの識別子で患者の確認ができる<br>0点：確認ができない |
| (3) ①歩行動作の観察を行う旨を患者に伝え，②了承を得ることができる。 | 2点：①，②どちらもできる<br>1点：①のみできる<br>0点：どちらもできない |
| (4) 課題全般を通して，患者の様子（表情・姿勢・身体機能）や状況に応じた丁寧な対処（①声かけ・②触れ方・③動かし方）ができる。 | 2点：①～③すべてできる<br>1点：①～③のうち2項目できる<br>0点：1項目できる<br>0点：すべてできない |

### 2．技能

|  |  |
|---|---|
| (1) 患者が動作を始める前に採点者にリスク管理を依頼できる。 | 2点：患者が動作を始める前に採点者にリスク管理を依頼できる<br>1点：患者が動作を始めてから採点者にリスク管理を依頼する<br>0点：リスク管理を採点者に依頼しない |
| (2) ①10m歩行を計測するために必要な歩行路を確保し，②目標地点を患者に伝えることができる。 | 2点：①，②どちらもできる<br>1点：①，②のどちらか一方のみできる<br>0点：どちらもできない |
| (3) 矢状面，前額面を含めた適切な視点から，患者の動作を阻害しない距離で観察できる。 | 2点：矢状面，前額面を含めた適切な視点から，患者の動作を阻害しない距離で観察できる<br>1点：視点を変えて観察できるが，矢状面，前額面のいずれかからの観察ができない<br>0点：矢状面，前額面ともに観察できない<br>0点：1点からのみの観察となる<br>0点：患者との距離が近く，動作を阻害する |
| (4) ①10m歩行時間，②歩数を正確（歩行時間は誤差1秒以内，歩数は誤差1歩以内）に計測し，報告できる。 | 2点：①，②どちらも正確である<br>1点：①，②のどちらか一方のみ正確である<br>0点：どちらも正確でない<br>0点：どちらも計測しない |
| (5) 開始姿勢（立位姿勢）について観察できる。 | 2点：開始姿勢について観察できる<br>1点：観察が不十分<br>0点：観察が誤っている<br>0点：観察ができない |
| (6) ①補助具，②装具の使用状況について観察できる。 | 2点：①，②どちらもできる<br>1点：①，②のどちらか一方のみできる<br>0点：どちらもできない |
| (7) ①歩行様式，②自立度について観察できる。 | 2点：①，②どちらもできる<br>1点：①，②のどちらか一方のみできる<br>0点：どちらもできない |
| (8) 立脚期，遊脚期の割合の大きさや歩幅の左右差について観察できる。 | 2点：立脚期，遊脚期の割合の大きさや歩幅の左右差について観察できる<br>1点：観察が不十分<br>0点：観察が誤っている<br>0点：観察ができない |

| | |
|---|---|
| (9) 1歩行周期を通してみられる姿勢の特徴や重心の偏位について観察できる。 | 2点：1歩行周期を通してみられる姿勢の特徴や重心の偏位について観察できる<br>1点：観察が不十分<br>0点：観察が誤っている<br>0点：観察ができない |
| (10) 麻痺側立脚期にみられる運動の特徴について観察できる。 | 2点：麻痺側立脚期にみられる運動の特徴について観察できる<br>1点：観察が不十分<br>0点：観察が誤っている<br>0点：観察ができない |
| (11) 麻痺側遊脚期にみられる運動の特徴について観察できる。 | 2点：麻痺側遊脚期にみられる運動の特徴について観察できる<br>1点：観察が不十分<br>0点：観察が誤っている<br>0点：観察ができない |
| (12) 歩行について適切に分析できる。 | 2点：適切に分析できる<br>1点：分析できるが不十分<br>0点：分析できるが不適切<br>0点：分析ができない |
| (13) 補装具の適応について説明できる。 | 2点：補装具の適応について適切に判断し，説明できる<br>1点：説明できるが，判断が一部不適切<br>0点：判断が誤っている<br>0点：説明ができない |

## OSCE担当者確認事項

### 環境設定

- 椅子1脚は，目標地点の目印かつ不測の事態に備えるために，歩行路の10 m先に置く。

### 模擬患者と採点者

- 事例1，2より提示する事例を決める。
- 受験者が2往復以上の歩行を求めた際は1往復までであることを説明し，分析結果を採点者に述べるように促す。

### 模擬患者

- 1往復の歩行中，動作の再現性を担保できるよう練習しておく。
- 膝関節の運動を観察しやすいズボン（丈が膝よりも上のもの）を着用する。上衣の裾はズボンの中に入れておく。
- 課題開始時は長さを適切に調整した杖をもち，椅子座位で待機する。
- 起立・着座動作は介助なしで行う。
- 10 mを30秒程度で歩行する。
- 動作中に大きくふらついたり，バランスを崩したりしない。
- 往路の歩行後に着座を促された場合は，続けて歩行可能である旨を受験者に伝え，着座しない。

### 採点者

- リスク管理を依頼された場合，近位監視しているものとし，実際には採点のみ実施する。
- 操作音を消したストップウォッチを使用し，受験者と同様に模擬患者の10 m歩行時間・歩数を計測する。

対応動画

# OSCE課題 歩行：介入

## 設問

脳梗塞左片麻痺の患者です。T字杖，短下肢装具を使用し，誘導・補助なしで歩行可能であるものの，転倒の危険性が非常に高い状態です。最大連続歩行距離は15mです。歩行の特徴として，麻痺側遊脚期では麻痺側下肢の屈曲が不十分で，頸部・体幹の非麻痺側への傾斜と過剰な骨盤挙上を伴った振り出しを認めます。時折，転倒に至らない程度のつまずきを認めます。また，麻痺側立脚期では立脚中期から終期にかけて骨盤後退を認めます。この患者に対して，麻痺側遊脚期では頸部・体幹の傾斜と骨盤挙上を抑制しながら下肢の振り出しを促し，一定の順序・リズムで歩行できるよう，適切な誘導・補助を行いながら，歩行練習を行ってください。制限時間は5分です。では，始めてください。

## 準備するもの

ズボン（丈が膝よりも上のもの），椅子（2脚），10m歩行路，短下肢装具，T字杖

## 患者情報

|  |  |
|---|---|
| 疾患・障害 | 脳梗塞・左片麻痺 |
| 年齢・性別 | 70歳代・不問 |
| 発症後期間 | 7週 |
| BRS | 上肢：Ⅱ　下肢：Ⅲ　手指：Ⅱ |
| 病的反射 | 出現 |
| 筋緊張 | 上腕二頭筋，手指屈筋，下肢伸筋：軽度亢進 |
| 疼痛 | 左肩関節 |
| 感覚 | 表在感覚：軽度鈍麻<br>深部感覚：中等度鈍麻 |

|  |  |
|---|---|
| ROM | 制限なし |
| 座位 | 安定（大きな重心移動では転倒の可能性あり） |
| 立位 | 安定（大きな重心移動では転倒の可能性あり），荷重は非麻痺側優位 |
| 立ち上がり | 軽介助 |
| 理解 | 良好 |
| 表出 | 良好 |

### 歩行の現状

T字杖，短下肢装具を使用している。誘導・補助により2動作前型歩行が可能である。歩行の特徴として，麻痺側遊脚期に麻痺側股関節・膝関節の屈曲が不十分で，骨盤の運動を用いてもつま先が引っかかることがある。また，麻痺側立脚期の股関節伸展が不十分で，麻痺側骨盤の後退を認める。麻痺側遊脚期に体幹の側方傾斜を伴いやすいが，療法士の誘導・補助によって一時的に修正可能である。そのため体幹に対する誘導・補助を適宜外しながら練習を進めている。

### 経過と目標

発症後3日目にベッドサイドでのリハビリテーションが開始された。発症後3週目にリハビリテーション室に移行し，同時に歩行練習が開始された。開始時，麻痺側の股関節・膝関節屈曲，足関節背屈を伴う振り出しが困難であった。また，麻痺側立脚期における骨盤の後退と外側移動がみられた。麻痺側の膝折れはみられなかった。よって，短下肢装具（背屈5°固定）と支持台を用いて練習を実施した。その後，麻痺側下肢の機能改善に伴い，骨盤の後退と外側移動が軽減したため，発症後4週で補助具がT字杖に変更された。現在，麻痺側下肢の振り出しと骨盤後退に対して適切な誘導・補助を行うと，一定のリズムで2動作前型の歩行が可能である。今後1カ月間でT字杖，短下肢装具（背屈フリー，底屈－5°）を使用し，2動作前型での屋内平地歩行自立を目指している。

## 課題の目標

態度

1．動作練習の介入に備えた，清潔かつ安全な身なりができる。
2．患者に歩行練習を行う旨を説明し，了承を得ることができる。
3．患者に不快な思いをさせない（話し方，表情，振る舞い）。

技能

1．患者の安全に配慮しながら進めることができる。
2．歩行動作の特徴，問題箇所に気づき，説明することができる。
3．適宜誘導・補助を行い歩行練習を実施できる。
4．適宜，適切なフィードバックを行うことができる。

## 手順

1．挨拶・自己紹介を行い，2つの識別子で患者の確認を行う。

2．歩行練習を行う旨を患者に伝え了承を得る。

3．歩行路を確保する。
・歩行路に障害物がないことを確認する。
・10m程度先に椅子を準備する。

4．患者を起立させる。
・起立についてはp164「起立・着座」参照。

5．患者に直立位をとらせ，療法士は誘導・補助しやすい姿勢をとる。
・患者に，足部を両坐骨結節幅に開き，足底全体が床に接地するような立位をとらせ，杖をつかせる。
・歩行中の動きを誘導・補助しやすい姿勢をとる。その際，患者の後方に療法士の身体が触れるように立ち，体幹が直立位，股関節・膝関節が屈曲・伸展の中間位となるよう誘導・補助する。

6．患者の能動性を確認し，動作への参加を促す。
①立位での重心移動能力を確認する。
・歩行に先立ち，一定のリズムで左右の足部へ体重を移動するよう重心移動を行わせ，必要に応じて誘導・補助する。
②視線を前方へ向けさせ，歩行開始の指示を出す。
・視線を前方へ向けさせる。不安を訴える患者には，数m先の床をみながら歩行するよう指示する。
・非麻痺側から踏み出すよう指示する。

7．麻痺側立脚および遊脚を誘導・補助しながら一定の順序・リズムで歩かせる。
①麻痺側立脚の誘導・補助（図12）
・麻痺側足部への重心移動を誘導・補助する。また，非麻痺側の振り出しと同時に生じる麻痺側骨盤の後方移動を抑制しながら，股関節伸展方向に大腿骨の回転を誘導・補助する。また，体幹の前傾を防ぐよう誘導・補助する。
②麻痺側遊脚の誘導・補助（図13）
・麻痺側立脚終期～前遊脚期では，麻痺側下肢の振り出しへの準備として，スムーズな非麻痺側への重心移動を誘導・補助する。患者の非麻痺側下肢の振り出しに合わせて振り出した療法士の患者と同側下肢に体重を移していくことで，非麻痺側前方への重心移動を誘導する。また，患者が体幹を非麻痺側に傾斜させようとする場合は，非麻痺側への骨盤移動と体幹の立ち直りを促し，体幹が直立位を維持できるよう誘導・補助を加える。体幹を患者自身でコントロールできるようであれば，体幹から手を離して骨盤からの誘導・補助を試みるなど，誘導・補助の量が最小限となるよう調整する。
・非麻痺側への重心移動がなされた時点で，療法士は患者の麻痺側股関節・膝関節の屈曲を促す。
・患者が麻痺側下肢を振り出したら，療法士は麻痺側前方への体重移動を誘導・補助しながら，麻痺側立脚の誘導・補助に備える。

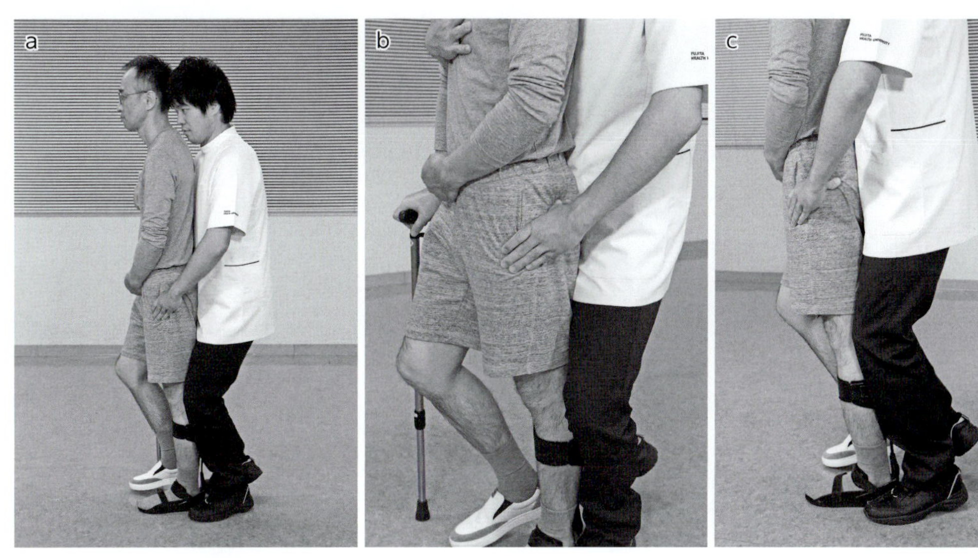

図 12　**麻痺側立脚の誘導・補助**
a：麻痺側から，b：麻痺側前方から，c：麻痺側後方から

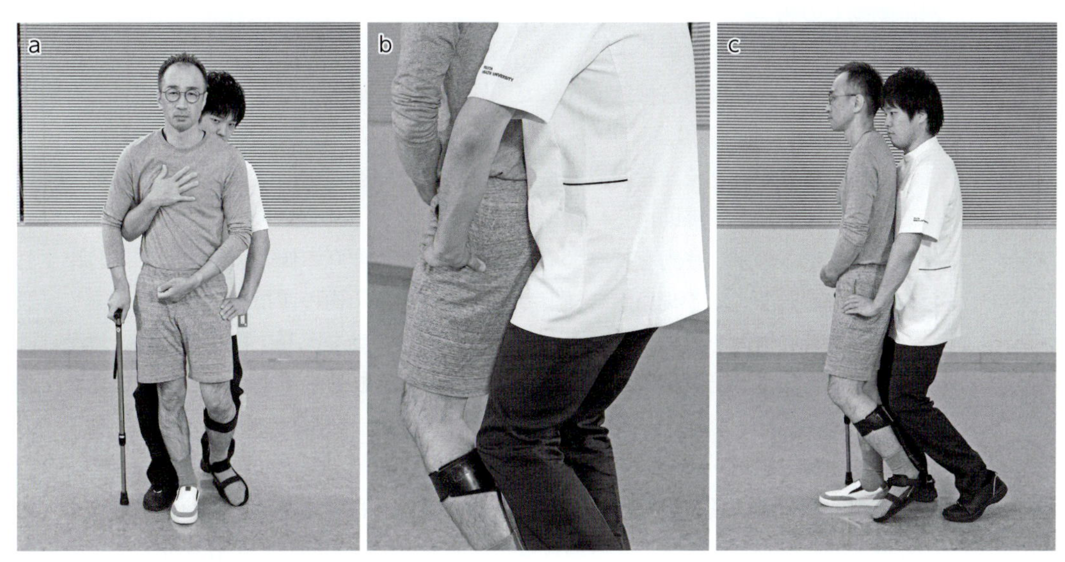

図 13　**麻痺側遊脚の誘導・補助**
a：前方から，b：後方から，c：麻痺側から

③一定の順序・リズムでの誘導・補助

・歩行中，杖および下肢の振り出しが一定の順序・リズムとなるよう，指示あるいは誘導・補助を行う。

④患者の歩行に合わせた誘導・補助（図 14）

・療法士は身体を可能な限り患者に近づけ，上記の誘導・補助を行いながら，患者の歩行周期に合わせてともに歩行するとよい。その際，療法士の歩幅・歩隔を患者に合わせる。

8．**10 m 歩行させた後，方向転換を促し患者を安全に着座させる。**

・椅子に近づいたら，椅子に背を向けるよう方向転換させ，足幅を座骨結節幅に揃えて着座させる。

・安全を確保しながら患者とともに方向転換し麻痺側に移動する。

9．**座位姿勢を整える。**

10．**終了を伝える。**

11．**適宜，適切なフィードバックを行う。**

・適切な内容，タイミング，量でフィードバックを行う。

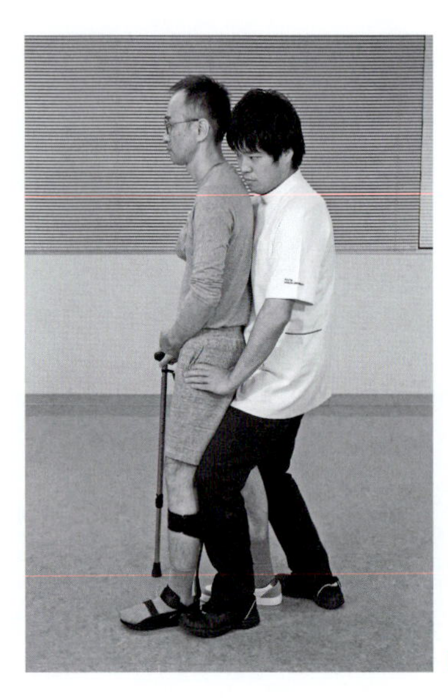

図14　患者の歩行に合わせた誘導・補助

対応動画での例

①誘導・補助しやすい姿勢

・一方の手を麻痺側股関節付近に置いて，外側から大転子を覆うように保持する。もう一方の手は非麻痺側の腋窩から体幹前面（胸骨）に回す。その際，患者の後方に療法士の身体が触れるように立ち，体幹が直立位，股関節・膝関節が屈曲・伸展の中間位となるよう誘導・補助する。

②麻痺側立脚の誘導・補助

・麻痺側足部への重心移動を誘導・補助する。また，非麻痺側の振り出しと同時に生じる麻痺側骨盤の後方移動を大転子後面から母指で抑制しながら，他の四指を大腿前面にあてて股関節伸展方向に大腿骨の回転を誘導・補助する。骨盤の後方移動を十分に抑制できない場合は，療法士の股関節前面も接触させて抑制する。反対の手は体幹もしくは対側骨盤の前面にあて，体幹の前傾や骨盤の回旋を防ぐ。

③麻痺側遊脚の誘導・補助

・麻痺側立脚終期〜前遊脚期では，非麻痺側への重心移動を誘導・補助する。また，患者が体幹を非麻痺側に傾斜させようとする場合は，非麻痺側体幹に回した上肢を介して，非麻痺側への骨盤移動と体幹の立ち直りを促し，体幹が直立位を維持できるよう誘導・補助を加える。

・非麻痺側への重心移動がなされた時点で，療法士は患者の麻痺側大転子後面から大腿骨に沿って前下方に母指を動かしながら膝関節を前方に押し出すように誘導・補助し，股関節・膝関節の屈曲を促す。

・患者が麻痺側下肢を振り出したら，療法士は麻痺側前方への体重移動を誘導・補助しながら，麻痺側立脚の誘導・補助に備える。

④患者の歩行に合わせた誘導・補助

・身体を可能な限り患者に近づけ，上記の誘導・補助を行いながら患者の歩行周期に合わせてともに歩行する。その際，療法士の歩幅・歩隔を患者に合わせる。

## 採点基準

採点者は模擬患者に受験者の言動の適否を適宜確認して，以下の項目を採点してください。

### 1．態度

|  |  |
|---|---|
| (1) ①適切な身なりで，②明瞭な挨拶（開始時・終了時），③自己紹介ができる。 | 2点：①～③すべてできる<br>1点：①～③のうち2項目できる<br>0点：1項目できる<br>0点：すべてできない |
| (2) 2つの識別子で患者の確認ができる。 | 2点：2つの識別子で患者の確認ができる<br>1点：1つの識別子で患者の確認ができる<br>0点：確認ができない |
| (3) ①歩行動作の練習を行う旨を患者に伝え，②了承を得ることができる。 | 2点：①，②どちらもできる<br>1点：①のみできる<br>0点：どちらもできない |
| (4) 課題全般を通して，患者の様子（表情・姿勢・身体機能）や状況に応じた丁寧な対処（①声かけ・②触れ方・③動かし方）ができる。 | 2点：①～③すべてできる<br>1点：①～③のうち2項目できる<br>0点：1項目できる<br>0点：すべてできない |

### 2．技能

注）歩行中，繰り返し実施される誘導・補助の項目については，実施回数の半数以上が適切であった場合，「できる」あるいは「適切である」と判定する。

|  |  |
|---|---|
| (1) ①10 m歩行路を確保し，②目標地点を患者に伝えることができる | 2点：①，②どちらもできる<br>1点：①，②のどちらか一方のみできる<br>0点：どちらもできない |
| (2) ①患者に直立位をとらせ，②誘導・補助しやすい姿勢をとることができる。 | 2点：①，②どちらもできる<br>1点：①，②のどちらか一方のみできる<br>0点：どちらもできない |
| (3) ①立位で左右へ適切な幅・リズムで随意的な重心移動を行わせ，②重心移動能力と麻痺側下肢の機能を確認できる。 | 2点：①，②どちらもできる<br>1点：①，②のどちらか一方のみできる<br>0点：どちらもできない |
| (4) 歩行開始の際，前方を向かせ，非麻痺側下肢から降り出すよう指示できる。 | 2点：非麻痺側下肢から振り出すよう指示できる<br>1点：麻痺側下肢から振り出すよう指示する<br>0点：指示ができない |
| (5) 歩行中，適切な①タイミング，②方向，③量で重心移動を誘導・補助できる。 | 2点：①～③すべてできる<br>1点：①～③のうち2項目できる<br>0点：1項目できる<br>0点：すべてできない |
| (6) 麻痺側立脚に際して，①骨盤の後方移動の抑制と股関節伸展を，②タイミングよく誘導・補助できる。 | 2点：①，②どちらもできる<br>1点：①，②のどちらか一方のみできる<br>0点：どちらもできない |
| (7) ①体幹が直立位を維持できるよう適切に誘導・補助し，②誘導・補助の量を調整できる。 | 2点：①，②どちらもできる<br>1点：①，②のどちらか一方のみできる<br>0点：どちらもできない |
| (8) 麻痺側遊脚に際して，①麻痺側股関節・膝関節の屈曲を伴う振り出しを，②タイミングよく誘導・補助できる。 | 2点：①，②どちらもできる<br>1点：①，②のどちらか一方のみできる<br>0点：どちらもできない |
| (9) 患者を一定の①順序，②リズムで歩かせることができる。 | 2点：①，②どちらもできる<br>1点：①，②のどちらか一方のみできる<br>0点：どちらもできない |

| | |
|---|---|
| (10) ①歩行周期，②歩隔，③歩幅を患者に合わせながら誘導・補助できる。 | 2点：①〜③すべてできる<br>1点：①〜③のうち2項目できる<br>0点：1項目できる<br>0点：すべてできない |
| (11) 着座するための①方向転換を指示し，②誘導・補助できる。 | 2点：①，②どちらもできる<br>1点：①，②のどちらか一方のみできる<br>0点：どちらもできない |
| (12) 終了姿勢（座位姿勢）を確保できる。 | 2点：安定した座位姿勢を確保できる<br>1点：転倒や転落のリスクはないが，姿勢修正が不十分<br>0点：転倒や転落のリスクがある<br>0点：安定した座位姿勢を確保しない |
| (13) 課題を通して，受験者の視線・身構え，患者との距離を確保することで，常に患者の安全を確保できる。 | 2点：課題を通して，受験者の視線・身構え，患者との距離を確保することで，常に患者の安全を確保できる<br>0点：課題を通して，1回でも受験者の視線・身構え，患者との距離を保つことができず患者の身体に危険を感じる対応である |
| (14) 課題を通して，適宜，患者にフィードバックを行うことができる。 | 2点：内容，タイミング，量が適切である<br>1点：2項目が適切である<br>0点：内容が不適切である<br>0点：フィードバックがない<br>0点：1項目が適切である<br>0点：すべて適切でない |

## OSCE担当者確認事項

### 環境設定

・T字杖は適切な長さに調整し，患者が保持しておく。
・短下肢装具は適合の良いものを準備し，適切に装着しておく。
・課題開始時に患者が待機する椅子は，10m歩行路のスタート地点から2〜3m離し，歩行路の方に向けて設置する。
・課題終了時に患者が着座する椅子は，10m歩行路のゴール付近で，不適切な位置・向きに設置する。受験者が椅子の位置・向きを変更したら，次の受験者が入室するまでに設置し直す。

### 模擬患者と採点者

・誘導・補助が不十分，不適切なためそれ以降の採点項目が減点となる場合は模擬患者，採点者が修正した後に試験を再開する。
・模擬患者，受験者に危険が及ぶ可能性のある場合は，採点者，模擬患者が修正した後に試験を再開する。

### 模擬患者

・ズボン（丈が膝よりも上，もしくは丈が踝まであるものの裾を捲り，膝関節を露出しておく）を着用し，上衣の裾をズボンの中に入れておく。
・課題開始時に患者は椅子座位で待機する。
・起立・着座動作は軽介助があれば可能とする。足部位置の修正などの動作準備は指示されれば修正可能であるが，起立動作は介助がなければ不可とする。
・患者の立位・歩行動作は図15，p243患者情報「歩行の現状」と対応動画参照。
・歩行開始時，非麻痺側から振り出すことを指示されない場合は，麻痺側から振り出す。
・歩行中の誘導・補助が適切に行われている場合は，歩行開始前後で体幹傾斜や骨盤挙上を抑制して歩行することを指示されなくても，前半はそれらが生じないように歩行し，途中で出現させる。
・誘導・補助が不十分あるいは不適切である場合は，指示があっても骨盤後退や体幹の前傾，つま先の

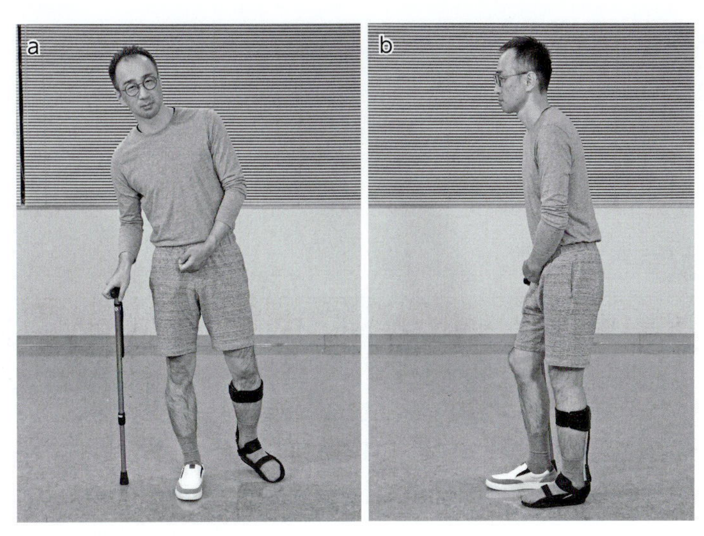


図 15　未介入時の歩行
a：麻痺側遊脚期，b：麻痺側立脚期

引っかかりを呈するようにする。

・誘導・補助が不十分あるいは不適切であり，姿勢が不安定となった場合も転倒はしない。

## 引用文献

1) 細田多穂，柳澤健 編：理学療法ハンドブック 改訂第3版 第1巻 理学療法の基礎と評価．p261，協同医書出版，2000.
2) Murray MP：Gait as a total pattern of movement. Am J Phys Med 46：290-333, 1967.
3) 臨床歩行分析研究会 監：臨床歩行計測入門．p25，医歯薬出版，2008.
4) 才藤栄一 監：PT・OTのためのOSCE臨床力が身につく実践テキスト．金原出版，2011.

## 参考文献

1) Schmidt RA, Craig A, Wrisberg CA：Motor Learning and Performance 4th ed, Human Kinetics Inc., Champaign, 2007.
2) Perry J, Burnfield JM：Gait Analysis Normal and Pathological Function 2nd ed. SLACK Inc., 2010.

# 7 食 事

## 1 食事動作とは

食事は，食物を口に運び，咀嚼し，嚥下する，という一連の行為である。栄養摂取だけでなく，食べることを「楽しむ」という側面もある重要な活動である。また，食事には文化的側面やマナーがあり，個人の習慣や価値観によっても満足感や達成感が変化する活動である。

運動機能としては，主に使用される上肢や口腔に加えて，体幹や下肢の機能が大きく関係する。食物の認識や食べる順序，速度の制御等には認知機能も関与する。また箸，スプーン，フォーク等，使用する道具に応じた動作があり，器の形状や食材との組み合わせ，姿勢や環境によっても動作は変化する。例えばスプーンの使用を考えてみても，食べ物をかき集める，すくう，切る，混ぜる等，多くのバリエーションが存在することがわかる。さらに，箸やスプーンを使用しない側の上肢は，器を把持して固定したり，空間で保持したりする等，食事動作をサポートしており，両上肢の協調的な動作も必要な要素となる。

食事動作は主に以下の5相により遂行される。

第1相：環境の準備
・安定した座位姿勢をとり，机の高さや器の位置を適切に調整する。

第2相：食器（箸またはスプーン，器）の把持
・机に置かれた箸やスプーンを持ち上げ，手内で位置を調整しながら把持する。反対側の上肢は器を把持して支える。

第3相：食物へのリーチ，食物の把持・すくい上げ，食物をかき集める
・箸やスプーンを器内の食物に近づけ，箸またはスプーンを操作して食物を把持またはすくい上げる。必要に応じて食物をかき集める。

第4相：食物を口へ運ぶ
・箸やスプーンから食物が落ちないよう保持しながら口へ運び，口唇を閉鎖することで口腔内に食物を取り込む。

第5相：咀嚼，嚥下
・食物を咀嚼し嚥下する。

本項では，片麻痺患者の食事動作について解説する。麻痺側が利き手である場合，麻痺の重症度にもよるが，代償的に非麻痺側である非利き手で箸・スプーンを使用することが一般的である。この場合，非利き手で新しい動作を獲得する必要がある。加えて，片麻痺患者の非麻痺側機能は脳の構造や脳損傷の機序から健常といえないことが多く，拙劣で努力的な動作となりやすい。そのため，環境設定を含めた適切な介入を行うことが食事動作の早期自立に繋がる。一方，麻痺側上肢で食事をするにはスプーンの把持とリーチ機能が必要であり，麻痺の状態に合わせた練習を実施することになる。

上述のように食事は非常にバリエーションの多い動作であるが，本項では，片麻痺患者が非麻痺側上肢（非利き手）でスプーンを使用し，食物をすくって食べる動作に限定して解説する。なお，器は把持せず，咀嚼・嚥下障害がないものとする。

## 2 手順（非利き手でのスプーンによる食事動作）

①安定した姿勢をとる。
②机の高さを調節する。

③器を配置する。
④スプーンを把持する。
⑤食物にリーチする。
⑥食物にスプーンを挿し込む。
⑦器内の食物をすくい上げる。
⑧口へ運ぶ。
⑨口腔内へ取り込む。
⑩咀嚼，嚥下する。
⑪上記の⑤～⑩を反復する。

## 3 動作のポイント

### 1) 姿 勢

①座位環境の選択

・ベッド，車椅子，椅子等を選択する。座位保持が1時間程度可能な患者であれば，椅子での食事を推奨する。

**臨床のコツ**

◆姿勢は椅子座位が理想的である。しかし，現実的には気分不良や排泄希望などに素早く対応する目的や，身体状況，介助時間の都合によって，やむを得ず車椅子座位を選択することが多い。車椅子の場合には，適切な座位姿勢が保持できるように環境を調整する。

◆治療・療養上の観点からベッド上での食事となる場合も，適切な座位姿勢を維持できるように動作環境を整備することが大切である。

②座位姿勢

・上部体幹が直立で顔面を容易に正面に向けられるよう姿勢を調整する。足底は床に接地させる。椅子の背もたれや車椅子のバックサポートから背中を離して座位を保持できる能力があれば，食事中もその姿勢を推奨する。

・麻痺側上肢の位置は姿勢に影響を与えるため，上肢の重さで身体が側方傾斜しないよう，必要に応じて大腿上に置いたクッション等に前腕を乗せる。机の上にスペースがあり，かつ，安定した上肢位置を維持することが可能な場合は机の上に乗せる。不自然な肢位により筋緊張が亢進しないような配慮も必要である。

**臨床のコツ**

◆仙骨座りのように椅子から殿部がずり落ちてみえる姿勢や左右の体幹傾斜を修正する場合は，上部体幹・頭部のポジションを優先しながら崩れにくい姿勢に整える。シーティングの実施や，車椅子タイプの変更が必要な場合もある。

◆座位保持能力が低下している場合には，姿勢維持のために上肢を利用することで，肩甲帯周囲の筋緊張が過度に高まっている場合がある。これは上肢の操作性を低下させる要因となるため，座位が安定するように環境を含めて調整することが重要である。

### 2) 机の設定

標準的な机の高さは約70 cmであるが，患者の体格によっては，机または椅子を調整して適切な高さにする必要がある。

机と患者との距離は，患者の腹部から机の縁までを10 cm程度離し，スプーン操作時に肘が机にぶつからないだけの空間を確保する（図1）。机と身体との距離が近過ぎると，肘が机にぶつからないように肩関節が外転するため，姿勢は側方へ傾きやすくなり，円滑なリーチ動作やスプーン操作を阻害する要因になる。

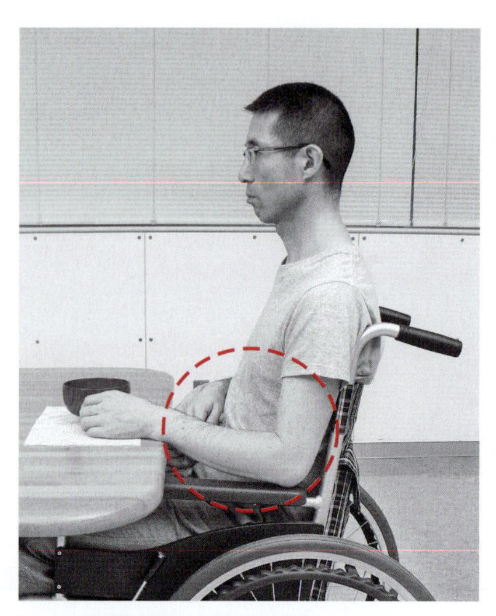

図1 肘頭部分の空間の確保

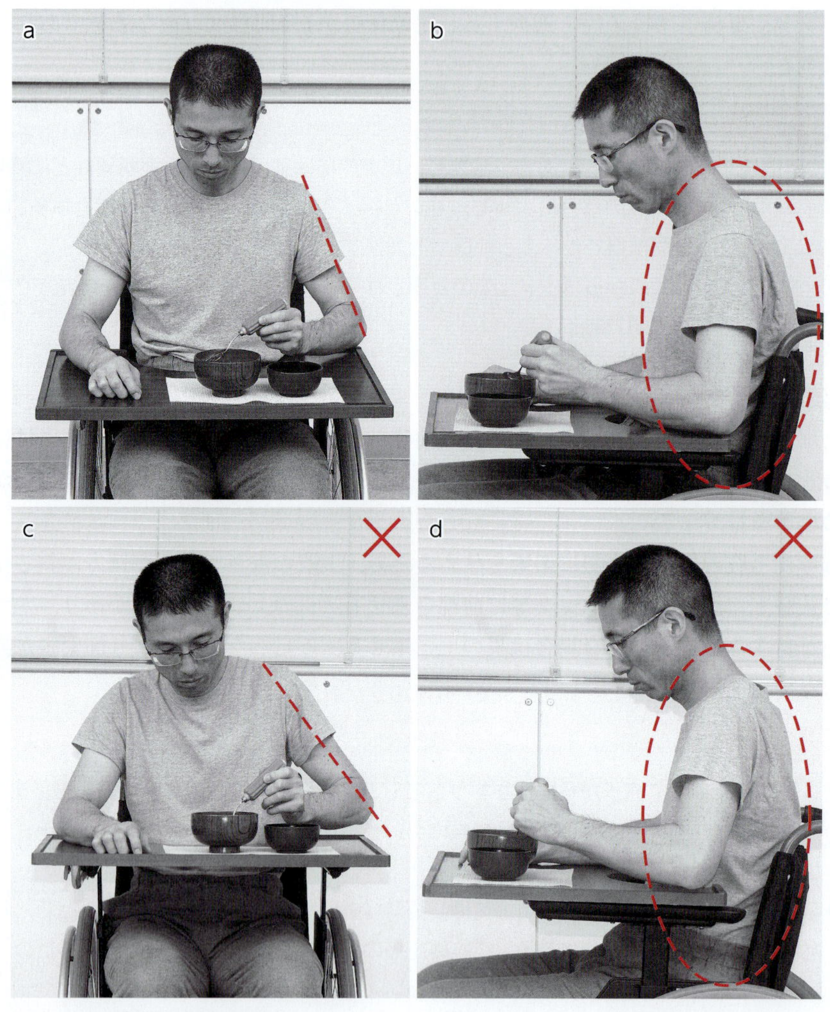


図2 ラップボード使用の場合
a, b：適切な高さ
c, d：高過ぎる例

アームサポート上にラップボードを乗せて使用する場合は，アームサポートが肘頭の高さで適切に調整されていれば，上肢の動きは阻害されない（図2a）。アームサポートが高過ぎると，肘がボードにあたるのを避けて肩関節は外転し，上肢の過緊張や姿勢の崩れにつながり，リーチ動作やスプーン操作を阻害する（図2b）。

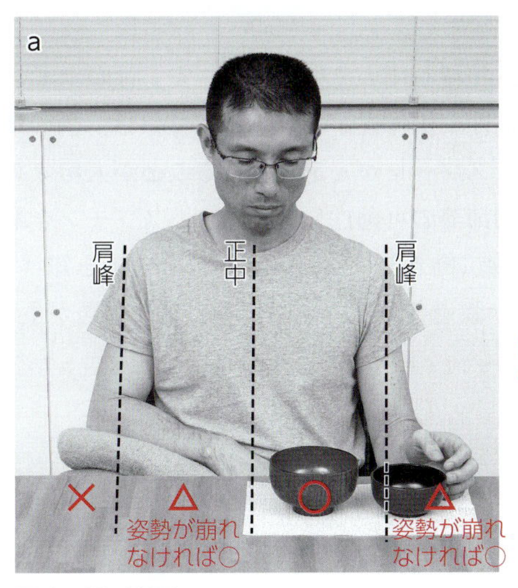


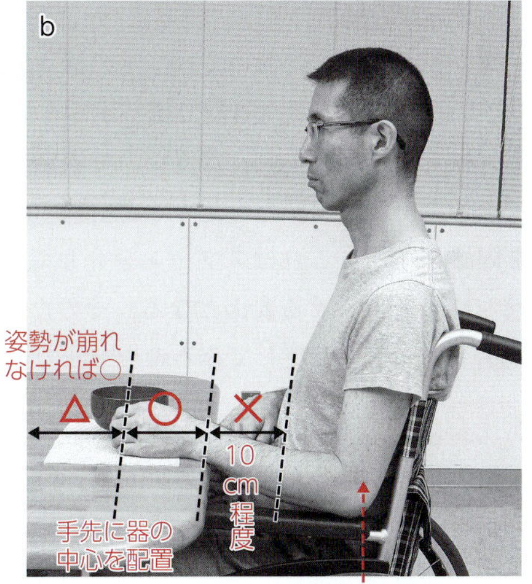


図3　器の配置
a：正面
b：側面

## 3）器の配置（図3）

身体と器との距離は，上腕下垂位・肘関節屈曲位で手を机の上に置いたときに，手先のあたりに器の中心があるとよい。器の下には滑り止めシートを敷く。

正面からみたときに，身体正中からスプーンを使用する側の肩峰までの間に配置すると難度が低くなり練習初期に導入しやすい。リーチ範囲を広げる際の器の配置は図3aを参照のこと。側方からみた場合も前述の手の位置から決定するが，目安は机の縁から机の上に置いた手先までの間となり（図3b），姿勢の安定に伴いさらに遠方に配置することもできる。

**臨床のコツ**

◆複数の器を左右に並べて配置する場合，高さの低い器はスプーンを把持する側に近く配置し，そこから遠くなるにつれ高い器を配置するとよい（図4a）。これにより，高い器の縁への手の衝突（図4b）や，衝突を避けるための不自然な肢位を防ぐことができる。

◆器の形状としては，器の内壁が直立に近いものがスプーンですくいやすい。福祉食器の多くは，器の内壁が直立かつ縁が内側に反っており，すくう際にスプーンの返し操作が少なくても，食物をすくいやすい形状になっている。通常の器を茶碗枕や土台を利用して傾けて設置することでも，内壁が直立になりすくいやすくすることができる。

◆平皿のように器の縁が外に開いている形状の器では，すくい上げが難しくスプーンのすくう部分に食物が乗らないまま，食物を器の縁から押し出してしまう失敗がよくみられる。また，底が広い器ではかき集める動作が必要となる。

図4　複数の器を用いる際の配置例
a：良い例
b：悪い例

### 4）スプーンの把持

スプーンの把持においては，手の構え方，把持している柄の位置，安定性がポイントとなる。

手の構え方は，橈側3指で把持すると安定性や操作性がよい。把持位置は，柄の端が示指MP関節の部分に乗る位置がよい。適度な力で固定し，スプーンが安定していることが大切である。スプーンを固定するために過度に力を込めると前腕・手関節等の可動性を低下させ，スプーンを柔軟に操作することを困難にする。これはスプーンを介して食物に働きかけるときに生じる抵抗を知覚することを阻害し，操作性を低下させる要因となる。そのため，強過ぎる把持や固定不良等の問題が生じている場合には，太柄スプーンに変更してみるのも一法である。

**臨床のコツ**

◆柄の断面が正円の場合，スプーンのすくう部分の角度を調整しにくい。楕円形や凹凸があり把持位置を決めやすい形状のものを選択するとよい。

### 5）食物へのリーチ

すくいたい部分にスプーンを近づける。リーチ動作に合わせて肩甲帯は前方に軽度突出し，姿勢はそれに伴い安定を保ちながら微調整される。スプーンの向きは，食物に合わせ，かつ器への衝突を避けるように，手指・手関節・前腕の運動により調整される。

### 6）スプーンの挿し込み

スプーンのすくう部分の側面（図5a）を器の内壁に沿わせるように調整して，円滑に動かす。器の内壁に沿わせてスプーンの向きを連続的に滑らかに変化させる（図5b）。適度な強さでスプーンを把持する。スプーンの向きは主に手指・手関節・前腕の運動により調整される。

### 7）食物のすくい上げ

スプーンのすくう部分の側面を器の内壁に沿わせながら向きを変え，食物をすくい上げる（図5c）。主に前腕回外運動によって行われる。

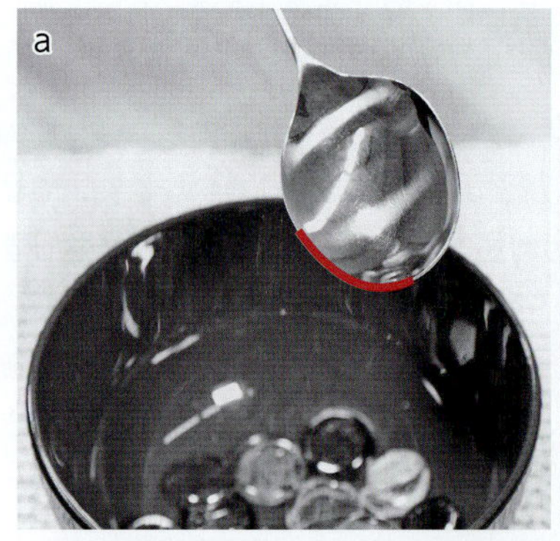

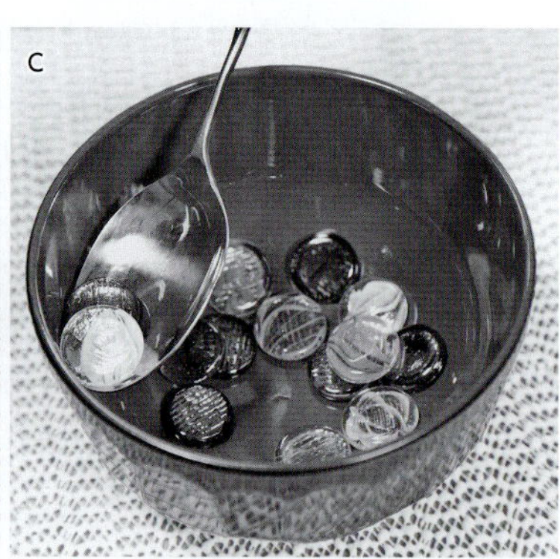


**図5　スプーンのすくう部分の側面を使用する方法**
a：すくう部分の側面
b：挿し込み
c：すくい上げ

臨床のコツ

◆基本的にはスプーンのすくう部分の側面を使用するが，細かい食物を集めてすくい上げる場合にはスプーンのすくう部分の先端を使用することもある（図6）。

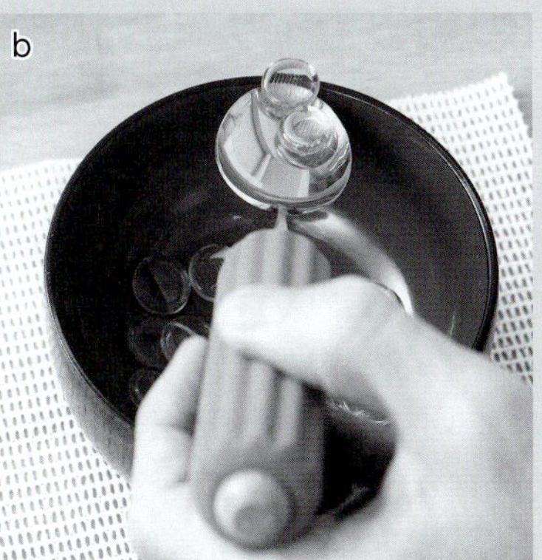


**図6　スプーンのすくう部分の先端を使用する方法**
a：挿し込み
b：すくい上げ

## 8）口へ運ぶ

すくった食物を口へ近づける際は，スプーンのすくう部分の先端付近が口へ向かうように徐々に方向を変える（図7a）。このとき，肩関節が軽度屈曲し，肘が前方へ出ると同時に手関節が掌屈することでスプーンの向きが調整される。スプーンのすくう部分の側面を口に近づけた場合，肩関節は外転し，上肢の協調性が低下しやすくなる（図7b）。

スプーンが口へ近づくにつれ，体幹と頸部を軽度屈曲し，口がスプーンを迎えに行くような状態となるのがよい。口唇は取り込む食物量に合わせた大きさに開口する。図7bのように，頭部伸展位で顔を前方へ突き出す動作は，次に続く口への取り込みや咀嚼・嚥下に支障をきたす。上肢の動きのみでなく，頭頸部・体幹の協調的な動作も重要な要素である。

模擬的な練習で行える過程はここまでとなるが，実際の食事場面での動作練習では以下の過程も重要なポイントである。

## 9）口腔内への取り込み

口唇を閉鎖して軽くスプーンを挟む。スプーンを抜き取る際に，口唇はスプーンのすくう部分に沿わせるようにやや力を入れる。スプーンを抜き取る際の上肢の動作は，上唇にスプーンのすくう部分を軽くあてるように斜め上方向に抜き取るとよい。

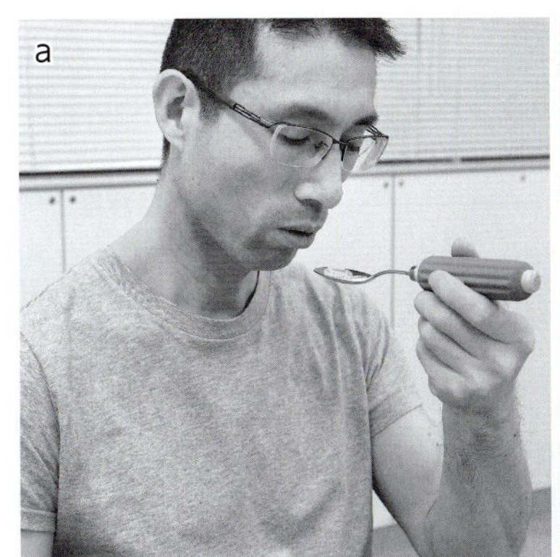


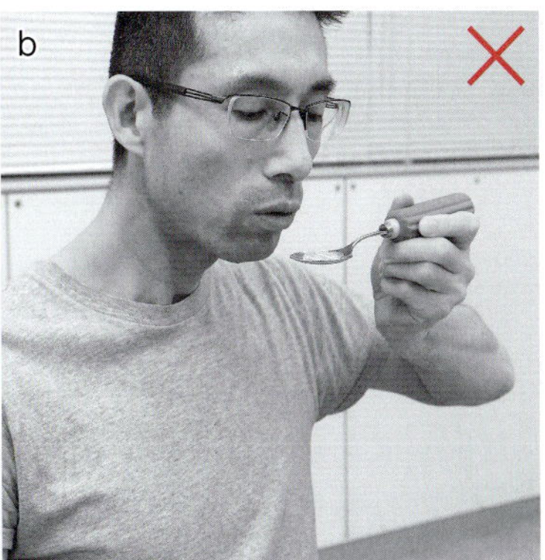


**図7　口への運び方**
a：すくう部分の先端が口へ向かう
b：すくう部分の側面を口へ近づける

### 10) 咀嚼と嚥下

口腔内に取り込んだ食物を咀嚼し，嚥下する。

## 4 練習の組み立て方（課題難易度に影響する要素）

### 1) 臨床場面

・評価は作業療法室で模擬的に行うことも有効だが，食事摂取が可能なら実際の食事場面での評価が必須である。数種類の献立があれば，食物形態や器の種類，器までの距離がそれぞれ異なる。また1回の食事の中で，器内の食物量や姿勢，疲労などの変化がある。これらの条件の違いを確認し，介入内容を判断する必要がある。

・実際の食事場面では，食物形態や器内の食物量の変化により練習の難易度を一定に保てないことや，食欲がなければ動作の反復回数が減少し練習にならないことなどの問題がある。加えて，練習が心理的ストレスとなる可能性もあり，毎回の介入は好ましくないことが多い。動作を模擬的に練習することは，条件を一定に保ち，反復練習の回数を確保できるというメリットがある。そのため，臨床場面では模擬的な練習と実際の食事場面での練習を組み合わせて進めていくことが推奨される。

### 2) 動作環境の調整

・環境調整の例として，器の形状，スプーンの柄の形状，すくう物の形状，器内の食物の量，器の位置，器の数等の変更がある。対象者に合わせて難易度を調整し，部分練習と全体練習を織り交ぜて練習を進める。

### 3) 誘導・補助の量

・対象者の動作能力に応じて誘導・補助の量を適切に調整する。難度の高い類似課題に移行した直後には，一時的に誘導・補助の量を増やす場合もある。

### 4) 練習の組み立て方の一例（図8）

・非麻痺側上肢によるスプーンでの食事動作自立を目指す症例における，練習の組み立て方の一例を示す。

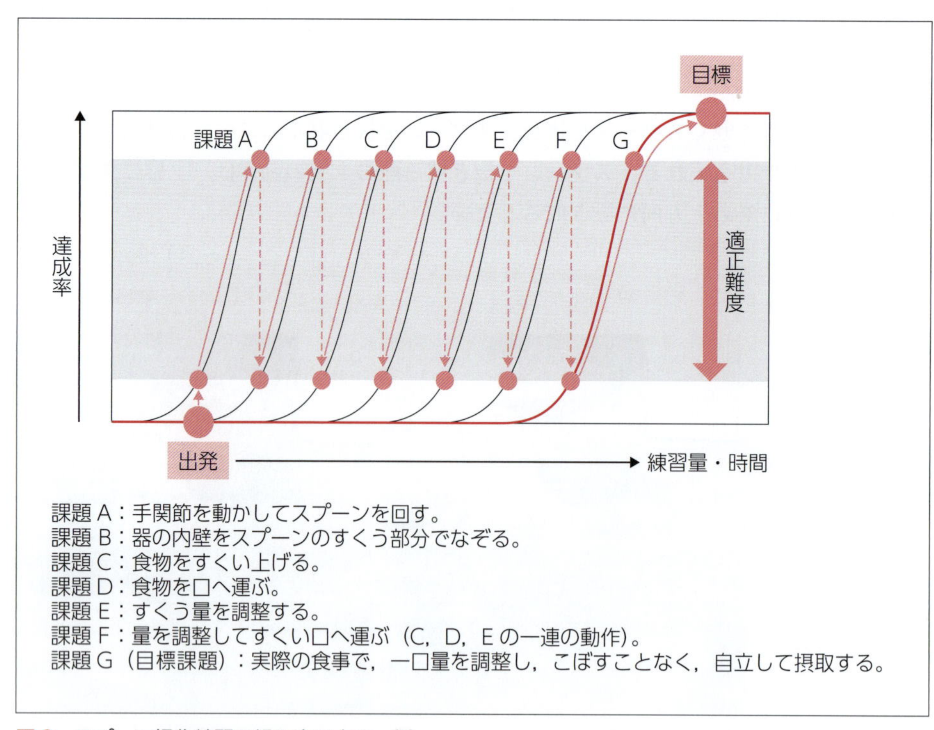


図8 スプーン操作練習の組み立て方の一例

対応動画

# OSCE課題　スプーン操作：分析

## 設問

脳梗塞右片麻痺の患者です。車椅子座位で，非利き手である左手でスプーンを把持して食事を摂取しています。食事動作の拙劣さの問題を改善するため，リハビリテーション室にて器に入れたおはじきをすくい，口元に近づけ，別の器に移すという手順でのスプーン操作の練習をしています。

この患者のリハビリテーション室でのスプーン操作を観察し，介入ポイントを含めた分析結果を採点者に説明してください。1回にすくうものの数は規定せず，反復は5回までとします。誤嚥防止のため口唇開口を促すことはしないでください。なお，リスク管理は採点者に依頼してください。環境や姿勢，動作の修正に関する指示はしないでください。制限時間は5分です。では，始めてください。

注1) 採点者は実際には近位監視でのリスク管理を行いませんが，課題を始めてください。
注2) メモを取りながら観察してかまいません。

## 準備するもの

食事用スプーン，プラスチック製もしくは木製の器2つ(一つはお椀のような深めのもの，もう一つはそれより浅いもの)，おはじき(20個程度)，滑り止めシート，机，車椅子，バスタオル(数枚)，肘かけのない椅子，ペン，メモ用紙

注) ペンとメモ用紙は受験者が準備したものを使用することを許可します。

## 患者情報

|  |  |
|---|---|
| 疾患・障害 | 脳梗塞・右片麻痺 |
| 年齢・性別 | 不問 |
| 利き手 | 右 |
| 発症後期間 | 10日 |
| BRS | 上肢：Ⅱ　手指：Ⅱ　下肢：Ⅱ |
| 筋緊張 | 上腕二頭筋，手指屈筋：軽度亢進<br>大腿四頭筋，ハムストリングス，下腿三頭筋：軽度亢進<br>腹筋群：低緊張 |

|  |  |
|---|---|
| 非麻痺側機能 | 運動障害なし |
| 咀嚼嚥下機能 | 正常 |
| 疼痛 | なし |
| 感覚 | 表在感覚，深部感覚：軽度鈍麻 |
| 高次脳機能 | 障害なし |
| 座位 | 車椅子バックサポートにもたれて安定 |
| 理解 | 良好 |
| 表出 | 良好 |

### 事例

**非利き手での動作に習熟しておらず，スプーン操作に拙劣さがみられる事例**

- 手関節と手指・前腕には過剰に力が入っており，スプーンの柄を強く把持している。また手関節は背屈位(もしくは掌屈位)で保持したままスプーンを操作しているため，微調整ができず動作が拙劣である。
- 肩や肘の運動によってスプーンを動かしており，頸部や体幹での代償動作を認める。
- すくい動作はスプーンのすくう部分の先端を器の内壁にぶつけるように挿し込む。
- 器の縁から内容物がこぼれることがある。

## 課題の目標

**態度**

1. 動作分析に備えた，清潔かつ安全な身なりができる。
2. 患者にスプーン操作の観察を行う旨を説明し，了承を得ることができる。
3. 患者に不快な思いをさせない(話し方，表情，振る舞い)。

**技能**

1. 患者の安全に配慮しながら進めることができる。
2. 問題点を含めたスプーン操作の特徴を説明することができる。

3. わかりやすく簡潔な報告ができる。

## 手 順

1．挨拶・自己紹介を行い，2つの識別子で患者の確認を行う。
2．スプーン操作の観察を行う旨を患者に伝え了承を得る。
3．安全面に配慮する。
・おはじきを口腔内へ取り込む危険があるため，口唇開口を促すことは行わない。
・リスク管理として常に患者から目を離さず，必要に応じて安全性を確保できる位置から観察する。また，患者のスプーン把持側に座り，姿勢の崩れがある場合は支える構えをして転落に備える。
・本課題では採点者にリスク管理を依頼する。
4．動作環境を確認する。
・机の高さ，机と身体の距離，器の配置を確認する。
5．動作開始前の座位姿勢を観察する。
・下部体幹がバックサポートに接触し安定していること，足底が接地していること，麻痺側上肢がクッションなどで支えられていることを確認する。体幹，特に上部体幹が垂直となる姿勢であるか確認する。
6．動作開始の合図をする。
7．適切な位置で観察する。
・矢状面，前額面から適宜視点を変えながら観察する。患者に近づき過ぎて患者の動作を阻害しないよう注意する。
8．スプーンの把持方法について観察する。
・手の構え，把持している柄の位置，把持の安定性を確認する。
9．スプーン操作について観察する。
・上肢の運動と協調性，姿勢，スプーンの向き，スプーンの安定性を確認する。
①おはじきへのリーチ動作
②差し込む動作
③すくい上げる動作
④口元まで運ぶ動作
10．麻痺側上肢を観察する。
・スプーン操作中の麻痺側上肢について，筋緊張の変化や不良肢位の有無等を観察する。
・不良な状態が生じている場合は原因を考察する。
11．終了時の座位姿勢を確認する。
12．終了を伝える。
13．スプーン操作の特徴について分析結果を述べる。
・観察結果に基づき，動作環境の調整や動作練習など，介入が必要となりうる問題点について分析する。

例：座位姿勢，食器の位置や距離などは適切であるが，机の高さがやや高く，常に上肢を過度に外転させて動作を行なっている。また，スプーンの柄を強く把持し，手関節は掌屈位で保持したまま動作を行なっているため，円滑に操作することができず，肩や肘関節を代償的に使用している。おはじきをすくい上げる操作はスプーンの前側面を差し込み，器の内壁に沿わせるように行えているが，口に運ぶ動作では，肩関節の外転を過剰に使用した努力的な動作になっている。動作中には麻痺側上肢に力が入ってしまう場面がある。
　机の高さを適切に調整することで，上肢の過度な外転や過緊張状態が軽減し，スプーンの操作性が向上することが考えられる。

## 採点基準

採点者は模擬患者に受験者の言動の適否を適宜確認して，以下の項目を採点してください。

### 1．態度

|  |  |
|---|---|
| (1) ①適切な身なりで，②明瞭な挨拶（開始時・終了時），③自己紹介ができる。 | 2点：①〜③すべてできる<br>1点：①〜③のうち2項目できる<br>0点：1項目できる<br>0点：すべてできない |
| (2) 2つの識別子で患者の確認ができる。 | 2点：2つの識別子で患者の確認ができる<br>1点：1つの識別子で患者の確認ができる<br>0点：確認ができない |
| (3) ①スプーン操作の観察を行う旨を患者に伝え，②了承を得ることができる。 | 2点：①，②どちらもできる<br>1点：①のみできる<br>0点：どちらもできない |
| (4) 課題全般を通して，患者の様子（表情・姿勢・身体機能）や状況に応じた丁寧な対処（①声かけ・②触れ方・③動かし方）ができる。 | 2点：①〜③すべてできる<br>1点：①〜③のうち2項目できる<br>0点：1項目できる<br>0点：すべてできない |

### 2．技能

|  |  |
|---|---|
| (1) 患者が動作を始める前に採点者にリスク管理を依頼できる。 | 2点：患者が動作を始める前に採点者にリスク管理を依頼できる<br>1点：患者が動作を始めてから採点者にリスク管理を依頼する<br>0点：リスク管理を採点者に依頼しない |
| (2) 矢状面，前額面を含めた適切な視点から，患者の動作を阻害しない距離で観察できる。 | 2点：矢状面，前額面を含めた適切な視点から，患者の動作を阻害しない距離で観察できる<br>1点：視点を変えて観察できるが，矢状面，前額面のいずれかからの観察ができない<br>0点：矢状面，前額面ともに観察できない<br>0点：1点からのみの観察となる<br>0点：患者との距離が近く，動作を阻害する |
| (3) ①机の高さ，②机と身体の距離，③器の配置を観察できる。 | 2点：①〜③すべて観察できる<br>1点：①〜③のうち2項目観察できる<br>0点：1項目できる<br>0点：すべてできない |
| (4) ①下部体幹がバックサポートに接触し安定していること，②足底が接地していること，③麻痺側上肢がクッションなどで支えられていることを観察できる。 | 2点：①〜③すべて観察できる<br>1点：①〜③のうち2項目観察できる<br>0点：1項目できる<br>0点：すべてできない |
| (5) スプーン把持について観察できる。 | 2点：スプーン把持について観察できる<br>1点：観察が不十分<br>0点：観察が誤っている<br>0点：観察ができない |
| (6) おはじきへのリーチ動作について観察できる。 | 2点：おはじきへのリーチについて観察できる<br>1点：観察が不十分<br>0点：観察が誤っている<br>0点：観察ができない |
| (7) 挿し込む動作について観察できる。 | 2点：挿し込む動作について観察できる<br>1点：観察が不十分<br>0点：観察が誤っている<br>0点：観察ができない |

| | |
|---|---|
| (8) すくい上げる動作について観察できる。 | 2点：すくい上げる動作について観察できる<br>1点：観察が不十分<br>0点：観察が誤っている<br>0点：観察ができない |
| (9) 口に運ぶ動作について観察できる。 | 2点：口に運ぶ動作について観察できる<br>1点：観察が不十分<br>0点：観察が誤っている<br>0点：観察ができない |
| (10) スプーン操作中の麻痺側上肢について観察できる。 | 2点：麻痺側上肢を観察できる<br>1点：観察が不十分<br>0点：観察が誤っている<br>0点：観察ができない |
| (11) 終了姿勢（座位姿勢）について観察できる。 | 2点：終了姿勢（座位姿勢）について観察できる<br>1点：観察が不十分<br>0点：観察が誤っている<br>0点：観察ができない |
| (12) スプーン操作中の麻痺側上肢について観察できる。 | 2点：スプーン操作中の麻痺側上肢について観察できる<br>1点：観察が不十分<br>0点：観察が誤っている<br>0点：観察できない |
| (13) スプーン操作について分析できる。 | 2点：スプーン操作について分析できる<br>1点：分析が不十分<br>0点：分析が誤っている<br>0点：分析ができない |

## OSCE担当者確認事項

### 環境設定

- 机の高さ，机と身体の距離，器の配置は適切な状態に設定する（机の天板上面の床からの高さ：70 cm程度，図3）。
- 車椅子は体型に適合したものを準備する。
- 使用するスプーンは，ティースプーンのような柄の短いものは避ける。本項の図では，把持部分がみえやすいように太柄スプーンを使用しているが，課題で使用する物は太柄でなくてもかまわない。

### 模擬患者と採点者

- 模擬患者はスプーンを過剰な力で把持する。手関節の肢位（掌背屈）は行いやすい方でよい。
- 受験者が6回以上の動作反復を求めた際は5回までであることを説明し，分析結果を採点者に述べるように促す。

### 模擬患者

- 課題開始時には，車椅子座位で適切な距離で机に向かい，足部をフットサポートから下ろして待機する。車椅子の座面に適切な深さで座るが，体幹・頸部は軽度前屈位とする。麻痺側上肢は大腿上に置いたバスタオルの上に置く。
- 課題の途中で器が動いても動作を続行する。
- 器が倒れた場合は，模擬患者自身がスプーンを置いて非麻痺側の手で元に戻す。
- 手関節の動きが不十分な状態でスプーンを操作した際に出現しやすい代償動作（頸部・体幹・上肢）を生じさせる。

対応動画

# OSCE課題 スプーン操作：介入

## 設問

脳梗塞右片麻痺の患者です。車椅子座位で，非利き手である左手でスプーンを把持して食事を摂取しています。昨日，食事場面での評価を行い，本日からリハビリテーション室で，すくい動作を中心にスプーン操作の練習を開始します。スプーン把持の練習から開始し，器に入れたおはじきをすくって口元に近づけ別の容器に移すよう，適切な誘導・補助を行いながらスプーン操作の練習を行ってください。繰り返す回数は時間の都合上5回程度とします。制限時間は5分です。では，始めてください。

## 準備するもの

スプーン，プラスチック製もしくは木製の器2つ（一つはお椀のような深めのもの，もう一つはそれより浅いもの），おはじき（20個程度），滑り止めシート，机，車椅子，バスタオル（数枚），肘かけのない椅子

## 患者情報

| 疾患・障害 | 脳梗塞・右片麻痺 |
|---|---|
| 年齢・性別 | 不問 |
| 利き手 | 右 |
| 発症後期間 | 10日 |
| 咀嚼・嚥下機能 | 正常 |
| BRS | 上肢：Ⅱ　手指：Ⅱ　下肢：Ⅱ |
| 筋緊張 | 上腕二頭筋，手指屈筋：軽度亢進<br>大腿四頭筋，ハムストリングス，下腿三頭筋：軽度亢進<br>腹筋群：低緊張 |

| 疼痛 | なし |
|---|---|
| 感覚 | 表在感覚，深部感覚：軽度鈍麻 |
| 高次脳機能 | 障害なし |
| 座位 | 車椅子バックサポートにもたれて安定 |
| 理解 | 良好 |
| 表出 | 良好 |

### スプーン操作の現状

車椅子座位は体幹・頸部が軽度前屈位となる。非利き手での動作に習熟しておらず，手指・手関節・前腕でのスプーンの微調整ができず，操作が拙劣な傾向にある（図9a）。柄を強く把持し，手関節は背屈位，もしくは掌屈位で保持したまま動作を行なっている。肩や肘の動作も末梢部の影響を受けて拙劣であり，肩・肘を中心にスプーンを動かしている（図9b）。そのため，すくい動作ではスプーンのすくう部分の先端を器の内壁にぶつけるように挿し込み，スプーンのすくう部分の先端ですくい上げており（図9c），器の縁から内容物がこぼれることがある。さらに，頸部や体幹での代償動作を認めることもある。

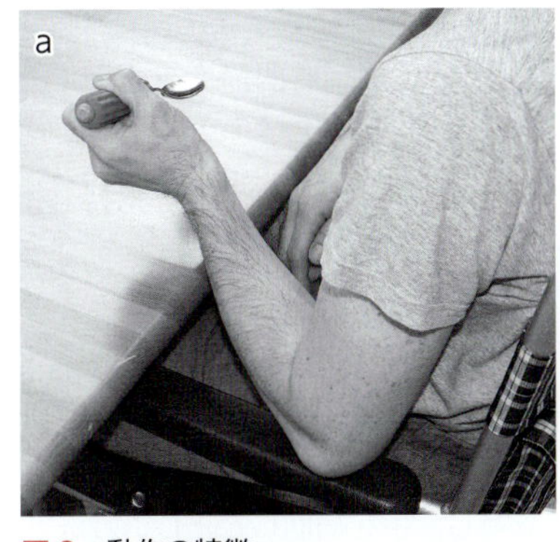


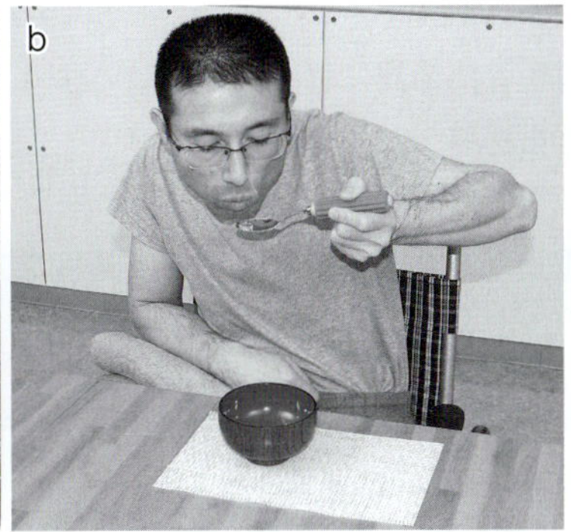


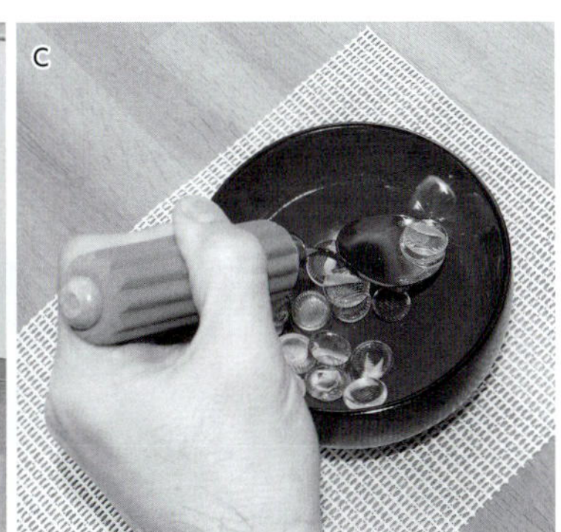


図9　動作の特徴
a：手指・手関節・前腕の過剰な固定
b：肩・肘中心での運動
c：不適切なすくい動作

### 経過と目標

発症翌日にベッドサイドでリハビリテーションを開始した。発症後7日目に食事（食物形態：常食。一口大にカット）開始となり，車椅子座位で自己摂取が許可された。翌日の食事場面の評価では，すくう際や口へ運ぶ際にこぼすことがあった。

本日からスプーン操作の練習をリハビリテーション室で行う。今後1週間で，上肢運動の円滑性向上と，適切なスプーンの使い方の獲得を目指す。

### 課題の目標

**態度**

1. 動作練習の介入に備えた，清潔かつ安全な身なりができる。
2. 患者にスプーン操作の練習を行う旨を説明し，了承を得ることができる。
3. 患者に不快な思いをさせない（話し方，表情，振る舞い）。

**技能**

1. 患者の安全に配慮しながら進めることができる。
2. スプーン操作の特徴，問題個所に気づき，説明することができる。
3. 適宜誘導・補助を行いスプーン操作練習が実施できる。
4. 適宜，適切なフィードバックを行うことができる。

## 手順

**1．挨拶・自己紹介を行い，2つの識別子で患者の確認を行う。**

**2．スプーン操作練習を行う旨を患者に伝え了承を得る。**

**3．動作環境を調整する。**

・机の高さ，机と身体との距離を調整する。

**4．座位の姿勢を調整する。**

・下部体幹がバックサポートに接触し，足底は床に接地し，麻痺側上肢がクッションなどで支えられるよう調整する。顔面が下方や側方に向いている場合は，胸を軽く張って顔面を前方に向けるよう促し，能動性を引き出す。

**5．スプーンの把持と動かし方を誘導・補助する。**

①スプーンの把持と動かし方を確認する

②スプーンを操作する

・強い力でスプーンを把持することによる手関節の背屈または掌屈での肢位固定を緩和する目的で，部分練習を行う。

・患者の左側に座り，患者の左手を手背から療法士の左手で包み込むように把持する。さらに，右手で患者の肘を下方から把持する。

・患者の上腕骨頭を肩甲骨関節窩に軽く押しつけるように支えながら，肩関節を支点とした上肢の安定かつ自由な動きを誘導・補助する（図10）。

・スプーンを把持し，空中で手関節を動かしてスプーンを回したり振ったりする。把持した指から伝わるスプーンの重量などを感じ取りながら，適度な力で把持できるよう誘導・補助する。

**臨床のコツ**

◆手指・手関節を中心に強く固定するようにスプーンを把持する患者では，上肢の協調性が阻害され，すくう動作や口元へ運ぶ動作の拙劣さにつながる。

◆肘や肩から動かしてしまう場合は，療法士が肘関節部分を軽く支持し，手を補助して正しい方法を誘導・補助する。または，机上に患者の肘をついて安定させた状態で，スプーンを回す・振る動作を試みてもよい。その際，軽く動かすように口頭で助言する。

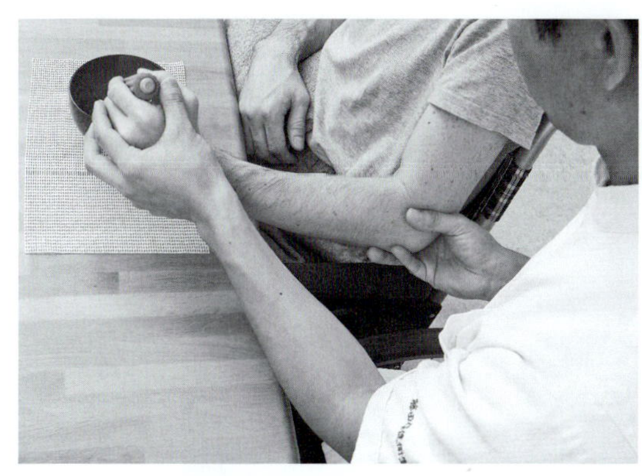

図10　誘導・補助時の療法士の手の位置

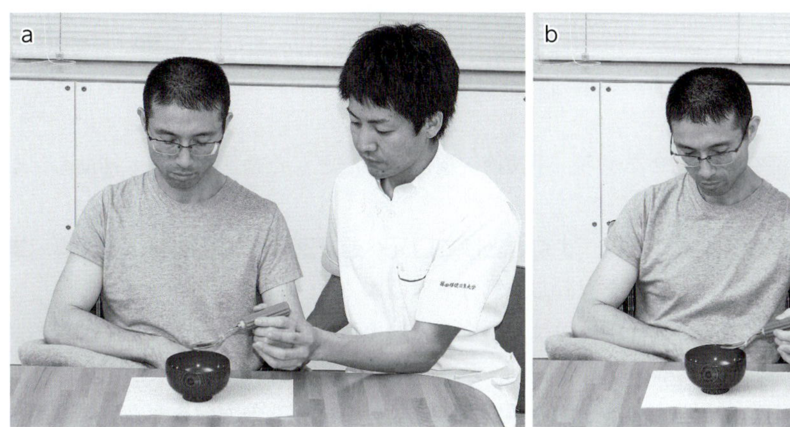


図11　上肢の誘導・補助
a：適切な肢位で安定させる
b：上肢を過度に外側に引いている

6．器を配置する。
- 適切な位置に器を配置する。器の下には滑り止めシートを敷く。

7．スプーンを器の内壁に沿わせて動かすよう誘導・補助する（器は空の状態）。
- 上腕が自然に下垂していることを確認する。
- 器の内壁に沿ってスプーンで軽くなぞるよう指示し，動作を確認する。
- 器の内壁の質感や弯曲をスプーンで感じとるように指示しながら，スプーンのすくう部分の側面が器の内壁に軽く触れるように誘導・補助する。反対方向へなぞる動作も練習する。
- 動作が速くなり過ぎないように，また，不適切な誘導・補助により姿勢が崩れないよう，療法士による過度の引っぱりや押し込みに注意し，上肢と姿勢の安定を図る（図11）。

**臨床のコツ**

◆手指の強過ぎる力での把持と手関節肢位の固定が緩和されたら，上肢を協調的に動かす目的で部分練習を行う。スプーンのすくう部分で器の内壁をなぞったり，机の上のお手玉をスプーンで左右に動かしたり，お手玉の端をスプーンのすくう部分の先端で押さえて回す等の練習をする。器の内壁に軽く貼りつけたセラピー用粘土をスプーンで剥がす練習も有効な場合がある。これらの活動ではスプーンを介して対象物の動きや抵抗を感じ取ろうとすることで，動作に必要な力の量が調整され過度な固定を緩和しやすい。

8．おはじきへのリーチ，挿し込み，すくい上げて戻す動作を誘導・補助する。
- 器の中におはじき20個程度を入れ，動作を確認する。
- 器の内壁にスプーンのすくう部分の側面を沿わせるようにしながら，おはじきをすくうよう誘導・補助する。

図12　すくい上げる動作の誘導・補助

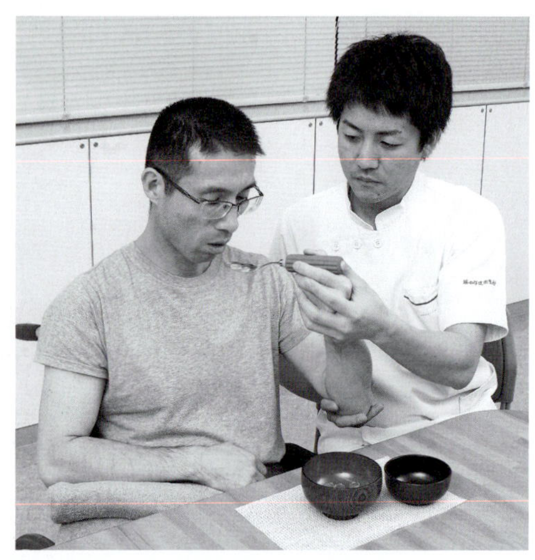

図13　口へ運ぶ動作の誘導・補助

・上肢の中枢部を安定させながら，手関節・前腕を中心とした動作を誘導・補助し，数回反復練習する（図12）。

9．おはじきへのリーチ，挿し込み，すくい上げて口元へ運び別の器に移す動作を誘導・補助する。
・おはじきを移すための容器を配置し，動作を確認する。
・療法士の手を患者の手に添え，おはじきをすくい上げた後はスプーンを水平に保ち，スプーンの先端を口の方へ向けるよう誘導・補助する。
・肘をやや前方に出しながら，前腕と手関節の運動でスプーンの方向を変えるよう誘導・補助する（図13）。

10．誘導・補助の手を外し，患者のみで一連の動作を行うように指示し，動作を確認する。

11．座位姿勢を調整する。

12．終了を伝える。

13．安全面に配慮する。
・課題全般を通して患者の姿勢に気を配り，常に安全に配慮する。

14．適宜，適切なフィードバックを行う。
・適切な内容，タイミング，量でフィードバックを行う。

## 採点基準

採点者は模擬患者に受験者の言動の適否を適宜確認して，以下の項目を採点してください。

1．態度

| | |
|---|---|
| (1) ①適切な身なりで，②明瞭な挨拶（開始時・終了時），③自己紹介ができる。 | 2点：①～③すべてできる<br>1点：①～③のうち2項目できる<br>0点：1項目できる<br>0点：すべてできない |
| (2) 2つの識別子で患者の確認ができる。 | 2点：2つの識別子で患者の確認ができる<br>1点：1つの識別子で患者の確認ができる<br>0点：確認ができない |
| (3) ①スプーン操作の練習を行う旨を患者に伝え，②了承を得ることができる。 | 2点：①，②どちらもできる<br>1点：①のみできる<br>0点：どちらもできない |

| (4) 課題全般を通して，患者の様子(表情・姿勢・身体機能)や状況に応じた丁寧な対処(①声かけ・②触れ方・③動かし方)ができる。 | 2点：①～③すべてできる<br>1点：①～③のうち2項目できる<br>0点：1項目できる<br>0点：すべてできない |
|---|---|

2．技能

| (1) ①机の高さ，②机と身体の距離，③器の配置を確認し，必要に応じて調整できる。 | 2点：①～③すべてできる<br>1点：①～③のうち2項目できる<br>0点：1項目できる<br>0点：すべてできない |
|---|---|
| (2) ①下部体幹がバックサポートに接触し，②足底接地し，③麻痺側上肢をクッションなどで支持するよう調整できる。 | 2点：①～③すべてできる<br>1点：①～③のうち2項目できる<br>0点：1項目できる<br>0点：すべてできない |
| (3) スプーンの把持と動かし方を適切に誘導・補助できる。 | 2点：適切な誘導・補助を行うことができる<br>1点：誘導・補助が過剰，もしくは不足している<br>0点：全介助にて行う<br>0点：誤った誘導・補助を行う<br>0点：誘導・補助を行わない |
| (4) 適切に器を配置できる。 | 2点：器を適切に配置できる<br>1点：器の配置が一部不適切<br>0点：器の配置がすべて不適切 |
| (5) スプーンを器の内壁に沿わせて動かすよう適切に誘導・補助できる。 | 2点：適切な誘導・補助を行うことができる<br>1点：誘導・補助が過剰，もしくは不足している<br>0点：全介助にて行う<br>0点：誤った誘導・補助を行う<br>0点：誘導・補助を行わない |
| (6) すくい上げる動作を適切に誘導・補助できる。 | 2点：適切な誘導・補助を行うことができる<br>1点：誘導・補助が過剰，もしくは不足している<br>0点：全介助にて行う<br>0点：誤った誘導・補助を行う<br>0点：誘導・補助を行わない |
| (7) すくって口元へ運ぶまでの一連の動作を適切に誘導・補助できる。 | 2点：適切な誘導・補助を行うことができる<br>1点：誘導・補助が過剰，もしくは不足している<br>0点：全介助にて行う<br>0点：誤った誘導・補助を行う<br>0点：誘導・補助を行わない |
| (8) 課題を通して，受験者の視線・身構え，患者との距離を確保することで，常に患者の安全を確保できる。 | 2点：課題を通じて，常に患者の安全を確保する姿勢で受験者の姿勢・身構え，患者との距離を保つことができる<br>0点：課題を通じて，1回でも受験者の視線・身構え，患者との距離を保つことができず患者の身体に危険を感じる対応である |
| (9) 課題を通して，適宜，患者にフィードバックを行うことができる。 | 2点：内容，タイミング，量が適切である<br>1点：2項目が適切である<br>0点：内容が不適切である<br>0点：フィードバックがない<br>0点：1項目が適切である<br>0点：すべて適切でない |

## OSCE担当者確認事項

### 環境設定

・机の高さは適切な状態に設定する(天板上面の床からの高さ：70～72 cm)。
・机と身体との距離は，やや遠く(または近く)修正が必要な距離にする。
・開始時は模擬患者の前には器等を置かず，練習手順の中で受験者が配置するようにする。
・車椅子は体型に適合したものを準備する。

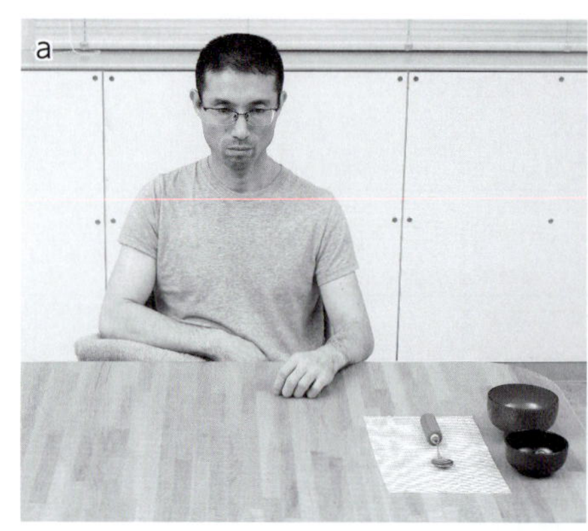

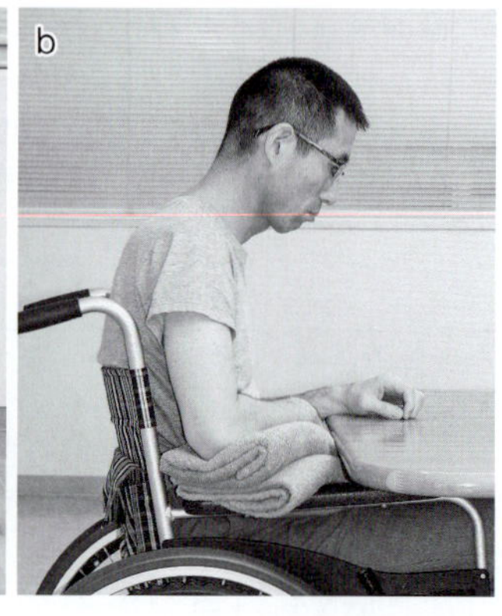


図14 模擬患者の開始姿勢
a：正面，b：側面

・使用するスプーンは，ティースプーンのような柄の短いものは避ける。本項の図では，把持部分がみえやすいように太柄スプーンを使用しているが，課題で使用する物は太柄でなくてもかまわない。

### 模擬患者と採点者

・誘導・補助が不十分，不適切なためそれ以降の採点項目が減点となる場合は，模擬患者，採点者が修正した後に試験を再開する。
・模擬患者，受験者に危険が及ぶ可能性がある場合は，採点者，模擬患者が修正した後に試験を再開する。

### 模擬患者

・模擬患者はスプーンを過度に力を入れて把持する。手関節の肢位（掌背屈）は行いやすい方でよい。
・課題開始時は車椅子座位で机に向かい（図14a），足部をフットサポートから下ろして待機する。
・車椅子の座面に適切な深さで座るが，体幹・頸部は軽度前屈位とする。麻痺側上肢は大腿上に置いたバスタオルの上に置く（図14b）。
・途中で器のずれや回転が生じた場合も，受験者に制止されなければ続行する。

### 参考文献

1) 竹市美加，小山珠美：食のQOLを高める食事介助の基本技術．リハビリナース 8：326-33, 2015.
2) 黒住千春：不良姿勢患者の自力摂取へ向けたアプローチ．リハビリナース 8：345-52, 2015.
3) 杉山智久，澤俊二，冨田昌夫：基本動作の支援⑥利き手交換，練習方法の提案．OTジャーナル 48：639-43, 2014.
4) 白木原法隆：基本動作の支援②食事，先行期のかかわり．OTジャーナル 48：617-21, 2014.
5) 吉尾雅春 監：極める!脳卒中リハビリテーション必須スキル．gene，2016.
6) 柏木正好：環境適応－中枢神経系障害への治療的アプローチ 第2版．青海社，2007.

# 8 更衣（上衣）

## 1 更衣動作とは

衣服の着脱は就寝前と起床時を中心に，日常生活で必ず行う動作である。特に上衣の着脱は，体温の調節や社会的要望により頻度が高くなるため，上衣着脱動作が自立できることは日常生活での介助量の減少につながる。

本項では，衣服の中でも上衣の着脱について，片麻痺者を例に解説する。着脱の手順は服の素材や形状により異なる。

片麻痺者の着衣動作（上衣）は，以下の5相から成り立つ。

第1相：袖通しの準備
・服を広げ，服の構造（図1）を把握する。
第2相：麻痺側の袖通し
・麻痺側の手を袖に通す。
第3相：非麻痺側の袖通し
・非麻痺側の手を袖に通す。
第4相：麻痺側の上肢と頭部を通す
・襟ぐり（襟回りの線・ネックライン）に頭部を通す。
第5相：衣服の修正
・裾を下ろし服を整える。

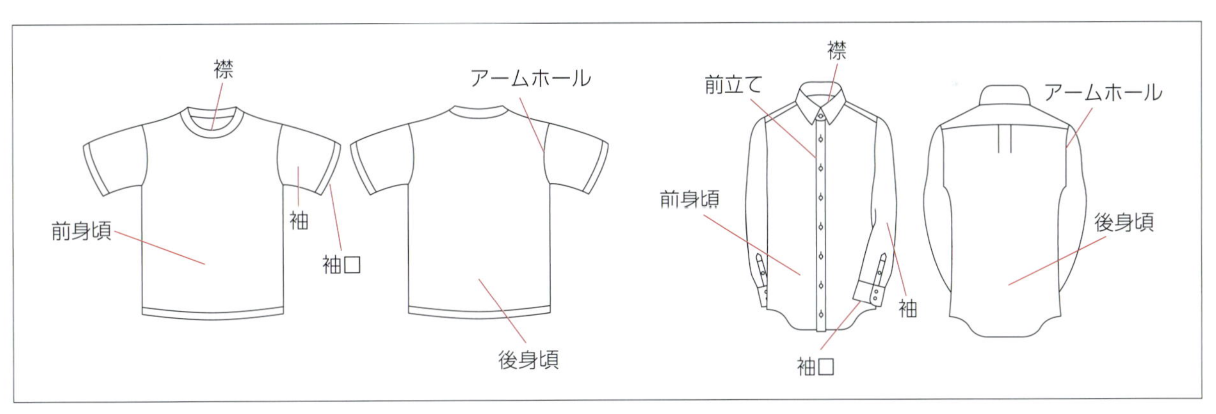


図1　服の構造と各部の名称

## 2 手順（片麻痺者の更衣動作）

### A 被り服の着脱

#### 1）着衣

①座位姿勢を整える。
②大腿の上に服を乗せ，麻痺側の手を通す側のアームホールを広げて手を通しやすくする。
③麻痺側の手を袖に通す。

④非麻痺側の手を袖に通す。
⑤非麻痺側の手で後身頃から襟ぐりを把持し，麻痺側の上腕まで袖に通す。
⑥頭部を襟ぐりに通す。
⑦非麻痺の肩まで袖に通す。
⑧裾を下ろし，服を整える。

#### 2) 脱衣

①座位姿勢を整える。
②非麻痺側の手で後身頃の襟ぐりを把持し，頭部を抜く。
③非麻痺側の手を袖から抜く。
④麻痺側の手を袖から抜く。

### B 前開き服の着脱

#### 1) 着衣

①座位姿勢を整える。
②大腿の上に服を乗せ，麻痺側の手を通す側のアームホールを広げて手を通しやすくする。
③麻痺側の手を袖に通す。
④麻痺側の肩まで袖に通す。
⑤服を背側へ回して非麻痺側へ送る。
⑥非麻痺側の上肢を袖に通す。
⑦ボタンをかけ，服を整える。

#### 2) 脱衣

①座位姿勢を整える。
②ボタンを外す。
③非麻痺側の手で，麻痺側の肩部分だけ服を少し下ろす。
④非麻痺側の手を袖から抜く。
⑤麻痺側の手を袖から抜く。

## 3 動作のポイント

### A 被り服（長袖Tシャツ）の着脱

#### 1) 着衣

①座位姿勢

- 座位の深さは，座面の硬さ，縁の形によって変更する。安定感を得られるようにすることが大切であり，座面の縁の硬さが大腿後面で感じ取れると安定感につながる。座面が柔らかい，もしくは縁の角が丸いようであれば，大腿の1/2程度の深さまで座る。
- 足部は両坐骨結節幅に調整し，膝関節は90°屈曲位もしくは足部をやや前方に出す。
- 座面の高さは，足底が十分接地できるように下腿長と同程度が望ましい。

**臨床のコツ**

◆膝は90°屈曲位もしくは足部をやや前方に出すことで，安定した座位姿勢が得られる（図2）。足部の位置は更衣動作の進行に伴い移動しうる。

◆床にマットを敷いて，服が床に直接触れないようにする。

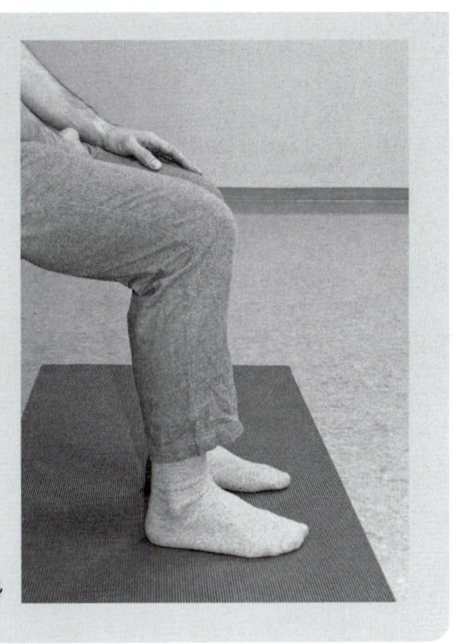

図2 安定した座位姿勢

②麻痺側上肢の袖通し準備

・非麻痺側の大腿の上に服を広げて置く。

・服の形を確認しながら，麻痺側の袖を，両大腿の間から下方へ垂らす。

・後身頃の裾を広げ，麻痺側のアームホールを広げてみえるようにする（図3）。

③麻痺側手の袖通し

・麻痺側の手を非麻痺側の手で把持し，上部体幹を非麻痺側へ軽度屈曲・回旋しながら，アームホール（図3の＊）に通す。上部体幹の屈曲・回旋は，麻痺側肩甲帯の後退を抑制し，前方突出を補助する。

④非麻痺側手の袖通し

・体幹を元の位置に戻し，非麻痺側の手をもう一方の袖に通す。非麻痺側の袖を肘や肩まで通してしまうと，頭部を通すときに服の中の空間が狭くなり動作を阻害する要因となる。

⑤麻痺側上腕までの袖通しから頭通し

・非麻痺側の手で後身頃と襟ぐりを，麻痺側アームホールに近い箇所でひとまとめにつかむ。襟ぐりは麻痺側寄りにつかむと服に張りができ，着衣が行いやすくなる（図4）。

・骨盤直立位で，麻痺側の肩を前方に突出させるように上部体幹をわずかに非麻痺側へ屈曲・回旋して（図5a），つかんだ服を麻痺側の前腕から上腕に沿って引き上げる（図5b）。袖を引き上げる際には上部体幹を非麻痺側へ軽度屈曲・回旋させると服を引き上げやすくなる（図5c）。上腕まで引き上げた後は，頭部を通すために骨盤後傾位で重心を非麻痺側に移動し体幹を屈曲させ（図5d），頸部を屈曲して顎を引き頭部を襟ぐりに導く（図5e）。体重を非麻痺側へ移動させておくと，頭部の重みで，身体が麻痺側に傾き不安定になるのを避けることができる。

・頭部を通す際は，骨盤を直立に戻しつつ，胸を張るように上部体幹を麻痺側に伸展・回旋させる（図6）。その動作で，頭部が襟ぐりから出やすく，服が肩まで通しやすくなる。

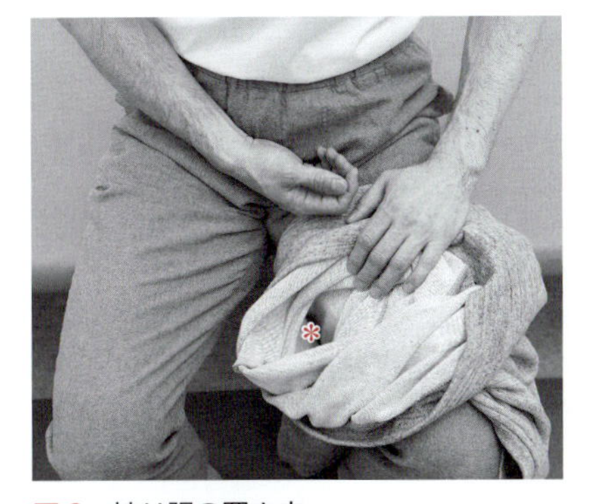


図3 被り服の置き方
麻痺側の手を通す側のアームホールを広げる。

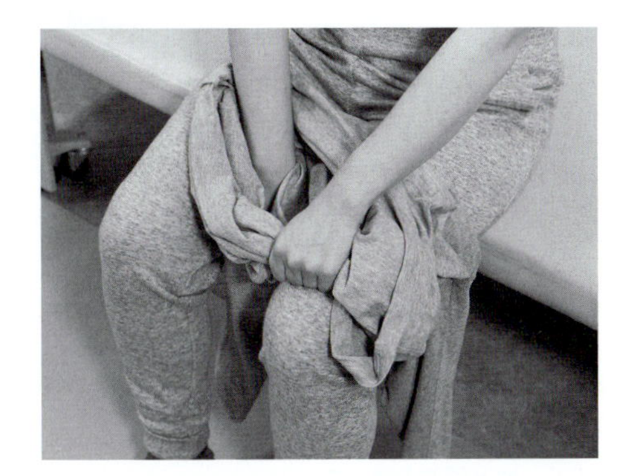

図4 服のつかみ方

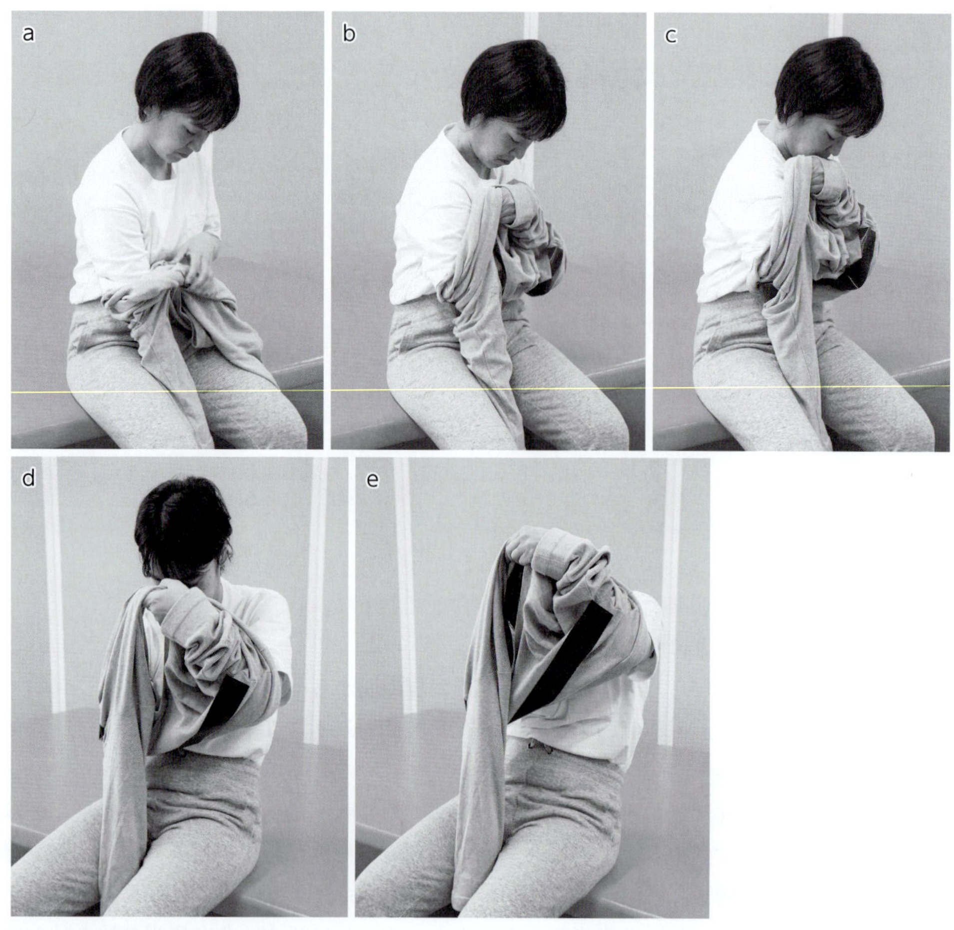


図5　袖と頭部の通し方（1）

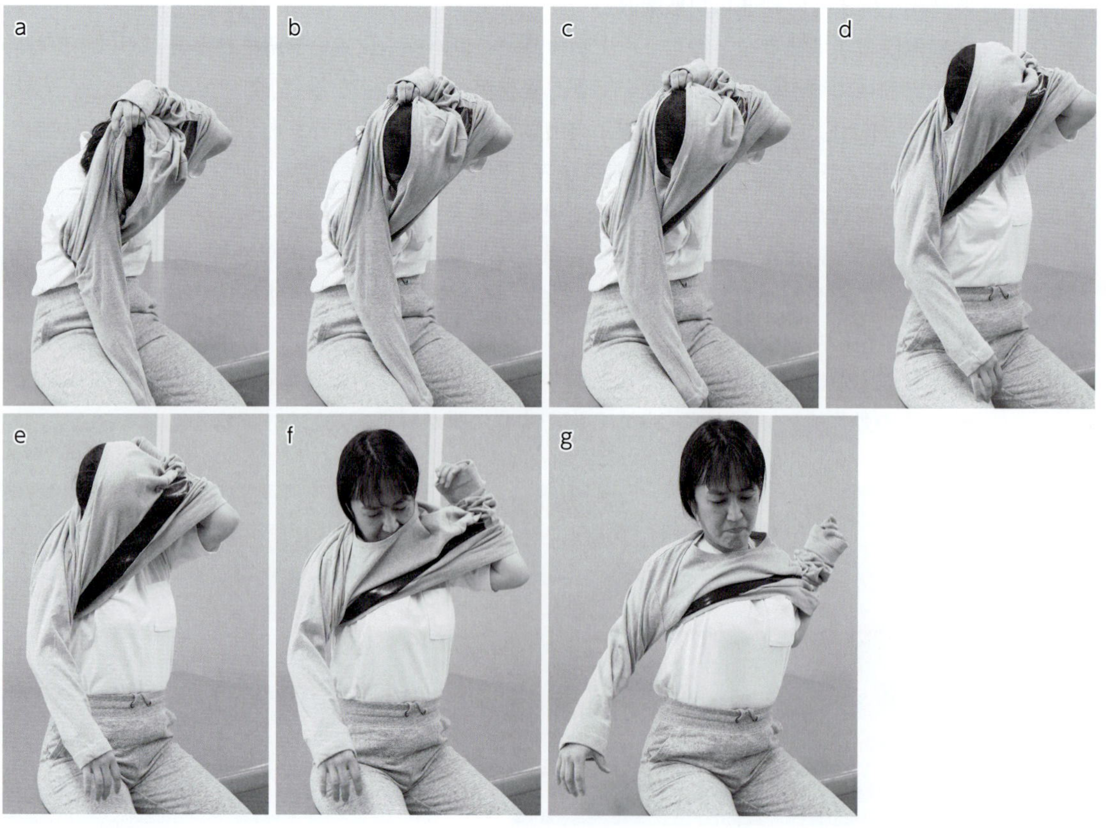


図6　袖と頭部の通し方（2）

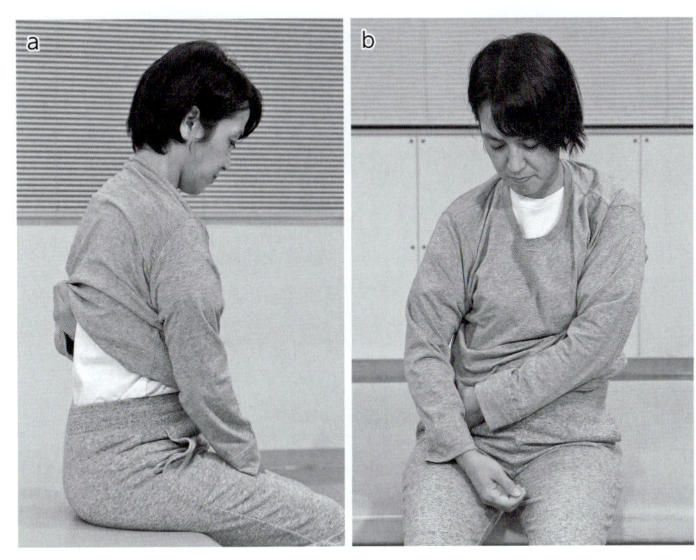


図7　裾の下ろし方

臨床のコツ

◆服を着終わった後に麻痺側の肩が服からはみ出ないようにする。そのためには，麻痺側の上腕近位部まで袖を引き上げることが重要であり，服に引っ張られて肩を痛めるリスクを避けることができる。

◆頭部を通すときに骨盤を直立に戻しながら上部体幹を伸展・回旋させるタイミングが遅過ぎると頸部が伸展して服が首の後ろに引っかかってしまうため，肩が服からはみ出ることになる。

⑥非麻痺側の肩までの袖通し

・服をつかんでいた手を離し，非麻痺側の肩まで袖を通す。

⑦衣服の修正

・非麻痺側の手で服の前後の裾を引き下げ，袖のねじれを修正する。

・服の背側を修正する際，骨盤を直立させると，服が背部で引っかかることがなくなり背部の布地に余裕が生まれるため，服の裾を下ろしやすくなる（図7a）。

・麻痺側の裾を下ろす際には，骨盤直立位の座位から非麻痺側の坐骨に重心を乗せて頸部と体幹を立ち直らせることで，体幹の回旋が行いやすくなり，非麻痺側の手が届きやすくなる（図7b）。

臨床のコツ

◆非麻痺側の上肢と肩関節を軽く分回しすることで，身体に巻きついたねじれた服が身体に沿うように修正される。衣服が身体に引っかかって抵抗感を感じる部分を，身体に沿わせるように少しずつ下ろして調整する。

## 2）脱衣

以下の手順は，頭部→非麻痺側の手→麻痺側の手の順だが，非麻痺側の手→頭部→麻痺側の手の順でも脱衣は可能である。

①座位姿勢

・座位姿勢は着衣と同様に調整する。

臨床のコツ

◆膝は90°屈曲位もしくは足部をやや前方に出すことで，安定した座位姿勢が得られる。

②襟ぐりから頭を抜く

・顎を引き，頸部を屈曲させ，顎が襟ぐりに引っかからないように襟の内側に入れる。鼻あたりまで襟ぐりを引っ張り上げることによって，顎に服が引っかかることなく頭部から服を抜き取ることが円滑になる（図8a）。

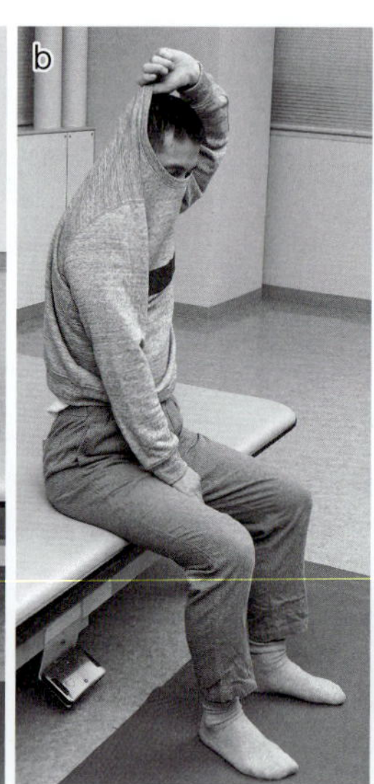

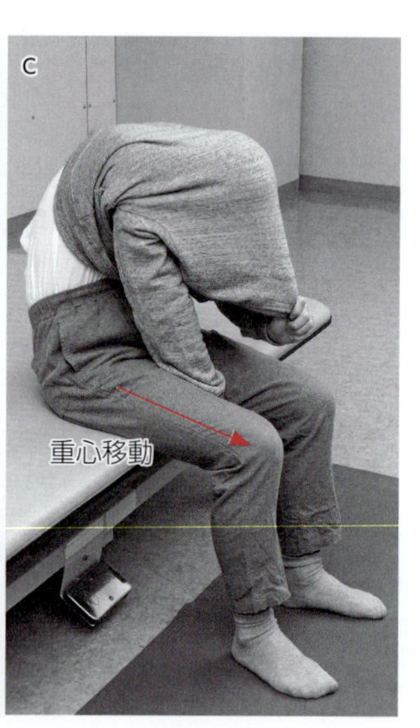


図8　被り服の引き上げ方

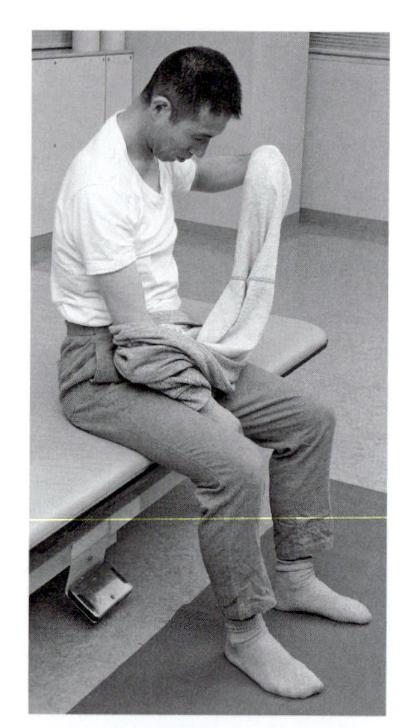

図9　非麻痺側の手の抜き方

・骨盤直立位の姿勢で摩擦の少ない状態で，まず非麻痺側の手で後身頃の襟ぐりを上方に引き上げる（図8b）。

・体幹を屈曲して重心をやや前方へ移動させながら服を前下方へ引く（図8c）。これによって，服を前下方に引く力の方向と，屈曲した頸部から頭頂部にかけての方向が一致して頭部が抜けやすくなる。頭部が後身頃の着丈中ほどまできたら，屈曲していた体幹・頸部を元に戻し，さらに服を前下方に引いて頭部を抜き，両肩も抜く。

**臨床のコツ**

◆被り服では，頭部を通す際に視界が遮られるために，バランスの不安定な患者では転倒することがあるので注意が必要である。

③非麻痺側の手を袖から抜く

・非麻痺側の手を袖から抜く際に袖が裏返るかもしれないが，麻痺側の手が重りの役目を果たして服の布地に張りができるため，裏返しのまま手を抜いてしまっても，非麻痺側の手で容易に元に戻すことができる（図9）。

④麻痺側の手を抜く

・非麻痺側の手の介助で，麻痺側の手を袖から抜く。

## B　前開き服（長袖シャツ）の着脱

### 1）着衣

①座位姿勢

・座位姿勢は被り服の着脱と同様に調整する。

②麻痺側上肢の袖通し準備

・服の前身頃のボタンを外した状態で，後身頃は麻痺側の大腿の上に服の裏が上面になるように広げ，患者の麻痺側の袖を両大腿の間から下方へ垂らす（図10）。

・服の形を確認しながら，麻痺側の手を通す側のアームホールを広げてみえるようにする。

③麻痺側上肢の袖通し

・上部体幹を非麻痺側へ軽度屈曲・回旋しながら，アームホール（図10の＊）に麻痺側の手を通す。上部体幹の非麻痺側への屈曲・回旋は，麻痺側肩甲帯の後退を抑制し，前方突出を補助する意味をもつ（図11）。

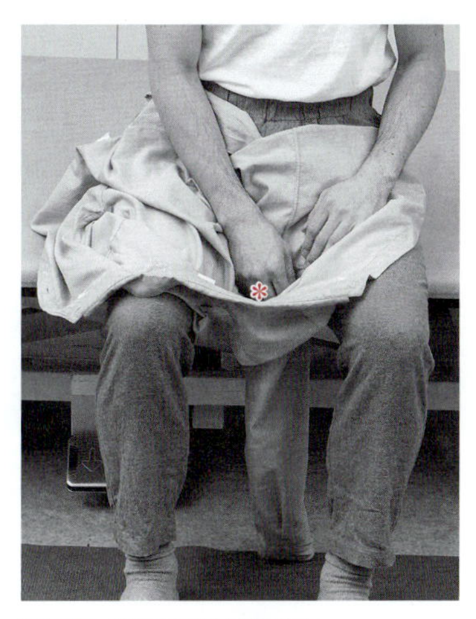

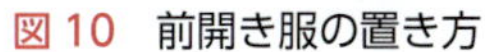

図10 前開き服の置き方

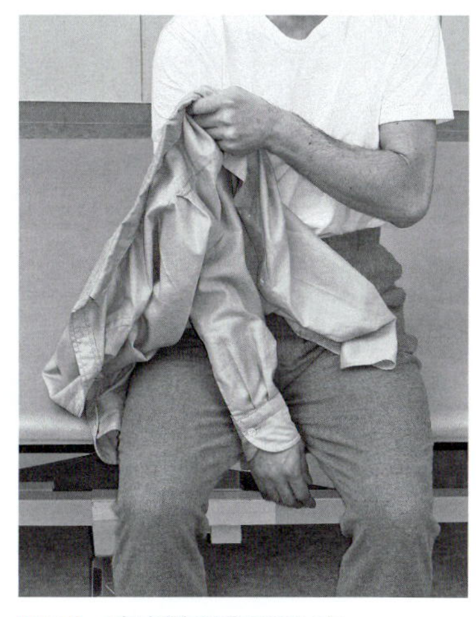

図11 麻痺側の手の通し方

**臨床のコツ**

◆麻痺側の手は大腿の上に乗せずに下垂させると，服が大腿に引っかかることなくスムーズな袖通しができる。

④麻痺側の肩まで袖通し

・骨盤直立位になるように体幹を起こし，上部体幹をやや非麻痺側へ回旋させたまま，麻痺側の上腕に沿って肩まで服を引き上げる。

⑤服を背側へ回して非麻痺側へ送る

・非麻痺側の手で麻痺側前身頃の襟ぐりをつかみ，上部体幹を軽度屈曲させて頭頸部の後方から背側，次いで非麻痺側の肩へ服を羽織るように送る。頭頸部の後方に手を回す際には，頸部を屈曲させて麻痺側へ回旋させるとリーチしやすくなる。

**臨床のコツ**

◆つかんでいる襟ぐりは服の形状を把握するための重要な手がかりなので，手を離さないように，麻痺側の前身頃から順に，襟ぐりの中心，非麻痺側の前身頃の襟ぐりへとつかむ位置を移動させる（図12）。

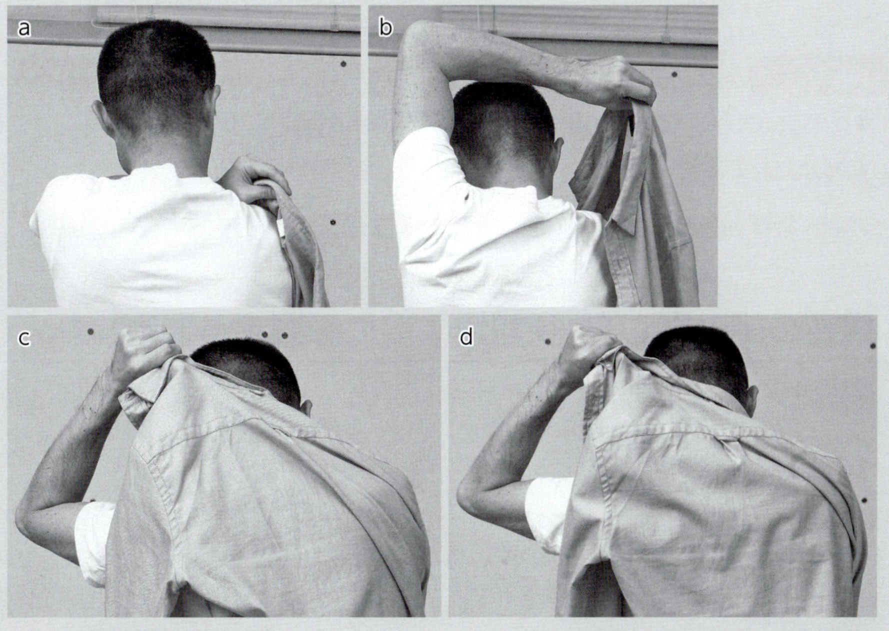


図12 前開き服の引き上げ方

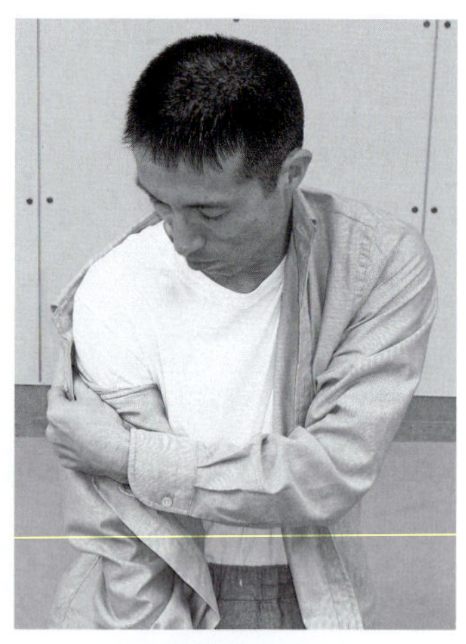
図13 麻痺側肩部分の脱衣

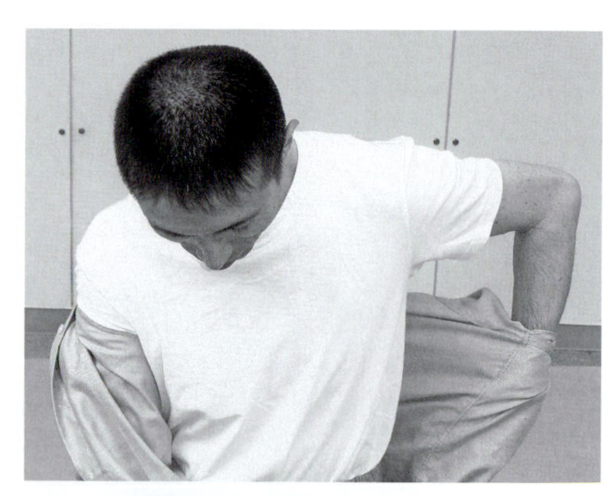
図14 非麻痺側の肘の抜き方

⑥非麻痺側の上肢を袖に通す

⑦ボタンをかけ服を整える

・左右の前身頃を合わせて，ボタンをかける。下から順番にかけるとかけ違いが少ない。

### 2) 脱衣

①座位姿勢

・座位姿勢は着衣と同様に調整する。

②ボタンを外す

③麻痺側の肩部分の服を下ろす

・非麻痺側の手で麻痺側の服を前身頃から肩部分だけ先に下ろしておく。これにより，非麻痺側の肩部分の服を下ろしやすくなる（図13）。

④非麻痺側の手を袖から抜く

・非麻痺側の肩を外旋させながら，同側の手で服の非麻痺側前身頃を後方へ引く。このときに，麻痺側の袖と後方に引かれた非麻痺側の袖との間に布地の張りができる。

・後身頃の布地の張りを利用して，非麻痺側の肘を屈曲させて袖から抜き，次いで手を抜く（図14）。

・非麻痺側の手を袖から抜く際に袖が裏返るかもしれないが，麻痺側の手が重りの役目を果たして布地に張りができるため，裏返しのまま手を抜いてしまっても，非麻痺側の手で容易に元に戻すことができる。

**臨床のコツ**

◆服を大腿と座面の間に挟み込んだ状態にしても非麻痺側の手を抜きやすくなる。

⑤麻痺側の手を袖から抜く

・非麻痺側の手の介助で，麻痺側の手を袖から抜く。

## 4 練習の組み立て方（課題難易度に影響する要素）

### 1) 座面の状態

・柔らかいベッドやソファなどの座面の上では，動作時のバランスがとりにくくなる。練習開始時は，硬い座面を選択するとよい。

### 2) 服の形状

・長袖よりも半袖の衣類の方が着脱を容易にする。半袖は肘まで通すことが容易であり，布地が身体に巻きつく量が少ないため，長袖よりもねじれを修正しやすく扱いやすいという特徴がある。また，布の量が少ないために全体の形を把握しやすい。長袖シャツでは身体に服を沿わせる際に，より身体を意識的に動かすことが求められる。

・体型よりも大きめのサイズであること，袖口にゴムが入っていないこと，襟ぐりやアームホールの開きが大きいこと，身体のラインに密着するデザインでないことが課題を容易にする。また，前開き服では，ボタンとボタンホールが大きい方が扱いやすい。

### 3）服の素材

・着たときに身体に密着するような伸縮性の強い素材は，大腿の上に広げたときに丸まってしまう。また，サテン地などの滑りやすく柔らかい生地も大腿に乗りにくいため，扱いが難しい。スウェットやデニムなどの分厚い布地は，片手での把持操作が難しくなるため，難易度が高くなる。張りのある薄地の綿素材が扱いやすい。

### 4）服の畳み方

・服が畳まれていて，前後・上下・左右の部位が明らかだと，形状を認知しやすい。特に被り服は前後を判別しにくいため，衣服の構成が把持しやすいよう前面の絵柄がみえるように畳む（図15）。畳まれていない状態から前後・上下・左右を判別するのは難度が高くなる。

### 5）誘導・補助の量

・患者の能力に応じて誘導・補助の量は適切に調整する。難度の高い類似課題に移行した際には一時的に誘導・補助の量を増やすことがある。

### 6）練習の組み立て方の一例（図16）

・被り服での更衣自立を目指す症例における，練習の組み立て方の一例を示す。

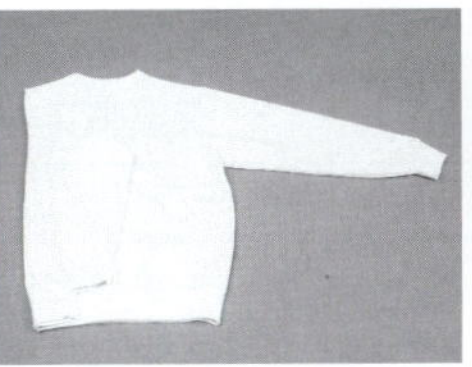
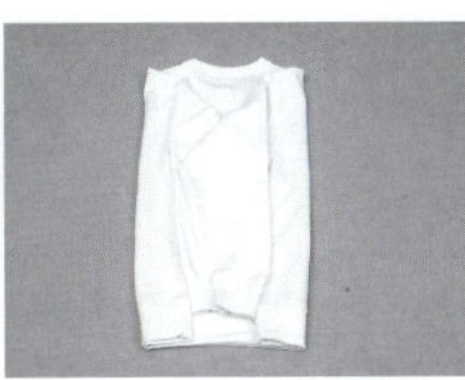
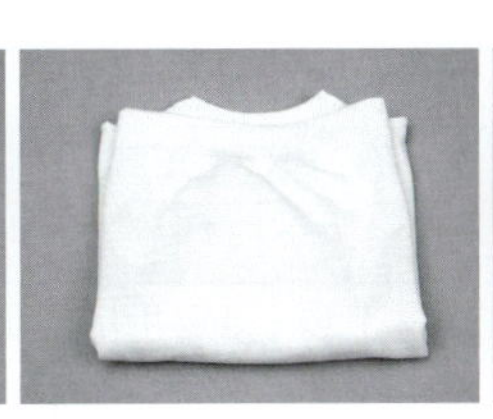

**図15　被り服の畳み方**
衣服の構成が把握しやすいように，前面の絵柄がみえるように畳む。

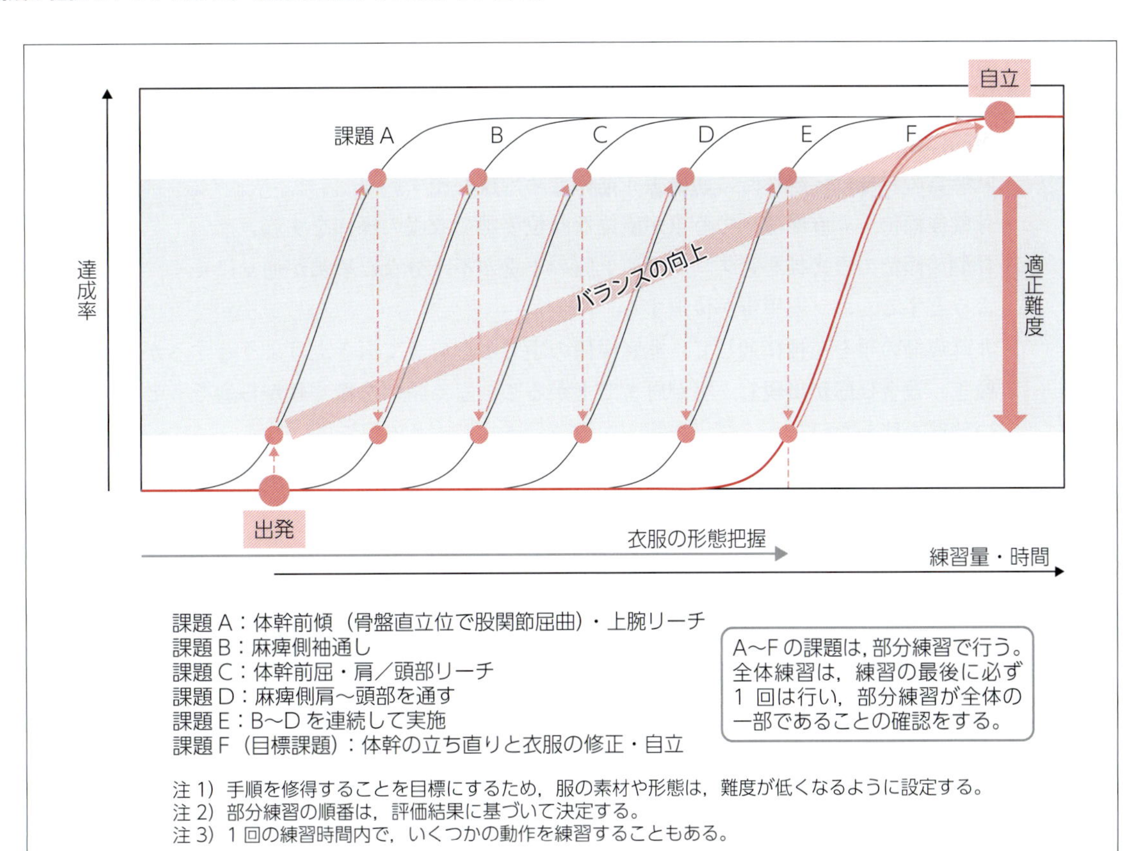


**図16　更衣（上衣）練習の組み立て方の一例**

# OSCE課題 更衣（上衣）：分析

対応動画

## 設問

脳卒中右片麻痺の患者です。リハビリテーション室での上衣（被り服）の更衣動作練習の経験はあるものの望ましい着衣方法が定着しておらず，病棟では自己流で強引に服を着ています。この患者の上衣の着衣動作を観察し，分析結果を採点者に説明してください。今回は患者への説明は省きます。採点者への説明は動作終了後に行ってください。なお，リスク管理は採点者に依頼してください。環境や姿勢，動作の修正に関する指示はしないでください。制限時間は5分です。では，始めてください。

注1）採点者は実際には近位監視でのリスク管理は行いませんが，課題を始めてください。
注2）メモを取りながら観察してかまいません。

## 準備するもの

被り服（長袖：前身頃に柄のあるもの），治療用ベッド（端座位がとれる座面の硬いものを使用），足下用マット，ペン，メモ用紙

注）ペンとメモ用紙は受験者が準備したものを使用することを許可します。

## 患者情報

| 疾患・障害 | 脳卒中・右片麻痺 |
|---|---|
| 年齢・性別 | 60歳代・不問 |
| 発症後期間 | 1.5カ月 |
| BRS | 上肢：Ⅱ　手指：Ⅱ　下肢：Ⅲ |
| 筋緊張 | 大胸筋，下腿三頭筋：軽度亢進 |
| 疼痛 | 右肩関節（他動運動時） |

| 感覚 | 表在感覚：中等度鈍麻<br>深部感覚：軽度鈍麻 |
|---|---|
| 座位 | 安定 |
| 立位 | 手すりを使用して安定 |
| 理解 | 良好 |
| 表出 | 良好 |

### 事例

**協調的に動くことができず強引に服を着ようとする事例**

・麻痺側の足部は，動作時に筋緊張亢進のため内反しやすい。
・骨盤後傾位，非麻痺側への荷重が優位な座位姿勢で衣服の操作をする。
・骨盤後傾位のまま袖を通す。麻痺側上肢の下垂が不十分なため袖が通りにくく，無理に袖を引き上げようとするため，肩甲帯が後退する。
・非麻痺側の手を左袖に通して，非麻痺側の手で服を肩まで引き上げようとするが，体幹が非麻痺側に傾き，連合反応が出現し，服が肩まで上がることなく頭部を襟ぐりから通そうとする。その際に体幹の伸展を伴わない。
・頭部を無理に通すが，麻痺側の肩は最後まで服が被らず，裾を非麻痺側から無理に下ろす。

## 課題の目標

**態度**

1．動作分析に備えた，清潔かつ安全な身なりができる。
2．患者に着衣動作の観察を行う旨を説明し，了承を得ることができる。
3．患者に不快な思いをさせない（話し方，表情，振る舞い）。

**技能**

1．患者の安全に配慮しながら進めることができる。
2．問題点を含めた着衣動作の特徴を説明することができる。
3．わかりやすく簡潔な報告ができる。

## 手 順

1．挨拶・自己紹介を行い，2つの識別子で患者の確認を行う。

2．着衣動作の観察を行う旨を患者に伝え了承を得る。

3．安全面に配慮する。

・本課題では採点者にリスク管理を依頼する。

4．動作環境を確認する。

・ベッドの高さが患者の下腿長と同程度になっているか確認する。

5．座位姿勢を観察する。

・殿部の位置，骨盤の状態，身体の偏位，両下肢の開き幅を確認する。

6．動作開始の合図をして服を渡す。

7．適切な位置で観察する。

・矢状面，前額面から適宜視点を変えながら観察する。患者に近づき過ぎて患者の動作を阻害しないよう注意する。

8．着衣動作を観察する。

①服を非麻痺側の大腿の上で広げ，袖を通す準備をしているかを確認する

②服の形態を把握しているかを確認する

・袖，アームホール，襟の位置を目視しているかを確認する。

③麻痺側の手を袖に通す動作を確認する

・骨盤の状態，体幹の動きを確認する。

④麻痺側の上腕まで袖を通す動作を確認する

・骨盤の状態，体幹の動き，袖を引き上げる範囲を確認する。

⑤頭部を襟ぐりに通す動作を確認する

・頭部を襟ぐりに近づける際の骨盤，体幹，頭部の動きを確認する。

・頭部を通す際の骨盤，体幹の動きを確認する。

⑥裾を下ろし，服を整える動作を確認する

・骨盤の動き，左右の重心移動，終了時の衣服の状態について確認する。

⑦着衣動作における服の扱い方について確認する

・身体に沿うように服を扱っているか，張りを作っているか，把持の仕方について確認する。

9．終了を伝える。

10．着衣動作の特徴について分析結果を述べる。

・観察結果に基づき，動作環境の調整や動作練習など，介入が必要となりうる問題点について分析する。

例：麻痺側の手首に袖を通すときには，アームホールに手を入れた後に上部体幹の軽度屈曲や回旋ができていなかったために，上肢が下垂位にならなかった。そのため，上肢に沿わせて服を引き上げることができず，強引に袖を引っ張り上げたことによって，肩甲帯が後退してしまった。

## 採点基準

採点基準採点者は模擬患者に受験者の言動の適否を適宜確認して，以下の項目を採点してください。

### 1．態度

|  |  |
|---|---|
| (1) ①適切な身なりで，②明瞭な挨拶（開始時・終了時），③自己紹介ができる。 | 2点：①～③すべてできる<br>1点：①～③のうち2項目できる<br>0点：1項目できる<br>0点：すべてできない |
| (2) 2つの識別子で患者の確認ができる。 | 2点：2つの識別子で患者の確認ができる<br>1点：1つの識別子で患者の確認ができる<br>0点：確認ができない |
| (3) ①着衣動作の観察を行う旨を患者に伝え，②了承を得ることができる。 | 2点：①，②どちらもできる<br>1点：①のみできる<br>0点：どちらもできない |
| (4) 課題全般を通して，患者の様子（表情・姿勢・身体機能）や状況に応じた丁寧な対処（①声かけ・②触れ方・③動かし方）ができる。 | 2点：①～③すべてできる<br>1点：①～③のうち2項目できる<br>0点：1項目できる<br>0点：すべてできない |

### 2．技能

|  |  |
|---|---|
| (1) 患者が動作を始める前に採点者にリスク管理を依頼できる。 | 2点：患者が動作を始める前に採点者にリスク管理を依頼できる<br>1点：患者が動作を始めてから採点者にリスク管理を依頼する<br>0点：リスク管理を採点者に依頼しない |
| (2) 矢状面，前額面を含めた適切な視点から，患者の動作を阻害しない距離で観察できる。 | 2点：矢状面，前額面を含めた適切な視点から，患者の動作を阻害しない距離で観察できる<br>1点：視点を変えて観察できるが，矢状面，前額面のいずれかからの観察ができない<br>0点：矢状面，前額面ともに観察できない<br>0点：1点からのみの観察となる<br>0点：患者との距離が近く，動作を阻害する |
| (3) ベッドの高さについて観察できる。 | 2点：ベッドの高さについて観察できる<br>0点：観察が誤っている<br>0点：観察ができない |
| (4) 開始姿勢（座位姿勢：①殿部の位置，②骨盤の状態，③体の偏位，④下肢の開き幅）について観察できる。 | 2点：①～④すべて観察できる<br>1点：①～④のうち2～3項目観察できる<br>0点：1項目できる<br>0点：すべてできない |
| (5) ①服を大腿の上に広げ，②服の形態を把握しているかを観察できる。 | 2点：①，②どちらも観察できる<br>1点：①，②のどちらか一方のみ観察できる<br>0点：どちらも観察できない |
| (6) 麻痺側の手を袖に通す際の，①骨盤の状態，②体幹の動きについて観察できる。 | 2点：①，②どちらも観察できる<br>1点：①，②のどちらか一方のみ観察できる<br>0点：どちらも観察できない |
| (7) 麻痺側の袖を上腕まで引き上げる際の，①骨盤の状態，②上部体幹屈曲と非麻痺側回旋，③引き上げる範囲について観察できる。 | 2点：①～③すべて観察できる<br>1点：①～③のうち2項目観察できる<br>0点：1項目できる<br>0点：すべてできない |
| (8) 襟ぐりに頭部を近づける際の，①骨盤の状態，②上部体幹屈曲と非麻痺側回旋，③頸部屈曲について観察できる。 | 2点：①～③すべて観察できる<br>1点：①～③のうち2項目観察できる<br>0点：1項目できる<br>0点：すべてできない |
| (9) 頭部を通す際の，①上部体幹伸展・麻痺側回旋，②頭を通すタイミングについて観察できる。 | 2点：①，②どちらも観察できる<br>1点：①，②のどちらか一方のみ観察できる<br>0点：どちらも観察できない |

| | |
|---|---|
| (10) ①服を下に下ろす際の骨盤の動き，②左右の重心移動，③終了時の衣類の状態について観察できる。 | 2点：①～③すべて観察できる<br>1点：①～③のうち2項目観察できる<br>0点：1項目できる<br>0点：すべてできない |
| (11) 着衣動作において，①服を体に沿うように扱っていたか，②張りを作っていたか，③把持の仕方について観察できる。 | 2点：①～③すべて観察できる<br>1点：①～③のうち2項目観察できる<br>0点：1項目できる<br>0点：すべてできない |
| (12) 着衣動作について分析できる。 | 2点：分析できる<br>1点：分析できるが不十分<br>0点：分析が誤っている<br>0点：分析ができない |

## OSCE担当者確認事項

### 環境設定

- 治療用ベッドの高さは模擬患者の下腿長と同程度とする。
- 服は前後・上下・左右がわかるように畳んでおく（図14）。

### 模擬患者と採点者

### 模擬患者

- 受験者の分析時間（1分30秒間）を確保するため，3分30秒以内ですべての行程が終わるようにする。
- ベッド上端座位で，薄手の被り服を着用して待機する。これは，重ね着をするため，服の厚みで余計な摩擦抵抗が生じるのを避けるためである。
- 座位の深さは大腿の1/2程度の位置とする（ベッドの硬さ，縁の形によって変化させてよい）。
- 靴は履かずに，足下に敷いたマットの上で動作する。待機中の座位は骨盤後傾位で，右足部は軽度内反する。
- 着衣動作は1回のみ行う。動作の所要時間は80秒程度とする。

### 採点者

- リスク管理を依頼された場合，近位監視しているものとし，実際には採点のみ実施する。

対応動画

# OSCE課題 更衣（上衣）：介入

## 設問

脳卒中右片麻痺の患者です。長袖の被り服を着る練習を行っています。先ほどまで担当療法士と，麻痺側上肢の袖通しでの麻痺側手首を袖に通す部分練習を行っていました。体幹や頸部，非麻痺側上肢の要素的な関節運動は可能ですが，いくつかの要素を組み合わせた複合動作になるとタイミングが計れず協調性に欠けた動作になるため，一連の着衣動作には誘導・補助が必要です。この患者の一連の着衣動作練習を適切な誘導・補助にて行ってください。制限時間は5分です。では，始めてください。

## 準備するもの

被り服（長袖：前身頃に柄のあるもの，伸縮性の少ない生地），治療用ベッド（端座位がとれる座面の硬いものを使用），足下用マット

## 患者情報

| 疾患・障害 | 脳卒中・右片麻痺 |
|---|---|
| 年齢・性別 | 60歳代・不問 |
| 発症後期間 | 1.5カ月 |
| BRS | 上肢：Ⅱ　手指：Ⅱ　下肢：Ⅲ |
| 筋緊張 | 大胸筋，足部内反：軽度亢進 |
| 疼痛 | 右肩関節（他動運動時） |

| 感覚 | 表在感覚：中等度鈍麻<br>深部感覚：軽度鈍麻 |
|---|---|
| 座位 | 安定 |
| 立位 | 手すりを使用して安定 |
| 理解 | 良好 |
| 表出 | 良好 |

### 上衣更衣動作の現状

体幹の前傾（骨盤直立位で股関節屈曲）や骨盤の前・後傾，頸部の回旋，関節可動域内での非麻痺側上肢の肩・頭部へのリーチ等の要素的動作は可能であるが，いくつかの要素を組み合わせた複合動作になるとタイミングが計れず協調性に欠けた動作になる。指示のみでは修正ができないため，円滑な動作には誘導・補助が必要なレベルである。

頭部を服に通そうとする際，服の把持の仕方および頭部を通すタイミングが適切でないため，麻痺側の肩に服が引っかかってしまう。病棟では肩に引っかかった服を修正してもらっている。裾を強引に下ろすため服にしわが寄ってしまい一部修正が必要である。

座位は安定しているが，骨盤は後傾しやすい。麻痺側の足部は軽度内反し，床に一部が接地している。

### 経過と目標

発症2日目にベッドサイドでのリハビリテーションを開始した。体幹筋の麻痺のために端座位が困難であったが，長座位や胡座位での床上座位練習を経て，発症後2週間で側方に手をつくことにより端座位が可能になった。発症後1カ月で側方に手をつかずに端座位保持が可能になった。発症後1.5カ月より被り服での練習を開始し，現在に至る。目標は長袖被り服の着衣動作自立である。

現在，長袖の被り服を用いて，麻痺側上肢の袖通しの部分練習をしている。部分練習の後は，一連の着衣動作の流れを確認して練習を終える。

## 課題の目標

**態度**

1．動作介入に備えた，清潔かつ安全な身なりができる。
2．患者に着衣動作練習を行う旨を説明し，了承を得ることができる。
3．患者に不快な思いをさせない（話し方，表情，振る舞い）。

**技能**

1．患者の安全に配慮しながら進めることができる。
2．着衣動作の特徴，問題箇所に気づくことができる。

3．適宜誘導・補助を行い着衣動作練習が実施できる。
4．適宜，適切なフィードバックを行うことができる。

## 手 順

1．挨拶・自己紹介を行い，2つの識別子で患者の確認を行う。
2．着衣動作練習を行う旨を患者に伝え了承を得る。
3．座位姿勢を調整する。
・足底を接地させて，安全な座位を確保する。
・患者の麻痺側に位置する。
4．患者のもっている運動能力を活用できるよう準備する。
・更衣動作に必要な要素的運動を行い身体能力を活性化する。骨盤前・後傾，左右への重心移動，骨盤後傾と上部体幹の非麻痺側への屈曲・回旋，骨盤直立と上部体幹の麻痺側への伸展・回旋，上肢リーチ，頸部の麻痺側への屈曲・回旋を誘導・補助する。
・体幹を麻痺側へ回旋させる際は，骨盤が後傾しやすくなる。骨盤を直立した状態で，非麻痺側の坐骨を中心に回旋するイメージをもつようにする。
・療法士は患者のやや後方に座り，自身の上肢を患者の非麻痺側の骨盤に添えることで，骨盤の操作が容易になる。
・患者にとってほしい姿勢を療法士がとることで，患者に接している大腿部と上肢を通して，患者の姿勢を変化させることができる。その際，療法士の上肢は，自身の動作を伝えて患者の姿勢を操作するための重要なツールになる（図17）。
5．更衣動作の誘導・補助をする。
①服を非麻痺側の大腿の上で広げ，服の形態を把握し，麻痺側の手を袖に通す準備をする
②麻痺側の手を袖に通す
・上部体幹を非麻痺側へ屈曲・回旋する動きを誘導・補助する。
③非麻痺側の手を袖に通す
・非麻痺側の手を通す際，通し方により服が引っ張られることがある。それに伴い麻痺側上肢が引っ張られてしまわないよう，療法士は麻痺側上肢を軽くおさえるとよい。最終的には服から得られる抵抗感を探索しながらの着衣を目指す。

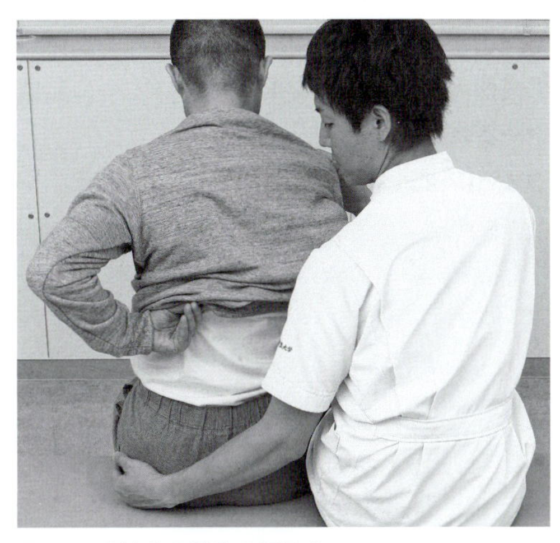

図17　療法士の動作の伝え方

図18　頭部通しの誘導・補助

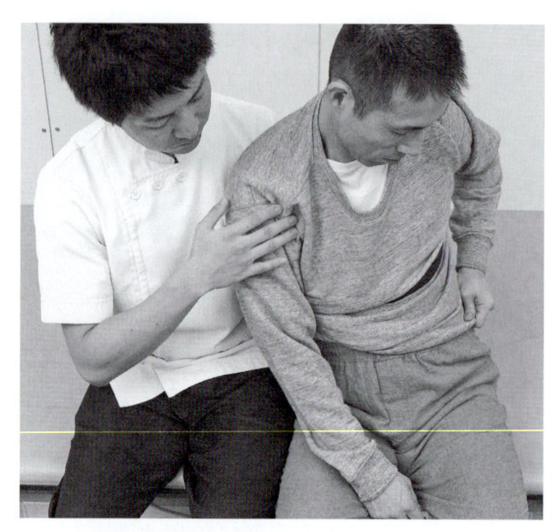

図19　裾の下ろし方

④麻痺側の上腕まで袖に通す

・非麻痺側の手で服の裾から襟ぐりをひとつかみにする。

・上部体幹を非麻痺側へ屈曲・回旋しながら，麻痺側上肢に沿うように上腕まで袖に通す動きを誘導・補助する。その際，療法士は服を把持した患者の非麻痺側手背部に軽く手を添える。

⑤頭部を服に通す

・頭部を襟ぐりに近づける際には，座位が安定するように重心を非麻痺側へ移動し，骨盤を後傾しながら頸部と上部体幹を屈曲するよう誘導・補助する（図18）。

・頭部を通す際には，骨盤を直立させながら上部体幹を麻痺側へ伸展・回旋するよう誘導・補助する。

⑥裾を下ろして服を整える

・前身頃の裾を下げる際は，骨盤を後傾し体幹を屈曲するよう誘導・補助することで，服を下ろしやすくなる。

・後身頃の裾を下げる際は，骨盤を直立にして体幹を伸展するよう誘導・補助する。

・麻痺側の裾を下ろす際は，骨盤直立位から非麻痺側坐骨に重心を乗せて頸部と体幹を立ち直らせるよう誘導・補助することで，非麻痺側の手が届きやすくなる。

・左右交互に少しずつ裾を下ろすと，無理な服の引っ張りによる筋緊張の高まりを避けられる（図19）。

・服のねじれを修正するよう誘導・補助する。

6．座位姿勢を調整する。

7．終了を伝える。

8．安全面に配慮する。

・課題全般を通して患者の姿勢に気を配り，常に安全に配慮する。

9．適宜，適切なフィードバックを行う。

・適切な内容，タイミング，量でフィードバックを行う。

## 採点基準

採点者は模擬患者に受験者の言動の適否を適宜確認して，以下の項目を採点してください。

### 1．態度

|  |  |
|---|---|
| (1) ①適切な身なりで，②明瞭な挨拶（開始時・終了時），③自己紹介ができる。 | 2点：①〜③すべてできる<br>1点：①〜③のうち2項目できる<br>0点：1項目できる<br>0点：すべてできない |
| (2) 2つの識別子で患者の確認ができる。 | 2点：2つの識別子で患者の確認ができる<br>1点：1つの識別子で患者の確認ができる<br>0点：確認ができない |
| (3) ①着衣動作の練習を行う旨を患者に伝え，②了承を得ることができる。 | 2点：①，②どちらもできる<br>1点：①のみできる<br>0点：どちらもできない |
| (4) 課題全般を通して，患者の様子（表情・姿勢・身体機能）や状況に応じた丁寧な対処（①声かけ・②触れ方・③動かし方）ができる。 | 2点：①〜③すべてできる<br>1点：①〜③のうち2項目できる<br>0点：1項目できる<br>0点：すべてできない |

### 2．技能

|  |  |
|---|---|
| (1) ①座位姿勢を適切に調整し，②患者の麻痺側に座ることができる。 | 2点：①，②どちらもできる<br>1点：①，②のどちらか一方のみできる<br>0点：どちらもできない |
| (2) 患者のもっている機能を活用できるよう適切に準備できる。 | 2点：適切に準備できる<br>1点：準備するが不十分<br>0点：準備をしない |
| (3) 患者が麻痺側の袖に手首を通すまでの過程で，骨盤と上部体幹の動きを適切に誘導・補助できる。 | 2点：適切に誘導・補助できる<br>1点：誘導・補助が過剰，もしくは不足している<br>0点：全介助にて行う<br>0点：誤った誘導・補助を行う<br>0点：誘導・補助を行わない |
| (4) 非麻痺側の手で服の裾から襟ぐりまでひとつかみにする動作を適切に誘導・補助できる。 | 2点：適切に誘導・補助できる<br>1点：誘導・補助が過剰，もしくは不足している<br>0点：全介助にて行う<br>0点：誤った誘導・補助を行う<br>0点：誘導・補助を行わない |
| (5) 非麻痺側の手で上肢に沿って上腕まで袖を引き上げる動作を適切に誘導・補助できる。 | 2点：適切に誘導・補助できる<br>1点：誘導・補助が過剰，もしくは不足している<br>0点：全介助にて行う<br>0点：誤った誘導・補助を行う<br>0点：誘導・補助を行わない |
| (6) 上部体幹を非麻痺側へ屈曲回旋し，上腕まで袖を引き上げる動作を適切に誘導・補助できる。 | 2点：適切に誘導・補助できる<br>1点：誘導・補助が過剰，もしくは不足している<br>0点：全介助にて行う<br>0点：誤った誘導・補助を行う<br>0点：誘導・補助を行わない |
| (7) 頭部を襟ぐりに近づける際，重心の非麻痺側移動，頸部屈曲，骨盤後傾と上部体幹屈曲を適切に誘導・補助できる。 | 2点：適切に誘導・補助できる<br>1点：誘導・補助が過剰，もしくは不足している<br>0点：全介助にて行う<br>0点：誤った誘導・補助を行う<br>0点：誘導・補助を行わない |
| (8) 頭部を通す際，骨盤直立と上部体幹伸展・麻痺側回旋の動きとタイミングを適切に誘導・補助できる。 | 2点：適切に誘導・補助できる<br>1点：誘導・補助が過剰，もしくは不足している<br>0点：全介助にて行う<br>0点：誤った誘導・補助を行う<br>0点：誘導・補助を行わない |

| | |
|---|---|
| (9) 裾を下ろし，服を整える動作を適切に誘導・補助できる。 | 2点：適切に誘導・補助できる<br>1点：誘導・補助が過剰，もしくは不足している<br>0点：全介助にて行う<br>0点：誤った誘導・補助を行う<br>0点：誘導・補助を行わない |
| (10) 課題を通して，受験者の視線・身構え，患者との距離を確保することで，常に患者の安全を確保できる。 | 2点：課題を通して，受験者の視線・身構え，患者との距離を確保することで，常に患者の安全を確保できる<br>0点：課題を通して，1回でも受験者の視線・身構え，患者との距離を保つことができず患者の身体に危険を感じる対応である |
| (11) 課題を通して，適宜，患者にフィードバックを行うことができる。 | 2点：内容，タイミング，量が適切である<br>1点：2項目が適切である<br>0点：内容が不適切である<br>0点：フィードバックがない<br>0点：1項目が適切である<br>0点：すべて適切でない |

## OSCE担当者確認事項

### 環境設定

・患者の足下にマットを敷いて，その上で動作をする。

・治療用ベッドの高さは，模擬患者の下腿長と同程度にあらかじめ設定して，課題中に高さを調整しなくてもよいようにする。もし，受験者が治療用ベッドの高さを変更したら，次の受験者が入室するまでに調整する。

・服は前後・上下・左右がわかるように畳んでおく（図15）。

### 模擬患者と採点者

・誘導・補助が不十分，不適切なためそれ以降の採点項目が減点となる場合は模擬患者，採点者が修正した後に試験を再開する。

・模擬患者，受験者に危険が及ぶ可能性のある場合は，採点者，模擬患者が修正した後に試験を再開する。

### 模擬患者

・患者はベッド上端座位で，薄手の被り服を着用して待機する。これは重ね着をするため，服の厚みで余計な摩擦抵抗が生じるのを避けるためである。

・座位の深さは大腿の1/2程度の（座面の修正の必要がない）位置とする。

・靴は履かずに，足下に敷いたマットの上で動作をする。

・開始時の姿勢は骨盤後傾位で，重心は軽度左坐骨荷重の状態である（図20）。

・更衣動作はp280患者情報「上衣更衣動作の現状」と対応動画参照。

・麻痺側袖に手首を通すまでの手順はわかっているが，骨盤後傾になりやすく，促されなければ上部体幹の回旋は行わない。

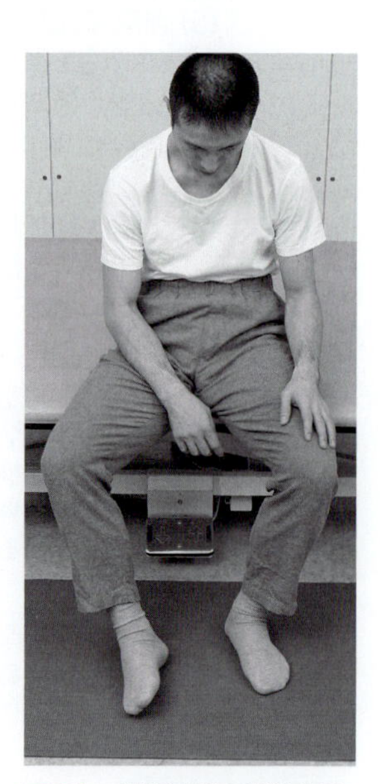

図20　模擬患者の開始姿勢

### 採点者

・被り服に身体を通す順番は，本項の解説および動画では麻痺側の手→非麻痺側の手→頭部の順で行っているが，状況に応じて麻痺側の手→頭部→非麻痺側の手の順で行った場合も誤りとはしない。

# 9 更衣（下衣）

## 1 更衣動作とは

衣服の着脱は就寝前と起床時を中心に，日常生活で1日最低2回は行う比較的頻度の高い動作である。なかでも，下衣の操作はトイレ動作の際にも行われ頻度が高くなるため，自立して下衣着脱動作ができることは日常生活での介助量の減少につながる。本項では，衣服の中でも端座位での長ズボン（ウエストがゴムで，丈が踝まであるもの）の着衣について，片麻痺者を例に解説する。

片麻痺患者の着衣動作（ズボン）は，以下の5相から成り立つ。

第1相：ズボンの準備

・ズボンを非麻痺側のベッド上に広げて準備する。

第2相：麻痺側下肢のズボン通し

・麻痺側下肢が上になるように下肢を組み，麻痺側下肢をズボンに通して下ろす。

第3相：非麻痺側下肢のズボン通し，ウエスト部分の引き上げ

・非麻痺側下肢をズボンに通す。ズボンのウエスト部分をできるだけ引き上げる。

第4相：立位でのズボンの引き上げ，衣服の修正

・ベッドから起立する。

・左右交互にリーチし，ズボンのウエスト部分を引き上げ衣服を整える。

第5相：衣服の修正

## 2 手順（片麻痺者の更衣動作）

### 1） 着衣

①座位姿勢を整える。

②ズボンをベッド上に広げ，下肢を通しやすくする。

③麻痺側が上になるよう，下肢を組む。

④麻痺側下肢をズボンに通す。

⑤組んだ麻痺側下肢を床に下ろす。

⑥非麻痺側下肢をズボンに通す。

⑦ズボンのウエスト部分を大腿まで引き上げる。

⑧起立してズボンをウエストまで引き上げ衣服を整える。

⑨着座する。

### 2） 脱衣

①立位姿勢を整える。

②ズボンをおおよそ膝の高さまで下ろす。

③着座して非麻痺側のズボンを脱ぐ。

④麻痺側が上になるように下肢を組み，麻痺側のズボンを脱ぐ。

⑤組んだ麻痺側下肢を床に下ろす。

## 3 動作のポイント

### 1）着衣

①座位姿勢

・端座位で，殿部の位置は大腿の近位1/3～1/2程度の深さで座り，足幅は両坐骨結節幅とし，膝関節を90°屈曲位で足底接地する（図1）。
・座面に深く座ると，ズボンのウエスト部分を大腿まで十分に引き上げることができず，立位姿勢での引き上げの際により下方へのリーチが必要となる。
・下腿長と同程度のベッドの高さで，膝関節を90°屈曲位で足底接地することで，その後の端座位での動作が安定しやすく，起立動作にも支障が少ない。

**臨床のコツ**

◆ベッドやマットレス等の環境により膝関節90°屈曲位での足底接地が困難な場合は，足部の下に台を設置し，足底接地させる。

②ズボンの準備

・ズボンの準備として，ズボンの形，前後・左右を確認し，患者の非麻痺側に，ズボンのウエスト部分が患者の体側に位置するよう軽く広げる（図2）。

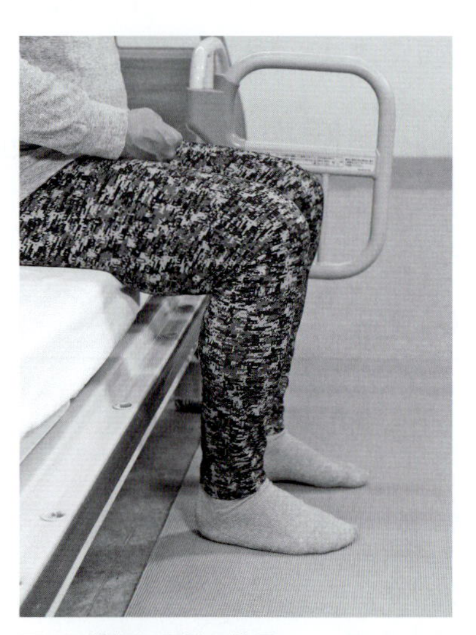

図1　適切な下肢の位置

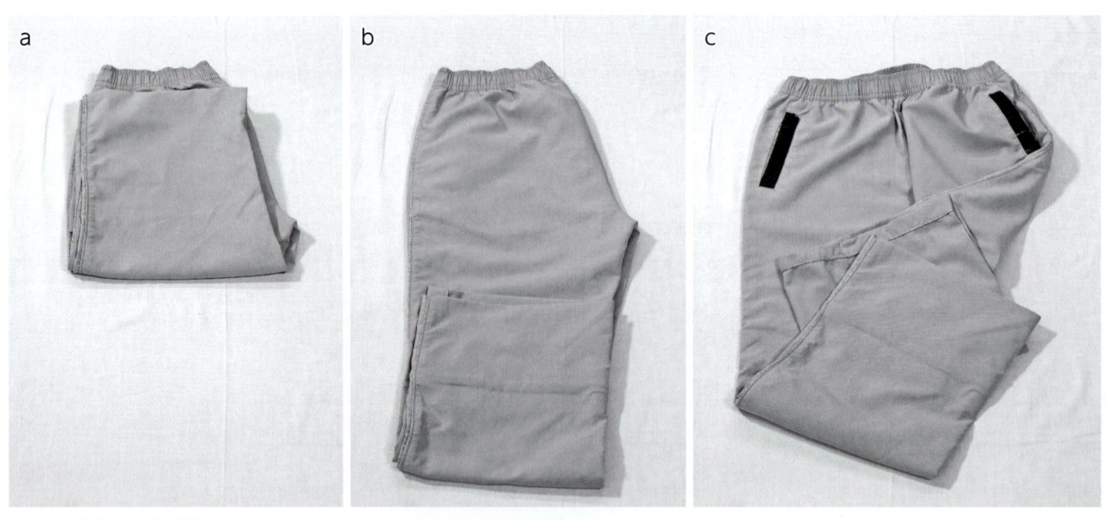


図2　ズボンの広げ方
a：図3の方法で畳んだズボン，b：三つ折に畳んだズボンを一折分広げる，c：ウエスト部分を広げる

臨床のコツ

◆ズボンの前面が内側になるよう二つ折りにし，裾から三つ折りに畳むと，ベッド上に広げる際に上下・左右がわかりやすい（図3）。

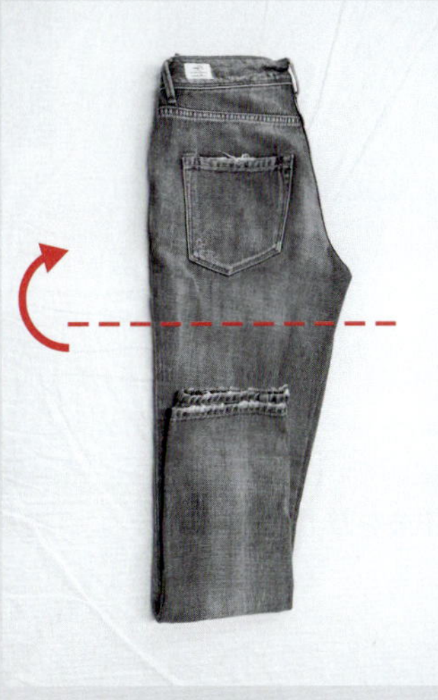

図3　ズボンの畳み方

③麻痺側下肢を非麻痺側大腿上に乗せる

・非麻痺側下肢で麻痺側下肢をすくうようにして足部を交差し，骨盤を前傾しながら前下方にある麻痺側下肢を非麻痺側上肢で把持し，非麻痺側下腿前面に沿わせながら非麻痺側大腿上まで引き上げる（図4）。足部の位置を膝よりも前方に出すことで，麻痺側下肢を大腿上まで引き上げやすくなる（図5）。非麻痺側下腿に沿わせることにより，非麻痺側上肢のみで麻痺側下肢を持ち上げるよりも努力性の動作にならず容易に下肢を大腿に乗せることができる。
・骨盤を直立位に保ちながら非麻痺側足部を手前に引き，つま先立ち位（図6）になることで，麻痺側下肢の落下を防ぐ。

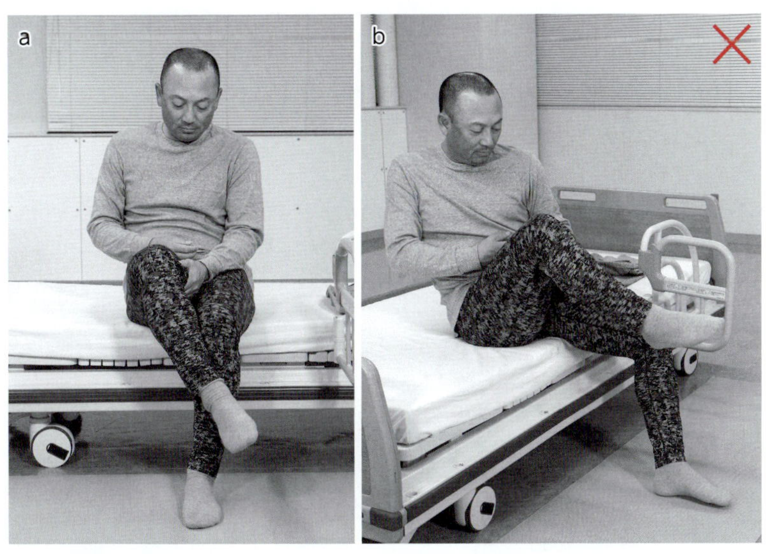


図4　麻痺側下肢の引き上げ方
a：非麻痺側下肢を動作のガイドとし，それに沿って非麻痺側上肢で麻痺側下肢を引き上げる。
b：非麻痺側上肢のみで持ち上げると努力性の動作となり，バランスも崩しやすい。

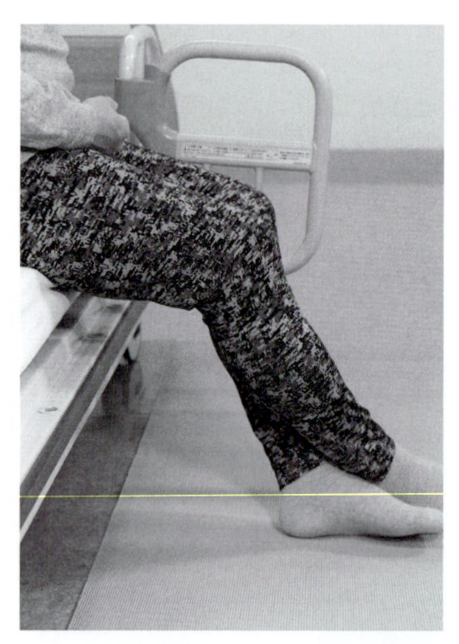

図5　非麻痺側下肢をガイドにするための肢位

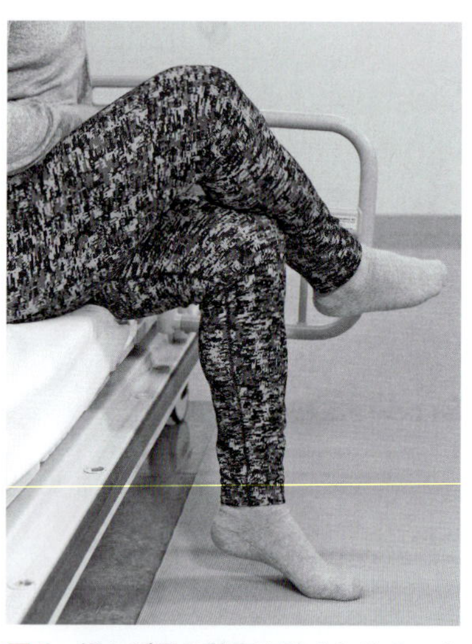

図6　組んだ足の落下を防ぐためのつま先立ち位

**臨床のコツ**

◆大腿上に麻痺側下肢を組むことが困難な場合には，足部を組む方法（図7）や，麻痺側大腿をベッド上に乗せる方法（図8）もある。

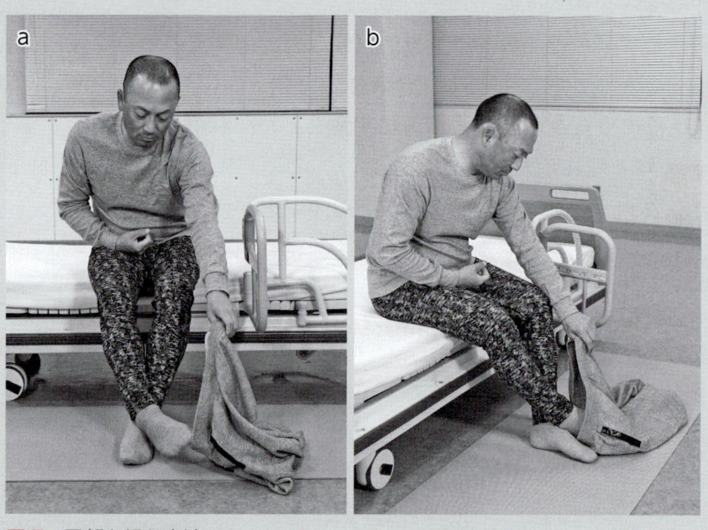

図7　足部を組む方法

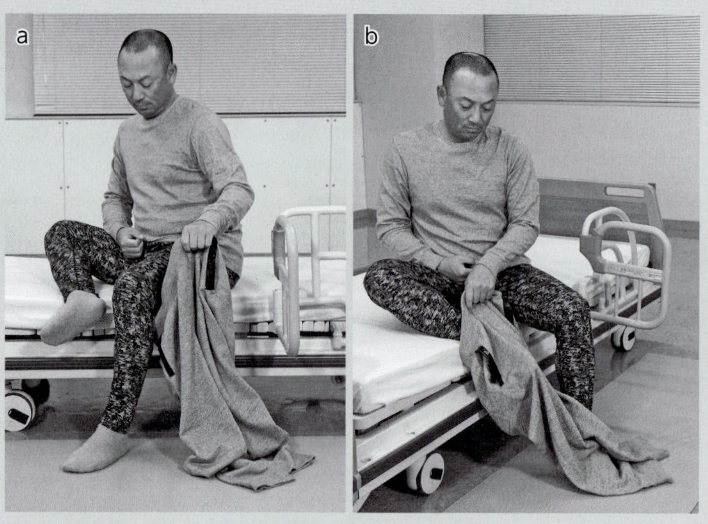

図8　麻痺側大腿をベッド上に乗せる方法

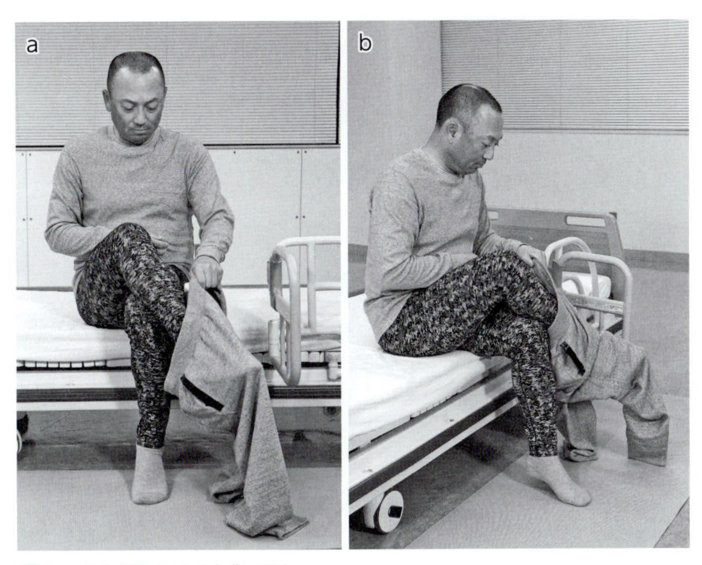


図9 麻痺側下肢のズボン通し

④麻痺側下肢のズボン通し

・非麻痺側の手でズボンの非麻痺側のウエスト部分を把持し，麻痺側足部にズボンを通す（図9）。ズボンの非麻痺側のウエスト部分を把持すると，麻痺側のズボンが下垂し，麻痺側足部を通しやすくなるため，前下方へのリーチ動作がわずかですむ。

・膝下付近までウエスト部分を引き上げ，裾から足部が出たら組んだ下肢を床に下ろす。ズボンから足部を十分に出すと，麻痺側下肢を床に下ろした際にズボンの裾を踏まないですむ。

**臨床のコツ**

◆足をズボンに通す際は，ズボンの引き上げとともに骨盤や体幹が後傾しやすく，それに伴い共同運動パターンも助長されやすい。骨盤直立位で行うことで，共同運動パターンを防ぐことができる。

◆麻痺側足部を非麻痺側大腿の上に乗せると，ズボンを通す際に，足部を裾から出すことが困難になる場合がある（図10）。しかし，可動域制限や筋緊張異常により足部を乗せることで自立度が高まる場合もある。

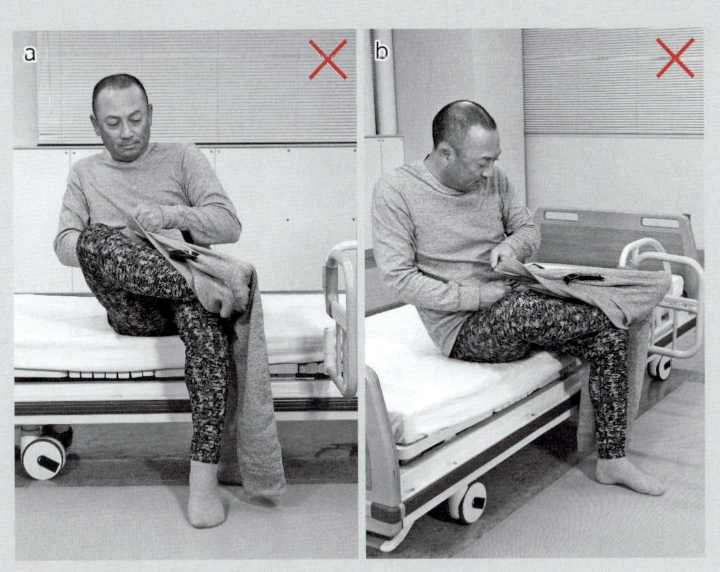


図10 麻痺側足部の位置が不適切な例

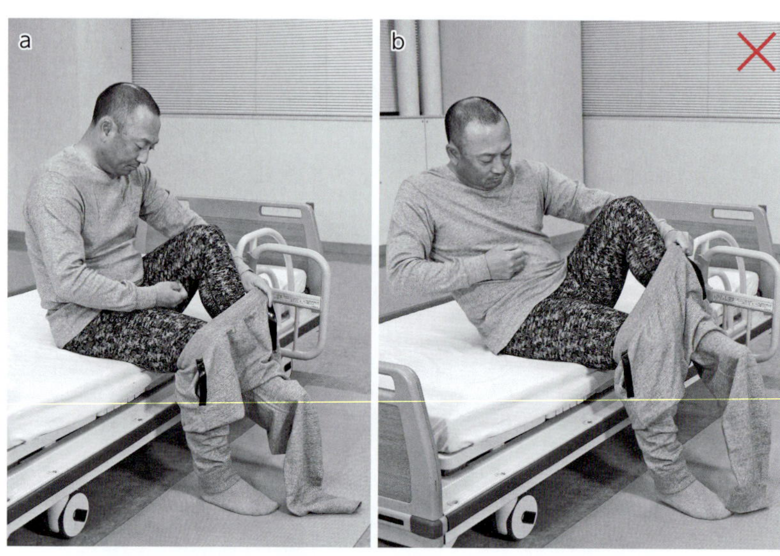


**図11　非麻痺側下肢のズボン通し**
a：骨盤を後傾させ，脊柱を丸めることにより安定した座位での非麻痺側下肢の挙上
b：体幹が後傾し，不安定な座位での非麻痺側下肢の挙上

⑤組んだ麻痺側下肢を下ろす
・通したズボンを把持したまま，手前に引いていた非麻痺側足部を前方へ出し，非麻痺側下肢上を滑らせるようにして麻痺側下肢を床へ下ろし足底接地させる。
⑥非麻痺側下肢のズボン通し
・非麻痺側股関節を屈曲して下肢を挙上し，非麻痺側足部をズボンに通す。この際，骨盤を後傾し体幹を屈曲することで座位バランスの安定を図ることができる（図11）。
⑦大腿までズボンを引き上げる
・ウエスト部分を両大腿まで十分に引き上げる。ズボンのウエスト部分を両大腿まで十分引き上げておくことで，立位になった際に下方リーチ動作を最小限に抑えることができる。
⑧ベッドから起立する（p164「起立・着座」参照）
・足幅（両第2中足骨間の距離）を両坐骨結節間の距離とし，踵が浮かない程度に足部を引き寄せる。
・骨盤直立位で，頭部と体幹を前方に移動し離殿する。離殿後は膝・股関節を同時に伸展して上方へ重心を移動し，起立する。
・非麻痺側優位の荷重で立ち上がると，共同運動パターンが増強し，その後のリーチ動作の妨げとなる。
⑨立位でのズボンの引き上げ
・ズボンを左右交互にウエストまで十分に引き上げる。
・体幹・骨盤を回旋しながら，非麻痺側の手でズボンのウエスト部分にリーチし，左右交互にウエストまでズボンを引き上げる。支持基底面内に重心を保ちながら，動作性急にならないようゆっくり行う。過剰な重心移動は，バランスを崩し動作の妨げとなるため注意する。
⑩着座し，座位姿勢を整える。
・支持基底面内に重心を保ちながら，頸部，体幹，股関節と膝関節を屈曲，足関節を背屈して重心を下方へ移動し，座面に大腿後面が触れた後，体幹を起こして殿部に重心を移動し着座する。
・大腿近位1/3～1/2程度が座面に乗るのを目安に殿部を座面に下ろす。

## 4 練習の組み立て方(課題難易度に影響する要素)

### 1) ズボンの形状

- 丈の短いものの方が着脱を容易にする。丈が短いことで，裾を踏んでしまうことを避けられる。
- ウエスト部分がゴム素材であると非麻痺側下肢を通しやすい。一方，ウエスト部分に伸縮性がないと非麻痺側下肢を通すのが難しくなる。また，スラックスやジーンズのようにウエスト部分をファスナーやボタンで開閉するタイプは，片手動作の難度が高くなる。
- 身体にフィットするサイズやデザインよりも，ゆとりのあるものが練習初期には導入しやすい。

### 2) ズボンの素材

- スウェットやデニムなどの分厚い布地は，片手での把持操作が難しいため，難度が高くなる。布地は厚過ぎないものが，練習に用いやすい。

### 3) ズボンの置き方

- ズボンを畳んだ状態(図3)から練習を開始すると，前後・上下・左右を判別しやすい。

### 4) 誘導・補助の量

- 患者の能力に応じて誘導・補助の量は適切に調整する。難度の高い類似課題に移行した際には一時的に誘導・補助の量を増やすことがある。

### 5) 練習の組み立て方の一例(図12)

- ウエスト部分がゴム素材のズボンでの更衣自立を目指すが，練習開始段階では実施困難な症例における練習の組み立て方の一例を示す。

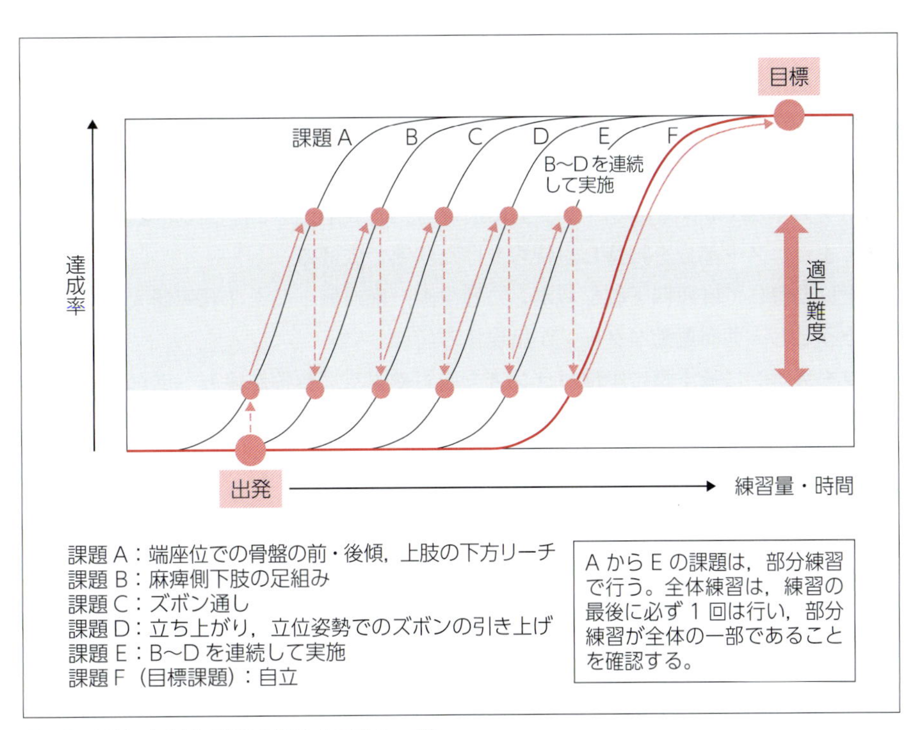


図12 更衣(下衣)練習の組み立て方の一例

# OSCE課題 更衣（下衣）：分析

対応動画

## 設問

脳梗塞右片麻痺の患者です。下衣の着脱はベッド上端座位にて自己流で行っています。この患者のズボンの着衣動作を観察し，分析結果を採点者に説明してください。今回は患者への説明は省きます。採点者への説明は動作終了後に行ってください。環境や姿勢，動作の修正に関する指示はしないでください。なお，リスク管理は採点者に依頼してください。制限時間は5分です。では，始めてください。

注1）採点者は実際には近位監視でのリスク管理を行いませんが，課題を始めてください。
注2）メモを取りながら観察してかまいません。

## 準備するもの

ギャッチベッド（L字柵），ズボン（ウエスト部分がゴム素材で，丈が踝まであるもの），足下用マット，ペン，メモ用紙

注）ペンとメモ用紙は受験者が準備したものを使用することを許可します。

## 患者情報

| 疾患・障害 | 脳梗塞・右片麻痺 |
|---|---|
| 年齢・性別 | 70歳代・不問 |
| 発症後期間 | 2カ月 |
| BRS | 上肢：Ⅲ　手指：Ⅲ　下肢：Ⅲ |
| 筋緊張 | 上腕二頭筋，下肢伸筋：軽度亢進 |
| 疼痛 | 右肩関節 |
| 感覚 | 表在感覚，深部感覚：軽度鈍麻 |

| 座位 | 可能（大きな重心移動ではバランスを崩す可能性あり） |
|---|---|
| 立位 | 可能（大きな重心移動ではバランスを崩す可能性あり），荷重は非麻痺側優位 |
| 立ち上がり | 可能，荷重は非麻痺側優位 |
| 理解 | 良好 |
| 表出 | 良好 |

### 事例

**ズボンに通す際，麻痺側下肢を空中に持ち上げ，共同運動パターンを増強させる事例**

- ズボンの準備（非麻痺側のベッド上に広げる）は，自己流で行っている。前後・左右の確認が不十分なままウエスト部分を把持し，持ち上げた状態で広げる。
- 端座位姿勢にて麻痺側下肢をズボンに通す際，麻痺側下肢を非麻痺側大腿上に組まず高く持ち上げて通そうとし，共同運動パターンが出現する。
- 下肢をズボンに通す際に座位バランスを崩しやすく，体幹が後方へ倒れた状態で行おうとする。
- 足部内反位となり，麻痺側の足底接地ができない。
- 非麻痺側優位の荷重で立ち上がり，ズボンの引き上げの際に麻痺側へのリーチが不十分なため，麻痺側殿部のズボンの引き上げが不十分となる。
- 非麻痺側優位の荷重のまま着座する。

## 課題の目標

**態度**

1. 動作分析に備えた，清潔かつ安全な身なりができる。
2. 患者に着衣動作の観察を行う旨を説明し，了承を得ることができる。
3. 患者に不快な思いをさせない（話し方，表情，振る舞い）。

**技能**

1. 患者の安全に配慮しながら進めることができる。
2. 問題点を含めた着衣動作の特徴を説明することができる。
3. わかりやすく簡潔な報告ができる。

## 手順

1．挨拶・自己紹介を行い，2つの識別子で患者の確認を行う。
2．着衣動作の観察を行う旨を患者に伝え了承を得る。
3．安全面に配慮する。
　・本課題では採点者にリスク管理を依頼する。
4．動作環境を確認する。
　・ズボンの着衣に適したベッドの高さ，ベッド柵の固定具合かを確認する。
5．座位姿勢を観察する。
6．動作開始の合図をし，ズボンを渡す。
7．適切な位置で観察する。
　・矢状面，前額面から適宜視点を変えながら観察する。患者に近づき過ぎて動作を阻害しないように注意する。
8．着衣動作を観察する。
　①ズボンの形態，ズボンを置く位置と向き，広げ方を確認する
　・ズボンの前後，裾やウエストの位置を目視で確認する。
　②麻痺側下肢を持ち上げる動作を確認する
　・骨盤と体幹の状態，下肢の状態，共同運動パターンの出現の有無を確認する。
　③麻痺側下肢をズボンに通す動作を確認する
　・左右どちらの下肢からスボンに通すかを確認する。
　・ズボンの非麻痺側のウエスト部分を把持し，裾から足部が出るまでズボンを引き上げる動作を確認する。
　・骨盤と体幹の状態を確認する。
　④非麻痺側下肢をズボンに通す動作を確認する
　・骨盤と体幹の状態，下肢の状態，共同運動パターンの出現の有無を確認する。
　⑤座位でのズボンを引き上げる動作を確認する
　・ウエスト部分の引き上げを十分に行えているかを確認する。
　⑥起立動作を確認する
　・起立動作時の重心の位置を確認する。
　⑦立位でのズボンを引き上げる動作を確認する
　・ウエスト部分の引き上げを十分に行えているかを確認する。
　・立位時の重心の位置を確認する。
9．着座動作を観察する。
　・荷重や重心移動，ベッド柵の使用について確認する。
10．終了を伝える。
11．着衣動作の特徴について分析結果を述べる。
　・観察結果に基づき，動作環境の調整や動作練習など，介入が必要となりうる問題点について分析する。
　例：座位での着衣動作で麻痺側の足を高く持ち上げて下肢の屈筋共同運動パターンが増強されたため，非麻痺側優位での立ち上がりとなり，立位姿勢が不安定となっていた。また，立位にて麻痺側殿部に十分なリーチができなかったため，ズボンを最後まで引き上げることができなかった。

## 採点基準

採点者は模擬患者に受験者の言動の適否を適宜確認して，以下の項目を採点してください。

### 1．態度

|  |  |
| --- | --- |
| (1) ①適切な身なりで，②明瞭な挨拶（開始時・終了時），③自己紹介ができる。 | 2点：①～③すべてできる<br>1点：①～③のうち2項目できる<br>0点：1項目できる<br>0点：すべてできない |
| (2) 2つの識別子で患者の確認ができる。 | 2点：2つの識別子で患者の確認ができる<br>1点：1つの識別子で患者の確認ができる<br>0点：確認ができない |
| (3) ①着衣動作の観察を行う旨を患者に伝え，②了承を得ることができる。 | 2点：①，②どちらもできる<br>1点：①のみできる<br>0点：どちらもできない |
| (4) 課題全般を通して，患者の様子（表情・姿勢・身体機能）や状況に応じた丁寧な対処（①声かけ・②触れ方・③動かし方）ができる。 | 2点：①～③すべてできる<br>1点：①～③のうち2項目できる<br>0点：1項目できる<br>0点：すべてできない |

### 2．技能

|  |  |
| --- | --- |
| (1) 患者が動作を始める前に採点者にリスク管理を依頼できる。 | 2点：患者が動作を始める前に採点者にリスク管理を依頼できる<br>1点：患者が動作を始めてから採点者にリスク管理を依頼する<br>0点：リスク管理を採点者に依頼しない |
| (2) 矢状面，前額面を含めた適切な視点から，患者の動作を阻害しない距離で観察できる。 | 2点：矢状面，前額面を含めた適切な視点から，患者の動作を阻害しない距離で観察できる<br>1点：視点を変えて観察できるが，矢状面，前額面のいずれかからの観察ができない<br>0点：矢状面，前額面ともに観察できない<br>0点：1点からのみの観察となる<br>0点：患者との距離が近く，動作を阻害する |
| (3) ①ベッドの高さ，②ベッド柵の固定具合について確認できる。 | 2点：①，②どちらも観察できる<br>1点：①，②のどちらか一方のみ観察できる<br>0点：どちらも観察できない |
| (4) 開始姿勢（座位姿勢）について観察できる。 | 2点：開始姿勢（座位姿勢）について観察できる<br>1点：観察が不十分<br>0点：観察が誤っている<br>0点：観察ができない |
| (5) ①ズボンの形態の確認，②ズボンを置く位置，③向き，④広げ方について観察できる。 | 2点：①～④すべて観察できる<br>1点：①～④のうち2～3項目観察できる<br>0点：1項目できる<br>0点：すべてできない |
| (6) 麻痺側下肢を持ち上げる際の，①骨盤と体幹の状態，②下肢の状態，③共同運動パターンの出現について観察できる。 | 2点：①～③すべて観察できる<br>1点：①～③のうち2項目観察できる<br>0点：1項目できる<br>0点：すべてできない |
| (7) 麻痺側下肢をズボンに通す際の，①骨盤と体幹の状態，②非麻痺側の手で把持する場所，③引き上げる範囲について観察できる。 | 2点：①～③すべて観察できる<br>1点：①～③のうち2項目観察できる<br>0点：1項目できる<br>0点：すべてできない |
| (8) 非麻痺側下肢をズボンに通す際の，①骨盤と体幹の状態，②下肢の状態，③共同運動パターンについて観察できる。 | 2点：①～③すべて観察できる<br>1点：①～③のうち2項目観察できる<br>0点：1項目できる<br>0点：すべてできない |

| | |
|---|---|
| (9) 座位姿勢でのウエスト部分の引き上げについて観察できる。 | 2点：座位姿勢でのウエスト部分の引き上げについて観察できる<br>1点：観察が不十分<br>0点：観察が誤っている<br>0点：観察ができない |
| (10) 起立動作について観察できる。 | 2点：起立動作について観察できる<br>1点：観察が不十分<br>0点：観察が誤っている<br>0点：観察ができない |
| (11) 立位での，①ズボンを引き上げる範囲，②重心の位置について観察できる。 | 2点：①，②どちらも観察できる<br>1点：①，②のどちらか一方のみ観察できる<br>0点：どちらも観察できない |
| (12) 着座動作について観察できる。 | 2点：着座動作について観察できる<br>1点：観察が不十分<br>0点：観察が誤っている<br>0点：観察ができない |
| (13) 終了姿勢(座位姿勢)について観察できる。 | 2点：終了姿勢(座位姿勢)について観察できる<br>1点：観察が不十分<br>0点：観察が誤っている<br>0点：観察ができない |
| (14) 着衣動作について分析できる。 | 2点：分析できる<br>1点：分析できるが不十分<br>0点：分析が誤っている<br>0点：分析ができない |

## OSCE担当者確認事項

### 環境設定

・患者の足下にマットを敷いておく。
・ベッドの高さは模擬患者の下腿長と同程度とする。
・ベッド柵を固定しておく。
・ズボンは前後・上下・左右がわかるように畳んでおく(図3)。

### 模擬患者と採点者

### 模擬患者

・受験者の分析時間(1分30秒間)を確保するため，3分30秒以内で動作が終わるようにする。
・服装は，着衣動作を阻害しない素材や形状の薄手のズボンまたはスパッツを着用しているものとし，靴は脱いでおく。
・課題開始時にベッド上に端座位(適切な殿部の位置)で待機する。待機中の座位は骨盤後傾位で，右足部は軽度内反する。
・着衣動作は1回のみ行う。動作の所要時間は1分50秒程度とする。

### 採点者

・リスク管理を依頼された場合，近位監視しているものとし，実際には採点のみ実施する。

対応動画

# OSCE課題　更衣(下衣)：介入

## 設問

脳梗塞右片麻痺の患者です。ベッド上端座位でバランスを崩しやすいものの，ズボンの着脱動作は可能です。着衣動作の特徴として，座位保持では重心移動時にバランスを崩しやすく，起立動作・立位保持は非麻痺側優位となりやすい状態です。動作に伴う座位バランスの崩れを防止し，両側への荷重を促しながら立ち上がり，立位でズボンを引き上げられるよう，この患者に対し適切な誘導・補助を行いながら，ズボンの着衣動作練習を行ってください。制限時間は5分です。では，始めてください。

## 準備するもの

ギャッチベッド(L字柵)，ズボン(ウエスト部分がゴム素材で，丈が踝まであるもの)，足下用マット

## 患者情報

| 疾患・障害 | 脳梗塞・右片麻痺 |
|---|---|
| 年齢・性別 | 70歳代・不問 |
| 発症後期間 | 8週 |
| BRS | 上肢：Ⅲ　手指：Ⅲ　下肢：Ⅲ |
| 筋緊張 | 下腿三頭筋：軽度亢進 |
| 疼痛 | 右肩関節 |
| 感覚 | 表在感覚，深部感覚：軽度鈍麻 |

| 座位 | 安定(大きな重心移動ではバランスを崩す可能性あり) |
|---|---|
| 立位 | 安定(大きな重心移動ではバランスを崩す可能性あり)，荷重は非麻痺側優位 |
| 立ち上がり | 監視(重心が偏位しやすい。過度の荷重により膝折れする) |
| 理解 | 良好 |
| 表出 | 良好 |

### 下衣更衣動作の現状

体幹の前傾，骨盤の前・後傾，非麻痺側上肢の下方へのリーチ等の要素的動作は可能であるが，持続性に乏しい。いくつかの要素を組み合わせた複合的動作になると，タイミングが計れず協調性に欠けた動作となる。口頭指示のみでの修正は困難なため，誘導・補助が必要となる。

麻痺側下肢を組みズボンを通す際に努力性の動作となり，筋緊張が亢進し，共同運動パターンを強めてしまう。また，下肢を組んだ状態を保持しきれずに落下してしまう。

非麻痺側下肢をズボンに通す動作については，麻痺側の足底接地が不十分なため，不安定な座位姿勢での動作となる。骨盤，体幹，非麻痺側下肢，非麻痺側上肢を協調的に動かすことができない。

起立動作，立位動作，着座動作は麻痺側優位の荷重となりやすい。また，立位でのウエスト部分の引き上げは，麻痺側および下方へのリーチが不十分となり，ウエストまでズボンを引き上げることが難しい。

現在，いくつかの要素を組み合わせた複合的動作を協調的に行い，各要素的動作時の骨盤の保持に誘導・補助が必要である。また，両下肢支持での起立動作や立位姿勢での着衣動作を練習している。

### 経過と目標

発症後3日目にベッドサイドでのリハビリテーションが開始し，発症後3週目にリハビリテーション室に移行となり，同時に起居動作練習，座位練習，起立動作練習が開始された。これらの動作の安定に伴い，自宅退院に向けさらなるADLの自立を目指し，練習を行っている。

今後，退院後の在宅生活で主に着用するゆとりのあるズボンを，監視なしで安全に履けるようになることを目指す。

## 課題の目標

**態度**

1．動作の介入に備えた，清潔かつ安全な身なりができる。
2．患者に着衣動作練習を行う旨を説明し，了承を得ることができる。
3．患者に不快な思いをさせない(話し方，表情，振る舞い)。

技能

1. 患者の安全に配慮しながら進めることができる。
2. 着衣動作の特徴，問題箇所に気づき，説明することができる。
3. 適宜誘導・補助を行いズボンの着衣動作練習が実施できる。
4. 適宜，適切なフィードバックを行うことができる。

## 手順

1. 挨拶・自己紹介を行い，2つの識別子で患者の確認を行う。
2. 着衣動作練習を行う旨を患者に伝え了承を得る。
3. 座位姿勢を調整する。
   - ・殿部や足部の位置，ベッドの高さを調整する。
   - ・ベッド柵の固定具合を確認し，必要に応じて調整する。
4. 患者のもっている運動能力を活用できるよう準備する。
   - ・骨盤の前・後傾，上肢の下方リーチ，非麻痺側下肢の挙上を患者とともに行う。
   - ・患者の麻痺側に密着して座り，療法士の前腕を用いて患者の体幹と骨盤の動きを誘導する。
5. 着衣動作の誘導・補助をする。
   - ・療法士は患者の麻痺側に密着し（図13），患者の着衣動作に合わせてともに動きながら誘導・補助する。その際，過剰な誘導・補助とならないように注意する。

   ①麻痺側下肢を通す準備
   - ・患者にズボンを渡し，ズボンをベッド上に置いて広げ前後・上下・左右を確認させ，麻痺側下肢を通す準備をするよう誘導・補助する。

   ②麻痺側下肢を非麻痺側大腿の上に組む
   - ・非麻痺側下肢で麻痺側下肢をすくうようにして足部を交差し，非麻痺側の手で麻痺側下肢を把持し，非麻痺側下腿前面に沿わせながら麻痺側下肢を大腿の上に組む。このとき，体幹と骨盤が後傾しないように誘導・補助する。
   - ・非麻痺側足部を手前に引きつま先立ち位にすることで，麻痺側下肢が落下しないように誘導・補助する。

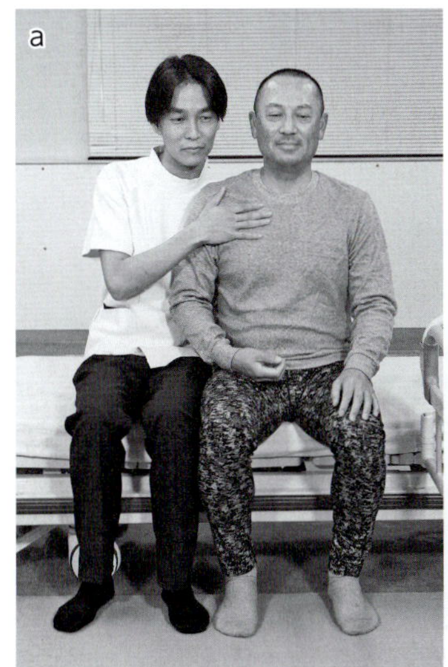

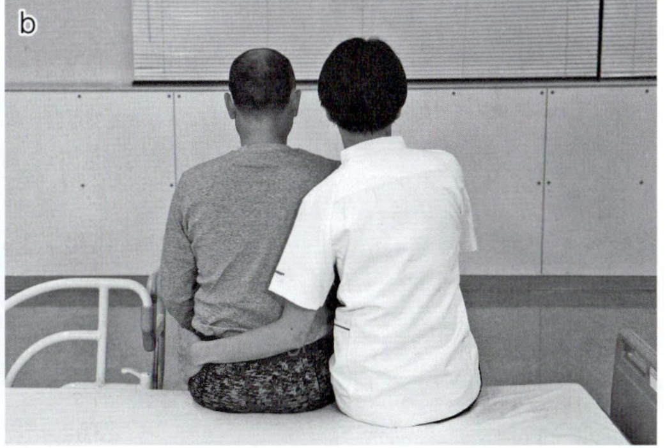


図13　療法士の位置

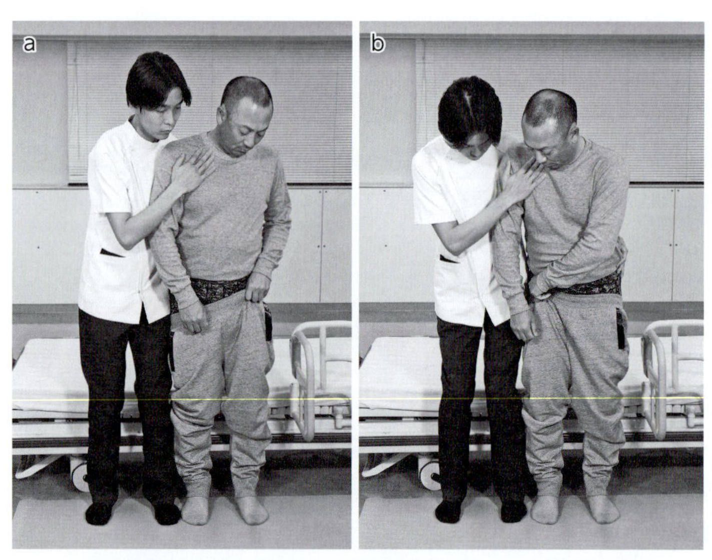


**図14　立位姿勢でのズボンの引き上げ時の左右・上下への誘導・補助**
a：非麻痺側へ体幹と骨盤を回旋させ，非麻痺側のウエスト部分を引き上げる
b：麻痺側へ体幹と骨盤を回旋させ，麻痺側のウエスト部分を引き上げる

③麻痺側下肢をズボンに通す

・非麻痺側の手でズボンの非麻痺側のウエスト部分を把持し，膝下付近までズボンを引き上げ，裾から足部を出す。非麻痺側下肢を滑らせるようにして麻痺側下肢を床に下ろし足底接地させるまでの動きを誘導・補助する。

・麻痺側下肢をズボンに通す際には，骨盤が後傾しやすいため，直立位に保持できるよう誘導・補助する。

④非麻痺側下肢をズボンに通す

・骨盤を後傾し，非麻痺側股関節を屈曲して下肢を挙上する動きを誘導・補助する。

⑤大腿までズボンを引き上げる

・足部が裾から出ていることを確認し，ウエスト部分を両大腿まで十分に引き上げるよう誘導・補助する。

⑥起立する

・足底接地，適切な足幅，足部の引き寄せを指示し，療法士は患者と密着したまま立ち上がるよう誘導・補助する。

⑦立位にてズボンを引き上げる

・非麻痺側の手がウエスト部分にリーチしやすいよう，体幹・骨盤の回旋を伴うように誘導・補助する（図14）。左右交互にウエスト部分を十分に引き上げ，動作が性急にならずにゆっくり行うよう誘導・補助する。

**6．着座させ，座位姿勢を調整する。**

・患者と密着したまま，着座動作を誘導・補助する。

**7．終了を伝える。**

**8．安全面に配慮する。**

・課題全般を通して患者の姿勢に気を配り，常に安全に配慮する。

**9．適宜，適切なフィードバックを行う。**

・適切な内容，タイミング，量でフィードバックを行う。

## 採点基準

採点者は模擬患者に受験者の言動の適否を適宜確認して，以下の項目を採点してください。

### 1．態度

|  |  |
|---|---|
| (1) ①適切な身なりで，②明瞭な挨拶（開始時・終了時），③自己紹介ができる。 | 2点：①～③すべてできる<br>1点：①～③のうち2項目できる<br>0点：1項目できる<br>0点：すべてできない |
| (2) 2つの識別子で患者の確認ができる。 | 2点：2つの識別子で患者の確認ができる<br>1点：1つの識別子で患者の確認ができる<br>0点：確認ができない |
| (3) ①着衣動作の練習を行う旨を患者に伝え，②了承を得ることができる。 | 2点：①，②どちらもできる<br>1点：①のみできる<br>0点：どちらもできない |
| (4) 課題全般を通して，患者の様子（表情・姿勢・身体機能）や状況に応じた丁寧な対処（①声かけ・②触れ方・③動かし方）ができる。 | 2点：①～③すべてできる<br>1点：①～③のうち2項目できる<br>0点：1項目できる<br>0点：すべてできない |

### 2．技能

|  |  |
|---|---|
| (1) ①座位姿勢を適切に調整し，②患者の麻痺側に座ることができる。 | 2点：①，②どちらもできる<br>1点：①，②のどちらか一方のみできる<br>0点：どちらもできない |
| (2) ①適切にベッドの高さを調整し，②ベッド柵の固定具合を確認できる。 | 2点：①，②どちらもできる<br>1点：①，②のどちらか一方のみできる<br>0点：どちらもできない |
| (3) 患者のもっている機能を活用できるよう，適切に準備を行うことができる。 | 2点：適切に準備を行うことができる<br>1点：準備を行うが不十分<br>0点：準備を行わない |
| (4) 麻痺側下肢を非麻痺側下肢の上に組む動作を適切に誘導・補助できる。 | 2点：適切に誘導・補助できる<br>1点：誘導・補助が過剰，もしくは不足している<br>0点：全介助にて行う<br>0点：誤った誘導・補助を行う<br>0点：誘導・補助を行わない |
| (5) 麻痺側下肢をズボンに通す動作を適切に誘導・補助できる。 | 2点：適切に誘導・補助できる<br>1点：誘導・補助が過剰，もしくは不足している<br>0点：全介助にて行う<br>0点：誤った誘導・補助を行う<br>0点：誘導・補助を行わない |
| (6) 麻痺側下肢を床に下ろす動作を適切に誘導・補助できる。 | 2点：適切に誘導・補助できる<br>1点：誘導・補助が過剰，もしくは不足している<br>0点：全介助にて行う<br>0点：誤った誘導・補助を行う<br>0点：誘導・補助を行わない |
| (7) 非麻痺側下肢をズボンに通す動作を適切に誘導・補助できる。 | 2点：適切に誘導・補助できる<br>1点：誘導・補助が過剰，もしくは不足している<br>0点：全介助にて行う<br>0点：誤った誘導・補助を行う<br>0点：誘導・補助を行わない |
| (8) 座位姿勢でズボンのウエスト部分を大腿まで十分に引き上げる動作を適切に誘導・補助できる。 | 2点：適切に誘導・補助できる<br>1点：誘導・補助が過剰，もしくは不足している<br>0点：全介助にて行う<br>0点：誤った誘導・補助を行う<br>0点：誘導・補助を行わない |

| | |
|---|---|
| (9) ①起立動作，②着座動作を適切に誘導・補助できる。 | 2点：①，②どちらも誘導・補助できる<br>1点：①，②のどちらか一方のみ誘導・補助できる<br>0点：どちらも誘導・補助できない |
| (10) 立位姿勢での体幹・骨盤回旋を適切に誘導・補助できる。 | 2点：適切に誘導・補助できる<br>1点：誘導・補助が過剰，もしくは不足している<br>0点：全介助にて行う<br>0点：誤った誘導・補助を行う<br>0点：誘導・補助を行わない |
| (11) ズボンを引き上げるスピードを適切に誘導・補助できる。 | 2点：適切に誘導・補助できる<br>1点：誘導・補助が過剰，もしくは不足している<br>0点：全介助にて行う<br>0点：誤った誘導・補助を行う<br>0点：誘導・補助を行わない |
| (12) 課題を通して，受験者の視線・身構え，患者との距離を確保することで，常に患者の安全を確保できる。 | 2点：課題を通して，受験者の視線・身構え，患者との距離を確保することで，常に患者の安全を確保できる<br>0点：課題を通して，1回でも受験者の視線・身構え，患者との距離を保つことができず患者の身体に危険を感じる対応である |
| (13) 課題を通して，適宜，患者にフィードバックを行うことができる。 | 2点：内容，タイミング，量が適切である<br>1点：2項目が適切である<br>0点：内容が不適切である<br>0点：フィードバックがない<br>0点：1項目が適切である<br>0点：すべて適切でない |

## OSCE担当者確認事項

### 環境設定

・患者の足下にマットを敷いて，その上で動作をする。
・治療用ベッドの高さは模擬患者の下腿長よりやや高い程度とする。受験者がベッドの高さを変更したら，次の受験者が入室するまでに調整する。
・服は前後・上下・左右がわかるように畳んでおく（図3）。

### 模擬患者と採点者

・誘導・補助が不十分，不適切なためそれ以降の採点項目が減点となる場合は，模擬患者，採点者が修正した後に試験を再開する。
・模擬患者，受験者に危険が及ぶ可能性がある場合は，採点者，模擬患者が修正した後に試験を再開する。

### 模擬患者

・服装は，着衣動作を阻害しない素材や形状のものとし，靴は脱いでおく。
・課題開始時はベッド上に端座位（適切な殿部の位置）で待機する。待機中の座位は骨盤後傾位で，右足部は軽度内反する（図15）。
・ズボンの着衣動作はp296患者情報「下衣更衣動作の現状」と対応動画参照。

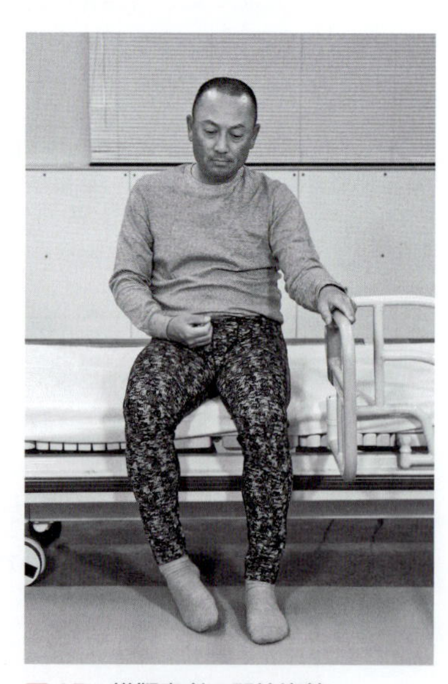

図15 模擬患者の開始姿勢

# おわりに

わが国で理学療法士や作業療法士（以下，療法士）が誕生してからの半世紀の間，医学・医療に関連する技術は飛躍的に発展してきました。リハビリテーション医療においては，療法士による先進的な評価や治療を支援するための，情報伝達やロボットの技術を用いたさまざまな機器の導入と活用が進んでいます。加えて，医学・医療に対する時代の要請も変化しており，医療・福祉の現場における役割の拡大と多様化が進んでいます。特に，わが国は超高齢化社会に突入しており，厚生労働省によって地域包括ケアシステムの構築が推進されるなど，その要請に応じて療法士の職域は大きな広がりをみせています。そのような社会情勢の変化に伴い，われわれ療法士はより一層の幅広い専門知識と先端医療に対応する高度な技術，高いコミュニケーション能力やチーム医療を遵守できる協調性が求められるようになってきています。

高度なリハビリテーション医療を提供できる療法士になるためには，その初学の段階において，基盤・根幹となる基礎的な知識，技術，態度の習得が必須となることはいうまでもありません。リハビリテーション医療における療法士の役割は明確です。患者に直に接して，運動・行動を誘導・補助することで治療効果を得るという立場です。リハビリテーション医療における医師の処方の多くは，療法士に対する治療の指示です。療法士はこの処方に基づき，患者の治療プログラムを立てて実施します。したがって，療法士は実際に患者に直接的に影響を及ぼす重要な役割を担っています。すなわち，それぞれの療法士がもつ知識・技術・態度が，治療効果を決定する最も大きな要因となりうるのです。

基礎的な知識，技術，態度の確実な習得のためには，養成校での学修や臨床実習，卒後の新人教育に用いる「標準化された技能」を定義することが，一貫した学びを行ううえで重要になります。そこでわれわれは，療法士のためのOSCEの構築と提案に関係者一丸となって注力してきました。このOSCEは，さまざまな場面に活用できると考えています。2019年の「理学療法士作業療法士学校養成施設指定規則」の改定では，臨床実習前後の評価が必修化されました。この改定に沿い，臨床実習前後にOSCEを経験することによって，学生は臨床実習前の自身の到達水準を知り，その後の臨床実習において自身に不足している知識や技術の学修を段階的に進め，さらにその成果を明確に知ることが可能となると考えています。また，この規則改定では，臨床実習指導者に対して臨床実習指導者講習会の受講も義務づけられました。講習会においては，診療参加型臨床実習の指導がプログラムに加えられました。実習生に対する適切で効果的な指導のためには，その指導方法論だけではなく，「標準」といえる技能を実習生と指導者が明確に共有することが必要となります。その点においても，OSCEの活用が一助になると考えています。

また，理学療法および作業療法は臨床科学であり，その教育は「臨床技術をもった専門家をつくる教育」といえます。われわれは，教育の中心課題は臨床技術にあり，臨床家の使命は若い新しい仲間を育成することにあると考えています。したがって，養成校教員はもちろんですが，臨床実習指導者にもOSCEの理念と内容を熟知していただき，その共通理解を橋渡しとして，養成校と臨床実習施設が一体となった新たな卒前卒後教育の仕組みを作り上げたいと考えています。その過程において本書が議論の端緒となり，療法士教育学のさらなる発展に寄与しうるならば本望です。

藤田医科大学 副学長
金田 嘉清
藤田医科大学保健衛生学部リハビリテーション学科 学科長
櫻井 宏明

# 付録

ルーブリック 3-1

# 関節可動域運動

| | 課題 | 得点 | | |
|---|---|---|---|---|
| | | 2点 | 1点 | 0点 |
| 態度 | (1) ①適切な身なりで，②明瞭な挨拶（開始時・終了時），③自己紹介ができる | ①～③すべてできる | ①～③のうち2項目できる | 1項目できる／すべてできない |
| | (2) 2つの識別子で患者の確認ができる | 2つの識別子で患者の確認ができる | 1つの識別子で患者の確認ができる | 確認ができない |
| | (3) ①関節可動域運動を行う旨を患者に伝え，②了承を得ることができる | ①，②どちらもできる | ①のみできる | どちらもできない |
| | (4) 課題全般を通して，患者の様子（表情・姿勢・身体機能）や状況に応じた丁寧な対処（①声かけ・②触れ方・③動かし方）ができる | ①～③すべてできる | ①～③のうち2項目できる | 1項目できる／すべてできない |
| 技能 | (1) ①関節可動域運動に適した枕の位置，②安定した臥位姿勢，③リラックスした状態に設定できる | ①～③すべてできる | ①～③のうち2項目できる | 1項目できる／すべてできない |
| | (2) ①肩関節屈曲運動について専門用語を使わずにデモンストレーションを行い，②息を止めずリラックスすること，③疼痛があれば伝えることを，わかりやすく説明することができる | ①～③すべてできる | ①～③のうち2項目できる | 1項目できる／すべてできない |
| | (3) ①肩甲骨の可動性を確認し，②肩関節屈曲運動を行いやすい状態にすることができる | ①，②どちらもできる | ①，②のどちらか一方のみできる | どちらもできない |
| | (4) ①肘関節の可動性を確認する旨を説明し，②肘関節の可動性を確認すること，③筋緊張増加による肘関節屈曲位の修正を図り肩関節屈曲運動を行いやすい状態にすることができる | ①～③すべてできる | ①～③のうち2項目できる | 1項目できる／すべてできない |
| | (5) 肩関節屈曲運動の前に，①適切な肢位で上腕骨を支えて，②関節の遊びを確認することができる | ①，②どちらもできる | ①，②のどちらか一方のみできる | どちらもできない |
| | (6) 肩関節屈曲運動を，①他動運動で確認し，②可動域，③疼痛，④エンドフィール，⑤普段との変化を確認することができる | ①～⑤すべてできる | ①～⑤のうち3～4項目できる | 1～2項目できる／すべてできない |
| | (7) ①自身に負担のかからない姿勢，②筋緊張を亢進させない上肢の把持で，肩関節屈曲運動を行うことができる | ①，②どちらもできる | ①，②のどちらか一方のみできる | どちらもできない |
| | (8) ①患者の前腕～肘部を把持した正しい肩関節屈曲運動方向への操作，②肩関節付近を把持した関節包内運動の操作ができる | ①，②どちらもできる | ①，②のどちらか一方のみできる | どちらもできない |
| | (9) ①筋緊張が増加しないようゆっくりと上肢を操作し，② 10秒間の持続伸張を行うことができる | ①，②どちらもできる | ①，②のどちらか一方のみできる | どちらもできない |
| | (10) ①持続伸張中に疼痛を確認し，②適度な伸張感で行い，③関節可動域の変化を確認することができる | ①～③すべてできる | ①～③のうち2項目できる | 1項目できる／すべてできない |
| | (11) ①運動前後の変化，②関節可動域運動の結果を患者に説明することができる | ①，②どちらもできる | ①，②のどちらか一方のみできる | どちらもできない |
| | (12) 課題を通して，受験者の視線・身構え，患者との距離を確保することで，常に患者の安全を確保できる | 課題を通して，受験者の視線・身構え，患者との距離を確保することで，常に患者の安全を確保できる | — | 課題を通して，1回でも受験者の視線・身構え，患者との距離を保つことができず患者の身体に危険を感じる対応である |
| | (13) 課題を通して，適宜，患者にフィードバックを行うことができる | 内容，タイミング，量が適切である | 2項目が適切である | 内容が不適切である／フィードバックがない／1項目が適切である／すべて適切でない |

ルーブリック 3-2

# 筋力増強運動

| | 課題 | 得点 2点 | 得点 1点 | 得点 0点 |
|---|---|---|---|---|
| 態度 | (1) ①適切な身なりで，②明瞭な挨拶（開始時・終了時），③自己紹介ができる | ①～③すべてできる | ①～③のうち2項目できる | 1項目できる／すべてできない |
| 態度 | (2) 2つの識別子で患者の確認ができる | 2つの識別子で患者の確認ができる | 1つの識別子で患者の確認ができる | 確認ができない |
| 態度 | (3) ①筋力増強運動を行う旨を患者に伝え，②了承を得ることができる | ①，②どちらもできる | ①のみできる | どちらもできない |
| 態度 | (4) 課題全般を通して，患者の様子（表情・姿勢・身体機能）や状況に応じた丁寧な対処（①声かけ・②触れ方・③動かし方）ができる | ①～③すべてできる | ①～③のうち2項目できる | 1項目できる／すべてできない |
| 技能 | (1) ①上方の膝関節の下に下方の下肢の下腿遠位～内果が位置しており，②下方の肩甲帯がやや前方に突出しており，③体幹や骨盤が回旋せず中間位での側臥位にすることができる | ①～③すべてできる | ①～③のうち2項目できる | 1項目できる／すべてできない |
| 技能 | (2) ①側臥位で上方の手掌をベッドにつかせ，②適切な姿勢を保持しながら運動させることができる | ①，②どちらもできる | ①，②のどちらか一方のみできる | どちらもできない |
| 技能 | (3) 患者の後方に位置し，骨盤を①後方，②頭側から固定することができる | ①，②どちらもできる | 後方に位置するが①，②のどちらか一方のみできる | 後方に位置しない／後方に位置するが固定できない |
| 技能 | (4) 運動実施前に他動的関節可動域を，全可動域を動かして確認することができる | 確認できる | 一部可動域を確認する | 確認しない |
| 技能 | (5) あらかじめ代償運動を行わないよう伝え，かつ運動中も代償運動を抑制できる | あらかじめ代償運動を行わないよう伝え，かつ運動中も代償運動を抑制できる | あらかじめ代償運動について伝えないが，運動中は代償動作を抑制できる | 運動中に代償動作を抑制できない |
| 技能 | (6) ①常に最小限の補助量で，②最大外転角度まで運動を行わせることができる | ①，②どちらもできる | ①，②のどちらか一方のみできる | どちらもできない |
| 技能 | (7) 下肢を内転して開始肢位に戻す際，最小限の誘導・補助量でゆっくりと行うことができる | 10回の運動中，9回以上できる | 10回の運動中，8回できる | 10回の運動中，1～7回できる／すべてできない |
| 技能 | (8) 運動中，最大筋力が発揮できるよう適切に声かけすることができる | 励ましの声かけができる | 声かけをするが，最大筋力が発揮できるような声かけができない | 励ましの声かけをしない |
| 技能 | (9) ①他動運動時，②自動運動時，③自動介助運動時，④運動終了時に疼痛の有無を確認できる | ①～④すべてできる | ①～④のうち2～3項目できる | 1項目できる／すべてできない |
| 技能 | (10) 課題を通して，受験者の視線・身構え，患者との距離を確保することで，常に患者の安全を確保できる | 課題を通して，受験者の視線・身構え，患者との距離を確保することで，常に患者の安全を確保できる | — | 課題を通して，1回でも受験者の視線・身構え，患者との距離を保つことができず患者の身体に危険を感じる対応である |
| 技能 | (11) 課題を通して，適宜，患者にフィードバックを行うことができる | 内容，タイミング，量が適切である | 2項目が適切である | 内容が不適切である／フィードバックがない／1項目が適切である／すべて適切でない |

ルーブリック 3-3

# 促通手技

| | 課題 | 得点 | | |
|---|---|---|---|---|
| | | 2点 | 1点 | 0点 |
| 態度 | (1) ①適切な身なりで，②明瞭な挨拶（開始時・終了時），③自己紹介ができる | ①～③すべてできる | ①～③のうち2項目できる | 1項目できる／すべてできない |
| | (2) 2つの識別子で患者の確認ができる | 2つの識別子で患者の確認ができる | 1つの識別子で患者の確認ができる | 確認ができない |
| | (3) ①促通手技を用いた上肢機能練習を行う旨を患者に伝え，②了承を得ることができる | ①，②どちらもできる | ①のみできる | どちらもできない |
| | (4) 課題全般を通して，患者の様子（表情・姿勢・身体機能）や状況に応じた丁寧な対処（①声かけ・②触れ方・③動かし方）ができる | ①～③すべてできる | ①～③のうち2項目できる | 1項目できる／すべてできない |
| 技能 | (1) ①両側の足底を接地させ，②骨盤直立位に座位姿勢を調整することができる | ①，②どちらもできる | ①，②のどちらか一方のみできる | どちらもできない |
| | (2) 麻痺側上肢（①肩・②肘・③手・④手指）すべての関節を，最大可動域まで動かして確認することができる | ①～④すべてできる | ①～④のうち2～3項目できる | 1項目できる／すべてできない |
| | (3) 肩関節90°屈曲位を目安に，①机の高さ，②机と身体の距離を適切に調整し，③両上肢を肘まで机の上に乗せるよう指示ができる | ①～③すべてできる | ①～③のうち2項目できる | 1項目できる／すべてできない |
| | (4) 刺激部位を完全に露出させることができる | 刺激部位を完全に露出させることができる | 露出が不十分 | 露出しない |
| | (5) ①上肢機能練習の説明，②自動運動の確認を行うことができる | ①，②どちらもできる | ①，②のどちらか一方のみできる | どちらもできない |
| | (6) 上腕三頭筋に対する適切な促通刺激として，肘関節伸展運動が最も出現する強度を評価することができる | 適切に評価できる | 至適強度が適切ではない評価を行う | 評価しない |
| | 注）採点者は，肘関節伸展運動が最も出現した際の強度と受験者が評価した強度との整合性を，患者役に確認する | | | |
| | (7) ①上腕三頭筋の適切な位置に，②適切な刺激強度で促通刺激を与え，③代償運動を抑制しながら肘伸展運動を補助することができる | ①～③すべてできる | ①～③のうち2項目できる | 1項目できる／すべてできない |
| | (8) ①麻痺側上肢の動きを患者自身の目で確認させ，②明瞭な声かけ（運動開始の合図，自動運動の促し）をすることができる | ①，②どちらもできる | ①，②のどちらか一方のみできる | どちらもできない |
| | (9) ①肘関節伸展の自動運動を練習前と同じ開始姿勢から確認し，②練習前後を比較した結果を患者に伝えることができる | ①，②どちらもできる | ①，②のどちらか一方のみできる | どちらもできない |
| | (10) ①皮膚の状態，②疼痛の確認を行い，③衣類を戻し，④上肢を机上から大腿部の上に戻すよう指示ができる | ①～④すべてできる | ①～④のうち2～3項目できる | 1項目できる／すべてできない |
| | (11) 課題を通して，受験者の視線・身構え，患者との距離を確保することで，常に患者の安全を確保できる | 課題を通して，受験者の視線・身構え，患者との距離を確保することで，常に患者の安全を確保できる | — | 課題を通して，1回でも受験者の視線・身構え，患者との距離を保つことができず患者の身体に危険を感じる対応である |
| | (12) 課題を通して，適宜，患者にフィードバックを行うことができる | 内容，タイミング，量が適切である | 2項目が適切である | 内容が不適切である／フィードバックがない／1項目が適切である／すべて適切でない |

# 振り子運動

| 課題 | | 得点 | | |
|---|---|---|---|---|
| | | 2点 | 1点 | 0点 |
| 態度 | (1) ①適切な身なりで，②明瞭な挨拶（開始時・終了時），③自己紹介ができる | ①～③すべてできる | ①～③のうち2項目できる | 1項目できる／すべてできない |
| | (2) 2つの識別子で患者の確認ができる | 2つの識別子で患者の確認ができる | 1つの識別子で患者の確認ができる | 確認ができない |
| | (3) ①振り子運動を行う旨を患者に伝え，②了承を得ることができる | ①，②どちらもできる | ①のみできる | どちらもできない |
| | (4) 課題全般を通して，患者の様子（表情・姿勢・身体機能）や状況に応じた丁寧な対処（①声かけ・②触れ方・③動かし方）ができる | ①～③すべてできる | ①～③のうち2項目できる | 1項目できる／すべてできない |
| 技能 | (1) 振り子運動では障害側上肢を下垂させ重心移動により動かすことを，デモンストレーションを交えて説明できる | デモンストレーションを交えて説明できる | 説明できるが，デモンストレーションを行わない | 説明をしない |
| | (2) 振り子運動の注意点として，上肢や体幹の過剰努力について，デモンストレーションを交えて説明できる | デモンストレーションを交えて説明できる | 説明できるが，デモンストレーションを行わない | 説明をしない |
| | (3) 振り子運動に適した環境を設定できる | 昇降式机を調節し，適切な高さに設定できる | — | 高さを調整するが，適切でない／調節をしない |
| | (4) ①非障害側の手を昇降式机につき障害側上肢を下垂した肢位にし，②手の位置，③下肢の位置を調節できる | ①～③すべてできる | ①～③のうち2項目できる | 1項目できる／すべてできない |
| | (5) 下垂させた障害側上肢の筋活動や過剰努力の有無を，①視診，②触診を用いて確認し修正できる | ①，②どちらも用いて確認・修正できる | ①，②のどちらか一方で確認・修正できる | 確認をしない，修正ができない |
| | (6) 振り子運動中の障害側上肢の筋活動や過剰努力の有無を，①視診，②触診を用いて確認し修正できる | ①，②どちらも用いて確認・修正できる | ①，②のどちらか一方で確認・修正できる | 確認をしない／修正ができない |
| | (7) 正しい①膝関節の屈伸，②方向，③量で，重心移動を誘導・補助できる | ①～③すべてできる | ①～③のうち2項目できる | 1項目できる／すべてできない |
| | (8) ①実施前，②障害側上肢を下垂させた際，③振り子運動実施中，④実施後に，疼痛の有無を確認できる | ①～④すべてできる | ①～④のうち2～3項目できる | 1項目できる／すべてできない |
| | (9) ①適切な方法，②頻度，③実施時の注意点，④疼痛出現時の対応について，患者に伝えることができる | ①～④すべてできる | ①～④のうち2～3項目できる | 1項目できる／すべてできない |
| | (10) 課題を通して，受験者の視線・身構え，患者との距離を確保することで，常に患者の安全を確保できる | 課題を通して，受験者の視線・身構え，患者との距離を確保することで，常に患者の安全を確保できる | — | 課題を通して，1回でも受験者の視線・身構え，患者との距離を保つことができず患者の身体に危険を感じる対応である |
| | (11) 課題を通して，適宜，患者にフィードバックを行うことができる | 内容，タイミング，量が適切である | 2項目が適切である | 内容が不適切である／フィードバックがない／1項目が適切である／すべて適切でない |

ルーブリック 3-5

# 部分荷重練習

| | 課題 | 得点 | | |
|---|---|---|---|---|
| | | 2点 | 1点 | 0点 |
| 態度 | (1) ①適切な身なりで，②明瞭な挨拶（開始時・終了時），③自己紹介ができる | ①～③すべてできる | ①～③のうち2項目できる | 1項目できる／すべてできない |
| | (2) 2つの識別子で患者の確認ができる | 2つの識別子で患者の確認ができる | 1つの識別子で患者の確認ができる | 確認ができない |
| | (3) ①部分荷重練習を行う旨を患者に伝え，②了承を得ることができる | ①，②どちらもできる | ①のみできる | どちらもできない |
| | (4) 課題全般を通して，患者の様子（表情・姿勢・身体機能）や状況に応じた丁寧な対処（①声かけ・②触れ方・③動かし方）ができる | ①～③すべてできる | ①～③のうち2項目できる | 1項目できる／すべてできない |
| 技能 | (1) 体重計と台の設置ができる | 滑り止めシートを使用して適切に体重計と台の設置ができる | 滑り止めシートを利用して体重計と台の設置をするが不十分である | 滑り止めシートを使用しない |
| | (2) 患側下肢の①免荷を指示し，②リスク管理を実施したうえで患者を台に乗せることができる | ①，②どちらもできる | ①，②のどちらか一方のみできる | どちらもできない |
| | (3) 両脚立位で，①患側下肢にわずかに荷重させ，②疼痛・違和感の確認ができる | ①，②どちらもできる | ①，②のどちらか一方のみできる | どちらもできない |
| | (4) ①リスク管理を実施したうえで，②両脚立位で患側下肢に処方された荷重量まで荷重するよう誘導・補助ができる | ①，②どちらもできる | ①，②のどちらか一方のみできる | どちらもできない |
| | (5) 片脚立位で，視覚情報や聴覚情報を利用して部分荷重練習を行うよう，正しく説明できる | 正しく説明できる | 説明するが患者の理解が得られない | 説明をしない |
| | (6) 片脚立位で，①両上肢の支えを徐々に減じさせ，②リスク管理を実施して処方された荷重量まで荷重させることができる | ①，②どちらもできる | ①，②のどちらか一方のみできる | どちらもできない |
| | (7) 片脚立位で，上肢や患側下肢からの情報を利用して患側下肢に処方された荷重量まで荷重するよう，正しく説明できる | 正しく説明できる | 説明するが患者の理解が得られない | 説明をしない |
| | (8) 片脚立位で，①上肢や患側下肢からの情報を利用して，②リスク管理を実施して処方された荷重量まで荷重させることができる | ①，②どちらもできる | ①，②のどちらか一方のみできる | どちらもできない |
| | (9) ①適切な荷重の方法を選択し，②リスク管理を実施して体重計から降ろすことができる | ①，②どちらもできる | ①，②のどちらか一方のみできる | どちらもできない |
| | (10) ①練習した荷重量以内で患側に荷重しながら椅子まで誘導し，②着座をさせることができる | ①，②どちらもできる | ①，②のどちらか一方のみできる | どちらもできない |
| | (11) 部分荷重練習の手順（7）～(9) を通して，疼痛・違和感の有無の確認ができる | 3つすべての手順で確認できる | 2つの手順で確認できる | 1項目できる／すべてできない |
| | (12) 課題を通して，受験者の視線・身構え，患者との距離を確保することで，常に患者の安全を確保できる | 課題を通して，受験者の視線・身構え，患者との距離を確保することで，常に患者の安全を確保できる | — | 課題を通して，1回でも受験者の視線・身構え，患者との距離を保つことができず患者の身体に危険を感じる対応である |
| | (13) 課題を通して，適宜，患者にフィードバックを行うことができる | 内容，タイミング，量が適切である | 2項目が適切である | 内容が不適切である／フィードバックがない／1項目が適切である／すべて適切でない |

# 超音波療法

| | 課題 | 得点 2点 | 得点 1点 | 得点 0点 |
|---|---|---|---|---|
| 態度 | (1) ①適切な身なりで，②明瞭な挨拶（開始時・終了時），③自己紹介ができる | ①～③すべてできる | ①～③のうち2項目できる | 1項目できる／すべてできない |
| 態度 | (2) 2つの識別子で患者の確認ができる | 2つの識別子で患者の確認ができる | 1つの識別子で患者の確認ができる | 確認ができない |
| 態度 | (3) ①超音波療法を行う旨を患者に伝え，②了承を得ることができる | ①，②どちらもできる | ①のみできる | どちらもできない |
| 態度 | (4) 課題全般を通して，患者の様子（表情・姿勢・身体機能）や状況に応じた丁寧な対処（①声かけ・②触れ方・③動かし方）ができる | ①～③すべてできる | ①～③のうち2項目できる | 1項目できる／すべてできない |
| 技能 | (1) ①患者を端座位とし，②照射目的に適した肢位（本課題では，加温組織に伸張刺激を加えられる肢位）となるようアライメントを整えることができる | ①，②どちらもできる | ①，②のどちらか一方のみできる | どちらもできない |
| 技能 | (2) ①照射部位の露出，②装飾品の有無，③皮膚の状態，④関節可動域（実測不要）を確認することができる | ①～④すべてできる | ①～④のうち2～3項目できる | 1項目できる／すべてできない |
| 技能 | (3) ①照射時間，②周波数，③照射時間率を正しく設定することができる | ①～③すべてできる | ①～③のうち2項目できる | 1項目できる／すべてできない |
| 技能 | (4) ①適切な大きさの導子を選択し，②膝蓋靱帯を伸張した肢位に保持することができる | ①，②どちらもできる | ①，②のどちらか一方のみできる | どちらもできない |
| 技能 | (5) ①超音波ジェル内に気泡を入れず，②患部または導子へ均等に塗布し，③出力を至適強度に設定することができる | ①～③すべてできる | ①～③のうち2項目できる | 1項目できる／すべてできない |
| 技能 | (6) ①導子のあて方，②動かす速度，③移動範囲に留意して，適切に照射を行うことができる | ①～③すべてできる | ①～③のうち2項目できる | 1項目できる／すべてできない |
| 技能 | (7) 照射時に，①伸張肢位を保持し，②疼痛や不快感，③皮膚の変化の有無を確認することができる | ①～③すべてできる | ①～③のうち2項目できる | 1項目できる／すべてできない |
| 技能 | (8) 照射終了後，①機器の出力が0になったことを確認し，②皮膚と導子に付着したジェルを拭き取ることができる | ①，②どちらもできる | ①，②のどちらか一方のみできる | どちらもできない |
| 技能 | (9) 照射終了後，①皮膚の状態，②異常感覚の有無，③関節可動域（実測不要）を確認することができる | ①～③すべてできる | ①～③のうち2項目できる | 1項目できる／すべてできない |
| 技能 | (10) 課題を通して，受験者の視線・身構え，患者との距離を確保することで，常に患者の安全を確保できる | 課題を通して，受験者の視線・身構え，患者との距離を確保することで，常に患者の安全を確保できる | — | 課題を通して，1回でも受験者の視線・身構え，患者との距離を保つことができず患者の身体に危険を感じる対応である |
| 技能 | (11) 課題を通して，適宜，患者にフィードバックを行うことができる | 内容，タイミング，量が適切である | 2項目が適切である | 内容が不適切である／フィードバックがない／1項目が適切である／すべて適切でない |

ルーブリック 3-7

# 呼吸練習

| | 課題 | 得点 | | |
|---|---|---|---|---|
| | | 2点 | 1点 | 0点 |
| 態度 | (1) ①適切な身なりで，②明瞭な挨拶（開始時・終了時），③自己紹介ができる | ①～③すべてできる | ①～③のうち2項目できる | 1項目できる／すべてできない |
| | (2) 2つの識別子で患者の確認ができる | 2つの識別子で患者の確認ができる | 1つの識別子で患者の確認ができる | 確認ができない |
| | (3) ①呼吸練習を行う旨を患者に伝え，②了承を得ることができる | ①，②どちらもできる | ①のみできる | どちらもできない |
| | (4) 課題全般を通して，患者の様子（表情・姿勢・身体機能）や状況に応じた丁寧な対処（①声かけ・②触れ方・③動かし方）ができる | ①～③すべてできる | ①～③のうち2項目できる | 1項目できる／すべてできない |
| 技能 | (1) ①安楽な姿勢にすることができ，②服装による腹部への圧迫の有無が確認できる | ①，②どちらもできる | ①，②のどちらか一方のみできる | どちらもできない |
| | (2) ①鼻から吸気を行い，②［f］または［s］の音をさせながら口から呼気を行う，口すぼめ呼吸の練習を実施することができる | ①，②どちらもできる | ①，②のどちらか一方のみできる | どちらもできない |
| | (3) ①吸気努力，②呼気努力の有無を確認し，指導ができる | ①，②どちらも確認し，患者の理解を得る指導ができる | ①，②のどちらか一方を確認し，患者の理解を得る指導ができる／①，②どちらも確認するが，患者の理解を得る指導ができない | どちらもできない |
| | (4) 深くゆっくりと呼出させ，呼気を延長させることができる | 深くゆっくりと呼出させ，呼気を延長させることができる | — | 呼気を延長させることができない |
| | (5) ①口すぼめ呼吸の併用の説明，②起立前の吸気と起立時の呼気についての説明ができる | ①，②どちらもできる | ①，②のどちらか一方のみできる | どちらもできない |
| | (6) ①起立前の吸気，②起立時の呼気を動作に合わせて指示することができる | ①，②どちらもできる | ①，②のどちらか一方のみできる | どちらもできない |
| | (7) 起立動作時，①努力性呼吸の有無，②口すぼめ呼吸の様子を確認し，患者の理解を得る指導ができる | ①，②どちらも確認し，患者の理解を得る指導ができる | ①，②のどちらか一方を確認し，患者の理解を得る指導ができる／①，②どちらも確認するが，患者の理解を得る指導ができない | どちらもできない |
| | (8) ①安楽な座位姿勢をとらせ，②今後の練習について説明できる | ①，②どちらもできる | ①，②のどちらか一方のみできる | どちらもできない |
| | (9) ①安楽肢位時，②口すぼめ呼吸実施時，③起立での呼吸練習時に，呼吸困難感を確認できる | ①～③すべてできる | ①～③のうち2項目できる | 1項目できる／すべてできない |
| | (10) ①安楽肢位時，②口すぼめ呼吸実施時，③起立での呼吸練習時に，$SpO_2$ を確認できる | ①～③すべてできる | ①～③のうち2項目できる | 1項目できる／すべてできない |
| | (11) 課題を通して，受験者の視線・身構え，患者との距離を確保することで，常に患者の安全を確保できる | 課題を通して，受験者の視線・身構え，患者との距離を確保することで，常に患者の安全を確保できる | — | 課題を通して，1回でも受験者の視線・身構え，患者との距離を保つことができず患者の身体に危険を感じる対応である |
| | (12) 課題を通して，適宜，患者にフィードバックを行うことができる | 内容，タイミング，量が適切である | 2項目が適切である | 内容が不適切である／フィードバックがない／1項目が適切である／すべて適切でない |

# 排痰手技

| | 課題 | 得点 2点 | 得点 1点 | 得点 0点 |
|---|---|---|---|---|
| 態度 | (1) ①適切な身なりで，②明瞭な挨拶（開始時・終了時），③自己紹介ができる | ①～③すべてできる | ①～③のうち2項目できる | 1項目できる／すべてできない |
| 態度 | (2) 2つの識別子で患者の確認ができる | 2つの識別子で患者の確認ができる | 1つの識別子で患者の確認ができる | 確認ができない |
| 態度 | (3) ①排痰手技を用いて排痰を促す旨を患者に伝え，②了承を得ることができる | ①，②どちらもできる | ①のみできる | どちらもできない |
| 態度 | (4) 課題全般を通して，患者の様子（表情・姿勢・身体機能）や状況に応じた丁寧な対処（①声かけ・②触れ方・③動かし方）ができる | ①～③すべてできる | ①～③のうち2項目できる | 1項目できる／すべてできない |
| 技能 | (1) 排痰手技を行うにあたり，痰の貯留部位に応じた適切な体位にすることができる | 痰の貯留部位に応じた適切な体位にすることができる | 体位が誤っているが，途中で誤りに気づく | 誤った体位で最後まで行う |
| 技能 | (2) ①患者の了承を得て，②手掌全面で胸郭を触れることができる | ①，②どちらもできる | ①，②のどちらか一方のみできる | どちらもできない |
| 技能 | (3) 圧迫前に，呼吸運動を阻害しないように胸郭の動きを触診にて確認できる | 胸郭の動きを確認できる | 胸郭の動きの確認はできるが，手の重さなどにより呼吸を阻害している | 胸郭の動きの確認をしない |
| 技能 | (4) ①療法士の位置，②介助を加える部位が適切である | ①，②どちらも適切である | ①，②のどちらか一方のみ適切である | どちらも適切でない |
| 技能 | (5) 施行回数の半分以上，患者の呼気時に圧迫し，吸気時に圧迫を開放できる | 施行回数の半分以上，患者の呼気時に圧迫し，吸気時に圧迫を開放できる | 1回は患者の呼吸に合わせて圧迫・解放できる | 患者の呼吸に合わせて圧迫・解放できない |
| 技能 | (6) 施行回数の半分以上，臍部に向かって胸郭を押し上げるよう圧迫できる | 施行回数の半分以上，臍部に向かって胸郭を押し上げるよう圧迫できる | 1回は臍部に向かって胸郭を押し上げるよう圧迫できる | 臍部に向かって胸郭を押し上げるよう圧迫できない |
| 技能 | (7) 全施行で過圧迫なく，かつ施行回数の半分以上，適度な力で圧迫できる | 全施行で過圧迫なく，かつ施行回数の半分以上，適度な力で圧迫できる | 1回は適度な力で圧迫できる | 適度な力で圧迫できない |
| 技能 | (8) ①疼痛，②呼吸困難感の出現がないかを確認できる | ①，②どちらもできる | ①，②のどちらか一方のみできる | どちらもできない |
| 技能 | (9) ファーラー位もしくはセミファーラー位にすることができる | ファーラー位もしくはセミファーラー位にすることができる | — | ファーラー位もしくはセミファーラー位にしない |
| 技能 | (10) ①喀出物に曝露しない位置，②患者に近い距離で，③両手の位置が患者の乳頭よりやや下方の外側胸郭で行うことができる | ①～③すべてできる | ①～③のうち2項目できる | 1項目できる／すべてできない |
| 技能 | (11) ①十分な吸気を促し，②呼気に合わせた咳嗽介助を行うことができる | ①，②どちらもできる | ①，②のどちらか一方のみできる／1回は十分な吸気を促し，呼気に合わせた咳嗽介助ができる | どちらもできない |
| 技能 | (12) ①体位変換時，②スクイージング実施時，③咳嗽介助手技実施時に，$SpO_2$の確認ができる | ①～③すべてできる | ①～③のうち2項目できる | 1項目できる／すべてできない |
| 技能 | (13) 課題を通して，受験者の視線・身構え，患者との距離を確保することで，常に患者の安全を確保できる | 課題を通して，受験者の視線・身構え，患者との距離を確保することで，常に患者の安全を確保できる | — | 課題を通して，1回でも受験者の視線・身構え，患者との距離を保つことができず患者の身体に危険を感じる対応である |
| 技能 | (14) 課題を通して，適宜，患者にフィードバックを行うことができる | 内容，タイミング，量が適切である | 2項目が適切である | 内容が不適切である／フィードバックがない／1項目が適切である／すべて適切でない |

# 構音練習

| | 課題 | 得点 2点 | 得点 1点 | 得点 0点 |
|---|---|---|---|---|
| 態度 | (1) ①適切な身なりで，②明瞭な挨拶（開始時・終了時），③自己紹介ができる | ①～③すべてできる | ①～③のうち2項目できる | 1項目できる／すべてできない |
| 態度 | (2) 2つの識別子で患者の確認ができる | 2つの識別子で患者の確認ができる | 1つの識別子で患者の確認ができる | 確認ができない |
| 態度 | (3) ①構音練習を行う旨を患者に伝え，②了承を得ることができる | ①，②どちらもできる | ①のみできる | どちらもできない |
| 態度 | (4) 課題全般を通して，患者の様子（表情・姿勢・身体機能）や状況に応じた丁寧な対処（①声かけ・②触れ方・③動かし方）ができる | ①～③すべてできる | ①～③のうち2項目できる | 1項目できる／すべてできない |
| 技能 | (1) 正面から舌運動や構音の状態を観察できるよう，①対面，②近距離に位置することができる | ①，②どちらもできる | ①，②のどちらか一方のみできる | どちらもできない |
| 技能 | (2) 姿勢を適切に調整することができる | 適切に調整できる | 調整するが不十分 | 調整を行わない，調整が不適切，誤った調整を行う |
| 技能 | (3) 課題を通して衛生管理，感染管理が十分にできる | 課題を通じて衛生管理，感染管理が十分にできる | 衛生管理，感染管理を行うが，手順が違う，手袋をしたまま他のものを触るなどする | 衛生管理，感染管理をしない |
| 技能 | (4) ①舌の筋力低下（持続力低下），② [t] 音の歪みについて言及して課題の目的を説明できる | ①，②どちらも説明できる | ①，②のどちらか一方のみ説明できる | どちらもできない |
| 技能 | (5) デモンストレーションを行いながら，①運動方向，②運動範囲，③運動速度，④代償動作の抑制について，⑤デモンストレーションを行いながら説明できる | ①～⑤すべてできる | ①～⑤のうち3～4項目できる | 1～2項目できる／すべてできない |
| 技能 | (6) 舌突出 - 後退運動を，①適切な速度で行えるようリズムをとり，②代償動作が出現していないか確認しながら，③最大の可動域での運動を5回反復練習できる | ①～③すべてできる | ①～③のうち2項目できる | 1項目できる／すべてできない |
| 技能 | (7) 舌左右運動を，①適切な速度で行えるようリズムをとり，②代償動作が出現していないか確認しながら，③最大の可動域での運動を5回反復練習できる | ①～③すべてできる | ①～③のうち2項目できる | 1項目できる／すべてできない |
| 技能 | (8) 舌尖挙上 - 下降運動を，①適切な速度で行えるようリズムをとり，②代償動作が出現していないか確認しながら，③最大の可動範囲での運動を5回反復練習できる | ①～③すべてできる | ①～③のうち2項目できる | 1項目できる／すべてできない |
| 技能 | (9) 各運動のフィードバックを行うことができる | 内容，タイミング，量が適切である | 2項目が適切である | 内容が不適切である／フィードバックがない／1項目が適切である／すべて適切でない |
| 技能 | (10) ①短文内すべての [t] に赤ペンで丸印をつけて [t] に注意して構音するよう指示すること，②デモンストレーションと同じようにゆっくりと明瞭に復唱することについて説明できる | ①，②どちらもできる | ①，②のどちらか一方のみできる | どちらもできない |
| 技能 | (11) 課題文の例示の際，①ゆっくりとした発話速度で，②明瞭にデモンストレーションできる | ①，②どちらもできる | ①，②のどちらか一方のみできる | どちらもできない |
| 技能 | (12) 患者の発話速度コントロールのために，課題文を適切な速度でなぞることができる | 適切な速度で課題文をなぞることができる | 課題文をなぞることはできるが，速度が適切でない | 課題文をなぞることをしない |
| 技能 | (13) 課題を通して，受験者の視線・身構え，患者との距離を確保することで，常に患者の安全を確保できる | 課題を通して，受験者の視線・身構え，患者との距離を確保することで，常に患者の安全を確保できる | — | 課題を通して，1回でも受験者の視線・身構え，患者との距離を保つことができず患者の身体に危険を感じる対応である |
| 技能 | (14) 課題を通して，適宜，患者にフィードバックを行うことができる | 内容，タイミング，量が適切である | 2項目が適切である | 内容が不適切である／フィードバックがない／1項目が適切である／すべて適切でない |

ルーブリック 3-9

# 摂食嚥下練習

| 課題 | | 得点 | | |
|---|---|---|---|---|
| | | 2点 | 1点 | 0点 |
| 態度 | (1) ①適切な身なりで，②明瞭な挨拶（開始時・終了時），③自己紹介ができる | ①〜③すべてできる | ①〜③のうち2項目できる | 1項目できる／すべてできない |
| 態度 | (2) 2つの識別子で患者の確認ができる | 2つの識別子で患者の確認ができる | 1つの識別子で患者の確認ができる | 確認ができない |
| 態度 | (3) ①頭部挙上練習および姿勢調整を行う旨を患者に伝え，②了承を得ることができる | ①，②どちらもできる | ①のみできる | どちらもできない |
| 態度 | (4) 課題全般を通して，患者の様子（表情・姿勢・身体機能）や状況に応じた丁寧な対処（①声かけ・②触れ方・③動かし方）ができる | ①〜③すべてできる | ①〜③のうち2項目できる | 1項目できる／すべてできない |
| 技能 | (1) 頭部挙上練習を実施するために頭部を支えながら枕を外すことができる | 頭部を支えながら枕を外すことができる | 頭部を支えずに枕を外す | 枕を外さずに練習を開始する |
| 技能 | (2) 頭部挙上練習の①目的，②強度（持続時間・回数・セット数）について説明できる | ①，②どちらも説明できる | ①，②のどちらか一方のみ説明できる | どちらもできない |
| 技能 | (3) ①肩が床面から上がらないように実施すること，②頭部を挙上したときに顎を十分に引く（頭部屈曲）ことを説明できる | ①，②どちらも説明できる | ①，②のどちらか一方のみ説明できる | どちらもできない |
| 技能 | (4) ①正しい強度（挙上位保持5秒2セットと挙上反復5回）で実施すること，②セット間に10秒の休憩をとることができる | ①，②どちらもできる | ①，②のどちらか一方のみできる | どちらもできない |
| 技能 | (5) ①両肩が上がっていないかのフィードバック，②オトガイ下に力が入っているかの確認のための触診ができる | ①，②どちらもできる | ①，②のどちらか一方のみできる | どちらもできない |
| 技能 | (6) 嚥下練習のために，①姿勢調整することを伝え，②頭の下に枕を入れることができる | ①，②どちらもできる | ①，②のどちらか一方のみできる | どちらもできない |
| 技能 | (7) ①身体がずり落ちないように下肢側のリクライニング角度を上げ，②頭部側のリクライニング角度を45°に設定することができる | ①，②どちらも正しい順序でできる | ①，②どちらもできるが順序が逆である | ①，②のどちらか一方のみできる／どちらもできない |
| 技能 | (8) ①右半側臥位にさせ，②枕や丸めたタオルを入れて姿勢を安定させることができる | ①，②どちらもできる | ①，②のどちらか一方のみできる | どちらもできない |
| 技能 | (9) ①頭部を回旋させ正中を向くように調整し，②タオルを入れ頭頸部を安定させることができる | ①，②どちらもできる | ①，②のどちらか一方のみできる | どちらもできない |
| 技能 | (10) 課題を通して，受験者の視線・身構え，患者との距離を確保することで，常に患者の安全を確保できる | 課題を通して，受験者の視線・身構え，患者との距離を確保することで，常に患者の安全を確保できる | — | 課題を通して，1回でも受験者の視線・身構え，患者との距離を保つことができず患者の身体に危険を感じる対応である |
| 技能 | (11) 課題を通して，適宜，患者にフィードバックを行うことができる | 内容，タイミング，量が適切である | 2項目が適切である | 内容が不適切である／フィードバックがない／1項目が適切である／すべて適切でない |

ルーブリック 4-2

# 起き上がり：分析

| | 課題 | 得点 | | |
|---|---|---|---|---|
| | | 2点 | 1点 | 0点 |
| 態度 | (1) ①適切な身なりで，②明瞭な挨拶（開始時・終了時），③自己紹介ができる | ①～③すべてできる | ①～③のうち2項目できる | 1項目できる／すべてできない |
| | (2) 2つの識別子で患者の確認ができる | 2つの識別子で患者の確認ができる | 1つの識別子で患者の確認ができる | 確認ができない |
| | (3) ①起き上がり動作の観察を行う旨を患者に伝え，②了承を得ることができる | ①，②どちらもできる | ①のみできる | どちらもできない |
| | (4) 課題全般を通して，患者の様子（表情・姿勢・身体機能）や状況に応じた丁寧な対処（①声かけ・②触れ方・③動かし方）ができる | ①～③すべてできる | ①～③のうち2項目できる | 1項目できる／すべてできない |
| 技能 | (1) 患者が動作を始める前に採点者にリスク管理を依頼できる | 患者が動作を始める前に採点者にリスク管理を依頼できる | 患者が動作を始めてから採点者にリスク管理を依頼する | リスク管理を採点者に依頼しない |
| | (2) 矢状面，前額面を含めた適切な視点から，患者の動作を阻害しない距離で観察できる | 矢状面，前額面を含めた適切な視点から，患者の動作を阻害しない距離で観察できる | 視点を変えて観察できるが，矢状面，前額面のいずれかからの観察ができない | 矢状面，前額面ともに観察できない／1点からのみの観察となる／患者との距離が近く，動作を阻害する |
| | (3) ①身体からベッド端までの距離，②ベッドの高さについての確認を行うことができる | ①，②どちらもできる | ①，②のどちらか一方のみできる | どちらもできない |
| | (4) 麻痺側上肢の管理について観察できる | 麻痺側上肢の管理について観察できる | 観察が不十分 | 観察が誤っている／観察ができない |
| | (5) 背臥位から非麻痺側肘関節への頭部移動時の頸部屈曲方法や方向について観察できる | 背臥位から非麻痺側肘関節への頭部移動時の頸部屈曲方法や方向について観察できる | 観察が不十分 | 観察が誤っている／観察ができない |
| | (6) 背臥位から非麻痺側肘関節への頭部移動時の非麻痺側下肢の運動や位置について観察できる | 背臥位から非麻痺側肘関節への頭部移動時の非麻痺側下肢の運動や位置について観察できる | 観察が不十分 | 観察が誤っている／観察ができない |
| | (7) 背臥位から非麻痺側肘関節への頭部移動時の非麻痺側上肢の運動や位置について観察できる | 背臥位から非麻痺側肘関節への頭部移動時の非麻痺側上肢の運動や位置について観察できる | 観察が不十分 | 観察が誤っている／観察ができない |
| | (8) 背臥位から非麻痺側肘関節方向への頭部移動時の麻痺側肩関節の状態について観察できる | 背臥位から非麻痺側肘関節への頭部移動時の麻痺側肩関節の状態について観察できる | 観察が不十分 | 観察が誤っている／観察ができない |
| | (9) 非麻痺側肘関節伸展から座位までの非麻痺側上肢の運動について観察できる | 非麻痺側肘関節伸展から座位までの非麻痺側上肢の運動について観察できる | 観察が不十分 | 観察が誤っている／観察ができない |
| | (10) 非麻痺側肘関節伸展から座位までの両下肢の運動，下肢を下ろすタイミングについて観察できる | 非麻痺側肘関節伸展から座位までの両下肢の運動，下肢を下ろすタイミングについて観察できる | 観察が不十分 | 観察が誤っている／観察ができない |
| | (11) 終了姿勢（座位姿勢）について観察できる | 終了姿勢（座位姿勢）について観察できる | 観察が不十分 | 観察が誤っている／観察ができない |
| | (12) 起き上がり動作全体の円滑さについて観察できる | 起き上がり動作全体の円滑さについて観察できる | 観察が不十分 | 観察が誤っている／観察ができない |
| | (13) 起き上がり動作について分析できる | 起き上がり動作について分析できる | 分析が不十分 | 分析が誤っている／分析ができない |

ルーブリック 4-2

# 起き上がり：介入

| 課題 | | 得点 | | |
|---|---|---|---|---|
| | | 2点 | 1点 | 0点 |
| 態度 | (1) ①適切な身なりで，②明瞭な挨拶（開始時・終了時），③自己紹介ができる | ①～③すべてできる | ①～③のうち2項目できる | 1項目できる／すべてできない |
| | (2) 2つの識別子で患者の確認ができる | 2つの識別子で患者の確認ができる | 1つの識別子で患者の確認ができる | 確認ができない |
| | (3) ①起き上がり動作の練習を行う旨を患者に伝え，②了承を得ることができる | ①，②どちらもできる | ①のみできる | どちらもできない |
| | (4) 課題全般を通して，患者の様子（表情・姿勢・身体機能）や状況に応じた丁寧な対処（①声かけ・②触れ方・③動かし方）ができる | ①～③すべてできる | ①～③のうち2項目できる | 1項目できる／すべてできない |
| 技能 | (1) ①身体からベッド端までの距離，②ベッドの高さを適切に調整することができる | ①，②どちらもできる | ①，②のどちらか一方のみできる | どちらもできない |
| | (2) 麻痺側上肢を適切に誘導・補助できる | 適切に誘導・補助できる | 誘導・補助が過剰，もしくは不足している | 全介助にて行う／誤った誘導・補助を行う／誘導・補助を行わない |
| | (3) 頭頸部屈曲運動を適切に誘導・補助できる | 適切に誘導・補助できる | 誘導・補助が過剰，もしくは不足している | 全介助にて行う／誤った誘導・補助を行う／誘導・補助を行わない |
| | (4) 麻痺側上肢の管理を適切に誘導・補助できる | 適切に誘導・補助できる | 誘導・補助が過剰，もしくは不足している | 全介助にて行う／誤った誘導・補助を行う／誘導・補助を行わない |
| | (5) 頭頸部の動きに合わせて非麻痺側股関節の外旋・外転を適切に誘導・補助できる | 適切に誘導・補助できる | 誘導・補助が過剰，もしくは不足している | 全介助にて行う／誤った誘導・補助を行う／誘導・補助を行わない |
| | (6) 背臥位から非麻痺側肘関節方向への頭部移動までの動作を適切に誘導・補助できる | 適切に誘導・補助できる | 誘導・補助が過剰，もしくは不足している | 全介助にて行う／誤った誘導・補助を行う／誘導・補助を行わない |
| | (7) 非麻痺側肘関節を伸展し座位になるまでの動作を適切に誘導・補助できる | 適切に誘導・補助できる | 誘導・補助が過剰，もしくは不足している | 全介助にて行う／誤った誘導・補助を行う／誘導・補助を行わない |
| | (8) 終了姿勢（座位姿勢）を確保できる | 安定した座位姿勢を確保できる | 転倒や転落のリスクはないが，姿勢修正が不十分 | 転倒や転落のリスクがある／安定した座位姿勢を確保しない |
| | (9) 課題を通して，受験者の視線・身構え，患者との距離を確保することで，常に患者の安全を確保できる | 課題を通して，受験者の視線・身構え，患者との距離を確保することで，常に患者の安全を確保できる | — | 課題を通して，1回でも受験者の視線・身構え，患者との距離を保つことができず患者の身体に危険を感じる対応である |
| | (10) 課題を通して，適宜，患者にフィードバックを行うことができる | 内容，タイミング，量が適切である | 2項目が適切である | 内容が不適切である／フィードバックがない／1項目が適切である／すべて適切でない |

ルーブリック 4-3

# 起立・着座：分析

| 課題 | | 得点 | | |
|---|---|---|---|---|
| | | 2点 | 1点 | 0点 |
| 態度 | (1) ①適切な身なりで，②明瞭な挨拶（開始時・終了時），③自己紹介ができる | ①〜③すべてできる | ①〜③のうち2項目できる | 1項目できる／すべてできない |
| | (2) 2つの識別子で患者の確認ができる | 2つの識別子で患者の確認ができる | 1つの識別子で患者の確認ができる | 確認ができない |
| | (3) ①起立・着座動作の観察を行う旨を患者に伝え，②了承を得ることができる | ①，②どちらもできる | ①のみできる | どちらもできない |
| | (4) 課題全般を通して，患者の様子（表情・姿勢・身体機能）や状況に応じた丁寧な対処（①声かけ・②触れ方・③動かし方）ができる | ①〜③すべてできる | ①〜③のうち2項目できる | 1項目できる／すべてできない |
| 技能 | (1) 患者が動作を始める前に，採点者にリスク管理を依頼できる | 患者が動作を始める前に，採点者にリスク管理を依頼できる | 患者が動作を始めてから，採点者にリスク管理を依頼する | リスク管理を採点者に依頼しない |
| | (2) ①手すりの使用の有無，座面（②形状，③硬さ，④高さ）について観察できる | ①〜④すべて観察できる | ①〜④のうち2〜3項目観察できる | 1項目観察できる／すべて観察できない |
| | (3) 矢状面，前額面を含めた適切な視点から，患者の動作を阻害しない距離で観察できる | 矢状面，前額面を含めた適切な視点から，患者の動作を阻害しない距離で観察できる | 視点を変えて観察できるが，矢状面，前額面のいずれかからの観察ができない | 矢状面，前額面ともに観察できない／1点からのみの観察となる／患者との距離が近く，動作を阻害する |
| | (4) 起立動作の開始姿勢（座位姿勢）について観察できる | 起立動作の開始姿勢について観察できる | 観察が不十分 | 観察が誤っている／観察ができない |
| | (5) 起立動作時の重心の前方移動について観察できる | 起立動作時の重心の前方移動について観察できる | 観察が不十分 | 観察が誤っている／観察ができない |
| | (6) 起立動作時の重心の上方移動について観察できる | 起立動作時の重心の上方移動について観察できる | 観察が不十分 | 観察が誤っている／観察ができない |
| | (7) 起立動作終了時・着座動作開始時の姿勢として，立位姿勢について観察できる | 立位姿勢について観察できる | 観察が不十分 | 観察が誤っている／観察ができない |
| | (8) 着座動作時の重心の下方移動について観察できる | 着座動作時の重心の下方移動について観察できる | 観察が不十分 | 観察が誤っている／観察ができない |
| | (9) 着座動作時の重心の後方移動について観察できる | 着座動作時の重心の後方移動について観察できる | 観察が不十分 | 観察が誤っている／観察ができない |
| | (10) 終了姿勢（座位姿勢）について観察できる | 終了姿勢（座位姿勢）について観察できる | 観察が不十分 | 観察が誤っている／観察ができない |
| | (11) 起立・着座動作について分析できる | 分析できる | 分析できるが不十分 | 分析が誤っている／分析ができない |

ルーブリック 4-3

# 起立・着座：介入

| 課題 | | 得点 | | |
|---|---|---|---|---|
| | | 2点 | 1点 | 0点 |
| 態度 | (1) ①適切な身なりで，②明瞭な挨拶（開始時・終了時），③自己紹介ができる | ①～③すべてできる | ①～③のうち2項目できる | 1項目できる／すべてできない |
| | (2) 2つの識別子で患者の確認ができる | 2つの識別子で患者の確認ができる | 1つの識別子で患者の確認ができる | 確認ができない |
| | (3) ①起立・着座動作の練習を行う旨を患者に伝え，②了承を得ることができる | ①，②どちらもできる | ①のみできる | どちらもできない |
| | (4) 課題全般を通して，患者の様子（表情・姿勢・身体機能）や状況に応じた丁寧な対処（①声かけ・②触れ方・③動かし方）ができる | ①～③すべてできる | ①～③のうち2項目できる | 1項目できる／すべてできない |
| 技能 | (1) 麻痺側の上下肢を整えた後に座面高を練習に適した高さに調整できる | 麻痺側の上下肢を整えた後に座面高を練習に適した高さに調整できる | 麻痺側上下肢を整えることなく座面高を調整する | 座面高を調整するが不適切 |
| | (2) 起立前に，適切な方法で適切な位置に殿部を移動できる | 起立前に，適切な方法で適切な位置に殿部を移動できる | 殿部の移動方法が不適切であるが，適切な位置に殿部を移動できる | 殿部の位置が不適切 |
| | (3) 起立前に，足部の①左右幅，②前後位置を適切に調整できる | ①，②どちらも適切に調整できる | ①，②のどちらか一方のみ適切に調整できる | どちらもできない |
| | (4) 骨盤を直立位にできる | 骨盤を直立位にできる | — | 骨盤を直立位にできない |
| | (5) 起立練習に適した視線の向きを適切に指示できる | 起立練習に適した視線の向きを適切に指示できる | 指示がわかりにくい | 指示が誤っている／指示をしない |
| | (6) 起立時の重心の前方移動を適切に誘導・補助できる | 適切に誘導・補助できる | 誘導・補助が過剰，もしくは不足している | 全介助にて行う／誤った誘導・補助を行う／誘導・補助を行わない |
| | (7) 起立時の重心の上方移動を適切に誘導・補助できる | 適切に誘導・補助できる | 誘導・補助が過剰，もしくは不足している | 全介助にて行う／誤った誘導・補助を行う／誘導・補助を行わない |
| | (8) 立位姿勢を確認し，必要に応じて調整できる | 立位姿勢を確認し，必要に応じて調整できる | 転倒のリスクはないが，姿勢調整が不十分 | 調整するが転倒のリスクがある／立位姿勢を確認・調整しない |
| | (9) 着座前に，患者とともに座面までの距離を確認し，必要に応じて修正できる | 着座前に患者とともに座面までの距離を確認し，必要に応じて修正できる | 療法士のみで確認する | 転倒リスクが高い距離で着座動作を実施しようとする／座面との距離を確認しない |
| | (10) 着座練習に適した視線の移動を適切に指示できる | 着座姿勢に適した視線の移動を適切に指示できる | 指示がわかりにくい | 指示が誤っている／指示をしない |
| | (11) 着座時の重心の下方移動を適切に誘導・補助できる | 適切に誘導・補助できる | 誘導・補助が過剰，もしくは不足している | 全介助にて行う／誤った誘導・補助を行う／誘導・補助を行わない |
| | (12) 着座時の重心の後方移動を適切に誘導・補助できる | 適切に誘導・補助できる | 誘導・補助が過剰，もしくは不足している | 全介助にて行う／誤った誘導・補助を行う／誘導・補助を行わない |
| | (13) 終了姿勢（座位姿勢）を確保できる | 安定した座位姿勢を確保できる | 転倒や転落のリスクはないが，姿勢修正が不十分 | 転倒や転落のリスクがある／安定した座位姿勢を確保しない |
| | (14) 課題を通して，受験者の視線・身構え，患者との距離を確保することで，常に患者の安全を確保できる | 課題を通して，受験者の視線・身構え，患者との距離を確保することで，常に患者の安全を確保できる | — | 課題を通して，1回でも受験者の視線・身構え，患者との距離を保つことができず患者の身体に危険を感じる対応である |
| | (15) 課題を通して，適宜，患者にフィードバックを行うことができる | 内容，タイミング，量が適切である | 2項目が適切である | 内容が不適切である／フィードバックがない／1項目が適切である／すべて適切でない |

ルーブリック 4-4

# 移乗（車椅子からベッド，非麻痺側回り）：分析

| 課題 | | 得点 2点 | 得点 1点 | 得点 0点 |
|---|---|---|---|---|
| 態度 | (1) ①適切な身なりで，②明瞭な挨拶（開始時・終了時），③自己紹介ができる | ①～③すべてできる | ①～③のうち 2 項目できる | 1 項目できる／すべてできない |
| 態度 | (2) 2 つの識別子で患者の確認ができる | 2 つの識別子で患者の確認ができる | 1 つの識別子で患者の確認ができる | 確認ができない |
| 態度 | (3) ①移乗動作の観察を行う旨を患者に伝え，②了承を得ることができる | ①，②どちらもできる | ①のみできる | どちらもできない |
| 態度 | (4) 課題全般を通して，患者の様子（表情・姿勢・身体機能）や状況に応じた丁寧な対処（①声かけ・②触れ方・③動かし方）ができる | ①～③すべてできる | ①～③のうち 2 項目できる | 1 項目できる／すべてできない |
| 技能 | (1) 患者が動作を始める前に採点者にリスク管理を依頼できる | 患者が動作を始める前に採点者にリスク管理を依頼できる | 患者が動作を始めてから採点者にリスク管理を依頼する | リスク管理を採点者に依頼しない |
| 技能 | (2) 矢状面，前額面を含めた適切な視点から，患者の動作を阻害しない距離で観察できる | 矢状面，前額面を含めた適切な視点から，患者の動作を阻害しない距離で観察できる | 視点を変えて観察できるが，矢状面，前額面のいずれかからの観察ができない | 矢状面，前額面ともに観察できない／1 点からのみの観察となる／患者との距離が近く，動作を阻害する |
| 技能 | (3) ①車椅子の停車位置，車椅子とベッドとの②角度，③距離，④位置関係について観察できる | ①～④すべて観察できる | ①～④のうち 2～3 項目観察できる | 1 項目観察できる／すべて観察できない |
| 技能 | (4) 車椅子の①ブレーキ操作，②フットサポート操作について観察できる | ①，②どちらも観察できる | ①，②のどちらか一方のみ観察できる | どちらも観察できない |
| 技能 | (5) 殿部の①前方移動，②移動方法，③位置について観察できる | ①～③すべて観察できる | ①～③のうち 2 項目観察できる | 1 項目観察できる／すべて観察できない |
| 技能 | (6) ①足幅，②足部の前後位置，③足部の向きについて観察できる | ①～③すべて観察できる | ①～③のうち 2 項目観察できる | 1 項目観察できる／すべて観察できない |
| 技能 | (7) ①非麻痺側上肢の使用の有無，②手をつく位置，③つき方，④体幹の左右対称性，姿勢反応について観察できる | ①～④すべて観察できる | ①～④のうち 2～3 項目観察できる | 1 項目観察できる／すべて観察できない |
| 技能 | (8) ①重心の移動方向，②上肢，③体幹，④下肢の運動について観察できる | ①～④すべて観察できる | ①～④のうち 2～3 項目観察できる | 1 項目観察できる／すべて観察できない |
| 技能 | (9) 殿部の回転から着座までの，①非麻痺側上肢，②両下肢の運動を観察できる | ①，②どちらも観察できる | ①，②のどちらか一方のみ観察できる | どちらも観察できない |
| 技能 | (10) 殿部の回転から着座までの，①速度，②回転方向，③着座位置を観察できる | ①～③すべて観察できる | ①～③のうち 2 項目観察できる | 1 項目観察できる／すべて観察できない |
| 技能 | (11) 終了姿勢（座位姿勢）について観察できる | 終了姿勢（座位姿勢）について観察できる | 観察が不十分 | 観察が誤っている／観察ができない |
| 技能 | (12) 移乗動作について適切に分析できる | 移乗動作について分析できる | 分析が不十分 | 分析が誤っている／分析ができない |

ルーブリック 4-4

# 移乗（車椅子からベッド，非麻痺側回り）：介入

| | 課題 | 得点 | | |
|---|---|---|---|---|
| | | 2点 | 1点 | 0点 |
| 態度 | (1) ①適切な身なりで，②明瞭な挨拶（開始時・終了時），③自己紹介ができる | ①〜③すべてできる | ①〜③のうち2項目できる | 1項目できる／すべてできない |
| | (2) 2つの識別子で患者の確認ができる | 2つの識別子で患者の確認ができる | 1つの識別子で患者の確認ができる | 確認ができない |
| | (3) ①移乗動作の練習を行う旨を患者に伝え，②了承を得ることができる | ①，②どちらもできる | ①のみできる | どちらもできない |
| | (4) 課題全般を通して，患者の様子（表情・姿勢・身体機能）や状況に応じた丁寧な対処（①声かけ・②触れ方・③動かし方）ができる | ①〜③すべてできる | ①〜③のうち2項目できる | 1項目できる／すべてできない |
| 技能 | (1) ①ベッドに対して殿部の移動が最短距離となる位置に車椅子を停止し，②ブレーキをかけることができる | ①，②どちらもできる | ①，②のどちらか一方のみできる | どちらもできない |
| | (2) ①ベッドの高さを調節し，②フットサポートから足部を下ろし，③アームサポートを跳ね上げ（または外し），④足底を接地するよう調整できる | ①〜④すべてできる | ①〜④のうち2〜3項目できる | 1項目できる／すべてできない |
| | (3) ①殿部を前方に移動させ，殿部の回転角度が小さくなる適切な②位置，③向きに調整できる | ①〜③すべてできる | ①〜③のうち2項目できる | 1項目できる／すべてできない |
| | (4) 足部の①幅，②前後左右の位置，③向きを適切に調整できる | ①〜③すべてできる | ①〜③のうち2項目できる | 1項目できる／すべてできない |
| | (5) 非麻痺側の手の①位置，②向きを適切に調整できる | ①，②どちらもできる | ①，②のどちらか一方のみできる | どちらもできない |
| | (6) 骨盤・体幹の状態および重心位置を適切に誘導・補助できる | 適切に誘導・補助できる | 誘導・補助が過剰，もしくは不足している | 全介助にて行う／誤った誘導・補助を行う／誘導・補助を行わない |
| | (7) 重心の前方移動と離殿を適切に誘導・補助できる | 適切に誘導・補助できる | 誘導・補助が過剰，もしくは不足している | 全介助にて行う／誤った誘導・補助を行う／誘導・補助を行わない |
| | (8) 殿部の回転を適切に誘導・補助できる | 適切に誘導・補助できる | 誘導・補助が過剰，もしくは不足している | 全介助にて行う／誤った誘導・補助を行う／誘導・補助を行わない |
| | (9) 着座を適切に誘導・補助できる | 適切に誘導・補助できる | 誘導・補助が過剰，もしくは不足している | 全介助にて行う／誤った誘導・補助を行う／誘導・補助を行わない |
| | (10) 終了姿勢（座位姿勢）を確保できる | 安定した座位姿勢を確保できる | 転倒や転落のリスクはないが，姿勢修正が不十分 | 転倒や転落のリスクがある／安定した座位姿勢を確保しない |
| | (11) 課題を通して，受験者の視線・身構え，患者との距離を確保することで，常に患者の安全を確保できる | 課題を通して，受験者の視線・身構え，患者との距離を確保することで，常に患者の安全を確保できる | — | 課題を通して，1回でも受験者の視線・身構え，患者との距離を保つことができず患者の身体に危険を感じる対応である |
| | (12) 課題を通して，適宜，患者にフィードバックを行うことができる | 内容，タイミング，量が適切である | 2項目が適切である | 内容が不適切である／フィードバックがない／1項目が適切である／すべて適切でない |

ルーブリック 4-4

# 移乗（ベッドから車椅子，麻痺側回り）：介入

| 課題 | | 得点 | | |
|---|---|---|---|---|
| | | 2点 | 1点 | 0点 |
| 態度 | (1) ①適切な身なりで，②明瞭な挨拶（開始時・終了時），③自己紹介ができる | ①～③すべてできる | ①～③のうち2項目できる | 1項目できる／すべてできない |
| | (2) 2つの識別子で患者の確認ができる | 2つの識別子で患者の確認ができる | 1つの識別子で患者の確認ができる | 確認ができない |
| | (3) ①移乗動作の練習を行う旨を患者に伝え，②了承を得ることができる | ①，②どちらもできる | ①，②のどちらか一方のみできる | どちらもできない |
| | (4) 課題全般を通して，患者の様子（表情・姿勢・身体機能）や状況に応じた丁寧な対処（①声かけ・②触れ方・③動かし方）ができる | ①～③すべてできる | ①～③のうち2項目できる | 1項目できる／すべてできない |
| 技能 | (1) ①殿部の位置，②足部の位置を適切に調整できる | ①，②どちらもできる | ①，②のどちらか一方のみできる | どちらもできない |
| | (2) ①ベッドに対して殿部の移動が最短距離となる位置に車椅子を停止し，②ブレーキをかけることができる | ①，②どちらもできる | ①，②のどちらか一方のみできる | どちらもできない |
| | (3) ①ベッドの高さを調節し，②フットサポートから足部を下ろし，③アームサポートを跳ね上げ（または外し），④足底を接地するよう調整できる | ①～④すべてできる | ①～④のうち2～3項目できる | 1項目できる／すべてできない |
| | (4) ①殿部を前方に移動させ，殿部の回転角度が小さくなる適切な②位置，③向きに調整できる | ①～③すべてできる | ①～③のうち2項目できる | 1項目できる／すべてできない |
| | (5) 足部の①幅，②前後左右の位置，③向きを適切に調整できる | ①～③すべてできる | ①～③のうち2項目できる | 1項目できる／すべてできない |
| | (6) 非麻痺側の手の①位置，②向きを適切に調整できる | ①，②どちらもできる | ①，②のどちらか一方のみできる | どちらもできない |
| | (7) 骨盤・体幹の状態および重心位置を適切に誘導・補助できる | 適切に誘導・補助できる | 誘導・補助が過剰，もしくは不足している | 全介助にて行う／誤った誘導・補助を行う／誘導・補助を行わない |
| | (8) 重心の前方移動と離殿を適切に誘導・補助できる | 適切に誘導・補助できる | 誘導・補助が過剰，もしくは不足している | 全介助にて行う／誤った誘導・補助を行う／誘導・補助を行わない |
| | (9) 殿部の回転を適切に誘導・補助できる | 適切に誘導・補助できる | 誘導・補助が過剰，もしくは不足している | 全介助にて行う／誤った誘導・補助を行う／誘導・補助を行わない |
| | (10) 着座を適切に誘導・補助できる | 適切に誘導・補助できる | 誘導・補助が過剰，もしくは不足している | 全介助にて行う／誤った誘導・補助を行う／誘導・補助を行わない |
| | (11) 終了姿勢（座位姿勢）を確保できる | 安定した座位姿勢（骨盤の位置，深い着座位置，アームサポートの装着，下肢の位置）を確保できる | 転倒や転落のリスクはないが，姿勢修正が不十分 | 転倒や転落のリスクがある／安定した座位姿勢を確保しない |
| | (12) 課題を通して，受験者の視線・身構え，患者との距離を確保することで，常に患者の安全を確保できる | 課題を通して，受験者の視線・身構え，患者との距離を確保することで，常に患者の安全を確保できる | — | 課題を通して，1回でも受験者の視線・身構え，患者との距離を保つことができず患者の身体に危険を感じる対応である |
| | (13) 課題を通して，適宜，患者にフィードバックを行うことができる | 内容，タイミング，量が適切である | 2項目が適切である | 内容が不適切である／フィードバックがない／1項目が適切である／すべて適切でない |

ルーブリック 4-5

# 車椅子駆動：分析

| 課題 | | 得点 | | |
|---|---|---|---|---|
| | | 2点 | 1点 | 0点 |
| 態度 | (1) ①適切な身なりで，②明瞭な挨拶（開始時・終了時），③自己紹介ができる | ①〜③すべてできる | ①〜③のうち2項目できる | 1項目できる／すべてできない |
| | (2) 2つの識別子で患者の確認ができる | 2つの識別子で患者の確認ができる | 1つの識別子で患者の確認ができる | 確認ができない |
| | (3) ①車椅子駆動動作の観察を行う旨を患者に伝え，②了承を得ることができる | ①，②どちらもできる | ①のみできる | どちらもできない |
| | (4) 課題全般を通して，患者の様子（表情・姿勢・身体機能）や状況に応じた丁寧な対処（①声かけ・②触れ方・③動かし方）ができる | ①〜③すべてできる | ①〜③のうち2項目できる | 1項目できる／すべてできない |
| 技能 | (1) 患者が動作を始める前に採点者にリスク管理を依頼できる | 患者が動作を始める前に採点者にリスク管理を依頼できる | 患者が動作を始めてから採点者にリスク管理を依頼する | リスク管理を採点者に依頼しない |
| | (2) 矢状面，前額面を含めた適切な視点から，患者の動作を阻害しない距離で観察できる | 矢状面，前額面を含めた適切な視点から，患者の動作を阻害しない距離で観察できる | 視点を変えて観察できるが，矢状面，前額面のいずれかからの観察ができない | 矢状面，前額面ともに観察できない／1点からのみの観察となる／患者との距離が近く，動作を阻害する |
| | (3) 開始姿勢について観察できる | 開始姿勢について観察できる | 観察が不十分 | 観察が誤っている／観察ができない |
| | (4) 車椅子と患者の体型との適合状況について観察できる | 車椅子のシートの高さと幅，フットサポートの高さについて確認できる | 観察が不十分 | 観察が誤っている／観察ができない |
| | (5) 車椅子駆動前に，①車椅子走行路に障害物がないかを確認し，②コースを説明できる | ①，②どちらもできる | ①，②のどちらか一方のみできる | どちらもできない |
| | (6) 下肢駆動について観察できる | 下肢駆動について観察できる | 観察が不十分 | 観察が誤っている／観察ができない |
| | (7) 上肢駆動について観察できる | 上肢駆動について観察できる | 観察が不十分 | 観察が誤っている／観察ができない |
| | (8) 体幹・下肢・上肢の協調性について観察できる | 体幹・下肢・上肢の協調性について観察できる | 観察が不十分 | 観察が誤っている／観察ができない |
| | (9) 駆動中の座位姿勢について観察できる | 駆動中の座位姿勢について観察できる | 観察が不十分 | 観察が誤っている／観察ができない |
| | (10) 終了姿勢について観察できる | 終了姿勢について観察できる | 観察が不十分 | 観察が誤っている／観察ができない |
| | (11) 車椅子駆動動作について適切に分析できる | 車椅子駆動動作について分析できる | 分析が不十分 | 分析が誤っている／分析ができない |

ルーブリック 4-5

# 車椅子駆動：介入

| 課題 | | 得点 | | |
|---|---|---|---|---|
| | | 2点 | 1点 | 0点 |
| 態度 | (1) ①適切な身なりで，②明瞭な挨拶（開始時・終了時），③自己紹介ができる | ①～③すべてできる | ①～③のうち2項目できる | 1項目できる／すべてできない |
| | (2) 2つの識別子で患者の確認ができる | 2つの識別子で患者の確認ができる | 1つの識別子で患者の確認ができる | 確認ができない |
| | (3) ①車椅子駆動動作の練習を行う旨を患者に伝え，②了承を得ることができる | ①，②どちらもできる | ①のみできる | どちらもできない |
| | (4) 課題全般を通して，患者の様子（表情・姿勢・身体機能）や状況に応じた丁寧な対処（①声かけ・②触れ方・③動かし方）ができる | ①～③すべてできる | ①～③のうち2項目できる | 1項目できる／すべてできない |
| 技能 | (1) ①駆動開始前，②終了後の座位姿勢を確認する前に，ブレーキをかけることができる | ①，②どちらもできる | ①，②のどちらか一方のみできる | どちらもできない |
| | (2) 駆動開始前に，①体幹の位置を調整し，②殿部の位置を確認できる | ①，②どちらもできる | ①，②のどちらか一方のみできる | どちらもできない |
| | (3) 駆動開始前に，麻痺側下肢の位置を適切に調整できる | 駆動開始前に麻痺側下肢の位置を調整できる | 駆動開始後に麻痺側下肢の位置を調整できる | 誤った調整を行う／調整を行わない |
| | (4) 駆動開始前に，①車椅子走行路に障害物がないかを確認し，②コースを説明できる | ①，②どちらもできる | ①，②のどちらか一方のみできる | どちらもできない |
| | (5) ①膝関節を屈伸して車椅子を前後に動かすこと，②左右に足部を出して車椅子を左右に動かすことを適切に誘導・補助できる | ①，②どちらもできる | ①，②のどちらか一方のみできる | どちらもできない |
| | (6) 直進時，下肢を適切に誘導・補助できる | 非麻痺側下肢で進行方向をコントロールできるよう適切に誘導・補助できる | 誘導・補助ができるが，不十分 | 誘導・補助ができない |
| | (7) 右カーブ時，下肢を適切に誘導・補助できる | 非麻痺側下肢で進行方向をコントロールできるよう適切に誘導・補助できる | 誘導・補助ができるが，不十分 | 誘導・補助ができない |
| | (8) 左カーブ時，下肢を適切に誘導・補助できる | 非麻痺側下肢で進行方向をコントロールできるよう適切に誘導・補助できる | 誘導・補助ができるが，不十分 | 誘導・補助ができない |
| | (9) 直進，右カーブ，左カーブの順に行うことができる | 直進，右カーブ，左カーブの順に行うことができる | — | 順序に誤りがある |
| | (10) 駆動中，姿勢の崩れを適切に修正できる | 姿勢の崩れを適切に修正できる | 修正するが不十分 | 修正をしない |
| | (11) 終了姿勢（車椅子座位姿勢）を確保できる | 安定した座位姿勢を確保できる | 転倒や転落のリスクはないが，姿勢修正が不十分 | 転倒や転落のリスクがある／安定した座位姿勢を確保しない |
| | (12) 課題を通して，受験者の視線・身構え，患者との距離を確保することで，常に患者の安全を確保できる | 課題を通して，受験者の視線・身構え，患者との距離を確保することで，常に患者の安全を確保できる | — | 課題を通して，1回でも受験者の視線・身構え，患者との距離を保つことができず患者の身体に危険を感じる対応である |
| | (13) 課題を通して，適宜，患者にフィードバックを行うことができる | 内容，タイミング，量が適切である | 2項目が適切である | 内容が不適切である／フィードバックがない／1項目が適切である／すべて適切でない |

ルーブリック 4-6

# 歩行：分析

| 課題 | | 得点 | | |
|---|---|---|---|---|
| | | 2点 | 1点 | 0点 |
| 態度 | (1) ①適切な身なりで，②明瞭な挨拶（開始時・終了時），③自己紹介ができる | ①～③すべてできる | ①～③のうち2項目できる | 1項目できる／すべてできない |
| | (2) 2つの識別子で患者の確認ができる | 2つの識別子で患者の確認ができる | 1つの識別子で患者の確認ができる | 確認ができない |
| | (3) ①歩行動作の観察を行う旨を患者に伝え，②了承を得ることができる | ①，②どちらもできる | ①のみできる | どちらもできない |
| | (4) 課題全般を通して，患者の様子（表情・姿勢・身体機能）や状況に応じた丁寧な対処（①声かけ・②触れ方・③動かし方）ができる | ①～③すべてできる | ①～③のうち2項目できる | 1項目できる／すべてできない |
| 技能 | (1) 患者が動作を始める前に採点者にリスク管理を依頼できる | 患者が動作を始める前に採点者にリスク管理を依頼できる | 患者が動作を始めてから採点者にリスク管理を依頼する | リスク管理を採点者に依頼しない |
| | (2) ①10m歩行を計測するために必要な歩行路を確保し，②目標地点を患者に伝えることができる | ①，②どちらもできる | ①，②のどちらか一方のみできる | どちらもできない |
| | (3) 矢状面，前額面を含めた適切な視点から，患者の動作を阻害しない距離で観察できる | 矢状面，前額面を含めた適切な視点から，患者の動作を阻害しない距離で観察できる | 視点を変えて観察できるが，矢状面，前額面のいずれかからの観察ができない | 矢状面，前額面ともに観察できない／1点からのみの観察となる／患者との距離が近く，動作を阻害する |
| | (4) ①10m歩行時間，②歩数を正確（歩行時間は誤差1秒以内，歩数は誤差1歩以内）に計測し，報告できる | ①，②どちらも正確である | ①，②のどちらか一方のみ正確である | どちらも正確でない／どちらも計測しない |
| | (5) 開始姿勢（立位姿勢）について観察できる | 開始姿勢について観察できる | 観察が不十分 | 観察が誤っている／観察ができない |
| | (6) ①補助具，②装具の使用状況について観察できる | ①，②どちらもできる | ①，②のどちらか一方のみできる | どちらもできない |
| | (7) ①歩行様式，②自立度について観察できる | ①，②どちらもできる | ①，②のどちらか一方のみできる | どちらもできない |
| | (8) 立脚期，遊脚期の割合の大きさや歩幅の左右差について観察できる | 立脚期，遊脚期の割合の大きさや歩幅の左右差について観察できる | 観察が不十分 | 観察が誤っている／観察ができない |
| | (9) 1歩行周期を通してみられる姿勢の特徴や重心の偏位について観察できる | 1歩行周期を通してみられる姿勢の特徴や重心の偏位について観察できる | 観察が不十分 | 観察が誤っている／観察ができない |
| | (10) 麻痺側立脚期にみられる運動の特徴について観察できる | 麻痺側立脚期にみられる運動の特徴について観察できる | 観察が不十分 | 観察が誤っている／観察ができない |
| | (11) 麻痺側遊脚期にみられる運動の特徴について観察できる | 麻痺側遊脚期にみられる運動の特徴について観察できる | 観察が不十分 | 観察が誤っている／観察ができない |
| | (12) 歩行について適切に分析できる | 適切に分析できる | 分析できるが不十分 | 分析できるが不適切／分析ができない |
| | (13) 補装具の適応について説明できる | 補装具の適応について適切に判断し，説明できる | 説明できるが，判断が一部不適切 | 判断が誤っている／説明ができない |

ルーブリック 4-6

# 歩行：介入

| 課題 | | 得点 | | |
|---|---|---|---|---|
| | | 2点 | 1点 | 0点 |
| 態度 | (1) ①適切な身なりで，②明瞭な挨拶（開始時・終了時），③自己紹介ができる | ①～③すべてできる | ①～③のうち 2 項目できる | 1 項目できる／すべてできない |
| 態度 | (2) 2 つの識別子で患者の確認ができる | 2 つの識別子で患者の確認ができる | 1 つの識別子で患者の確認ができる | 確認ができない |
| 態度 | (3) ①歩行動作の練習を行う旨を患者に伝え，②了承を得ることができる | ①，②どちらもできる | ①のみできる | どちらもできない |
| 態度 | (4) 課題全般を通して，患者の様子（表情・姿勢・身体機能）や状況に応じた丁寧な対処（①声かけ・②触れ方・③動かし方）ができる | ①～③すべてできる | ①～③のうち 2 項目できる | 1 項目できる／すべてできない |
| 技能 | (1) ① 10 m 歩行路を確保し，②目標地点を患者に伝えることができる | ①，②どちらもできる | ①，②のどちらか一方のみできる | どちらもできない |
| 技能 | (2) ①患者に直立位をとらせ，②誘導・補助しやすい姿勢をとることができる | ①，②どちらもできる | ①，②のどちらか一方のみできる | どちらもできない |
| 技能 | (3) ①立位で左右へ適切な幅・リズムで随意的な重心移動を行わせ，②重心移動能力と麻痺側下肢の機能を確認できる | ①，②どちらもできる | ①，②のどちらか一方のみできる | どちらもできない |
| 技能 | (4) 歩行開始の際，前方を向かせ，非麻痺側下肢から降り出すよう指示できる | 非麻痺側下肢から振り出すよう指示できる | 麻痺側下肢から振り出すよう指示する | 指示ができない |
| 技能 | (5) 歩行中，適切な①タイミング，②方向，③量で重心移動を誘導・補助できる | ①～③すべてできる | ①～③のうち 2 項目できる | 1 項目できる／すべてできない |
| 技能 | (6) 麻痺側立脚に際して，①骨盤の後方移動の抑制と股関節伸展を，②タイミングよく誘導・補助できる | ①，②どちらもできる | ①，②のどちらか一方のみできる | どちらもできない |
| 技能 | (7) ①体幹が直立位を維持できるよう適切に誘導・補助し，②誘導・補助の量を調整できる | ①，②どちらもできる | ①，②のどちらか一方のみできる | どちらもできない |
| 技能 | (8) 麻痺側遊脚に際して，①麻痺側股関節・膝関節の屈曲を伴う振り出しを，②タイミングよく誘導・補助できる | ①，②どちらもできる | ①，②のどちらか一方のみできる | どちらもできない |
| 技能 | (9) 患者を一定の①順序，②リズムで歩かせることができる | ①，②どちらもできる | ①，②のどちらか一方のみできる | どちらもできない |
| 技能 | (10) ①歩行周期，②歩隔，③歩幅を患者に合わせながら誘導・補助できる | ①～③すべてできる | ①～③のうち 2 項目できる | 1 項目できる／すべてできない |
| 技能 | (11) 着座するための①方向転換を指示し，②誘導・補助できる | ①，②どちらもできる | ①，②のどちらか一方のみできる | どちらもできない |
| 技能 | (12) 終了姿勢（座位姿勢）を確保できる | 安定した座位姿勢を確保できる | 転倒や転落のリスクはないが，姿勢修正が不十分 | 転倒や転落のリスクがある／安定した座位姿勢を確保しない |
| 技能 | (13) 課題を通して，受験者の視線・身構え，患者との距離を確保することで，常に患者の安全を確保できる | 課題を通して，受験者の視線・身構え，患者との距離を確保することで，常に患者の安全を確保できる | — | 課題を通して，1 回でも受験者の視線・身構え，患者との距離を保つことができず患者の身体に危険を感じる対応である |
| 技能 | (14) 課題を通して，適宜，患者にフィードバックを行うことができる | 内容，タイミング，量が適切である | 2 項目が適切である | 内容が不適切である／フィードバックがない／1 項目が適切である／すべて適切でない |

注）歩行中，繰り返し実施される誘導・補助の項目については，実施回数の半数以上が適切であった場合，「できる」あるいは「適切である」と判定する

# スプーン操作：分析

| | 課題 | 得点 | | |
|---|---|---|---|---|
| | | 2点 | 1点 | 0点 |
| 態度 | (1) ①適切な身なりで，②明瞭な挨拶（開始時・終了時），③自己紹介ができる | ①～③すべてできる | ①～③のうち2項目できる | 1項目できる／すべてできない |
| | (2) 2つの識別子で患者の確認ができる | 2つの識別子で患者の確認ができる | 1つの識別子で患者の確認ができる | 確認ができない |
| | (3) ①スプーン操作の観察を行う旨を患者に伝え，②了承を得ることができる | ①，②どちらもできる | ①のみできる | どちらもできない |
| | (4) 課題全般を通して，患者の様子（表情・姿勢・身体機能）や状況に応じた丁寧な対処（①声かけ・②触れ方・③動かし方）ができる | ①～③すべてできる | ①～③のうち2項目できる | 1項目できる／すべてできない |
| 技能 | (1) 患者が動作を始める前に採点者にリスク管理を依頼できる | 患者が動作を始める前に採点者にリスク管理を依頼できる | 患者が動作を始めてから採点者にリスク管理を依頼する | リスク管理を採点者に依頼しない |
| | (2) 矢状面，前額面を含めた適切な視点から，患者の動作を阻害しない距離で観察できる | 矢状面，前額面を含めた適切な視点から，患者の動作を阻害しない距離で観察できる | 視点を変えて観察できるが，矢状面，前額面のいずれかからの観察ができない | 矢状面，前額面ともに観察できない／1点からのみの観察となる／患者との距離が近く，動作を阻害する |
| | (3) ①机の高さ，②机と身体の距離，③器の配置を観察できる | ①～③すべて観察できる | ①～③のうち2項目観察できる | 1項目できる／すべてできない |
| | (4) ①下部体幹がバックサポートに接触し安定していること，②足底が接地していること，③麻痺側上肢がクッションなどで支えられていることを観察できる | ①～③すべて観察できる | ①～③のうち2項目観察できる | 1項目できる／すべてできない |
| | (5) スプーン把持について観察できる | スプーン把持について観察できる | 観察が不十分 | 観察が誤っている／観察ができない |
| | (6) おはじきへのリーチ動作について観察できる | おはじきへのリーチについて観察できる | 観察が不十分 | 観察が誤っている／観察ができない |
| | (7) 挿し込む動作について観察できる | 挿し込む動作について観察できる | 観察が不十分 | 観察が誤っている／観察ができない |
| | (8) すくい上げる動作について観察できる | すくい上げる動作について観察できる | 観察が不十分 | 観察が誤っている／観察ができない |
| | (9) 口に運ぶ動作について観察できる | 口に運ぶ動作について観察できる | 観察が不十分 | 観察が誤っている／観察ができない |
| | (10) スプーン操作中の麻痺側上肢について観察できる | 麻痺側上肢を観察できる | 観察が不十分 | 観察が誤っている／観察ができない |
| | (11) 終了姿勢（座位姿勢）について観察できる | 終了姿勢（座位姿勢）について観察できる | 観察が不十分 | 観察が誤っている／観察ができない |
| | (12) スプーン操作中の麻痺側上肢について観察できる | スプーン操作中の麻痺側上肢について観察できる | 観察が不十分 | 観察が誤っている／観察できない |
| | (13) スプーン操作について分析できる | スプーン操作について分析できる | 分析が不十分 | 分析が誤っている／分析ができない |

ルーブリック 4-7

# スプーン操作：介入

| 課題 | | 得点 | | |
|---|---|---|---|---|
| | | 2点 | 1点 | 0点 |
| 態度 | (1) ①適切な身なりで，②明瞭な挨拶（開始時・終了時），③自己紹介ができる | ①～③すべてできる | ①～③のうち2項目できる | 1項目できる／すべてできない |
| | (2) 2つの識別子で患者の確認ができる | 2つの識別子で患者の確認ができる | 1つの識別子で患者の確認ができる | 確認ができない |
| | (3) ①スプーン操作の練習を行う旨を患者に伝え，②了承を得ることができる | ①，②どちらもできる | ①のみできる | どちらもできない |
| | (4) 課題全般を通して，患者の様子（表情・姿勢・身体機能）や状況に応じた丁寧な対処（①声かけ・②触れ方・③動かし方）ができる | ①～③すべてできる | ①～③のうち2項目できる | 1項目できる／すべてできない |
| 技能 | (1) ①机の高さ，②机と身体の距離，③器の配置を確認し，必要に応じて調整できる | ①～③すべてできる | ①～③のうち2項目できる | 1項目できる／すべてできない |
| | (2) ①下部体幹がバックサポートに接触し，②足底接地し，③麻痺側上肢をクッションなどで支持するよう調整できる | ①～③すべてできる | ①～③のうち2項目できる | 1項目できる／すべてできない |
| | (3) スプーンの把持と動かし方を適切に誘導・補助できる | 適切な誘導・補助を行うことができる | 誘導・補助が過剰，もしくは不足している | 全介助にて行う／誤った誘導・補助を行う／誘導・補助を行わない |
| | (4) 適切に器を配置できる | 器を適切に配置できる | 器の配置が一部不適切 | 器の配置がすべて不適切 |
| | (5) スプーンを器の内壁に沿わせて動かすよう適切に誘導・補助できる | 適切な誘導・補助を行うことができる | 誘導・補助が過剰，もしくは不足している | 全介助にて行う／誤った誘導・補助を行う／誘導・補助を行わない |
| | (6) すくい上げる動作を適切に誘導・補助できる | 適切な誘導・補助を行うことができる | 誘導・補助が過剰，もしくは不足している | 全介助にて行う／誤った誘導・補助を行う／誘導・補助を行わない |
| | (7) すくって口元へ運ぶまでの一連の動作を適切に誘導・補助できる | 適切な誘導・補助を行うことができる | 誘導・補助が過剰，もしくは不足している | 全介助にて行う／誤った誘導・補助を行う／誘導・補助を行わない |
| | (8) 課題を通して，受験者の視線・身構え，患者との距離を確保することで，常に患者の安全を確保できる | 課題を通じて，常に患者の安全を確保する姿勢で受験者の姿勢・身構え，患者との距離を保つことができる | — | 課題を通じて，1回でも受験者の視線・身構え，患者との距離を保つことができず患者の身体に危険を感じる対応である |
| | (9) 課題を通して，適宜，患者にフィードバックを行うことができる | 内容，タイミング，量が適切である | 2項目が適切である | 内容が不適切である／フィードバックがない／1項目が適切である／すべて適切でない |

ルーブリック 4-8

# 更衣（上衣）：分析

| 課題 | | 得点 | | |
|---|---|---|---|---|
| | | 2点 | 1点 | 0点 |
| 態度 | (1) ①適切な身なりで，②明瞭な挨拶（開始時・終了時），③自己紹介ができる | ①～③すべてできる | ①～③のうち2項目できる | 1項目できる／すべてできない |
| | (2) 2つの識別子で患者の確認ができる | 2つの識別子で患者の確認ができる | 1つの識別子で患者の確認ができる | 確認ができない |
| | (3) ①着衣動作の観察を行う旨を患者に伝え，②了承を得ることができる | ①，②どちらもできる | ①のみできる | どちらもできない |
| | (4) 課題全般を通して，患者の様子（表情・姿勢・身体機能）や状況に応じた丁寧な対処（①声かけ・②触れ方・③動かし方）ができる | ①～③すべてできる | ①～③のうち2項目できる | 1項目できる／すべてできない |
| 技能 | (1) 患者が動作を始める前に採点者にリスク管理を依頼できる | 患者が動作を始める前に採点者にリスク管理を依頼できる | 患者が動作を始めてから採点者にリスク管理を依頼する | リスク管理を採点者に依頼しない |
| | (2) 矢状面，前額面を含めた適切な視点から，患者の動作を阻害しない距離で観察できる | 矢状面，前額面を含めた適切な視点から，患者の動作を阻害しない距離で観察できる | 視点を変えて観察できるが，矢状面，前額面のいずれかからの観察ができない | 矢状面，前額面ともに観察できない／1点からのみの観察となる／患者との距離が近く，動作を阻害する |
| | (3) ベッドの高さについて観察できる | ベッドの高さについて観察できる | — | 観察が誤っている／観察ができない |
| | (4) 開始姿勢（座位姿勢：①殿部の位置，②骨盤の状態，③体の偏位，④下肢の開き幅）について観察できる | ①～④すべて観察できる | ①～④のうち2～3項目観察できる | 1項目できる／すべてできない |
| | (5) ①服を大腿の上に広げ，②服の形態を把握しているかを観察できる | ①，②どちらも観察できる | ①，②のどちらか一方のみ観察できる | どちらも観察できない |
| | (6) 麻痺側の手を袖に通す際の，①骨盤の状態，②体幹の動きについて観察できる | ①，②どちらも観察できる | ①，②のどちらか一方のみ観察できる | どちらも観察できない |
| | (7) 麻痺側の袖を上腕まで引き上げる際の，①骨盤の状態，②上部体幹屈曲と非麻痺側回旋，③引き上げる範囲について観察できる | ①～③すべて観察できる | ①～③のうち2項目観察できる | 1項目できる／すべてできない |
| | (8) 襟ぐりに頭部を近づける際の，①骨盤の状態，②上部体幹屈曲と非麻痺側回旋，③頸部屈曲について観察できる | ①～③すべて観察できる | ①～③のうち2項目観察できる | 1項目できる／すべてできない |
| | (9) 頭部を通す際の，①上部体幹伸展・麻痺側回旋，②頭を通すタイミングについて観察できる | ①，②どちらも観察できる | ①，②のどちらか一方のみ観察できる | どちらも観察できない |
| | (10) ①服を下に下ろす際の骨盤の動き，②左右の重心移動，③終了時の衣類の状態について観察できる | ①～③すべて観察できる | ①～③のうち2項目観察できる | 1項目できる／すべてできない |
| | (11) 着衣動作において，①服を体に沿うように扱っていたか，②張りを作っていたか，③把持の仕方について観察できる | ①～③すべて観察できる | ①～③のうち2項目観察できる | 1項目できる／すべてできない |
| | (12) 着衣動作について分析できる | 分析できる | 分析できるが不十分 | 分析が誤っている／分析ができない |

# 更衣（上衣）：介入

| | 課題 | 得点 | | |
|---|---|---|---|---|
| | | 2点 | 1点 | 0点 |
| 態度 | (1) ①適切な身なりで，②明瞭な挨拶（開始時・終了時），③自己紹介ができる | ①～③すべてできる | ①～③のうち2項目できる | 1項目できる／すべてできない |
| | (2) 2つの識別子で患者の確認ができる | 2つの識別子で患者の確認ができる | 1つの識別子で患者の確認ができる | 確認ができない |
| | (3) ①着衣動作の練習を行う旨を患者に伝え，②了承を得ることができる | ①，②どちらもできる | ①のみできる | どちらもできない |
| | (4) 課題全般を通して，患者の様子（表情・姿勢・身体機能）や状況に応じた丁寧な対処（①声かけ・②触れ方・③動かし方）ができる | ①～③すべてできる | ①～③のうち2項目できる | 1項目できる／すべてできない |
| 技能 | (1) ①座位姿勢を適切に調整し，②患者の麻痺側に座ることができる | ①，②どちらもできる | ①，②のどちらか一方のみできる | どちらもできない |
| | (2) 患者のもっている機能を活用できるよう適切に準備できる | 適切に準備できる | 準備するが不十分 | 準備をしない |
| | (3) 患者が麻痺側の袖に手首を通すまでの過程で，骨盤と上部体幹の動きを適切に誘導・補助できる | 適切に誘導・補助できる | 誘導・補助が過剰，もしくは不足している | 全介助にて行う／誤った誘導・補助を行う／誘導・補助を行わない |
| | (4) 非麻痺側の手で服の裾から襟ぐりまでひとつかみにする動作を適切に誘導・補助できる | 適切に誘導・補助できる | 誘導・補助が過剰，もしくは不足している | 全介助にて行う／誤った誘導・補助を行う／誘導・補助を行わない |
| | (5) 非麻痺側の手で上肢に沿って上腕まで袖を引き上げる動作を適切に誘導・補助できる | 適切に誘導・補助できる | 誘導・補助が過剰，もしくは不足している | 全介助にて行う／誤った誘導・補助を行う／誘導・補助を行わない |
| | (6) 上部体幹を非麻痺側へ屈曲回旋し，上腕まで袖を引き上げる動作を適切に誘導・補助できる | 適切に誘導・補助できる | 誘導・補助が過剰，もしくは不足している | 全介助にて行う／誤った誘導・補助を行う／誘導・補助を行わない |
| | (7) 頭部を襟ぐりに近づける際，重心の非麻痺側移動，頸部屈曲，骨盤後傾と上部体幹屈曲を適切に誘導・補助できる | 適切に誘導・補助できる | 誘導・補助が過剰，もしくは不足している | 全介助にて行う／誤った誘導・補助を行う／誘導・補助を行わない |
| | (8) 頭部を通す際，骨盤直立と上部体幹伸展・麻痺側回旋の動きとタイミングを適切に誘導・補助できる | 適切に誘導・補助できる | 誘導・補助が過剰，もしくは不足している | 全介助にて行う／誤った誘導・補助を行う／誘導・補助を行わない |
| | (9) 裾を下ろし，服を整える動作を適切に誘導・補助できる | 適切に誘導・補助できる | 誘導・補助が過剰，もしくは不足している | 全介助にて行う／誤った誘導・補助を行う／誘導・補助を行わない |
| | (10) 課題を通して，受験者の視線・身構え，患者との距離を確保することで，常に患者の安全を確保できる | 課題を通して，受験者の視線・身構え，患者との距離を確保することで，常に患者の安全を確保できる | — | 課題を通して，1回でも受験者の視線・身構え，患者との距離を保つことができず患者の身体に危険を感じる対応である |
| | (11) 課題を通して，適宜，患者にフィードバックを行うことができる | 内容，タイミング，量が適切である | 2項目が適切である | 内容が不適切である／フィードバックがない／1項目が適切である／すべて適切でない |

ルーブリック 4-9

# 更衣（下衣）：分析

| 課題 | | 得点 | | |
|---|---|---|---|---|
| | | 2点 | 1点 | 0点 |
| 態度 | (1) ①適切な身なりで，②明瞭な挨拶（開始時・終了時），③自己紹介ができる | ①〜③すべてできる | ①〜③のうち2項目できる | 1項目できる／すべてできない |
| | (2) 2つの識別子で患者の確認ができる | 2つの識別子で患者の確認ができる | 1つの識別子で患者の確認ができる | 確認ができない |
| | (3) ①着衣動作の観察を行う旨を患者に伝え，②了承を得ることができる | ①，②どちらもできる | ①のみできる | どちらもできない |
| | (4) 課題全般を通して，患者の様子（表情・姿勢・身体機能）や状況に応じた丁寧な対処（①声かけ・②触れ方・③動かし方）ができる | ①〜③すべてできる | ①〜③のうち2項目できる | 1項目できる／すべてできない |
| 技能 | (1) 患者が動作を始める前に採点者にリスク管理を依頼できる | 患者が動作を始める前に採点者にリスク管理を依頼できる | 患者が動作を始めてから採点者にリスク管理を依頼する | リスク管理を採点者に依頼しない |
| | (2) 矢状面，前額面を含めた適切な視点から，患者の動作を阻害しない距離で観察できる | 矢状面，前額面を含めた適切な視点から，患者の動作を阻害しない距離で観察できる | 視点を変えて観察できるが，矢状面，前額面のいずれかからの観察ができない | 矢状面，前額面ともに観察できない／1点からのみの観察となる／患者との距離が近く，動作を阻害する |
| | (3) ①ベッドの高さ，②ベッド柵の固定具合について確認できる | ①，②どちらも観察できる | ①，②のどちらか一方のみ観察できる | どちらも観察できない |
| | (4) 開始姿勢（座位姿勢）について観察できる | 開始姿勢（座位姿勢）について観察できる | 観察が不十分 | 観察が誤っている／観察ができない |
| | (5) ①ズボンの形態の確認，②ズボンを置く位置，③向き，④広げ方について観察できる | ①〜④すべて観察できる | ①〜④のうち2〜3項目観察できる | 1項目できる／すべてできない |
| | (6) 麻痺側下肢を持ち上げる際の，①骨盤と体幹の状態，②下肢の状態，③共同運動パターンの出現について観察できる | ①〜③すべて観察できる | ①〜③のうち2項目観察できる | 1項目できる／すべてできない |
| | (7) 麻痺側下肢をズボンに通す際の，①骨盤と体幹の状態，②非麻痺側の手で把持する場所，③引き上げる範囲について観察できる | ①〜③すべて観察できる | ①〜③のうち2項目観察できる | 1項目できる／すべてできない |
| | (8) 非麻痺側下肢をズボンに通す際の，①骨盤と体幹の状態，②下肢の状態，③共同運動パターンについて観察できる | ①〜③すべて観察できる | ①〜③のうち2項目観察できる | 1項目できる／すべてできない |
| | (9) 座位姿勢でのウエスト部分の引き上げについて観察できる | 座位姿勢でのウエスト部分の引き上げについて観察できる | 観察が不十分 | 観察が誤っている／観察ができない |
| | (10) 起立動作について観察できる | 起立動作について観察できる | 観察が不十分 | 観察が誤っている／観察ができない |
| | (11) 立位での，①ズボンを引き上げる範囲，②重心の位置について観察できる | ①，②どちらも観察できる | ①，②のどちらか一方のみ観察できる | どちらも観察できない |
| | (12) 着座動作について観察できる | 着座動作について観察できる | 観察が不十分 | 観察が誤っている／観察ができない |
| | (13) 終了姿勢（座位姿勢）について観察できる | 終了姿勢（座位姿勢）について観察できる | 観察が不十分 | 観察が誤っている／観察ができない |
| | (14) 着衣動作について分析できる | 分析できる | 分析できるが不十分 | 分析が誤っている／分析ができない |

# 更衣（下衣）：介入

| | 課題 | 得点 | | |
|---|---|---|---|---|
| | | 2点 | 1点 | 0点 |
| 態度 | (1) ①適切な身なりで，②明瞭な挨拶（開始時・終了時），③自己紹介ができる | ①～③すべてできる | ①～③のうち2項目できる | 1項目できる／すべてできない |
| | (2) 2つの識別子で患者の確認ができる | 2つの識別子で患者の確認ができる | 1つの識別子で患者の確認ができる | 確認ができない |
| | (3) ①着衣動作の練習を行う旨を患者に伝え，②了承を得ることができる | ①，②どちらもできる | ①のみできる | どちらもできない |
| | (4) 課題全般を通して，患者の様子（表情・姿勢・身体機能）や状況に応じた丁寧な対処（①声かけ・②触れ方・③動かし方）ができる | ①～③すべてできる | ①～③のうち2項目できる | 1項目できる／すべてできない |
| 技能 | (1) ①座位姿勢を適切に調整し，②患者の麻痺側に座ることができる | ①，②どちらもできる | ①，②のどちらか一方のみできる | どちらもできない |
| | (2) ①適切にベッドの高さを調整し，②ベッド柵の固定具合を確認できる | ①，②どちらもできる | ①，②のどちらか一方のみできる | どちらもできない |
| | (3) 患者のもっている機能を活用できるよう，適切に準備を行うことができる | 適切に準備を行うことができる | 準備を行うが不十分 | 準備を行わない |
| | (4) 麻痺側下肢を非麻痺側下肢の上に組む動作を適切に誘導・補助できる | 2点：適切に誘導・補助できる | 誘導・補助が過剰，もしくは不足している | 全介助にて行う／誤った誘導・補助を行う／誘導・補助を行わない |
| | (5) 麻痺側下肢をズボンに通す動作を適切に誘導・補助できる | 適切に誘導・補助できる | 誘導・補助が過剰，もしくは不足している | 全介助にて行う／誤った誘導・補助を行う／誘導・補助を行わない |
| | (6) 麻痺側下肢を床に下ろす動作を適切に誘導・補助できる | 適切に誘導・補助できる | 誘導・補助が過剰，もしくは不足している | 全介助にて行う／誤った誘導・補助を行う／誘導・補助を行わない |
| | (7) 非麻痺側下肢をズボンに通す動作を適切に誘導・補助できる | 適切に誘導・補助できる | 誘導・補助が過剰，もしくは不足している | 全介助にて行う／誤った誘導・補助を行う／誘導・補助を行わない |
| | (8) 座位姿勢でズボンのウエスト部分を大腿まで十分に引き上げる動作を適切に誘導・補助できる | 適切に誘導・補助できる | 誘導・補助が過剰，もしくは不足している | 全介助にて行う／誤った誘導・補助を行う／誘導・補助を行わない |
| | (9) ①起立動作，②着座動作を適切に誘導・補助できる | ①，②どちらも誘導・補助できる | ①，②のどちらか一方のみ誘導・補助できる | どちらも誘導・補助できない |
| | (10) 立位姿勢での体幹・骨盤回旋を適切に誘導・補助できる | 適切に誘導・補助できる | 誘導・補助が過剰，もしくは不足している | 全介助にて行う／誤った誘導・補助を行う／誘導・補助を行わない |
| | (11) ズボンを引き上げるスピードを適切に誘導・補助できる | 適切に誘導・補助できる | 誘導・補助が過剰，もしくは不足している | 全介助にて行う／誤った誘導・補助を行う／誘導・補助を行わない |
| | (12) 課題を通して，受験者の視線・身構え，患者との距離を確保することで，常に患者の安全を確保できる | 課題を通して，受験者の視線・身構え，患者との距離を確保することで，常に患者の安全を確保できる | — | 課題を通して，1回でも受験者の視線・身構え，患者との距離を保つことができず患者の身体に危険を感じる対応である |
| | (13) 課題を通して，適宜，患者にフィードバックを行うことができる | 内容，タイミング，量が適切である | 2項目が適切である | 内容が不適切である／フィードバックがない／1項目が適切である／すべて適切でない |

# 索引

## 和文

**PT・OTのための臨床技能とOSCE**
**機能障害・能力低下への介入編 第2版［Web動画付］**

2017年 9月30日　第1版発行
2022年 4月20日　第2版第1刷発行
2025年 1月20日　　　　第4刷発行

監　修　才藤栄一(さいとうえいいち)
編　集　金田嘉清(かなだよしきよ)・冨田昌夫(とみたまさお)・大塚　圭(おおつかけい)・鈴木由佳理(すずきゆかり)・谷川広樹(たにかわひろき)・吉田太樹(よしだたいき)・前田晃子(まえだあきこ)・鈴木めぐみ(すずき)・松田文浩(まつだふみひろ)・藤村健太(ふじむらけんた)・土山和人(つちやまかずひろ)・櫻井宏明(さくらいひろあき)

発行者　福村直樹
発行所　金原出版株式会社
〒113-0034 東京都文京区湯島 2-31-14
電話　編集(03)3811-7162
　　　営業(03)3811-7184
FAX　(03)3813-0288
振替口座　00120-4-151494
http://www.kanehara-shuppan.co.jp/



ISBN 978-4-307-75067-7
印刷・製本／教文堂